SÉRIE COMENTÁRIOS BÍBLICOS

JOÃO CALVINO

Tradução: Valter Graciano Martins

Vol. 4

C168s Calvin, Jean, 1509-1564
Salmos / João Calvino ; tradução: Valter Graciano
Martins. – 2. reimpr. – São José dos Campos, SP: Fiel,
2018.
4 v. – (Comentários bíblicos)
Tradução de: Calvin's commentaries: commentary on
the book of Psalms.
Inclui referências bibliográficas.
ISBN 9788599145708 (v.1)
9788599145944 (v.2)
9788581320113 (v.3)
9788599145494 (v.4)
1. Bíblia. A.T. Salmos - Comentários. I. Martins,
Valter Graciano. II. Título. III. Comentários bíblicos
(Fiel).

CDD: 223.207

Catalogação na publicação: Mariana C. de Melo Pedrosa – CRB07/6477

Salmos Volume 4 - Série Comentários
Bíblicos João Calvino
Título do Original: Calvin's Commentaries:
Commentary on the book of Psalms by
John Calvin
Edição baseada na tradução inglesa de
James Anderson, publicada por Baker Book
House, Grand Rapids, MI, USA, 1998.

■

Copyright © 2009 Editora Fiel
Primeira Edição em Português

■

Todos os direitos em língua portuguesa
reservados por Editora Fiel da Missão
Evangélica Literária

PROIBIDA A REPRODUÇÃO DESTE LIVRO POR
QUAISQUER MEIOS, SEM A PERMISSÃO ESCRITA
DOS EDITORES, SALVO EM BREVES CITAÇÕES,
COM INDICAÇÃO DA FONTE.

A versão bíblica utilizada nesta obra
é uma variação da tradução feita por
João Calvino

■

Diretor: Tiago J. Santos Filho
Editor: Tiago J. Santos Filho
Editor da Série João Calvino: Franklin Ferreira
Revisor: Francisco Wellington Ferreira
e Franklin Ferreira
Tradução: Valter Graciano Martins
Capa: Edvanio Silva
Diagramação: Wirley Corrêa - Layout
Direção de arte: Rick Denham
ISBN: 978-85-99145-49-4

Caixa Postal 1601
CEP: 12230-971
São José dos Campos, SP
PABX: (12) 3919-9999
www.editorafiel.com.br

Sumário

Prefácio à Edição em Português 7
Salmos 107 13
Salmos 108 35
Salmos 109 36
Salmos 110 63
Salmos 111 78
Salmos 112 88
Salmos 113 99
Salmos 114 105
Salmos 115 110
Salmos 116 129
Salmos 117 145
Salmos 118 147
Salmos 119 169
Salmos 120 318
Salmos 121 328
Salmos 122 335
Salmos 123 346
Salmos 124 351
Salmos 125 357
Salmos 126 364
Salmos 127 373
Salmos 128 383
Salmos 129 390

Salmos 130 398

Salmos 131 410

Salmos 132 415

Salmos 133 435

Salmos 134 440

Salmos 135 443

Salmos 136 455

Salmos 137 463

Salmos 138 473

Salmos 139 482

Salmos 140 501

Salmos 141 510

Salmos 142 521

Salmos 143 525

Salmos 144 537

Salmos 145 550

Salmos 146 564

Salmos 147 572

Salmos 148 584

Salmos 149 592

Salmos 150 600

Tabela das passagens dos Salmos
citadas no Novo Testamento 604

Lista dos temas particulares
de cada Salmo segundo a
interpretação de Calvino 605

Prefácio à Edição em Português

Ainda muitos livros serão escritos procurando entender todas as dimensões sobre as quais a Reforma Protestante deixou o seu legado e as mudanças que causou para a história da humanidade. Para que esta reforma acontecesse, vários pequenos e grandes movimentos foram postos em curso pelo Senhor da história. Um destes movimentos deu-se na área da interpretação das Escrituras, que foi libertada da interpretação alegórica e da força da tradição da igreja da Idade Média. Grandes intérpretes foram levantados por Deus e capacitados com várias sortes de dons e talentos para que um grande salto pudesse ser dado na história da interpretação. Neste contexto é que aparecem os comentários de João Calvino, um grande teólogo, pastor, lingüista, intérprete e comentarista do seu tempo.

Uma das fortes características do movimento reformado foi a busca do sentido literal, gramático e histórico do texto da Bíblia, e, neste sentido, João Calvino foi reconhecido como o "Rei dos Comentaristas".[1] Há muitos aspectos introduzidos nos comentários de

---

1 Schaff, Phillip. "Calvin as a Commentator" em *The Presbyterian and Reformed Review* (3:11,

Calvino que são praticamente desconhecidos para a sua época. Isto não significa, é claro, que Calvino interpretou de forma absolutamente independente. Como acadêmico, ele buscou as fontes disponíveis em seu tempo e trabalhou seus comentários de forma contextualizada, comparando sua interpretação com os escritos dos rabinos, dos Pais da Igreja e comentários de seus contemporâneos. É bem verdade que o período da Reforma foi um de florescimento do interesse sobre as línguas originais e do texto da Escritura, o que gerou uma grande quantidade de comentários. Calvino tirou toda a vantagem deste ambiente para desenvolver o conhecimento do grego e do hebraico e aplicá-los na interpretação. Com estas ferramentas Calvino destaca-se no século XVI por sua originalidade, profundidade e valor permanente dos seus escritos. Não são muitos os textos e comentários que sobrevivem ao tempo de seu autor e aqui estamos nós, quatro séculos e meio depois, dispensando grande energia e recursos, para que esta obra se faça disponível para os leitores de língua portuguesa.

A obra magna de Calvino, *As Institutas da Religião Cristã*, já demonstrou ao longo dos séculos a sua importância e relevância como teólogo. Aos poucos, os comentários de Calvino publicados nesta série vão descortinando o pastor e intérprete. Cabe dar conhecimento ao leitor sobre a forma como nasceram estes comentários. Tendo sido pastor durante duas décadas e meia em Genebra, Calvino adotou como forma de pregação o método de exposição consecutiva das Escrituras. Ele começava suas séries de pregação no primeiro verso do primeiro capítulo de um livro e caminhava até o último verso do último capítulo. Normalmente, quando terminava um livro, começava o próximo. Tendo feito a devida preparação em oração, subia ao púlpito portando apenas o texto hebraico ou grego e pregava extemporaneamente. Assim, produziu milhares de sermões, dos quais cerca de pouco mais de dois mil foram preservados e muitos ainda carecem de publicação. Estes foram compilados *ipsissima verba*, durante 11 anos, por

---

1892), p. 462: "Se Lutero foi o rei dos tradutores, Calvino foi o rei do comentaristas"

um homem chamado Denis Raguenier, pago para tal pelo serviço de diaconia da igreja de Genebra.² Os comentários, escritos posteriormente, eram baseados em suas exposições para a congregação, fossem sermões, aulas ou palestras. Logo, a pregação e o ensino de Calvino à congregação serviam como o elemento fomentador de seus comentários, onde sua alma de pastor transparece com grande clareza. Não é incomum encontrar as belas orações de Calvino ao fim de algumas de suas exposições, deixando a todos face a face com Deus.³ Na verdade, um motivador específico para a publicação dos comentários de Calvino era o seu temor de que suas pregações e palestras viessem a ser publicadas contra a sua vontade. Para que não viesse a acontecer, debruçou-se para completar os comentários que viriam a ser publicados conforme a sua vontade (cf. vol. 1, p. 32).

Os comentários de Calvino cobrem pelo menos setenta e cinco por cento dos livros do Antigo Testamento e sabe-se que alguns deles foram escritos concomitantemente à pregação, entre eles o comentário em Salmos. Já na dedicatória, "Aos leitores piedosos e sinceros", Calvino afirma que sua decisão final de escrever este comentário específico se deu em função dos "apelos dos meus irmãos", o que até então ele julgava desnecessário em função do comentário de Salmos de seu contemporâneo, Martin Bucer.

Ao contrário da imagem rígida transmitida pelas gravuras que retratam a face de Calvino, somada à densidade das *Institutas* e as asseverações contundentes contra as heresias de todas as espécies e, especialmente o catolicismo romano,⁴ encontramos no comentário de Salmos de Calvino

---
2 Olson, Jeannine. Calvin and Social Welfare: Deacons and the bourse française. Selinsgrove, PA, EUA: Susquehanna University Press, 1989, p. 47.
3 Além das orações mantidas em seus sermões, como parte da própria exposição, muitas orações estão também em seus comentários.
4 Em Salmos, vol. 1, p. 39, Calvino revela a sua motivação em publicar as *Institutas da Religião Cristã*: "Meu objetivo era, antes de tudo, provar que tais notícias eram falsas e caluniosas, e assim defender meus irmãos, cuja morte era preciosa aos olhos do Senhor; e meu próximo objetivo visava a que, como as mesmas crueldades poderiam muito em breve ser praticadas contra muitas pessoas infelizes e indefesas, as nações estrangeiras fossem sensibilizadas, pelo menos, com um mínimo de compaixão e solicitude para com elas."

a face e voz de um homem que compreende profundamente os sentimentos da alma. Ele mesmo afirma na introdução aos Salmos que denomina este livro de "uma anatomia de todas as partes da alma", e, por certo, ele escrutina a sua própria alma em seus comentários. Aliás, é na dedicatória ao comentário dos Salmos que encontramos alguns raros e preciosos dados autobiográficos de Calvino. O tom de denúncia contra o erro nunca é esvaziado, mas a voz do pastor é presente.

Outra área que distingue Calvino em seus comentários é como hebraísta. É óbvio que não se pode esperar que usasse, anacronicamente, os conhecimentos e recursos que são posteriores à sua época. Mas, com certeza, não se pode deixar de observar que ele avança significativamente na aplicação do conhecimento da língua hebraica na interpretação. Uma de suas claras convicções é de que o conhecimento da língua original é fundamental para a compreensão do texto e para a boa exegese. Justamente no quesito exegese é que a habilidade de Calvino supera o que foi produzido em seu tempo. Ele mantinha a convicção de que compreensão gramatical precede a compreensão teológica. No comentário dos Salmos o uso do hebraico transita entre o trabalho lexical e a gramática. Comparando as traduções bíblicas e outros comentários, incluindo comentários rabínicos, faz acertadas propostas de tradução para o texto, discutindo com grande habilidade a relevância, por exemplo, da questão da tradução dos verbos, do significado específico de determinadas partículas e seu uso. Num tempo em que o estudo gramatical tendia pesadamente para o prescritivo, Calvino discute o uso contextual de palavras e expressões.

Como filho de seu tempo, lutando contra séculos de interpretação alegórica e tendenciosa, Calvino deu passos visíveis em direção contrária. Ele afirma que "o verdadeiro significado das Escrituras é aquele que é natural e óbvio".[5] A habilidade em ir "da mera letra, além" e

---

5 Citado em Lawson, Steven. *A arte expositiva de João Calvino*. S. J. Campos: Editora Fiel, 2008, p. 72. Do Comentário aos Gálatas, capítulo 4, verso 22.

observar a intenção das palavras e seu autor é fundamental para qualquer intérprete e, principalmente, para aqueles que vão interpretar as Escrituras. Calvino, mais uma vez, destaca-se! Neste sentido, a leitura dos comentários de Calvino torna-se uma ferramenta importantíssima para aqueles que desejam compreender o texto com profundidade e desenvolver habilidade semelhante como intérpretes.

Deixo um alerta ao leitor que primeiramente aproxima-se dos comentários de Calvino: espere certos 'saltos' interpretativos, o que alguns podem considerar como interpretação alegórica. O fato é que Calvino, ao ler o Antigo Testamento com uma visão cristocêntrica, muitas vezes chega diretamente a aplicações neo-testamentárias no texto. Veja-se, por exemplo, a leitura de Calvino nos Salmos. Ele parte sempre do pressuposto cristão de que Israel corresponde à Igreja, o que, na teologia reformada, é perfeitamente aceitável e desejável. Entretanto, é importante notar a necessidade de uma leitura escalonada, na qual, primeiramente, deve-se ver o sentido pretendido pelo autor humano do texto e aplicado ao seu próprio tempo. Em vários de seus comentários, Calvino simplesmente segue para o próximo passo. Um exemplo claro encontra-se no Salmo 133, onde Israel é apontado como a Igreja e a unção com o óleo sobre a cabeça de Arão, que desce sobre a barba e gola da vestes do sacerdote, como Cristo, o cabeça, e a sua Igreja: "Assim somos levados a entender que a paz que emana de Cristo como a cabeça é difusa por toda a extensão e amplitude da Igreja" (comentário no Salmo 133). Ainda que esta seja a conclusão final esperada, trata-se mais diretamente de uma aplicação do texto, o que, entendemos, é desejável em um sermão, mas, deve ser mais minuciosamente explicado em um comentário. Mas esperar que estes comentários se adaptem ao nosso formato contemporâneo de comentário, novamente, seria um desejo anacrônico. Por outro lado, observa-se em seus comentários uma percepção aguçada entre os aspectos de continuidade e descontinuidade entre o Antigo e Novo Testamentos, dando a base sobre a qual a teologia calvinista viria a desenvolver-se.

Estes comentários devem fazer parte da biblioteca daqueles que desejam desenvolver uma compreensão profunda e coerente do livro dos Salmos, tanto pela sua perspectiva histórica quanto pela capacidade que Calvino demonstra em tocar a alma dos "leitores piedosos e sinceros" na exposição da Palavra de Deus.

Rev. Dr. Mauro Fernando Meister
Centro Presbiteriano de Pós-Graduação Andrew Jumper
/ Universidade Presbiteriana Mackenzie
Março de 2009

Salmos 107

O salmista nos ensina, em primeira instância, que as atividades humanas não são reguladas pela roda caprichosa e incerta do acaso e que devemos observar os juízos divinos nas diferentes vicissitudes que ocorrem no mundo, as quais os homens acreditam que ocorrem por acaso. Conseqüentemente, a adversidade e todos os males que a humanidade suporta, como naufrágios, fomes, exílios, enfermidades e desgraças provenientes da guerra devem ser todos considerados os muitos sinais do desprazer divino, por meio das quais Ele convoca os homens a prestarem contas de seus pecados, diante de seu trono de juízo. Mas a prosperidade e o resultado feliz dos eventos também devem ser atribuídos à graça de Deus, a fim de que Ele receba sempre o louvor que merece por ser Pai misericordioso e Juiz imparcial. Quase no final deste Salmo, Ele investe contra os ímpios que não reconhecem a mão de Deus em meio a tão palpáveis demonstrações de sua providência.[1]

---

[1] "O autor deste Salmo é desconhecido; mas é bem provável que tenha sido Davi, embora haja quem pense ser preferível considerá-lo como tendo sido escrito depois do regresso do cativeiro babilônico. Este Salmo é singular em sua própria construção e, obviamente, se destinou a ser cantado responsivamente. Ele possui um estribilho duplo ou um verso intercalado freqüentemente recorrente. O primeiro estribilho se encontra nos versículos 6, 13, 19, 28; e o segundo, nos versículos 8, 15, 21, 31. Isto é, depois da descrição de uma classe de calamidades vem o primeiro coro expressando o clamor ao Senhor por livramento; em seguida, um único versículo descreve o livramento como concedido, depois do qual segue o coro de ações de graças – e assim prossegue até o versículo 35, onde termina o ciclo. Os últimos dois estribilhos são separados por dois versículos em vez de um, como antes. É preciso observar ainda que o segundo coro algumas vezes tem anexado outro dístico reflexivo, ilustrando o sentimento, como nos versículos 9 e 16. Há muitos outros exemplos de arranjo semelhante a este que pode ser encontrado nos Salmos; mas, na opinião de Lowth, poucos deles são iguais a este, e nenhum, superior" – *Illustrated Commentary upon the Bible*. As belezas

[vv. 1-9]
Louvai a Jehovah porque ele é bom, porque a sua misericórdia dura para sempre. Digam isto² os redimidos de Jehovah, os quais ele redimiu da mão do verdugo,³ os quais ele congregou das terras, do oriente e do ocidente, do norte e do sul.⁴ Perambularam pelo deserto, por caminhos solitários;⁵ não acharam uma cidade onde habitassem. Famintos e sedentos, de modo que sua alma desfalecia neles. Em suas angústias, invocaram a Jehovah, e ele os livrou de todas suas aflições e os conduziu por caminho direito, para que chegassem a uma cidade de habitação. Louvem a misericórdia de Jehovah em sua presença e suas obras maravilhosas, na presença dos filhos dos homens. Porque ele satisfez a alma ansiosa e encheu com bondade a alma faminta.

---

desta composição muito interessante e sublimemente instrutiva são muitas e notáveis, das quais se convencerá o leitor menos preparado que o examinar com algum grau de atenção. Em questão de beleza poética, ele pode, segundo os melhores juízes, ser classificado com as mais admiráveis produções de Teócrito, Bíon, Mosco ou Virgílio. "Poderia ser indubitavelmente enumerado", observa Lowth, "entre os mais elegantes monumentos da antigüidade; é principalmente relegado, por sua elegância, ao plano e conduta gerais do poema. Celebra a bondade e a misericórdia de Deus para com a humanidade, demonstradas na assistência e conforto imediatos que Ele propicia, nas mais severas calamidades, aos que imploram piedosamente seu auxílio: em primeiro lugar, aos que peregrinam no deserto e experimentam os horrores da fome; em segundo, aos que estão cativos; também, aos que são afligidos por enfermidades; e, finalmente, aos que se vêem à deriva no oceano. A prolixidade do argumento é aliviada ocasionalmente por narrativa; e são adicionados abundantes exemplos da severidade divina em punir os perversos, bem como de sua benignidade em prol do piedoso e virtuoso" – *Lectures on the Sacred Poetry of the Hebrews*, Vol. II, p. 376.

2 "Que os redimidos de Jehovah digam, ou seja, o que está expresso na última parte do versículo precedente: que sua misericórdia dura para sempre. Ver Salmo 118.1 e versículos seguintes" – Phillips.

3 "מיד־צר, *da mão* ou *do poder do inimigo*. Lutero o traduziu *aus Noth, da miséria;* cuja tradução é seguida por Hengstenberg, o qual observa que צר (*miséria*) é aqui personificada e representada como um inimigo perigoso que tem Israel em suas mãos. Em todo o Salmo o discurso não é concernente a inimigos, mas somente sobre a pobreza ou miséria. Ver os versículos 6 e 13. Provavelmente ele esteja certo, pois é duvidoso que צר signifique um inimigo, exceto, talvez, em umas poucas passagens nos últimos livros da Bíblia" – *Phillips*.

4 A palavra original é ומים ("e do mar"); e com isso concordam todas as versões antigas, e a Caldaica que o interpreta como sendo o Mar do Sul. ים é freqüentemente usada para expressar o mar Mediterrâneo. E porque este se encontra ao ocidente da Judéia, esta palavra veio a significar geralmente o Ocidente, quando empregada para expressar um dos pontos cardeais [Gn 12.8; Êx 10.19]. Mas é também usada para se referir ao mar *Vermelho*, como em Salmos 114.3, onde ים expressa absolutamente por ימסוף ("que está ao sul da Judéia"), e daí a palavra poderia denotar o ponto sul. Hare, Secker, Kennicott e Horsley, preferem מימין, "do sul". Gesenius e Hengstenberg são da opinião, evidentemente sem razão plausível, de que ים, tanto nesta passagem quanto em Isaías 49.12, onde ela é também anexada a צפון (*o norte*), significa o *Ocidente*.

5 "Ou, Ils se sont fourvoyez au desert tous seulets" – *fr. marg.* "Ou, vaguearam solitários pelo deserto."

1. **Louvai a Jehovah**. Já explicamos este versículo, pois ele formava o início do Salmo precedente. E tudo indica que ele era não somente usado com freqüência entre os judeus, mas também tão incorporado com outros Salmos, que, quando uma parte do coro, de um lado, estava cantando uma porção do Salmo, a outra parte do coro, do lado oposto, por sua vez, depois de cada versículo sucessivo, respondia: *Louvai a Jehovah, porque ele é bom, etc*. O autor deste Salmo, quem quer tenha sido, em vez do prefácio usual, inseriu este belo sentimento, no qual o louvor e as ações de graças a Deus eram freqüentemente expressos pela Igreja israelita. Logo em seguida ele passa a falar mais particularmente. Em primeiro lugar, exorta os que oferecem a Deus um tributo de gratidão; os quais, depois que foram libertados da escravidão e da prisão e depois de longa e dolorosa jornada, chegaram em segurança ao seu lugar de habitação. Ele os chama de *os redimidos de Deus*; porque, ao perambularem pelo deserto destituído de estradas e pelo ermo inóspito, eles há muito tempo teriam sido impedidos de voltar ao lar, se não houvera Deus, por assim dizer, com seu braço estendido, se manifestado como guarda e guia deles. Aqui, o salmista não se refere a viajantes sem qualquer discriminação, mas àqueles que ou por poder hostil, ou por outro gênero de violência, ou por extrema necessidade, tendo sido banidos para regiões remotas, sentiam-se como que cercados por perigos iminentes. Ou é possível que esteja se referindo aos que se tornaram prisioneiros de inimigos, saqueadores ou outros salteadores. Ele os faz lembrar que não foi por ocorrência casual que haviam sido banidos dessa maneira e que haviam sido reconduzidos a seu país natal; mas todas as suas peregrinações foram empreendidas sob a vigilante providência de Deus.

O segundo versículo poderia ser anexado ao primeiro, como se o profeta estivesse ordenando às pessoas a quem se dirigia que cantassem esta memorável ode. Poderia, com igual propriedade, ser lido assim: Que os redimidos de Jehovah, que regressaram do cativeiro à sua própria terra, saiam agora e tomem parte na celebração dos louvores de Deus; e que publiquem sua benignidade, a qual experimentaram em seu livramento. Entre os judeus que tiveram ocasião de empreender jornadas extensas, ocorrências como essa eram muito comuns; porque dificilmente podiam deixar sua própria terra sem que, em todos os quadrantes, encontrassem caminhos abruptos, difíceis e perigosos; e a mesma observação é igualmente aplicável à humanidade em geral. O salmista lhes recorda quão amiúde perambularam e se desviaram do caminho reto, sem encontrar lugar de refúgio; e isso é algo comum em desertos solitários. Era como entrar numa floresta sem qualquer conhecimento da direção certa, sentindo-se, ao longo do curso de suas andanças, em iminência de se tornar presa de leões ou de lobos. Entretanto, ele tem particularmente diante de seus olhos os que, encontrando-se inesperadamente em lugares desolados, correm também o risco de perecer de fome e sede. Pois é certo que tais pessoas se sentem a cada instante sob o risco de morte, a menos que o Senhor venha em seu socorro.

6. Em suas angústias, invocaram a Jehovah. Os verbos aqui estão no pretérito, e, segundo os gramáticos, representam uma ação contínua. O significado, pois, é este: os que peregrinam em lugares ermos são amiúde alvo de fome e sede, em conseqüência de não encontrarem nenhum lugar que lhes sirva de abrigo; e, quando toda a esperança de livramento se desvanece, clamam a Deus. Indubitavelmente, Deus concede livramento a muitos quando se acham angustiados, mesmo quando não lhe apresentam suas súplicas pedindo socorro. Portanto, o desígnio do profeta, nesta passagem, não era tanto enaltecer a fé dos santos, que invocam a Deus de todo seu coração, mas descrever as emoções comuns da humanidade. Há muitos cuja esperança não se centraliza em Deus e, apesar disso, se vêem constrangidos, por alguma disposição mental invisível, a chegar-se a Ele quando estão sob a pressão de profunda necessidade. Este é o plano que Deus às vezes desenvolve para arrancar de tais pessoas o reconhecimento de que não se deve buscar livramento em nenhum outro, senão exclusivamente nEle. Até os ímpios que, embora vivam em suas concupiscências, escarnecem de Deus, Ele os constrange, a despeito do que eles mesmos são, a invocar o seu nome. Tem sido costumeiro, em todas as épocas, que os pagãos, vendo a religião como fábula, quando impelidos por grave necessidade, clamam a Deus por auxílio. Agem assim por pilhéria? De modo algum. Movidos por um instinto secreto e natural, são compelidos a reverenciar o nome de Deus, o qual anteriormente tinham por escárnio. O Espírito de Deus, pois, em minha opinião, narra aqui o que amiúde sucede, isto é, que pessoas destituídas de piedade e fé e que não nutrem nenhum desejo de ter um relacionamento com Deus, quando estão em circunstâncias perigosas, são constrangidas, por instinto natural e, sem qualquer concepção correta do que estão fazendo, invocam o nome de Deus. Visto que somente em casos duvidosos e de desespero é que recorrem a Deus, tal reconhecimento que adquirem de seu desamparo é uma prova palpável de sua estupidez, ou seja, de que no tempo de paz e tranqüilidade O negligenciam, vivendo sob a inebriante influência de sua própria prosperidade. E, ainda que o gérmen de piedade esteja implantado em seus corações, jamais sonham em aprender a sabedoria, a não ser quando violentamente abalados pela adversidade; ou seja, aprender a sabedoria de reconhecer que há um Deus no céu que dirige cada evento. Não preciso fazer alusão à sarcástica réplica do antigo fanfarrão que, ao entrar em um templo e visualizar certo número de inscrições que diversos mercadores mantinham suspensas ali, como memoriais de haverem escapado de naufrágio, pela bondosa intervenção dos deuses, observava violenta e jocosamente: "Mas a morte dos que foram afogados não está enumerada, e o número deles é sem fim". Talvez tivessem alguma razão justa para escarnecer dessa forma de tais ídolos. Mas, mesmo que centenas e centenas fossem afogados no mar, muito mais do que os que estão seguros no porto, isso não detrai em nada a glória da bondade de Deus que, enquanto é misericordioso, ao mesmo tempo é justo, de modo que a anulação de um aspecto não interfere no exercício do outro. A mesma observação se aplica aos viajantes que se desviam do caminho e vagueiam perdidos no deserto. Se muitos deles perecem de fome e sede; se muitos são devorados por animais selvagens; se muitos morrem de frio, isso nada mais é do que os muitos sinais do juízo de Deus, que Ele designa para nossa ponderação. Disso inferimos que a mesma coisa sucederia a todos os homens, não fosse a vontade de Deus para salvar uma porção deles. Assim, se interpondo como juiz entre eles, Deus preserva alguns com o intuito de revelar neles sua misericórdia e derramar seus juízos sobre outros, a fim de proclamar sua justiça.

O profeta acrescenta mui apropriadamente que, pelas mãos de Deus, eles foram guiados pelo *caminho direito, para que chegassem a uma cidade de habitação*. E, conseqüentemente, ele os exorta a renderem graças a Deus por essa manifestação de sua bondade. E, com vistas a realçar a benignidade divina, ele conecta as *obras maravilhosas de Deus* com a *sua misericórdia*; como se quisesse dizer: nessa benevolente interferência, a graça de Deus também se manifesta, ou de forma imperceptível, ou sem ser reconhecida por todos. E, para aqueles que têm sido objetos de um livramento tão extraordinário, permanecer em silêncio seria nada mais nada menos que uma tentativa ímpia de suprimir os maravilhosos feitos de Deus, tentativa essa igualmente inútil, Seria também um esforço inútil de pisar sob os pés a luz do sol. Pois, que mais se pode dizer de nós, visto que nosso instinto natural nos impele em direção a Deus, em busca de socorro, quando estamos em perplexidade e perigo; e quando, depois de sermos resgatados, doravante O esquecemos ou negamos que sua glória é, por assim dizer, obscurecida por nossa perversidade e ingratidão?

[vv. 10-16]
Os que habitam nas trevas e na sombra da morte, sendo presos em angústia e em ferro; porque se rebelaram contra as palavras de Deus e rejeitaram o conselho do Altíssimo; quando ele humilhou seu coração com aflição, eles tropeçaram, e não havia ninguém que os ajudasse. Em sua aflição clamaram a Jehovah e ele os livrou de suas tribulações. Ele os resgatou das trevas e da sombra da morte e quebrou suas cadeias. Louvem a misericórdia de Jehovah em sua presença, e suas obras maravilhosas, na presença

dos filhos dos homens. Porque ele quebrou o bronze e fez em pedaços os ferrolhos de ferro.[6]

10. Os que habitam nas trevas. Aqui o Espírito de Deus faz menção de outras espécies de perigos em que Deus manifestamente descobre seu poder e graça na proteção e livramento dos homens. Eu disse que o mundo denomina tais vicissitudes de jogo da sorte; e dificilmente se pode encontrar um entre cem que as atribua ao governo da providência de Deus. É um gênero bem diferente de sabedoria prática que Deus espera de nossas mãos; isto é, devemos meditar sobre seus juízos no tempo da adversidade e sobre sua bondade, ao livrar-nos da adversidade. Pois, seguramente, não é por mero acaso que uma pessoa cai nas mãos de inimigos ou de ladrões; tampouco é por acaso que ela é resgatada deles. Mas, o que devemos constantemente ter em mente é isto: todas as aflições são varas nas mãos de Deus, e, portanto, não há nenhum remédio para elas em algum outro lugar, senão na graça dEle. Se uma pessoa cai nas mãos de ladrões ou bandidos e não é imediatamente assassinada, mas, renunciando toda esperança de vida, espera a morte a qualquer momento, o livramento de tal pessoa é, com certeza, uma prova notável da graça de Deus, a qual brilha em proporção ainda mais extraordinária ante a escassez de chance de seu escape. Assim, pois, se um grande número perecer, esta circunstância de modo algum deve diminuir os louvores de Deus. Por esse motivo, o profeta acusa de ingratidão a todos que, depois de serem maravilhosamente preservados, perdem logo de vista o livramento que lhes foi concedido. E, para corroborar a culpa, ele menciona, como um testemunho contra eles, seus gemidos e clamores. Pois, quando caem em angústias, de bom grado confessam que Deus é seu Libertador; como

---

6 Para manter seguros os portões das cidades, é costume no Oriente, nos dias atuais, cobri-los com grossas placas de bronze e ferro. Maundrell fala dos enormes portões da mesquita principal de Damasco, antigamente a Igreja de São João Batista, estando cobertos com placas de bronze. Pitts nos informa que Argel tem cinco portões, e alguns deles têm dois ou três outros portões dentro deles; e que alguns deles são forrados com grossas chapas de ferro, tornando-se fortes e convenientes para seu propósito – um ninho de saqueadores – *Harmer's Observations*, Vol. I, p. 329.

é possível, pois, que essa confissão desapareça logo que passam a desfrutar de paz e tranqüilidade?

11. Porque se rebelaram. Ao assinalar a causa das aflições dessas pessoas, o salmista corrige as falsas impressões dos que imaginam que as aflições ocorrem por acaso. Se tais pessoas refletissem nos juízos de Deus, perceberiam imediatamente que não existe sorte ou acaso no governo do mundo. Além disso, enquanto os homens não são persuadidos de que todos os problemas lhes sobrevêm por designação de Deus, jamais pensarão em rogar-Lhe livramento. Além do mais, quando o profeta assinala a razão das aflições das pessoas, não deve ser considerado como que falando dessas pessoas como se elas fossem notoriamente perversas, mas deve ser considerado como a convidar os aflitos a examinarem cuidadosamente algumas áreas particulares de sua vida e, embora ninguém as acuse, a olharem para seus corações, onde descobrirão sempre a verdadeira origem de todas as misérias que lhes sobrevêm. Tampouco ele as acusa de terem pecado, mas de terem se rebelado contra a Palavra de Deus, dessa forma notificando que a melhor e única regulamentação de nossas vidas consiste em cumprirmos uma pronta obediência aos mandamentos de Deus. Quando, pois, a necessidade evidente compele os que dessa forma se convencem de clamar a Deus, eles se mostrariam deveras insensatos, se não reconhecessem que o livramento que, contrariando sua expectativa, recebem procede imediatamente de Deus. O propósito de portões e barras de ferro é expressar a ênfase do benefício, como se o salmista quisesse dizer que as cadeias da perpétua escravidão foram quebradas.

[vv. 17-22]
Os loucos são afligidos por causa do caminho de sua transgressão e em virtude de suas iniqüidades. Sua alma tem fastio de toda comida[7] e se aproximam dos portões da morte. Então, em sua tribulação clamam a Jehovah, e ele os salva de suas dificuldades. Ele envia sua palavra, e os cura, e os res-

---

7 "O salmista está falando de pessoas enfermas, para quem a comida mais desejável às vezes causa aversão" – *Phillips*.

gata de todas as suas corrupções.⁸ Louvem eles a misericórdia de Jehovah em sua presença, e suas obras maravilhosas, na presença dos filhos dos homens. E ofereçam eles os sacrifícios de louvor, e declarem suas obras com regozijo.

17. Os loucos são afligidos por causa do caminho de sua transgressão. Ele aborda agora outro gênero de castigo. Pois, como ele já observou que foram levados ao cativeiro aqueles que se recusaram render obediência a Deus, agora ensina que outros seriam visitados por Deus com enfermidades, como fruto de suas transgressões. E, quando o transgressor descobrir que é Deus quem lhe está ministrando correção, isso pavimentará o caminho para seu acesso ao conhecimento da graça divina.

Ele denomina de *loucos* os que, irrefletidamente, entregando-se à sensualidade, trazem destruição sobre si mesmos. O pecado que cometem não é o resultado apenas de ignorância e erro, mas de suas afeições carnais que os privam de entendimento correto, levando-os a engendrar recursos prejudiciais a eles mesmos. Nunca devemos perder de vista a máxima "o temor de Deus é o princípio da sabedoria".

Daí, segue-se nitidamente que os que sacodem de si o jugo de Deus e se rendem aos serviços de Satanás e do pecado são as vítimas de sua própria loucura e fúria. E, como principal ingrediente dessa demência, o profeta emprega o termo *transgressão*; e, subseqüentemente, ele acrescenta *iniqüidades*, visto ocorrer que, quando uma pessoa se aparta de Deus, a partir desse momento ela perde todo o autocontrole e se precipita de um pecado a outro. Mas a referência nesta passagem não é às indisposições que comumente prevalecem no mundo, e sim àquelas que são consideradas fatais e nas quais se abandona toda a esperança de vida, de modo que a graça de Deus se torna mais conspícua quando se obtém o livramento delas. Quando uma pessoa se recupera de uma leve indisposição, ela não discerne tão nitidamente os efeitos do poder de Deus como o discerne na ocasião em que esse poder é

---

8 "Ou, fosses, ou pieges." – *fr. marg.* "Abismos ou armadilhas."

manifestado de maneira maravilhosa e notável para atrair alguém que já está às portas da morte e restaurá-lo à sua habitual saúde e vigor. Portanto, o salmista diz que são preservados das muitas *corrupções;* e isso equivale a dizer que são libertados de muitas mortes. Com esse propósito, o profeta escreve as palavras seguintes, nas quais ele diz que *se aproximam dos portões da morte* e têm *fastio de toda comida*. Já chamamos a atenção para o apelo deles a Deus, isto é, quando os homens são reduzidos a suas mais intensas angústias, costumam clamar a Deus por socorro, reconhecendo que seriam destruídos caso Ele não se interponha para livrá-los de uma maneira prodigiosa.

20. Ele envia sua palavra. Uma vez mais, ao dizer que são libertados da destruição, o profeta mostra que sua alusão aqui é às doenças que, na opinião dos homens, são incuráveis e das quais poucos são poupados. Além disso, ele contrasta a assistência divina com todos os remédios que os homens podem aplicar. Era como se quisesse dizer que sua enfermidade, tendo malogrado a habilidade dos médicos terrenos, será solucionada inteiramente pelo exercício do poder de Deus. É também oportuno notar a maneira como sua recuperação é efetuada. Deus tem apenas de querer ou falar uma palavra, e instantaneamente todas as enfermidades, inclusive a morte, obedecem e se vão. Não considero isso como uma referência exclusiva aos fiéis, como fazem muitos expositores. Aliás, admito que, comparativamente, é-nos de pouca conseqüência sermos os sujeitos do cuidado físico, se nossas almas ainda não foram santificadas pela palavra de Deus; daí, a intenção do profeta é que consideremos a misericórdia de Deus como extensiva aos maus e ingratos. O significado da passagem, portanto, é que as enfermidades ou nem sobrevêm por acaso, nem devem ser atribuídas exclusivamente a causas naturais, mas devem ser vistas como mensageiros de Deus que executam suas ordens. Assim, devemos crer que a mesma pessoa que as envia pode facilmente removê-las, e para esse fim o Senhor simplesmente pronuncia a palavra. E, já que agora percebemos as nuanças da passagem, devemos atentar para a analogia bem apropriada que ela contém. Os males físicos não são removidos exceto pela palavra ou pela ordem divina, assim como as almas humanas não são restauradas ao desfrute da vida espiritual, a não ser que essa palavra seja apreendida pela fé.

E ofereçam eles os sacrifícios de louvor. Esta sentença é anexada à guisa de explanação, para expressar mais fortemente como Deus é lesado do que é seu, caso, na questão dos sacrifícios, sua providência não seja reconhecida. Inclusive a própria natureza ensina que algum gênero de homenagem e reverência se deve a Deus; isso é reconhecido pelos próprios pagãos, que não contam com outro preceptor, senão a natureza. Sabemos também que a prática de oferecer sacrifícios permeou todas as nações; e, sem dúvida, foi por meio da observância desse ritual que Deus se dignou preservar na família humana algum senso de piedade e religião. O reconhecimento da liberalidade e da beneficência de Deus é o sacrifício mais aceitável que se Lhe pode oferecer. Portanto, é quanto a isso que o profeta tenciona chamar a atenção daquela parte insensata e indiferente dos homens. Não nego que haja aqui também uma alusão à lei cerimonial; mas, visto que no mundo em geral os sacrifícios formaram parte dos exercícios religiosos, ele acusa de ingratidão os que, depois de haverem escapado imunes de algum perigo, esquecem de celebrar os louvores de seu grande Libertador.

[vv. 23-32]
Os[9] que descem ao mar em navios, mercando nas grandes águas, contemplam as obras de Jehovah, suas maravilhas nas profundezas. Ele fala, e se levanta o vento tempestuoso, e faz com que os vagalhões formem montanhas. Amontoam-se até os céus, descem às profundezas; sua alma resfolega por causa da angústia. Agitam-se e cambaleiam como ébrio, e todos

---

9 Este Salmo é distinguido por sua beleza e descrição inigualável. Na parte anterior, o viajante exausto e aturdido – o cativo desesperado e infeliz, encerrado em masmorra e acorrentado; o enfermo e moribundo – é retratado de maneira notável e afetiva. Neste versículo, há uma transição para os navios e os perigos de marinheiros serem submergidos numa tempestade; e a transição prossegue para concluir-se no versículo 30. Isso tem sido, com freqüência, admirado como uma das mais sublimes descrições de uma tempestade marítima já encontradas em outras obras, seja nas Santas Escrituras, seja em autores profanos.

seus sentidos são dominados.[10] Em seus apertos[11] clamam a Jehovah, e ele os resgata de suas tribulações. Ele faz a tormenta acalmar-se, de modo que as ondas com isso se amainam. Eles se alegram porque são amainadas; assim, os leva a seu porto desejado. Celebrem a misericórdia de Jehovah em sua presença, e suas maravilhas, entre os filhos dos homens; exaltem-no na congregação do povo e louvem-no na assembléia dos anciãos.[12]

23. Os que descem ao mar em navios.

Temos aqui outra instância, apresentada pelo profeta, em que Deus ministra cuidado supervisor em prol do gênero humano; esse cuidado é exemplificado na ação de conduzir ao porto os que estão em naufrágio, como se Ele os soerguesse das profundezas e da escuridão do túmulo, levando-os vivos à plena luz do dia. Quanto ao que o salmista diz sobre os que estão acostumados a navegar no oceano, que *vêem as maravilhas de Deus*, não o entendo como uma referência geral às muitas e maravilhosas coisas que enchem o oceano. Tais pessoas servem bem para dar testemunho das obras de Deus, porque ali contemplam maravilhas mais amplas e mais diversificas que as que devem ser vistas na terra.

A mim, porém, parece preferível conectar isto com o contexto subseqüente, em que o profeta é seu próprio intérprete e mostra como, de repente, Deus suscita e acalma a tempestade.

A suma da matéria é que o escopo da passagem visa realçar o fato de que a vida dos que navegam pelos oceanos se expõe, às vezes, a grande risco, em meio às tempestades com que se deparam;

---

10 Horsley traduz: "E toda sua habilidade é submersa"; "isto é", diz ele, "sua habilidade na arte da navegação é submersa; esta metáfora é extraída do perigo particular que os ameaça". Phillips traduz: E toda sua sabedoria é absorvida ou tragada; o que, de igual modo, ele explica neste sentido: "seu pânico é tão profundo, que seu conhecimento os abandona; perdem todo seu autodomínio e se tornam inteiramente inaptos para controlar o navio".

11 Em vez de *em seus apertos*, Phillips traduz: *de suas masmorras, lugares de confinamento*. "Por suas masmorras", diz ele, "devemos entender o navio no qual se confinaram. Para que sejam libertados delas e, conseqüentemente, do risco de um naufrágio, clamam ao Senhor".

12 "עם (*o povo*) é aqui evidentemente oposto a זקנים (*anciãos*), e ambos significam toda a assembléia ou congregação. Porque, entre os judeus, os doutores, os líderes da sinagoga e os anciãos tinham esfera distinta do *povo*; e, sendo o culto em *antífona* ou responso, uma parte era expressa por aqueles que oficiavam no assento dos anciãos, e a parte restante, pela multidão de pessoas comuns, os ἰδιῶται, que respondiam, pelo menos, com o *Amém*, em suas ações de graças" – *Hammond*.

porque, ao tempo em que o oceano se encrespa e se avoluma, e os vagalhões sobem e rugem, a morte bafeja o rosto dos navegantes. O salmista, porém, nos dá um quadro ainda mais vívido da providência divina; pois, ao dizer-nos que o oceano não cria uma tempestade por decisão própria, ele usa a expressão *ele fala*, insinuando que a palavra e a providência de Deus fazem com que os ventos soprem e o mar se agite. Aliás, é verdade que os marinheiros imaginam, à vista de certos fenômenos, que uma tempestade se aproxima, mas as mudanças súbitas só procedem do desígnio secreto de Deus. Portanto, ele não faz uma mera narração histórica da maneira como surgem vendavais e tempestades. Contudo, assumindo o caráter de um mestre, ele começa com a causa e aponta o iminente perigo que acompanha a tempestade; ou melhor, ele pinta num quadro a imagem da morte, a fim de que a bondade divina entre em cena, de modo mais evidente, quando a tempestade felizmente cessa sem qualquer perda da vida.

Amontoam-se, diz ele, **até os céus, descem às profundezas,** como se quisesse dizer que eles se amontoam no ar, de modo que a sua vida pode ser destruída, e rolam para os abismos do oceano, onde são tragados.[13] Em seguida, o salmista menciona o medo que os atormenta, ou melhor, que embota seu entendimento; querendo dizer com isso que, por mais habilidosos fossem os marinheiros na condução de seus navios, se viam privados de seus sentidos; e, vendo-se assim paralisados, não podiam valer-se de qualquer socorro, mesmo que estivesse à mão. Pois, ainda que reunissem todos os equipamentos, lançassem sua âncora nas profundezas e estendessem todas suas velas, depois de fazerem todas as tentativas e frustrarem toda a habilidade humana, eles se rendiam à mercê do vento e das ondas. Esvaiam-se de toda a esperança de segurança, abandonando o emprego de quaisquer outros

---

13 "Os tripulantes do navio sobem ao céu; isto é, quando o navio é jogado ao alto por uma onda, eles também sobem com ele; quando a onda desce, é como se o navio e eles fossem tragados pelo abismo. Assim, ao subir e descer, a alma dos homens do navio derrete-se no interior deles, em face do perigo que enfrentam" – *Kimchi*.

meios. Agora, quando todo auxílio humano falha, clamam a Deus por livramento; e isso é uma convincente evidência de que consideravam-se já mortos.

29. Ele faz a tormenta acalmar-se. Um autor profano, ao narrar determinado acontecimento, teria dito que os ventos foram silenciados e os furiosos vagalhões, acalmados. O Espírito de Deus, porém, ao transformar a tormenta em brisa suave, põe a providência de Deus a presidir sobre tudo; querendo dizer com isso que não foi por meio da agência humana que essa violenta comoção do mar e do vento, a qual ameaçava subverter a estrutura do mundo, foi repentinamente aquietada. Portanto, quando o mar é agitado e entra em ebulição de forma terrivelmente furiosa, como se as ondas estivessem contendendo entre si, donde procede que, de repente, seja ele emudecido e aquietado, senão do fato de quer Deus restringe a fúria dos vagalhões, cuja contenda era por demais terrível, e faz o seio do abismo tão límpido como o cristal?[14] Havendo falado de seu profundo terror, o salmista prossegue fazendo menção da *alegria deles*, de modo que sua ingratidão pareceria ainda mais notável, se esquecessem do miraculoso livramento. Pois não estão em falta de um mestre, visto que foram sido fartamente instruídos pela tempestade e a calma resultante, instruídos de que suas vidas estavam na mão e sob a proteção de Deus. Além do mais, o salmista lhes informa que essa é uma espécie de gratidão que merece, não só ser reconhecida individualmente ou mencionada na família, mas também deve

---

14 Entre as circunstâncias selecionadas pelo profeta nesta notável descrição de uma tempestade marítima, não se deve ignorar a agência divina, tanto em suscitá-la quanto em acalmá-la. Ele é introduzido primeiramente como Aquele que causa, por sua onipotente ordem, a tempestade no oceano, cujos vagalhões sobem a elevada altura, em sua furiosa agitação. E, de repente, os ventos emudecem, e o tumulto das ondas serena. A descrição seria totalmente mutilada, se a referência ao poder divino em tais fenômenos fosse omitido. "Mais confortável e mais racional é o sistema do salmista, mais do que o esquema pagão apresentado em Virgílio e outros poetas, nos quais uma divindade é representada como quem suscita uma tempestade e outra divindade como quem a acalma. Se fôssemos apenas considerar o sublime nessa peça de poesia, o que seria mais nobre do que a idéia que ela nos apresenta do Ser Supremo, provocando um tumulto entre os elementos da natureza e restaurando-os de sua confusão, despertando e acalmando a natureza?" – *Spectator*, Nº 485.

ser louvada e manifestada em todos os lugares, inclusive nas grandes assembléias. Ele faz menção específica dos *anciãos*, notificando que, quanto mais sabedoria e experiência uma pessoa tem, mais capaz é de ouvir e de ser testemunha desses louvores.

[vv. 33-41]
Ele converte rios em deserto e fontes em terra sedenta; uma terra frutífera em salinidade,[15] por causa da perversidade dos que nela habitam. Converte o deserto em lagoas e a terra estéril em mananciais de água. E faz habitar ali os famintos, para que edifiquem cidade para habitação; e semeiam campos e plantam vinhas e comem o fruto da fartura. Ele os abençoa, e eles se multiplicam grandemente; e faz com que seu gado não diminua. Depois são reduzidos e se abatem por causa da angústia, da miséria e da tristeza. Derrama o desprezo sobre os príncipes, e os faz vaguear pelo deserto, onde não há caminho.[16] Mas ergue da miséria o aflito e dele faz famílias como um rebanho.

33. Ele converte rios em deserto. Aqui temos um relato de mudanças que seria o máximo da estupidez, se fossem atribuídas ao acaso. Terras frutíferas se tornam infrutíferas, e terras estéreis assumem um novo aspecto de vigor e fertilidade. E como acontece que uma região se torna estéril e outra, fértil, contrariando o que costumava ser? Somente porque Deus derrama sua ira sobre os habitantes de uma, subtraindo deles sua bênção, e torna a outra frutífera, para nutrir os faminto. Talvez possa ser atribuído à debilidade da população o fato de que muitas partes da Ásia e Grécia, outrora excessivamente frutíferas, agora jazem incultiváveis e improdutivas. Contudo, devemos atribuir à providência de Deus, a qual os profetas enaltecem, o fato comprovado de que, em alguns lugares, a

---

15 "למלחה, em *salinidade* ou *esterilidade*. A palavra tem aqui a função de esterilidade. Plínio diz: 'Omnis locus in quo reperitur sal, steriilis est, nihilque gignit' – Hist. Nat. Lib. xxxi. cap. 7. Aqui se faz alusão à destruição de Sodoma e Gomorra: 'E toda sua terra abrasada com enxofre e sal, de sorte que não será semeada, e nada produzirá, nem nela crescerá erva alguma; assim como foi a destruição de Sodoma e de Gomorra, de Admá e de Zeboim, que o Senhor destruiu em sua ira e em seu furor' [Dt 29.23]. A versão Caldaica parafraseou o versículo assim: 'A terra de Israel que dava fruto ele entregou à devastação como Sodoma, a qual foi subvertida por causa da perversidade de seus habitantes'" – *Phillips*.
16 As palavras deste versículo se encontram em Jó 13.21, 24, de onde se supõe, com grande probabilidade, terem sido tiradas.

terra que era frutífera se tornou estéril e crestada, enquanto outros estão começando a ser férteis.

No entanto, não basta meramente observar que essas espantosas revoluções da superfície da terra são o resultado do propósito governante de Deus, a menos que observemos, em segundo lugar, o que o profeta não omite, a saber, que a terra continua sob a maldição divina em decorrência da iniqüidade de seus habitantes, os quais provam que não merecem ser tão abundantemente sustentados por sua generosa mão.

Deus faz surgir lagoas e mananciais de água para a manutenção dos campos ou dos países, a fim de que tenham abundância de água; porquanto a nutrição das plantas requer umidade, por meio da qual elas produzem fruto. O termo *salinidade* é empregado metaforicamente, visto não haver nada mais estéril do que o sal. Por isso, Cristo disse: "Se o sal perder seu sabor, a que outro propósito ele serviria?" [Mc 9.50]; de fato, nem mesmo para a aridez. E, conseqüentemente, quando os homens planejam condenar algum lugar a permanecer improdutivo, geralmente o semeiam com sal. É provável que, em alusão a esse antigo costume, o profeta diz que a terra foi coberta com sal.

35. Converte o deserto em lagoas. Esta mudança, em contraste com a anterior, põe o miraculoso poder de Deus numa posição mais luminosa. Porque, se os campos deixassem de ser tão produtivos como nos tempos anteriores, os homens do mundo, como era comum outrora, atribuiriam isso ao fato de que às freqüentes colheitas exauriam seu vigor produtivo. Mas, o que faz os solos ressequidos se tornarem tão infrutíferos, que poderíamos até dizer que a atmosfera, bem como própria natureza do solo, sofreram certa mudança? Não é o fato de que Deus faz uma maravilhosa exibição de seu poder e benevolência? Por isso, o profeta, com toda razão, diz que os *desertos foram convertidos em lagoas*, de modo que as cidades populosas possam expandir-se em direção a lugares devastados e não cultiváveis, onde outrora não havia uma única choupana. Pois é improvável que a natureza do solo seja mudada, assim como é improvável mudar o curso do sol e das estrelas.

A frase **faz habitar ali os famintos** pode significar ou que eles mesmos, depois de consideráveis privações, obtiveram o que lhes era necessário, para suprir suas carências, ou que os pobres, vivendo em um país onde não mais podiam achar o pão cotidiano, vendo-se constrangidos a abandoná-lo e a buscar um novo lugar de habitação, são ali profusamente supridos por Deus. Sinto-me mais propenso a crer que esta frase se refere ao que amiúde ocorre, a saber, que os famintos, os quais são expatriados e cujas carências o mundo se nega a suprir, são confortavelmente acomodados nesses lugares desertos, onde Deus os abençoa com abundância. A expressão que traduzi por *fruto da fartura* é considerada, por diversos expositores hebreus, como uma repetição de dois termos sinônimos que carecem de uma partícula conjuntiva, vindo a ficar assim: *fruto e fartura*. A intenção do profeta era, antes, fazer referência ao fruto produzido anualmente, como se quisesse dizer: a fertilidade dessas regiões não é temporária, nem apenas por uns poucos anos; é permanente. Pois תבואות (*tebuaoth*) é o termo que, no hebraico, denota o fruto maduro anualmente produzido pela terra. E, quando o salmista diz que novos residentes semeiam e plantam, ele nos dá a entender que, antes de sua chegada, o cultivo era desconhecido nesses lugares; e, conseqüentemente, ao chegar a uma fertilidade tão inusitada, assumiram um aspecto totalmente diferente. E, no fim, ele acrescenta que foi inteiramente devido à bênção divina que os que uma vez foram oprimidos com pobreza e carência são agora diariamente supridos com as boas coisas desta vida.

39. Depois são reduzidos e se abatem. Antes de entrar na consideração das verdades contidas neste versículo, preciso fazer algumas breves observações verbais. Há quem faça a palavra עוֹצֵר (*otser*) significar *tirania* e por certo inclui עצר (*atsar*), no sentido de *manter domínio*. Visto, porém, ser ela usada metaforicamente para significar *angústia*, parece-me que este é o significado que está em mais harmonia com o teor da passagem. As últimas duas palavras do versículo podem ser lidas no caso nominativo, como as tenho traduzido, ou no genitivo, a *angústia de miséria e dor*. Esta variante parece-me preferível: *através da angústia da miséria*[17] e *através da dor*. Então, passamos a analisar, em termos breves, os elementos principais na passagem. E, como já fizemos uma descrição das mudanças que tais regiões sofreram, em relação à natureza do solo, agora apresentamos a informação acerca da humanidade, a saber, que ela não continuará para sempre na mesma condição; porque ambas, natureza e humanidade, aumentam em número e perdem seu lugar e propriedade, ao serem reduzidas pelas guerras ou pelas comoções civis, ou por outras causas. Portanto, se porventura são devastadas por pestilência, ou são derrotadas no campo de batalha, ou eliminadas por perturbações domésticas, manifesta-se que sua posição e condição sofrem alteração. E, qual é a ocasião de tal mudança, senão que Deus subtrai sua graça, a qual, até então, havia sido uma fonte oculta da qual fluía toda a sua prosperidade? E, como existem milhares de causas pelas quais cidades podem cair em ruína, o profeta exibe uma espécie de mudança que é, dentre todas as outras, a mais palpável e notável. E, visto que a mão de Deus não é observada naquilo que diz respeito às pessoas que vivem em comparativa obscuridade, o salmista introduz os próprios príncipes, cujos nomes e fama não permitirão que qualquer memorável concernente a eles os faça permanecer em obscuridade. Pois é como se o mundo fosse feito por causa deles. Portanto, quando Deus os arranca de sua condição privilegiada, os homens, como que despertados de sua sonolência, dispõem-se a ponderar bem sobre os juízos divinos.

Aqui também é preciso atentar bem à forma de discurso empregada. Ao dizer que **Deus derrama o desprezo sobre os príncipes**, é como se dissesse que o prazer de Deus era que, enquanto retivessem sua dignidade, lhes seriam rendidos honra e respeito. São bem notórias as palavras de Daniel: "Tu, ó rei, és rei de reis, a quem o Deus do céu conferiu o reino, o poder, a força e a glória; a cujas mãos foram entregues

---

17 "Par angoisse de mal et par douleur" – *fr*.

os filhos dos homens, onde quer que habitem, e os animais do campo e as aves do céu, para que dominasses sobre todos eles" [Dn 2.37, 38]. E, por certo, embora os príncipes se revistam de poder, a honra interior e a majestade que Deus lhes conferiu constituem uma proteção mais plena que qualquer exército humano. Nem uma única vila resistiria pelo espaço de três dias, se Deus não pusesse, por meio de sua agência invisível e invencível, uma restrição no coração dos homens. Daí, sempre que Deus torna os príncipes desprezíveis, é necessário que o magnificente poder deles seja subvertido. Este é um fato corroborado pela história: os poderosos potentados que se tornaram terror e espanto para o mundo inteiro, uma vez destituídos de sua dignidade e poder, convertem-se em objetos de diversão, até mesmo de seus próprios dependentes. E, visto que uma mudança tão notável como esta deve ser considerada como uma prodigiosa exibição do poder de Deus, a obtusidade de nossa mente é tão intensa, que não reconhecemos a providência governante de Deus. Como um contraste a esses opostos, o profeta mostra em seguida que os pobres e ignóbeis são exaltados, e suas casas, ampliadas, e aqueles que não eram tidos em nenhuma estima crescem, de repente, em riqueza e poder. Por certo, nessas coisas os homens deveriam reconhecer a providência divina, se perversidade de sua mente não os tornasse insensatos.

[vv. 42, 43]
Os justos verão isso e se regozijarão; e toda a iniquidade[18] fechará sua boca.[19] Quem é sábio, a ponto de observar essas coisas, esses também compreenderão a benignidade de Jehovah.

42. Os justos verão isso e se regozijarão. O profeta delineia a conclusão: esses muitos e evidentes sinais da supervisora e governante providência de Deus não poderiam transpirar diante dos justos

---

18 "*Iniquidade* é aqui personificada e denota os *iníquos*; a forma abstrata, porém, é mais poética" – *Dr. Geddes*.
19 O mesmo crítico traduz: "Enquanto toda a iniquidade terá a língua atada". "*Língua atada*", diz ele, "literalmente é *boca fechada*; e essa expressão talvez não seja uma tradução incorreta."

sem atrair a observação deles; e sua visão, sendo iluminada pela fé, contempla tais cenas com deleite não fingido, enquanto os ímpios permanecem perplexos e mudos. Pois Ele faz mui judiciosamente uma distinção entre essas duas classes de pessoas. Seja qual for a maneira pela qual os ímpios se vêem constrangidos a reconhecer a Deus como o supremo governante do universo, vendo, não vêem e nada extraem de sua contemplação, exceto que sua conduta se torna ainda mais inescusável. Os justos, porém, não somente são aptos a formar um bom e sólido juízo de tais eventos, mas também abrem espontaneamente seus olhos para contemplar a eqüidade, a bondade e a sabedoria de Deus, cuja visão e conhecimento lhes são sempre renovados. Pois a alegria que experimentam neste exercício é uma garantia de que sua observação dessas coisas era uma espontânea efusão de seus corações. Com respeito àqueles que desprezam a Deus, isso não significa que se deixem impressionar tão profundamente, a ponto de reconhecerem, realmente, que o mundo está sob o superintendente cuidado de Deus; significa apenas que são mantidos sob controle para não ousarem negar a existência dessa providência que sua natural inclinação os impele a fazer; ou, pelo menos, se deparam com um vigoroso impulso sempre que tentam falar em oposição a ela. Embora os juízos divinos estejam diante de seus olhos, contudo seu entendimento é tão entenebrecido que não podem perceber a clara luz. E essa forma de expressão é mais enérgica do que se dissesse que os ímpios mesmos é que se emudecem. Aliás, não cessam de murmurar contra a divina administração da providência; pois percebemos com que arrogância e desdém se põem em oposição a nossa fé, e têm a audácia de proferir blasfêmias horrendas contra Deus. Isso não anula a veracidade da afirmação do profeta, ou seja, que *a boca da perversidade é fechada*, porque, de fato, quanto mais orgulhosa e violentamente assaltam a Deus, mais notória se faz a impiedade deles. Além disso, a alegria aqui mencionada se deriva de que não existe nada mais idealizado para aumentar nossa fé do que o conhecimento da providência de Deus; porque, sem ela, seríamos açambarcados pelas dúvidas e temores, vivendo na incerteza, se não estivéssemos sendo governados pelo acaso. Por essa razão, segue-se que aqueles que almejam a subversão desta doutrina, privando os filhos de Deus do genuíno conforto e oprimindo a mente deles, por perturbarem a sua fé, forjam para si mesmos um inferno na terra. Pois, o que pode ser mais terrivelmente perturbador do que viver constantemente torturado pela dúvida e a ansiedade? E jamais estaremos aptos a alcançar um estado de tranqüilidade mental, enquanto não aprendermos a descansar com implícita confiança na providência de Deus. Além do mais, declara-se neste versículo que Deus manifesta sua benevolência para com todos os homens sem exceção, e há comparativamente poucos entre eles que se beneficiam dela. Por isso, quando anteriormente o salmista convocou todos a celebrarem a benevolência de Deus, ele o fez com o intuito de pôr em relevo a ingratidão da maioria deles.

43. Quem é sábio, a ponto de observar essas coisas? Somos agora informados de que os homens começam a ser sábios quando volvem sua atenção à contemplação das obras de Deus e que os demais continuam insensatos. Porque, por mais que chamem a atenção para sua superior acuidade e sutileza, tudo isso perde completamente seu valor enquanto fecham seus olhos contra a luz que lhes é apresentada. Ao empregar esta forma interrogativa de falar, o salmista chama a atenção, indiretamente, para aquela falsa persuasão que prevalece no mundo, ao mesmo tempo em que os mais ousados que desdenham o próprio céu se estimam como sendo os mais sábios dentre os homens. É como se ele dissesse: em todos os que não observam atentamente a providência de Deus, nada é achado, senão estultícia. Essa precaução se faz mui necessária, porquanto descobrimos que alguns dentre os maiores filósofos foram tão nocivos, a ponto de dedicarem seus talentos ao intuito de obscurecer e ocultar a providência de Deus, e, ignorando inteiramente sua agência, atribuíram tudo às causas secundárias. À testa de tais filósofos estava Aristóteles, homem de argúcia e erudição; porém, sendo pagão e tendo um coração perverso e depravado, seu constante alvo era confundir e conturbar a providência governante de Deus, com enorme variedade de especulações desenfreadas; tanto que se poderíamos dizer com muita veracidade que ele empregou naturalmente suas atiladas faculdades mentais para extinguir toda a luz. Além disso, o profeta não somente condena os insensatos epicureus, cuja insensibilidade era do mais vil caráter, mas também nos informa que uma cegueira, ainda maior e mais detestável, seria encontrada entre esses mesmos grandes filósofos. Ao fazer uso do verbo *observar*, ele nos informa que a mera apreensão das obras de Deus não basta – elas devem ser cuidadosamente analisadas, a fim de que o conhecimento delas seja deliberada e solidamente digerido. Portanto, para que esse conhecimento seja incrustado em nossos corações, devemos fazer dessas obras o tema de nossa atenta e constante meditação.

Quando o profeta diz: **Quem é sábio... esses também compreenderão**, a mudança do singular para o plural é maravilhosamente apropriada. Primeiro, ele se queixa tacitamente da exigüidade dos que observam os juízos divinos, como a dizer: Quão raro nos deparamos com uma pessoa que real e atentamente pondera sobre as obras de Deus! Segundo, ele chama a atenção ao fato de serem elas tão visíveis diante de todos, que é impossível que os homens as ignorem, se não fosse devido ao fato de que sua mente está pervertida por sua própria perversidade. E, se alguém se dispõe a inquirir como é possível que o profeta, depois de tratar dos juízos e severidade de Deus, agora faça menção de sua benignidade, minha resposta é que a benignidade de Deus resplandece mais intensamente e ocupa um lugar mui proeminente em tudo o que Ele faz, pois Ele é naturalmente inclinado à benignidade, por meio da qual também nos atrai para si.

Salmos 108

Cântico ou Salmo de Davi
[vv. 1-13]
Preparado está meu coração, ó Deus; cantarei e darei louvores, inclusive com minha glória. Despertai, saltério e harpa; eu mesmo despertarei ao romper da alva. Louvar-te-ei entre os povos, Senhor, e a ti cantarei louvores entre as nações. Porque tua benignidade se estende até os céus, e tua verdade chega até às mais altas nuvens. Exalta-te sobre os céus, ó Deus, e tua glória sobre toda a terra. Para que sejam livres teus amados, salva-nos com tua destra e ouve-nos. Deus falou em sua santidade; eu me regozijarei; repartirei a Siquém e medirei o vale de Sucote. Meu é Gileade, meu é Manassés; e Efraim, a força de minha cabeça; Judá, meu legislador.[1] Moabe é minha bacia de lavar; sobre Edom lançarei meu sapato, sobre a Filístia, jubilarei. Quem me levará à cidade forte? Quem me guiará até Edom? Porventura, não serás tu, ó Deus, que nos rejeitaste? E não sairás, ó Deus, com nossos exércitos? Dá-nos auxílio para sair da angústia, porque vão é o socorro da parte do homem. Em Deus faremos proezas, pois ele calcará aos pés nossos inimigos.

Em virtude deste Salmo ser composto de partes extraídas dos Salmos 57 e 60, seria supérfluo repetir, neste lugar, o que já afirmamos à guisa de exposição naqueles Salmos.[2]

---

1 "Ou, mon duc." – *Fr. marg.* "Ou, meu líder."
2 "O Salmo 108 é totalmente elaborado de extratos dos outros. Sua primeira parte é idêntica (exceto umas poucas e leves variações) à terceira divisão do Salmo 57. Sua segunda parte é idêntica à segunda divisão do Salmo 60. E ambas essas partes emprestadas são separadas, no Salmo 57 e no Salmo 60, do restante do contexto pela palavra *Selah*. Este é um fato notável e ilustra solidamente uma das funções do *Diapsalma*. Essas partes foram, até certo ponto, consideradas como composições distintas, as quais ocasionalmente eram desvinculadas de seu contexto original. A própria mudança de sentimento e ênfase, o que deu origem à palavra *Diapsalma*, sanciona tal prática ocasional" – *Jebb's Literal Version of the Book of Psalms, with Dissertations*, vol. ii. p. 109.

Salmos 109

Este Salmo consiste de três partes. Começa com uma queixa; em seguida, enumera várias imprecações e termina com uma oração, uma expressão de gratidão sincera. E, ainda que Davi aqui se queixe das injúrias que enfrentava, visto que ele era um tipo, o que é expresso no Salmo deve aplicar-se com propriedade a Cristo, a Cabeça da Igreja, bem como a todos os fiéis, já que eles são seus membros. Assim, quando tratados e atormentados injustamente por seus inimigos, eles podem recorrer a Deus em busca de auxílio, a quem pertence a vingança.[1]

Ao maestro, Salmo de Davi.
[vv. 1-5]
Ó Deus de meu louvor, não te cales, pois a boca do ímpio e a boca do enganador estão abertas contra mim. Têm falado contra mim com língua

---

1 À luz da aplicação expressa de uma parte deste poema terrivelmente profético à pessoa de Judas, pelo apóstolo Pedro [At 1.20], aprendemos que a punição e os sofrimentos desse homem desditoso formam o tema do salmo. Ele tem sido também, com razão, considerado como que prefigurando, não meramente a sorte do miserável Iscariotes e seus associados imediatos, mas também o destino terrível e justamente merecido da política e de toda a nação judaica. "Os primeiros cinco versículos deste Salmo", diz Horsley, "descrevem claramente o tratamento que nosso Senhor sofreu dos judeus. As maldições seguintes descrevem claramente os juízos que têm caído sobre o povo miserável. De modo que todo o salmo é uma predição de sofrimentos de nosso Senhor e do castigo dos judeus, uma predição elaborada na forma de queixa e imprecação". Portanto, seja que for que digamos quanto à referência primária do Salmo, a referência concernente aos lamentos e denúncias proferidos por Davi em conseqüência da perfídia e crueldade de alguns inimigos inveterados, Cristo deve ser subentendido como a Pessoa que dá vazão a esses lamentos e denúncias, ocasionados pelo injurioso tratamento que recebeu de seu traidor e de seus assassinos.

fraudulenta. Eles me têm cercado com palavras odiosas e têm contendido comigo sem causa. Em retribuição de meu amor, eles me têm feito oposição; eu, porém, me entreguei à oração. Pagaram-me o bem com o mal; o amor, com ódio.

1. Ó Deus de meu louvor, não te cales. Nesses termos, que podem ser considerados como uma introdução ao Salmo, Davi declara que não podia achar ninguém, nem gostaria de ter outro além de Deus para levantar-se em defesa da integridade de seu coração. Pois, ao chamá-Lo *o Deus de meu louvor*, Davi deixa nas mãos dEle a defesa de sua inocência, em face das calúnias com as quais havia sido assaltado de todos os lados. Alguns são da opinião de que esta sentença deve ser entendida como uma referência ao fato de que Davi declarou realmente que ele mesmo era o publicador dos louvores de Deus. Contudo, o escopo da passagem se opõe a essa interpretação, pois encontramos Davi apelando ao juízo de Deus contra o ódio injusto e cruel a que se sujeitara no mundo. Há nestas palavras um contraste implícito, porque, quando a calúnia é extravagante, a inocência não é devida e propriamente estimada por ninguém, exceto por Deus. O significado da passagem é este: Senhor, embora eu seja considerado como o mais vil dos vis e exposto ao opróbrio do mundo, Tu sustentarás a retidão de meu caráter; por isso, Tu também exibirás meu louvor.[2] Esta interpretação corresponde bem àquilo que é imediatamente anexado: *não te cales*. Pois quando somos esmagados pelas maledicências dos ímpios, com certeza seria impróprio da parte de Deus, que é a testemunha de nossa inocência, permanecer em silêncio. Ao mesmo tempo, o que afirmei anteriormente não deve ser passado ignorado, a saber: embora Davi lamentasse as

---

2 A Septuaginta e a Vulgata anexam o mesmo significado à oração do salmista. A redação da Septuaginta é esta: Ὡ Θεός, τὴν αἴνεσίν μου μὴ παρασιωπήσῃς, e a da Vulgata é esta: "Deus, laudem meam ne tacueris" (*Ó Deus, não te cales diante de minha oração*). Entretanto, a frase, como está no texto hebraico é passível de dupla significação, pois pode referir-se ao louvor de Deus a Davi ou ao louvor de Davi a Deus. Em um caso, ela sugere que Deus era o objeto de seu louvor. Esse sentido pode ser lido em Deuteronômio 10.21: "Ele é o teu louvor e o teu Deus" e significará: Não guardes silêncio, recusando ou negligenciando meu louvor, que te ofereço. No outro sentido, a oração é como se o nosso autor declarasse: Embora outros me recriminem, não deixes que meu louvor fique em silêncio; sê tu meu advogado, defende minha causa, proclama e justifica a minha inocência.

injúrias que estava sofrendo, ele representava, em sua própria pessoa, a Cristo e todo o corpo de sua Igreja. Deste fato somos ensinados, quando vivemos sujeitos a toda espécie de indignidade provinda dos homens, a descansar em plena confiança sob a proteção exclusiva de Deus. No entanto, ninguém pode, com sinceridade de coração, entregar-se inteiramente nas mãos de Deus, se primeiro não formar a resolução de tratar com desprezo os opróbrios do mundo e persuadir-se plenamente de que tem a Deus como defensor de sua causa.

2. Porque a boca dos ímpios. Davi, neste ponto, declara com clareza que se sentia muito solícito em obter o auxílio de Deus, em decorrência de não encontrar justiça entre os homens. E, ainda que seja provável que Davi havia sido ousada e furiosamente atacado, ele se queixa de que a boca do mentiroso e fraudulento se abrira contra ele e de que se encontrava cercado por línguas falsas. Daí, aos que ignoravam sua real situação pareceria haver algum pretexto plausível para que ele estivesse sobrecarregado de opróbrios, de tal modo que não podia evadir-se da culpa de delito.

3. Eles me têm cercado. Davi se queixa de que de todos os cantos era atacado com os mais hostis e abusivos epítetos, de forma totalmente imerecida. E, pelo uso de uma bela similitude, ele mostra que as línguas de seus inimigos eram tão sobrecarregadas de veneno letal, que lhe era mais difícil suportar os ataques deles do que os ataques de um grande exército inimigo. Esta espécie de guerra, à qual Deus convoca, com freqüência, seus filhos, deve receber de nós detida ponderação. Pois, ainda que Satanás os assalte com violência, visto que ele é o pai da mentira, tudo faz, mediante a espantosa destreza que possui de cumular calúnias sobre eles, a fim macular sua reputação, como se fossem os mais desprezíveis de todo o gênero humano. Ora, como aquilo que foi prefigurado por Davi se cumpriu em Cristo, devemos lembrar que aquilo que está por trás das aflições de Cristo se cumpre diariamente nos crentes [Cl 1.24]; porque, tendo uma vez sofrido em Si mesmo, Ele os chama a que sejam participantes e associados com Ele em seus sofrimentos.

4. Em retribuição de meu amor, eles me têm feito oposição.[3] O salmista já havia declarado solenemente que seus adversários, sem que ele lhes causasse qualquer injúria e sem qualquer causa justa, se converteram, mediante fúria diabólica, em seus mais implacáveis inimigos. Aqui, ele confirma a veracidade dessa declaração, dizendo que fora amigo deles. Pois há muito mais mérito em demonstrar bondade para com um inimigo do que simplesmente em abster-se de fazer o mal. E desse fato percebemos que a influência de Satanás tem de ser terrivelmente poderosa quando torna o coração dos homens cativos à sua vontade. Pois nada pode ser mais contrário à natureza do que odiarmos e perseguirmos cruelmente os que nos amam. Ao *amor* Paulo adiciona atos de bondade, significando que seu alvo era assegurar-se da boa vontade deles, por meio de atos externos de beneficência.

5. Eu, porém, me entreguei à oração.[4] Alguns são da opinião de que essas palavras se referem ao ato de Davi apresentar uma oração em prol de seus inimigos, no exato momento em que o atacavam furiosamente e, com base nessa opinião, fazem isso corresponder ao que foi dito em Salmos 35.13. Mas a interpretação mais clara, particularmente para mim, é que, ao ser atacado de uma forma cruel e hostil, Davi não recorreu a meios ilícitos como o retribuir o mal com o mal; antes, ele se entregou às mãos de Deus, plenamente confiante de que Ele o guardaria de todo o mal. E, com certeza, uma grande e admirável obtenção é alguém restringir tanto suas paixões, que possa apresentar, direta e imediatamente, seu apelo ao tribunal de Deus, no exato momento em que é injuriado sem causa e as próprias injúrias que enfrenta são destinadas a excitá-lo à vingança. Pois existem pessoas que, embora seu alvo seja viver em amizade com o bem, quando elas entram em contato com os maus, imaginam que estão em perfeita liberdade de retribuir injúria por injúria. E todos os santos

---

3 "Esta expressão", diz Hengstenberg, "encontra seu pleno cumprimento em Cristo. O amor de Cristo para com o homem manifestou-se diariamente por meio das miraculosas de todas as enfermidades do corpo, as quais foram retribuídas com o ódio humano contra Ele, exibido na conduta geral daquelas pessoas".

4 No hebraico, a sentença é muito breve e imperfeita: "Mas eu oro"; sou um homem de oração; recorrerei à oração. Assim: "Eu pacifico" é expresso em lugar de "Eu sou pela paz" [Sl 120.7].

sentem que estão sujeitos a esse tipo de tentação. Contudo, o Espírito Santo nos refreia para que, embora às vezes provocados pela crueldade de nossos inimigos, não recorramos à vingança, desistamos de todo meio fraudulento e violento e recorramos à oração exclusivamente a Deus. Por meio desse exemplo de Davi, somos instruídos que devemos recorrer aos mesmos meios que ele usou, se queremos vencer nossos inimigos pelo poder e proteção de Deus. Em Salmos 69.12-13, temos uma passagem paralela: "Aqueles que se assentam à porta falam contra mim; e fui o cântico dos bebedores de bebida forte. Eu, porém, faço a ti minha oração, Senhor, num tempo aceitável; ó Deus, ouve-me segundo a grandeza de tua misericórdia, segundo a veracidade de tua salvação". Nessa passagem, bem como na que estamos considerando, a forma de expressão é elíptica. Além disso, o desígnio de Davi, nessas palavras, é informar-nos que, embora estivesse consciente de que o mundo inteiro se lhe opunha, podia lançar suas preocupações sobre Deus; e isso era suficiente para acalmar-lhe a mente. E, visto que o Espírito Santo ensinou a Davi e a todos os santos a oferecerem orações como essa, concluímos isto: os que os imitam neste aspecto são prontamente ajudados por Deus, quando Ele os contempla sendo perseguidos com opróbrio e vileza.

[vv. 6-11]
Põe[5] sobre ele um ímpio e permite que o adversário esteja à sua direita. Quando ele for julgado, que saia culpado, e sua oração se lhe converta em pecado.[6] Que seus dias sejam poucos,[7] e outro receba seu ofício. Que seus

---

5 "O espírito de profecia está combinado, em alto grau com todas as denúncias que seguem, as quais têm relação com os judeus impenitentes e com o apóstolo traidor" – *Morison*.

6 "Quando sua causa for examinada, e a sentença for pronunciada, que ele, segundo o significado original, seja declarado culpado (em outros termos, seja condenado); e, quando pleitear o perdão ou a mitigação de sua sentença, que sua petição, em vez de receber uma resposta favorável, seja considerada uma agravante de seu pecado" – *Morison*. Horsley entende a última sentença como uma referência ao culto judaico, o qual, afirma ele, agora se converte em pecado, visto que contém uma negação de nosso Senhor. Fry admite que a exposição de Horsley deste verso é ingênua. "Mas", diz ele, "תפלה [que Calvino traduz *oração*], à luz de sua etimologia e de seu uso [Jó 16.17], pode ser entendido no sentido de uma sentença judicial, e o paralelismo neste lugar é um forte argumento em prol dessa interpretação. Que a decisão contra ele seja 'culpado'." Conseqüentemente, Fry traduz: "Que em seu julgamento ele saia condenado e que a decisão seja: *Pecou!*"

7 "*Seus dias sejam poucos*. Hengstenberg diz que estas palavras significam *pouco tempo*, como

filhos fiquem órfãos e sua esposa, viúva. E⁸ que seus filhos perambulem sem qualquer habitação fixa, que sejam pedintes e busquem pão fora de seus lugares desolados.⁹ Que o extorsionário¹⁰ se apodere¹¹ de tudo quanto lhe pertença, e os estranhos despojem seu labor.

6. Põe sobre ele um ímpio.¹² Até aqui o salmista apresentou sua

---

se ele o considerasse um substantivo, e não um adjetivo; porém, é duvidoso que um adjetivo pertença a ימיו (*seus dias*). A expressão denota que o homem aqui mencionado não viva um período completo, mas que tenha um encontro prematuro com a morte, ou violentamente pelas mãos de outro, ou por suas próprias mãos, como foi o caso de Judas. Uma morte extemporânea às vezes é mencionada no Antigo Testamento como uma punição sobre pessoas gravemente culpadas. 'Homens sanguinários e fraudulentos não chegarão à metade de seus dias' [Sl 55.23]. Ver também Provérbios 10.27. Esta passagem é aplicável não só a Judas, mas também aos judeus em geral; pois, após a crucificação de nosso Senhor, seus dias foram poucos; logo perderam a posse de seu país e se tornaram proscritos de sua terra" – *Phillips*. Horsley também explica esta expressão como sendo os dias da comunidade judaica, os quais foram bem poucos após a ascensão de nosso Senhor; e a sentença subseqüente, como denotando que "a Igreja cristã se tornou a depositária da revelação, que era responsabilidade particular da raça judaica".

8 "Os versículos 10 e 11 fazem alusão ao estado dos judeus em sua dispersão, que não tinham um lar fixo" – *Horsley*.

9 Hoursley traduz este versículo assim: "Que seus filhos sejam meros vagabundos e mendiguem; Que sejam arrebatados das próprias ruínas de suas habitações".

"Em lugar de ידרשו", diz ele, "a Septuaginta tem יגרשו ('que sejam tirados'). Houbigant e Secker aprovam esta redação. A imagem é esta: vagabundos, em busca de um refúgio miserável por entre ruínas de edifícios demolidos e destruídos, não conseguiam permanecer sossegados nem mesmo em tais lugares".

10 "Literalmente, 'o que empresta' ou 'credor'. Mas, à luz da insensibilidade dos judeus em relação a seus credores, da qual temos exemplos em 2 Reis 4.1 e Neemias 5.1-14, a palavra parece ter, em tempos posteriores, adquirido sentido negativo; assim, é mantido em nossa tradução: *o extorsionário*" – *Mant*.

11 "ינקש, *apanhará* ou *segurará*. Parece denotar apanhar *ao lançar as redes*. Ver Salmos 38.13. Este sentido se adequa muito bem a esta passagem, pois o usurário costumava obter a subsistência lançando mão de todo gênero de artifícios" – *Phillips*. Horsley traduz assim: "Lança sua rede sobre tudo o que ele possui". Que notável representação do tratamento que os judeus, desde os tempos da última destruição de sua cidade e sua dispersão pelos romanos, receberam de quase todas as nações entre as quais têm sido dispersos! Por algum tempo, lhes foi permitido viver tranqüilamente na Grã-Bretanha, Holanda e Alemanha; porém, que história de miséria tem ficado das imposições tirânicas das quais eles têm sido vítima durante séculos!

12 O Dr. Geddes traduz assim o versículo 6: "Que ele seja julgado por um juiz perverso, e que à sua direita seja posto o acusador." Sobre isso o Dr. Geddes tem a seguinte nota: *Que ele seja julgado por um juiz perverso*. O salmista se refere a um tribunal e deseja que seu inimigo tenha um juiz *severo*, sim, um juiz *perverso*. Certamente um juiz que fosse uma das mais profundas maldições que pudessem sobrevir a alguém. *E à sua direita seja posto o acusador*. Em vez de um amigo ou advogado que ficasse a seu lado, que seu único assistente fosse um acusador. Que tremenda imagem! Mas o peso da metáfora está no versículo seguinte: Quando ele for julgado, seja achado culpado; *e que seu protesto somente agrave seu delito*. Com isso corresponde a interpretação de

queixa contra um grande número de pessoas. Agora, parece dirigi-la contra um único indivíduo. Provavelmente ele fala de cada um deles individualmente. Entretanto, é igualmente provável que ele se refira, em termos bem marcantes, a uma dentre essas pessoas ímpias, a mais notória transgressora de qualquer delas. Há quem conjeture, e não sem razão, que Doegue é a pessoa aqui almejada, o qual, por sua traição e revolta, buscava trazer ruína, não somente para Davi, mas também para todos os santos sacerdotes. E sabemos que Pedro aplica este Salmo a Judas [At 1.20]. Mas, com igual propriedade e, certamente, não menos veemência, esta queixa pode ser considerada como aplicável a algum amigo mais íntimo e particular do salmista. Com respeito às imprecações contidas neste Salmo, será próprio ter em mente o que já dissemos em outra parte, que, ao formular tais maldições ou expressar seus desejos quanto a elas, Davi não é instigado por qualquer propensão imoderadamente carnal, nem reage movido por zelo sem discernimento, nem é influenciado por quaisquer considerações intimamente pessoais. Esses três fatos devem ser cuidadosamente considerados, pois, em proporção ao montante de auto-estima que um homem possui, ele também é fascinado por seus próprios interesses, a ponto de lançar-se precipitadamente à vingança. Logo, quanto mais uma pessoa se devota ao egoísmo, tanto mais ela será imoderadamente dedicada à promoção de seus próprios interesses. Este desejo por promoção do interesse pessoal dá origem a outras espécies de pecados. Pois ninguém deseja vingar-se de seus inimigos só porque isso é certo e imparcial, e sim porque é o meio de satisfazer sua própria propensão vingativa. Deveras, alguns tomam o pretexto de justiça e eqüidade nesta questão, mas o espírito de malignidade, pelo qual se deixam inflamar, extingue todo traço de eqüidade e cega suas mentes.

Phillips. Assim como Hammond, Phillips entende o termo *pôr sobre* no sentido de *por sobre como um juiz* ou *inspetor*. "Esta noção de *pôr sobre*", observa ele, "corresponde com o termo seguinte, pois se diz: *e um inimigo esteja à sua direita*, mostrando que um perverso estava para ser designado para agir como juiz. O homem a sua direita denota um acusador, de acordo com o costume que prevalecia num tribunal judaico, de colocar um acusador à direita do acusado (ver Zc 3.1). Disso entendemos, neste versículo, que רשע é mencionado como que agindo na capacidade de juiz, e שטן, na capacidade de acusador".

Quando estes dois erros, egoísmo e carnalidade, são corrigidos, ainda há outra coisa que demanda correção, a repressão do ardor de zelo insensato, a fim de que possamos seguir o Espírito de Deus como nosso guia. Se alguém, sob a influência de zelo perverso, apresentasse Davi como um exemplo disso, esse não seria o exemplo correto; pois tal pessoa pode ser mui habilidosamente disposta a responder que Cristo revidou a seus discípulos: "Não sabeis de que espírito sois" [Lc 9.55]. Quão detestável é o ato de sacrilégio por parte dos monges e, especialmente, dos frades franciscanos, que pervertem este Salmo, empregando-o para favorecer os propósitos mais perversos! Se um homem abriga a malícia contra um vizinho, é muito natural que ele empregue um desses miseráveis perversos para amaldiçoá-lo, o qual faria isso repetindo diariamente este Salmo. Conheço uma senhora francesa que contratou alguns desses frades para amaldiçoar seu próprio e único filho com essas palavras.

Volvo-me, porém, a Davi, que, isento de toda e qualquer paixão desordenada, pronuncia suas orações sob a influência do Espírito Santo. Então, quantos aos ímpios que vivem como desprezadores de Deus e estão constantemente tramando a subversão dos insuspeitos e dos bons, lançando de si toda e qualquer restrição, de modo que nem modéstia nem honestidade lhes servem de freio, eles são merecedores do castigo de *ter uma pessoa ímpia sobre eles*. E visto que, por meio de intrigas e perfídias, estão constantemente almejando o extermínio dos bons, são com mais justa razão castigados por Deus, que levanta contra eles um adversário que jamais se afastará de seu lado. Que os crentes estejam de guarda, para que não demonstrem tanta pressa em suas orações e se permitam ter um lugar para a graça de Deus, a fim de que Ele se manifeste em favor deles. Porque talvez possa acontecer que o homem, hoje um inimigo mortal, amanhã se torne, através dessa mesma graça, nosso amigo.

7. **Quando ele for julgado, que saia culpado.** Outra imprecação é que, sendo intimado a julgamento, venha a ser punido sem misericórdia; e que, embora implore humildemente o perdão, o juiz

permaneça inexorável. Com propriedade, pode-se entender isso como uma afirmação relacionada não somente ao ato de ser julgado no tribunal dos homens, mas também no tribunal de Deus. Mas, como se harmoniza muito bem com as decisões conferidas por um juiz terreno e como esta é a interpretação mais comumente aceita, não desejo apartar-me dela. Há duas coisas que devem ser notadas: a impiedade dos ímpios é tão palpável que não sobra espaço para escapar-se à execução da justiça; e todas as súplicas dos ímpios por perdão são desconsideradas. Conseqüentemente, o salmista o representa como um criminoso condenado deixando a presença do juiz, levando a ignomínia da condenação que mereceu justamente, tendo seus atos nefandos a descoberto e detectados. Com respeito à outra interpretação que coloca os ímpios diante do tribunal de Deus, não parece, de modo algum, absurdo dizer que as orações deles se voltariam contra eles para pecarem, especialmente quando sabemos que todos os seus sacrifícios são uma abominação para Deus. E, quanto mais eles mesmos se maculam, tanto mais todas suas plausíveis virtudes se tornam ofensa e desprazer para Deus. Mas, como o escopo da passagem é favorável à interpretação que a aplica aos juízes terrenos, não considero necessário insistir mais sobre este ponto.

8. Que seus dias sejam poucos. Embora este mundo seja o palco de muita fadiga e inquietação, sabemos que os dias são penhores e provas da benignidade de Deus, visto que, com freqüência e como sinal de seu amor, Ele promete prolongar a vida dos homens. Não é absolutamente necessário que permaneçamos aqui por muito tempo, e sim que tenhamos a oportunidade de compartilhar do amor paternal de Deus que Ele nos concede, por meio do qual podemos ser levados a nutrir a esperança da imortalidade. Ora, em oposição a isso, a brevidade da vida humana é aqui introduzida como uma marca da desaprovação divina; pois, quando Deus elimina os ímpios de maneira violenta, Ele testifica que não mereciam inspirar o fôlego da vida. E esse mesmo sentimento é inculcado quando, despojando-os de sua honra e dignidade, Deus os remove do lugar de poder e autoridade.

O mesmo pode acontecer aos filhos de Deus, pois os males temporais são comuns aos bons e aos maus; ao mesmo tempo, os filhos de Deus nunca estão por demais confusos e envolvidos, pois qualquer um deles pode perceber ocasionalmente os juízos divinos de forma evidente e marcante. Pedro, citando este versículo [At 1.20], diz que ele devia se cumprir em Judas, porque está escrito: "Que outro tome seu encargo". E Pedro fez isso com base no princípio de interpretação de que Davi aqui falava sobre a pessoa de Cristo. A isso não se pode objetar que o termo hebraico פקודה (*pekudah*) geralmente significa *superintendência*,[13] porquanto Pedro o aplica, mui apropriadamente, ao apostolado de Judas. Ao expor esta passagem, algumas vezes em referência a uma esposa, ou à alma (que é uma preciosa jóia no homem), ou à riqueza e prosperidade, há boas razões para crermos que, agindo assim, os intérpretes hebreus são motivados por pura malícia. A que propósito pode servir a perversão do sentido de uma palavra cujo significado é tão nítido e simples, a não ser que, sob a influência de um espírito maligno, eles diligenciam por obscurecer a passagem para que não pareça ser apropriadamente citada por Pedro? À luz destas palavras aprendemos que não há razão por que os ímpios devem se orgulhar, enquanto têm reputação elevada neste mundo, visto que não podem, em última análise, escapar daquela ruína que o Espírito Santo aqui declara que os aguarda. Aqui também somos munidos com um motivo muito valioso de conforto e paciência, quando ouvimos que, por mais elevadas sejam a posição e reputação deles agora, a sua ruína se aproxima, e logo serão despidos de toda sua pompa e poder. Nos dois versículos precedentes, a maldição se estende tanto à esposa quanto aos filhos; e o desejo de que ela fosse deixada viúva e os filhos, órfãos depende da brevidade daquela vida sobre a qual o profeta advertiu anteriormente. Ele também faz menção de *mendicância* e da falta de tudo que é necessário à vida; isto é uma prova da magnitude de sua culpa, pois, indubitavelmente, o Espírito Santo não

---

13 "Præfecturam generaliter significet" – *lat.* "Signifie generallement Superintendence" – *fr.*

anunciaria contra eles um castigo tão grave e pesado por uma ofensa trivial. Ao entregar como despojo a propriedade[14] aos *extorsionários*, Davi deve ser entendido como aludindo à pobreza que foi imposta aos filhos desse ímpio, pois não está falando de uma pessoa pobre e carente que em sua morte nada pode deixar à sua família, e sim de alguém que, indiferente ao que seja justo ou injusto, acumula riquezas para enriquecer a seus filhos, mas de quem Deus retira os bens tomados injustamente de outros.

[vv. 12-16]
Não haja ninguém que lhe estenda misericórdia e ninguém que se apiede de seus órfãos. Que sua posteridade seja eliminada; que seu nome seja apagado da geração seguinte. Que a iniquidade de seus pais seja lembrada diante de Jehovah; e que o pecado de sua mãe não seja apagado. Que estejam diante de Jehovah continuamente, e que ele elimine da terra seu memorial,[15] porque esqueceu de demonstrar misericórdia e perseguiu o aflito, o pobre e o de coração contristado, para o matar.

12. Não haja ninguém que lhe estenda misericórdia. Continuar demonstrando humanidade e misericórdia é, de conformidade com o idioma hebraico, equivalente a atos constantes e sucessivos de bondade. Às vezes, também denota piedade ou ser movido à simpatia, quando, ao longo dos anos, a ira é aplacada e mesmo a calamidade de alguém abranda o coração da pessoa que nutria ódio por ele.[16] Conseqüentemente, há quem entenda esta cláusula no sentido de que não haverá ninguém que demonstrará bondade para com a prole desse ímpio. Essa interpretação está de acordo com a sentença seguinte do versículo. Davi, contudo, inclui o próprio ímpio com seus filhos, como se dissesse: Ainda que visivelmente se definhe sob tais calamidades, e estas desçam sobre seus filhos, ninguém demonstrará piedade para com eles. Somos cônscios de que não sucede frequentemente que o

---

14 "Quand il donne les biens en proye aux *exacteurs*" – *fr*.
15 "Tarnovius diz que a passagem não trata de toda memória, mas apenas de uma memória honrosa" – *Phillips*.
16 "Et mesmes la calamite de quelqu'un amollit le ceur de celuy qui luy portoit haine" – *fr*.

infortúnio causado por um inimigo continuamente ou incita a simpatia de homens de disposições selvagens ou os faz esquecer todo seu ódio e malevolência. Mas, nesta parte do Salmo, Davi expressou o desejo de que seu inimigo e toda sua posteridade fossem tão odiados e detestados, que o povo nunca mais se cansaria de contemplar as calamidades que suportavam e viessem a familiarizar-se tanto com o espetáculo, que seus corações se tornariam como que de ferro. Ao mesmo tempo, devemos notar que Davi não é incitado temerariamente por alguma angústia pessoal a falar nesses termos. É como mensageiro de Deus que Davi declara o castigo que pairava sobre os ímpios. E, de fato, a lei considera como um juízo de Deus o ato de endurecer os corações dos homens, de modo que aqueles que se tornam cruéis, insensíveis e sem compaixão, não encontram também simpatia [Dt 2.30]. É justo que a mesma medida que usaram com outros também seja recalcada para eles mesmos.

13. Que sua posteridade seja eliminada. Esta é uma continuação do mesmo tema que o profeta começara a considerar, ou seja, que Deus visita as iniqüidades dos pais em seus filhos. E, visto que Davi estava lidando com toda a corte de Saul, e não somente com um indivíduo, ele emprega o plural. Mas como nos atos de perversidade há sempre alguém que é o primeiro a agir, como líder de outros, não devemos nos sentir surpresos pelo fato de que, tendo falado de uma pessoa, Davi agora se dirige a muitos e volta à mesma pessoa. O modo mais natural e simples de explicar é atribuir isso à prole desse ímpio, pois o termo hebraico que significa *posteridade* é coletivo, implicando uma multidão, e não um único indivíduo. Esta é uma explicação mais favorável do que a primeira. Às vezes, ocorre que uma família, abatida por um desastre inesperado, se ergue outra vez num período subseqüente; aqui, contudo, o desejo do profeta é que o perverso seja tão completamente destruído, que nunca mais possa recobrar sua condição anterior, pois há muito implícito na expressão *seu nome seja apagado da geração seguinte* ou depois de um lapso de tempo.

E, visto que a destruição que Davi anuncia contra as casas e famílias dos perversos é tão extensa, que Deus os castiga em sua posteridade, assim Davi deseja que *Deus se lembre das iniqüidades de seus pais*, a fim de que sua condenação seja completa. Este é um princípio em perfeita concordância com a doutrina que recebemos comumente da Escritura. Deus, com base em sua aliança, que está em vigor para milhares de gerações, estende e continua sua misericórdia em favor da posteridade dos santos. Todavia, Ele castiga a iniqüidade até à terceira e quarta geração. Ao agir assim, Ele não inclui indiscriminadamente os inocentes com os perversos, mas, ao subtrair dos réprobos a graça e a iluminação de seu Espírito, Deus prepara os vasos de ira para destruição, mesmo antes de nascerem [Rm 9.21].

Para o senso comum da humanidade, o pensamento de tal severidade é simplesmente horrível; mas devemos reconhecer que, se tentarmos medir os juízos secretos e inescrutáveis de Deus por nossas mentes finitas, nós O faremos errar. Chocados de horror ante a severidade desta ameaça, devemos tomá-la como um meio para fazer-nos sentir reverência e santo temor. Em referência à linguagem de Ezequiel 18.20 – "O filho não levará a iniqüidade do pai, mas a alma que pecar, essa morrerá" –, sabemos que nestas palavras o profeta desaprova as queixas infundadas do povo, o qual, gabando-se de ser inocente, imaginava que seu castigo era injusto. Entretanto, quando Deus continua sua vingança de pai para filhos, Ele os deixa sem alívio ou justificativa, porque são todos igualmente culpados. Já dissemos que a vingança começa quando Deus subtrai o seu Espírito, tanto dos filhos quanto dos pais, entregando-os a Satanás.

Alguém poderia inquirir como é possível que o salmista, ao desejar que o pecado deles estivesse continuamente *diante de Deus*, sem acrescentar, de modo semelhante, que o nome deles fosse apagado no céu e desejar meramente que fossem *eliminados* e perecessem na *terra*? Minha resposta é que Davi falava positivamente do costume da época em que vivia, quando a natureza dos castigos espirituais não era tão bem compreendida como em nossos dias, porque não havia chegado ainda o período quando a revelação da vontade de Deus estaria completa. Além disso, o desígnio de Davi era que a vingança de Deus fosse tão evidente, que o mundo inteiro aquiescesse em sua eqüidade como juiz.

16. Porque esqueceu de demonstrar misericórdia. O profeta passa agora a mostrar que tinha boas razões para desejar que calamidades tão terríveis e funestas fossem infligidas sobre seus inimigos, cuja sede de crueldade era insaciável e se deixavam arrebatar pela fúria, cruel e obstinada, contra o homem aflito e pobre, perseguindo-o com tão pouco escrúpulo, como se estivessem atacando um cão morto. Mesmo os filósofos viam a crueldade dirigida contra o desamparado e miserável como um ato digno somente de uma natureza covarde e aviltante; pois é entre os iguais que se nutre a inveja. Por essa razão, o profeta representa a malignidade de seus inimigos como sendo mais amarga em persegui-lo, quando estava em *aflição* e *pobreza*. A expressão *de coração contristado* é ainda mais enfática, pois há pessoas que, apesar de suas aflições, são inchados de orgulho. E, como tal conduta é irracional e desnatural, esses indivíduos incorrem no desprazer do poderoso. Em contrapartida, deve ser um sinal de desesperada crueldade tratar com desdém ao humilhado e desamparado no coração. Isso não equivaleria a lutar contra uma sombra? Essa crueldade insaciável é ainda mais salientada pela expressão *esqueceu de demonstrar misericórdia*, cujo significado é que as calamidades com que ele mantinha este homem inocente e miserável em grande luta não conseguiam despertar sua piedade, de modo que, com base na sorte comum da humanidade, ele deveria abandonar sua disposição selvagem.

Nesta passagem, o contraste é igualmente equilibrado, de um lado, entre orgulho tão obstinado e, do outro, o estrito e irrevogável juízo de Deus. E, como Davi falava só quando era movido pelo Espírito Santo, esta imprecação deve ser recebida como se Deus mesmo trovejasse de seu trono celestial. Assim, em um caso, ao pronunciar vingança contra os ímpios, Ele subjuga e restringe nossas inclinações perversas, que poderiam levar-nos a injuriar algum semelhante nosso;

e, no outro, ao comunicar-nos conforto, Deus mitiga e modera nossa tristeza, de modo que suportamos pacientemente os males que Ele nos inflige. Os perversos podem, por certo tempo, regalar-se impunemente na satisfação de suas luxúrias; mas esta ameaça mostra que não é vão a proteção que Deus se digna a oferecer aos aflitos. Mas os fiéis devem conduzir-se mansamente, para que sua humildade e contrição de espírito sejam recebidas por Deus com aceitação. E, como não podemos distinguir entre eleitos e réprobos, nosso dever é orar por todos os que nos atribulam, desejando a salvação de todos os homens, preocupando-nos e inclusive com o bem-estar de cada indivíduo. Ao mesmo tempo, se nossos corações são puros e pacíficos, isso não nos impedirá de apelar livremente ao juízo de Deus, para que Ele, por fim, elimine o impenitente.[17]

[vv. 17-20]
Visto que amou a maldição, que ela lhe sobrevenha;[18] visto que não se deleitou na bênção, que esta fique longe dele. E que ele seja vestido de maldição como uma roupa, e ela lhe sobrevenha como água em suas entranhas e como azeite em seus ossos.[19] Seja para ele como um manto que o cobre

---

17 "Ut desperatos omnes male perdat" – *lat*. "Afin qu'il extermine tous ceux qui sont du tout deseperez" – *fr*.

18 Esta maldição alude à imprecação pela qual os judeus se aventuraram a tomar sobre si a culpa da morte de nosso Senhor, quando Pilatos O declarou inocente. A bênção, *na qual não puseram seu coração*, era aquela que podiam obter de nosso Senhor" – Horsley.

19 A palavra hebraica traduzida por *roupa*, neste versículo, significa de acordo com Parkhurst, "um manto longo, uma roupa do tamanho do corpo". Horsley a traduz "uma roupa adequada para ele", e entende ser esse o sentido preciso de מד. Ele traduz a frase no versículo seguinte "como a roupa íntima que o agasalha". Na segunda frase, há provavelmente uma alusão à água do ciúme. Ver Números 5.18. Uma linguagem mais persuasiva do que a deste versículo e a do subseqüente não podia ser empregada para comunicar a força e a perfeição da maldição que sobreveio à nação judaica. E a condição daquelas pessoas, desde sua dispersão pelos romanos, propicia abundante evidência de que os termos, fortes como são, usados para predizer esta condição são adequados a propiciar-nos uma justa noção de sua dolorosa realidade. "A maldição que sobreveio à nação judaica", observa Horne, como ilustração deste e do próximo versículo, "se assemelha, por sua universalidade e adesão, a uma 'roupa' que cobre o homem por inteiro e aperta bem seus lombos; pois a natureza difusa e penetrante da 'água', que do estômago passa para os 'intestinos' e se dispersa por todos os vasos da estrutura humana; e o 'óleo', que imperceptivelmente se insinua nos próprios 'ossos'. Quando essa infeliz multidão, reunida diante de Pôncio Pilatos, pronunciou estas palavras: 'Seu sangue venha sobre nós e sobre nossos filhos', vestiram a roupa peçonhenta, que feriu e atormentou a nação desde então; assim, reprimiram a pressão mortífera, cujos efeitos têm

e como um cinto que o cinge continuamente. Seja esta a obra de Jehovah àqueles que me são hostis e àqueles que falam mal contra minha alma.

17. Visto que amou a maldição. Davi continua a enumerar os pecados de seus adversários e prossegue tratando-os com a máxima severidade, a fim de tornar mais evidente que ele se conforma estritamente ao juízo divino. Pois, sempre que nos aproximamos do tribunal de Deus, devemos tomar cuidado para que a eqüidade de nossa causa seja tão segura e evidente, que assegure para si mesma e para nós aceitação favorável da parte do Juiz. Fortificado pelo testemunho de uma consciência aprovadora, Davi declara sua prontidão em confiar ao juízo divino a demanda existente entre si e seus inimigos. As palavras que expressam maldição e bênção se encontram no pretérito — *a maldição lhe sobreveio e a bênção ficou longe dele* — mas é necessário traduzi-las como expressão de uma vontade ou desejo; pois Davi continua orando para que seu inimigo seja visitado com os mesmos males incomparáveis que infligira aos outros. A alguém que desconhecia todo ato de bondade e nutria prazer em praticar o mal, o salmista deseja que seja submetido a todo gênero de calamidade. Alguns entendem *maldição* no sentido de *maldizer* e *lançar imprecação*, sugerindo assim que essa pessoa estava tão acostumada à execração, que a nocividade e a malevolência estavam constantemente em seu coração e prorrompiam de seus lábios. Ainda que não rejeitemos essa opinião, estou mais disposto a tomar o ponto de vista mais extenso da passagem: de que, por injúria e abuso, essa pessoa almejava a supressão e abolição de todo e qualquer sinal de bondade, deleitando-se nas calamidades que percebia sobrevir aos inocentes e aos bons.

Não poucos intérpretes traduzem os dois versículos seguintes na forma pretérita: *Ele se vestiu de maldição*, etc. Isso seria equivalente a dizer que o inimigo se sentia tão prazeroso em amaldiçoar quanto em trajar vestes caríssimas, ou que ele se vestia de maldição como

---

sido a soberba e a miséria de 1700 anos."

se vestisse uma roupa, ou que, como uma doença inveterada, a maldição se apegava profundamente à medula de seus ossos. A outra interpretação é mais simples: a maldição aderiria aos perversos, ela os envolveria como um manto, os cingiria como um cinto e penetraria os próprios ossos deles. E, para que ninguém tome precipitadamente como exemplo o que Davi falou pela influência especial do Espírito Santo, deve ter em mente que aqui o salmista não está buscando em Deus algo que visava ao interesse pessoal e que ele não se refere a uma pessoa de caráter comum. Pertencendo ao número dos fiéis, Davi não pretende omitir a lei da caridade, por desejar a salvação de todos os homens. Mas, neste caso, Deus elevou seu espírito acima de todas as considerações terrenas, despiu-o de toda malícia e libertou-o da influência de paixões turbulentas, de modo que pudesse, com santa calma e sabedoria espiritual, condenar os réprobos e destiná-los à destruição eterna. Outros formulariam a frase *ele amou a maldição*, com o significado de que o ímpio atraiu intencionalmente a vingança divina sobre si mesmo, enquanto buscava destruição para si mesmo, por sua franca hostilidade contra o salmista. Contudo, esta não é uma construção natural da passagem. A interpretação que tenho dado é mais preferível: que o ímpio estava tão afeito à maldade e à injustiça, que não agia com aquela eqüidade e bondade que eram esperadas da parte dele. Nesse ínterim, deve-se observar que todas as maquinações dos perversos recairão eventualmente sobre a cabeça deles mesmos e que, ao se enraivecerem mais violentamente contra os outros, a maldade que desejam tão ardentemente para os outros, deve lhes sobrevir, como o vento nordeste que, soprando, atrai nuvens para si.

20. Seja esta a obra de Jehovah. Isto é, que o lucro ou recompensa da obra venha de Deus. Ao realçar a obra como procedente de Deus, a intenção do salmista é mostrar que, ainda que privado de todo auxílio humano, nutre a esperança de que Deus lhe conceda livramento e vingue as injúrias contra seu servo. À luz deste versículo, aprendemos que Davi não pronuncia temerária e inadvertidamente maldição contra seus inimigos, mas obedece estritamente ao que o Espírito lhe ditara. Deveras reconheço que muitos, embora simulem convicção e confiança semelhantes, vão precipitadamente além dos limites da temperança e moderação. Mas aquilo que Davi viu pelos olhos límpidos da fé, também declarou, com o zelo apropriado de uma mente sã; pois, havendo se devotado ao cultivo da piedade e sendo protegido pela mão de Deus, ele tinha consciência de que se aproximava o dia em que seus inimigos se depararia com a merecida punição. Disso também aprendemos que a confiança de Davi estava depositada unicamente em Deus e que ele não levava em conta as pessoas, para conduzir--se em sua devida trajetória, enquanto o mundo sorria para ele ou o detestava. E, com certeza, todo aquele que deposita sua dependência nos homens descobrirá que o incidente mais frívolo o aborrecerá. Portanto, se o mundo inteiro nos abandonar, imitemos este santo homem: erguendo nossa cabeça ao céu, contemplemos nosso Defensor e Libertador. Se for intenção dEle empregar instrumentos humanos para nos livrar, Ele logo suscitará os que cumprirão seu propósito. Se Ele, como prova de nossa fé, quiser privar-nos de toda assistência terrena, em vez de considerarmos isso uma censura à glória do nome dEle, devemos esperar até que chegue o tempo oportuno quando Ele exibirá plenamente aquela decisão à qual podemos serenamente aquiescer.

[vv. 21-27]
E tu, ó Jehovah, meu Senhor, empenha-te por mim, por amor de teu nome; livra-me, porque tua misericórdia é boa; porque eu sou pobre e necessitado, e meu coração está ferido dentro de mim. Eu ando como a sombra quando declina;[20] sou arremessado como o gafanhoto.[21] Meus joelhos se

---

20 Horsley traduz assim: "Eu me vou como a sombra estendida em sua amplitude máxima". A alusão diz respeito ao estado das sombras dos objetos terrenos sob o pôr-do-sol, alongando-se cada vez mais e tornando-se mais e mais fracas à medida que se alongam; e, no instante em que se estendem a uma longa distância, desaparecem. Assim como uma *sombra* que, *estendida* pelo pôr-do-sol, começa a desaparecer, assim também, diz o orador deste Salmo, vou desaparecendo depressa; isto é, vou me aproximando do fim da vida mortal.

21 A palavra hebraica traduzida por *gafanhoto* está no singular; a redação da Septuaginta está no plural. É possível que o que estava em foco era a pluralidade. Os gafanhotos costumavam voar em grandes números, e seus enxames são às vezes tão numerosos, nos países orientais, que pairam no ar como uma sucessão de nuvens, formando enormes corpos compactos. Mas, quando o vento sopra velozmente, sendo os gafanhotos criaturas frágeis e sem resistência, tais enxames são

tornaram frágeis de tanto jejuar, e minha carne desfalece por falta de gordura. Mas me tornei opróbrio para eles; quando me vêem, meneiam sua cabeça. Ajuda-me, ó Jehovah, meu Deus! Salva-me segundo a tua misericórdia; e saberão que esta é a tua mão e que tu, ó Jehovah, o fizeste assim.

21.E tu, ó Jehovah meu Senhor! Do ato de derramar suas queixas e imprecações contra seus inimigos, o salmista passa à oração; ou melhor, após haver recorrido a Deus como seu guardião e libertador, ele parece aproveitar o ensejo desta circunstância para estimular-se à oração. (Todas as reflexões piedosas com as quais os fiéis exercitam e fortalecem sua fé os estimulam a invocar o nome de Deus.) Ao mesmo tempo, ele não se ressente de qualquer serviço que tenha prestado a Deus, como que achando-se merecedor de seu auxílio, nem põe a confiança em sua dignidade pessoal, mas põe toda a confiança na soberana graça e misericórdia de Deus. Essa integridade, da qual o salmista tinha consciência, ele a apresenta em oposição a seus inimigos, com o propósito de tornar a iniqüidade deles ainda mais evidente. Contudo, Davi não aspira qualquer recompensa da parte de Deus, porque adota um princípio mais nobre: o de atribuir cada coisa à escolha voluntária de Deus, do qual também reconhece depender sua segurança. Se a qualquer um era lícito gabar-se de suas virtudes e méritos, Davi não era o homem menos capacitado a agir assim. Além do mais, ele era o representante de Cristo e de toda a Igreja. Disso concluímos que

---

às vezes arremessados, partidos em massas separadas, chocando-se umas contra as outras e sendo impelidas para o mar, onde caem quando já não conseguem manter seu vôo [Ex 10.13, 19]. Da mesma forma, o orador deste Salmo se sentia impotente diante de seus inimigos perseguidores. Ele era expulso por eles de um lugar para outro, sem a possibilidade de oferecer qualquer resistência. Hammond, que considera o Salmo como tendo sido composto por Davi quando tentava fugir de Jerusalém, em virtude da rebelião de Absalão, depois de referir-se a essa explicação da metáfora, observa: "É preciso entender a semelhança de outro modo possível. O gafanhoto é apenas um tipo de inseto que não tem nenhum lugar permanente ou de repouso, porém salta de um lado para outro e vagueia pelo campo. Por isso, a Bíblia fala sobre os gafanhotos que saltam [Is 33.4]. Esta incerteza e esta condição instável dessas criaturas podem ser apropriadas para expressar a condição de Davi em sua fuga, quando não tinha onde repousar a cabeça e vagueava de um lugar para outro, sem rumo. Mas a primeira interpretação, que se fundamenta nos enxames de gafanhotos, é mais adequada para expressar Davi e a companhia que o acompanhava, seu fraco e fugitivo exército, do que a interpretação que se fundamenta no comportamento singular do gafanhoto".

todas as nossas orações se desvanecem, se não estão fundamentadas na misericórdia de Deus. O caso de Cristo era, de fato, bem peculiar, visto que foi por sua própria justiça que Ele apaziguou a ira de seu Pai para conosco. Entretanto, visto que sua natureza humana era inteiramente dependente do beneplácito de Deus, é sua vontade, por meio de seu próprio exemplo, dirigir-nos à mesma fonte. O que podemos fazer, visto que o mais santo dentre nós é constrangido a reconhecer que é responsável por cometer tantos pecados? Não podemos tornar Deus nosso devedor? Segue-se que Deus, por conta da benignidade de sua natureza, nos toma sob sua proteção e que, em virtude da bondade de sua misericórdia, deseja que sua graça resplandeça em nós.

Quando nos aproximamos de Deus, devemos sempre lembrar que temos de possuir o testemunho de uma boa consciência; devemos também nos precaver de abrigarmos o pensamento de que temos algum mérito inerente que talvez faça Deus ser nosso devedor ou de que merecemos alguma recompensa das mãos dEle. Pois se, na preservação desta curta e frágil vida, Deus manifesta a glória de seu nome e de sua bondade, quanto mais deve ser descartada toda confiança nas boas obras, quando o tema referido é a vida celestial e eterna! Se, no prolongamento de minha vida por um breve tempo na terra, o nome de Deus for glorificado, por manifestar, de seu próprio beneplácito para comigo, a sua benignidade e liberalidade. Se Ele é glorificado quando, depois de me libertar da tirania de Satanás, me adota em sua família, lava minha impureza no sangue de Cristo, me regenera por meio de seu Espírito Santo, me une a seu Filho e me conduz à vida celestial – então, indubitavelmente, quanto mais liberalmente Ele me trata, tanto menos eu deveria me dispor a arrogar para mim qualquer porção de louvor. Quão diferente é a atitude de Davi, que, a fim de obter favor, confessa sua própria pobreza e miséria! E, visto que a aflição externa não tem nenhum valor, se uma pessoa, ao mesmo tempo, não se humilha e subjuga seu orgulho e espírito rebelde, o salmista reitera que seu coração estava ferido em seu íntimo. Deste fato podemos aprender que Deus não será um médico para ninguém, exceto para aqueles que, em um espírito genuinamente humilde, erguem seus suspiros e gemidos a Deus e não se tornam empedernidos ante as suas aflições.

23. Eu ando como a sombra quando declina. Estas são duas similitudes bem apropriadas. Quanto à primeira, já adverti em Salmos 102.12, a saber, que a pessoa aflita e aquela que está quase desfalecida são comparadas, de forma mui apropriada, à sombra vespertina. Ao nascer do sol ou quando ele brilha ao meio-dia com o máximo fulgor, a mudança constante da sombra não é tão perceptível; mas, ao pôr-do-sol, a sombra foge de nós a cada momento que passa. Quanto à outra similitude, ela realça a natureza transitória de todas as coisas debaixo do céu. Pois como os gafanhotos estão constantemente saltitando de um lugar para outro, assim Davi se queixa de sua vida ser mais incômoda por incessante perseguição, de modo que não lhe permitia nenhum lugar de repouso. E isto se assemelha ao que diz Salmos 11.1: ele era compelido a fugir como um pardal, contra o qual o caçador arma redes em todas as direções. Em suma, Davi lamenta sua situação desolada, a situação em que não podia achar nenhum lugar de segurança e que, mesmo entre os homens, não conseguia nenhum lugar de habitação. E, como neste Salmo ele nos apresenta um quadro de toda a Igreja, não devemos ficar perplexos se Deus nos sonda e nos desperta de nossa letargia, com inumerável variedade de eventos. Conseqüentemente, Paulo, em 1Coríntios 4.11, falando de si mesmo e dos demais, diz que não temos morada certa — uma descrição que é mais ou menos aplicável a todos os filhos de Deus.

24. Meus joelhos se tornaram frágeis. Ainda que Davi enfrentasse as necessidades da vida, se extenuou por meio de abstinência voluntária, à qual, em conjunção com a oração, ele se entregou. Portanto, podemos considerar este versículo como expressão de sua dor e tristeza. Podemos ainda compreendê-lo como expressão de não sentir nenhum prazer em comida e bebida, sabendo, como o fazemos, que as pessoas que sofrem dor e triste não sentem apetite por alimento: a própria vida lhes é incômoda. Deveríamos restringir a interpretação à ocasião em que Davi estava carente das necessidades da vida, quando se ocultava nas cavernas de animais selvagens, a fim de escapar à fúria de seus inimigos e, para isso, se sujeitava à fome e sede? Entretanto, parece-me que, com esta linguagem, Davi pretendia realçar a extrema angústia que sentia, porque, tendo a morte encará--lo, ele se indispunha ante todo e qualquer alimento. Isso está em harmonia com a próxima sentença, na qual ele afirma: *Minha carne desfalece por falta de gordura,* porque "o espírito abatido faz secar os ossos" [Pv 17.22]. Pelo termo *gordura,* alguns entendem guloseimas, significando que Davi fora privado de todo alimento que delicia o paladar. O modo mais natural é considerá-lo como que denotando o fato de que ele enfraquecera em razão de tristeza e jejum, visto que a umidade natural havia secado. Outra prova de sua dolorosa situação surge disto: segundo o que afirma em Salmos 22.7, ele fora tido em escárnio por todos. Aliás, uma situação triste e amarga que os filhos de Deus suportam ocorre quando eles são levados a sentir que a maldição de Deus, denunciada contra os transgressores de sua lei, é dirigida contra eles mesmos. Pois a lei diz aos que a desprezam: "Virás a ser pasmo, provérbio e motejo entre todos os povos a que o Senhor te levará" [Dt 28.37]. Davi foi assaltado com esta espécie de tentação e declara não somente que fora considerado uma pessoa condenada, mas também que fora cruelmente ridicularizado. E, ao mesmo tempo, Deus ao mesmo tempo chega a partilhar dessa ridicularização, pois é comum os ímpios conduzirem-se com insolência e soberba para conosco, quando nos vêem oprimidos sob aflições e injuriam nossa fé e piedade, porque Deus não nos oferece nenhum auxílio em nossas misérias.

26. Ajuda-me, ó Jehovah. O profeta reitera sua oração, porque, quanto mais somos assaltados pela sutileza e engano de Satanás, tanto mais se torna necessário esforçar-nos com mais vigor e exibir mais intensa ousadia. Aliás, podemos ter plena certeza de que Deus nos será propício. Todavia, quando Ele demora a manifestar sua clemência, e nesse ínterim os ímpios nos caluniam, isso ocorre por causa das várias dúvidas que continuam a importunar-nos, surgindo em nossa mente. Daí, não é sem razão que Davi, a fim de poder desvencilhar-se de tais ataques, se põe sob a proteção de Deus, que, em conformidade com sua misericórdia e bondade, auxilia seu povo em seus momentos de necessidade. Ele implora que o livramento lhe seja estendido, não por meios ordinários, mas pela exibição peculiar e especial do poder de Deus, de modo que seus inimigos sejam envergonhados e não ousem abrir suas bocas. E sabemos que, às vezes, Deus outorga secretamente socorro aos seus servos, enquanto, às vezes, Ele estende sua mão de forma tão visível que os ímpios, ainda que fechem suas bocas, são constrangidos a reconhecer que há uma agência divina conectada ao livramento deles mesmos.

Como os inimigos do salmista haviam se exaltado contra Deus, era seu desejo, depois de os haver subjugado, exultar sobre eles em nome de Deus. Ao nutrir tal desejo, o salmista não pretende granjear para si a fama de ser valente na guerra, e sim que Deus exiba seu poder, a fim de que nenhuma carne se glorie ante os seus olhos. As palavras podem também ser consideradas como uma referência ao livramento que receberia em relação a seus inimigos e à sua aflição. Ele deseja que seu livramento seja atribuído principalmente à graça de Deus, porque, ao contrapor a mão divina à fortuna e a todos os meios humanos de livramento, sua intenção é principalmente que Deus seja reconhecido como o único autor desse livramento. Isto merece ser cuidadosamente considerado por nós, porque, por mais ansiosos que estejamos por ser libertados pela mão de Deus, raramente há um entre cem que faça da manifestação da glória de Deus seu objetivo principal — essa glória pela qual devemos ter maior consideração do que por nossa segurança pessoal, visto que ela é infinitamente mais excelente. Portanto, aquele que deseja que os ímpios sejam constrangidos a reconhecer o poder de Deus deve prestar atenção, mais cuidadosamente, ao auxílio que ele mesmo experimenta da parte de Deus, pois seria um grande absurdo pôr em relevo a mão divina em relação a outros, se nossa mente não a têm reconhecido.

[vv. 28-31]
Eles amaldiçoarão, tu, porém, abençoarás; quando se levantarem, se envergonharão; teu servo, porém, se regozijará. Meus adversários se vestirão de ignomínia e se cobrirão com sua própria confusão, como com um manto. Eu louvarei grandemente a Jehovah com minha boca e o exaltarei no meio dos grandes,[22] porque ele se põe à destra dos pobres, para livrar sua alma de condenações.[23]

28. Eles amaldiçoarão. Os intérpretes estão divididos em suas opiniões acerca do sentido dessas palavras. Uma classe as traduziria como a expressão de um desejo ou vontade: que eles amaldiçoem, contanto que tu abençoes; que se ergam e sejam vestidos de confusão. Outra classe, com a qual eu concordo de bom grado, adota o tempo futuro do modo indicativo: eles amaldiçoarão, etc. Quem quer que deseje entender a passagem como que indicando, da parte do salmista, sua resolução em sofrer e submeter-se às maldições de seus inimigos, não me oponho a essa interpretação. Em minha opinião, os que vêem as palavras do salmista como uma oração interpretam-nas de forma equivocada, porque Davi, tendo já apresentado suas petições a Deus e sentindo-se seguro de seu favor, parece agora disposto a gloriar-se no fato de que a maldição deles não lhe fará nenhum dano. Porque tu, diz ele, me abençoará. Por esse meio, Davi prova quão pouco e insignificantemente ele considerava as ameaças de seus inimigos, ainda que pudessem assaltá-lo com a peçonha de suas línguas e o poder de suas espadas. À luz do exemplo de Davi, aprendamos a nutrir a resolução de engajar a Deus em nosso lado, o qual frustra todos os desígnios de nossos inimigos e nos inspira com coragem para desafiarmos a malícia, a perversidade, a audácia, o poder e a fúria deles.

Aliás, é nesse momento que a benignidade divina entra em cena, quando ela bane de nossa mente os temores que nutrimos ante às

---

22 "Em l'assemblee des grans" – *fr.* "Na assembléia dos grandes."
23 "C'est, de ceux qui ont jugé et condamne son ame à la mort" – *fr. marg.* "Isto é, daqueles que têm julgado e condenado sua alma à morte."

ameaças do mundo. Portanto, confiando na graça de Deus, considerando com ousadia como nulidade as maquinações e ataques de seus inimigos, crendo que não podiam prevalecer contra a bênção divina, Davi faz ecoar o grito de triunfo ainda no meio da batalha. Esta verdade é mais indelevelmente inculcada na próxima sentença do versículo: Quando se levantarem, se envergonharão. Por meio destas palavras, obviamente o desígnio do salmista é notificar que a violência ingovernável de seus inimigos ainda não está subjugada, mas que ele pode suportar toda sua fúria enquanto a mão divina estiver estendida para sustentá-lo e defendê-lo. Assim, ele se anima e se fortifica contra todo o orgulho do mundo, e, ao mesmo tempo, por meio de seu exemplo inclui todos os fiéis, para que não se sintam rejeitados mesmo quando a perversidade de seus inimigos pareça obter vantagem sobre eles e os ameace com repentina destruição. Nutrindo tal esperança, o salmista confia que, no futuro, será libertado de todas as tristezas. Daí, aprendamos a suportar paciente e mansamente nossas provações, até que chegue o momento oportuno e o tempo exato, que Deus designou, de converter nosso pranto em júbilo. No versículo seguinte, ele prossegue na mesma nota de exultação, porque, ainda que contemple os ímpios assumindo um ar de superioridade, ele visualiza além da situação presente, com os olhos da fé, e não nutre dúvida de que Deus frustrará todos os desígnios deles e derramará desdém sobre todos os seus planos.

30. Eu louvarei grandemente a Jehovah com minha boca. Estas palavras estabelecem claramente a veracidade da observação que já fiz, a saber, Davi não pede a Deus que amaldiçoe seus inimigos; antes, com santa ousadia de sua fé, ele os desafia, pois se prepara para oferecer a Deus um tributo de gratidão, como se já tivesse alcançado o objetivo de seu desejo. A expressão com minha boca não é supérflua, como alguns erroneamente supõem; deve ser considerada como um reconhecimento público de Davi quanto à sua gratidão a Deus pelo livramento já concedido, como se quisesse dizer: Eu não somente meditarei na infinita bondade que tenho recebido de Deus, quando estou sozinho e nenhum olho humano me vê, no recesso mais íntimo de meu coração, mas também declararei publicamente, diante dos homens, por meio do sacrifício designado de louvor, quanto sou devedor à graça de Deus. De acordo com este significado, ele acrescenta: No meio dos grandes ou de muitos homens, pois o termo רבים (rabbim) é suscetível de ambas as traduções. Prefiro traduzir a expressão como grandes homens, porque me parece que Davi se refere a uma assembléia de homens de posição notável e nobre. Ele declara que reconhecerá a bondade de Deus, não só em algum canto obscuro, mas também na grande assembléia do povo e entre governantes e os de posição nobre.

Na celebração dos louvores de Deus, não pode haver dúvida de que eles devem fluir do coração, bem como devem ser pronunciados pelos lábios. Ao mesmo tempo, seria uma indicação de profunda frieza e carência de fervor não unir a língua com o coração neste exercício. A razão por que Davi faz menção da língua é que ele tinha certeza de que, se não houver um derramamento do coração diante de Deus, os louvores que não vão além dos ouvidos são fúteis e frívolos. Portanto, lá do fundo de sua alma ele derrama sua sincera gratidão em ferventes melodias de louvor; e faz isso com base no mesmo motivo que devem influenciar todos os fiéis – o anseio por edificação mútua. Agir de outra forma seria roubar de Deus a honra que Lhe pertence.

Além do mais, Davi também apresenta a forma com a qual rendia ação de graças, isto é, Deus permanecia à destra dos pobres. Por meio desta linguagem, o salmista notifica que, quando Deus aparentemente o esquecera, o abandonara e permanecera longe dele, mesmo nessa situação Ele estava sempre perto e pronto a dar-lhe auxílio oportuno e prestimoso. E, com certeza, a pobreza e aflição de Davi eram uma razão para ele suspeitar de que havia sido esquecido por Deus, visto que Ele ou subtraía ou ocultava sua benignidade. Apesar deste aparente afastamento, Davi reconhece que, durante sua aflição e pobreza, Deus nunca cessara de estar presente, a fim de prestar-lhe assistência. Ao dizer para livrar sua alma de condenações, ele apresenta, numa luz ainda mais forte, a mesma situação penosa em que fora colocado: tratar dos mesmos inimigos poderosos, tais como o rei e os príncipes do reino que, presumindo soberbamente sua grandeza e nobreza e considerando que não havia esperança de recuperação para o salmista, tratavam-no como se fosse um cão morto. Minha firme convicção é que, nesta passagem, ele se queixa da intensa crueldade de seus inimigos e de que seu caráter fora denegrido injustamente por calúnias e opróbrios. Pois sabemos que ele era esmagado por malignidade e perversidade dos que, investidos de autoridade, fingiam vangloriosa e falsamente que desejavam agir como juízes e executores da justiça. Esses eram os plausíveis pretextos que eles adotavam como disfarce para sua iniquidade.

Salmos 110

Neste Salmo, Davi apresenta a perpetuidade do reinado de Cristo e a eternidade de seu sacerdócio. Em *primeiro* lugar, ele afirma que Deus conferiu a Cristo domínio supremo, combinado com poder invencível, com o qual ou Ele vence todos seus inimigos ou os compele a se Lhe submeterem. Em *segundo* lugar, o salmista adiciona que Deus estenderia amplamente as fronteiras deste reino. Em *terceiro* lugar, ele diz que Cristo, tendo sido instalado no ofício sacerdotal, com toda a solenidade de um juramento, sustém as honras desse sacerdócio com aqueles que exercem o seu ofício régio. *Finalmente*, ele afirma que este será uma nova ordem de sacerdócio, cuja introdução findará o sacerdócio levítico, que era temporário, mas este será eterno.

Salmo de Davi.

Tendo o testemunho de Cristo de que este Salmo foi composto em referência a Ele mesmo, não precisamos recorrer a qualquer outro testemunho, para corroborarmos esta afirmação. E, mesmo pressupondo que não tivéssemos sua autoridade, nem o testemunho do apóstolo, o Salmo em si mesmo não admitiria qualquer outra interpretação,[1] pois,

---

1 Em Mateus 22.42-45, Cristo aplica a si mesmo esta parte da Escritura. E os fariseus, diante de quem foi feita esta aplicação, em vez de argumentarem, admitiram-na imediatamente, como transparece de sua incapacidade de responder à pergunta de nosso Senhor, a qual se fundamentava neste Salmo. Fosse o Salmo interpretado diferentemente por qualquer grupo dentre os judeus, os fariseus teriam tirado vantagem de tal diversidade de opinião, a fim de escaparem da dificuldade a que se viram expostos pela pergunta a eles direcionadas. A interpretação messiânica deste

ainda que mantenhamos uma disputa com os judeus, o povo mais obstinado do mundo, sobre a aplicação correta deste salmo, nos somos capazes, pelos mais irresistíveis argumentos, a compeli-los a admitirem que as verdades aqui relacionadas não se referem a Davi nem a qualquer outra pessoa, exceto, unicamente, o Mediador. Reconhece-se que o reino de Cristo é tipificado na pessoa de Davi; contudo, não se pode asseverar a respeito dele ou de qualquer outro de seus sucessores que ele seria um rei cujo domínio se estenderia amplamente e, ao mesmo tempo, seria um sacerdote, não segundo a lei, mas segundo a ordem de Melquisedeque, para sempre. Porque, naquele tempo, não se podia instituir nenhuma nova e incomum dignidade sacerdotal, sem privar a casa de Levi desta honra peculiar. Além disso, a perpetuidade que se atribui ao ofício sacerdotal não pode pertencer a qualquer homem, porque, com a exceção do homem Cristo Jesus, esta honra termina imediatamente no final do breve e incerto curso da presente vida. Mas, como estes tópicos serão considerados com mais amplitude em seu lugar apropriado, é suficiente fazermos uma alusão sucinta sobre eles.

[vv. 1-3]
Disse Jehovah a meu Senhor: Assenta-te a minha direita até que eu faça de teus inimigos estrado de teus pés. Jehovah enviará de Sião o cetro de teu poder; tu governas no meio de teus inimigos. Teu povo virá com oferendas voluntárias, no tempo da reunião de teu exército,[2] na beleza da santidade;[3] desde o ventre da aurora, para ti foi o orvalho de tua juventude.

Salmo é também endossada pelo testemunho dos apóstolos. O autor da Epístola aos Hebreus [1.13] cita o primeiro versículo a fim de provar a superioridade de Cristo, em dignidade, aos anjos, aos quais Jehovah jamais disse: "Assenta-te à minha direita, até que eu ponha os teus inimigos por estrado dos teus pés". Em Atos 2.34-35, Pedro cita esta mesma passagem como uma profecia da ascensão de Cristo ao céu. Ver também 1 Coríntios 15.25, Hebreus 7.17, Efésios 1.20, etc. Portanto, o Salmo é, além de toda controvérsia, uma predição mui clara da divindade, sacerdócio, vitórias e triunfo do Messias. Temos tantos auxílios bíblicos para sua exposição, que não temos possibilidade de errar seu significado. A força da evidência interna em apoio de sua aplicação a Cristo é tal, que, embora os judeus tenham feito grande esforço para fazer este salmo ter outro significado, grande número de rabinos tem sido forçado a reconhecer que ele se refere a Cristo.

2 "Au temps d'assembler ton exercite" – *fr.*

3 Calvino, ao apontar para este versículo, colocou apropriadamente a pontuação após *santidade*, e não após *aurora*, como na Bíblia em inglês.

1. Disse Jehovah a meu Senhor.[4] O que se afirma aqui pode, até certo ponto, aplicar-se à pessoa de Davi, visto que ele não ascendeu ilegalmente ao trono real, nem chegou àquela posição por meio de artifícios nefandos, nem a atingiu por meio dos sufrágios levianos do povo, e sim pela autoridade direta de Deus, que reinava sobre Israel. Pode-se afirmar com justiça que todos os reis da terra foram postos em seus tronos pela mão de Deus, pois os reinos deste mundo são designados pelo decreto celestial, e "não há autoridade que não proceda de Deus" [Rm 13.1]. Além disso, como esse reino era totalmente peculiar, o propósito de Davi era fazer distinção entre esse reino e todos os demais. Deus investe reis em autoridade (mas estes não são consagrados como o foi Davi), para que como ele, em conseqüência da santa unção com óleo, fossem elevados à condição de vice-regentes de Cristo. No Salmo 82, os reis são chamados deuses, porque, pela vontade de Deus, mantêm sua posição e, em alguns aspectos, são representantes dEle (estando todo o poder alojado nele); mas não são vestidos com aquela sacra majestade com a qual Davi foi honrado como tipo do Filho unigênito de Deus. Além do mais, ele observa corretamente que o reino lhe foi conferido de uma maneira totalmente distinta dos demais reis terrenos, os quais, embora reconheçam que é pela graça de Deus que reinam, ao mesmo tempo não consideram que são sustentados pelo poder dele, mas, ao contrário, imaginam que reinam ou por sua própria habilidade administrativa, por direito hereditário ou pela bondade do destino. Portanto, no que diz respeito a si mesmos, é preciso afirmar que não têm nenhum direito legítimo para reinar. E, visto que não reconhecem a mão de Deus naquilo que recebem dEle, a ordem de Deus não pode ser-lhes propriamente dirigida. Davi, que era bem consciente de ser ungido por Deus, para ser rei sobre Israel, e mantinha uma posição obscura e retraída, até ser convocado a

---

4 "*Disse o SENHOR a meu Senhor.* No hebraico: 'Disse, seguramente, Jehovah a meu *Adon*'; esta última palavra é usada para significar *senhor* em grande variedade de posição, desde o chefe de uma família ao soberano de um império. Em sua origem, esse título parece assemelhar-se ao vocábulo *cardinal* (que significa, primariamente, *dobradiça*), visto que *adon* significa um suporte. Por isso, ela é aplicada figuradamente a magistrados executivos, sobre quem *repousa* o governo e em torno de quem *giram* as atividades públicas".

assumir o poder do governo, mostra boa razão por que não foi classificado com os reis terrenos ordinários, significando que reinava por direito divino. Que a totalidade do que se declara neste versículo não pode ser inteira e exclusivamente aplicada a Davi é muitíssimo óbvio da resposta de Cristo aos fariseus [Mt 22.44]. Havendo dito que o Cristo deveria ser filho de Davi, Ele lhes disse: "Como, pois, Davi mesmo o chama Senhor?" A objeção apresentada pelos judeus, de que a resposta de Cristo era capciosa, é inteiramente frívola, porque Davi não fala em seu próprio nome, e sim em nome do povo. Esta objeção é facilmente repelida. Pois, mesmo concordando que este Salmo foi composto em nome de toda a Igreja, como o próprio Davi era um dentre os piedosos e um dos membros do corpo que estava sob a mesma cabeça, ele não podia separar-se dessa classe ou ser desligado dessa cabeça. Mais ainda, ele não podia compor este Salmo para outros, sem, ao mesmo tempo, tomar parte nele com os demais. Além disso, há outra coisa que merece nota: a suposição do princípio ou máxima, admitida de modo geral, de que Davi falou pelo espírito de profecia e, conseqüentemente, profetizou sobre o futuro reinado de Cristo. Se este princípio de interpretação for admitido, deve-se inferir evidentemente que ele tinha uma referência à futura manifestação de Cristo na carne, porque Ele é a única e suprema Cabeça da Igreja. Disso também concluímos que em Cristo há algo mais excelente que sua humanidade; por isso, Ele é chamado o Senhor de Davi, seu pai. Este ponto de vista é corroborado pelo que se afirma na segunda sentença do versículo. Pode-se, deveras, dizer que reis terrenos se assentam à destra de Deus, visto que reinam por sua autoridade; contudo, aqui, se expressa algo mais sublime: um rei é escolhido de maneira peculiar e elevado à posição de poder e dignidade em proximidade a Deus, a dignidade cujo crepúsculo apareceu em Davi, enquanto em Cristo ela resplandeceu em supremo esplendor. E, como a destra de Deus é elevada muito acima de todos os anjos, segue-se que Aquele que se assentou ali é exaltado acima de todas as criaturas.

Não manteremos que os anjos desceram de seu elevado estado para que fossem postos em sujeição a Davi. Qual é o resultado, senão que, pelo espírito de profecia, o trono de Cristo é exaltado muito acima de todos os principados nos lugares celestiais? A comparação é emprestada do que é costumeiro entre os reis terrenos: a pessoa que se assenta à direita está próxima ao rei. Logo, o Filho, por meio de quem o Pai governa o mundo, é nesta parte do salmo representado metaforicamente como Alguém que está investido de domínio supremo.

Até que eu faça de teus inimigos estrado de teus pés.[5] Com essas palavras, o profeta afirma que Cristo subjugaria toda a oposição que seus inimigos, em sua tumultuosa fúria, empregassem na subversão de seu reino. Ao mesmo tempo, ele notifica que o reino de Cristo jamais desfrutaria de tranquilidade, enquanto Ele não vencesse seus numerosos e poderosos inimigos. E, ainda que o mundo inteiro apronte suas maquinações, visando à ruína do trono soberano de Deus, Davi declara que ele permanecerá inabalável e imutável, enquanto todos os que se insurgem contra ele serão destruídos. Aprendamos deste fato que, por mais numerosos que sejam os inimigos que conspiram contra o Filho de Deus e tentam subverter seu reino, tudo isso é inútil, pois jamais prevalecerão contra o imutável propósito de Deus. Pelo contrário, eles serão, pela grandeza do poder de Deus, prostrados ante os pés de Cristo. E, como esta predição não se cumprirá antes do último dia, que o reino de Cristo será atacado por muitos inimigos, de tempos em tempos, até ao fim do mundo. Assim, lemos paulatinamente: *tu governas no meio de teus inimigos*.

A partícula *até que* não se refere ao que possa acontecer depois da completa destruição dos inimigos de Cristo.[6] Paulo declara que naquela

---

5 A expressão é emprestada do costume oriental de o vencedor pôr seus pés no pescoço de seus inimigos. Ver Josué 10.24.

6 "*Até que eu faça*, etc. Genebrard nota que a partícula עַד deve ser tomada enfaticamente, como se fosse equivalente a *etiam donec* e significa *continuidade*; não significa a *exceção* ou *a exclusão* de *tempos futuros*. Portanto, Jehovah está falando, em substância: "Reinarás comigo *até que eu faça de teus inimigos teu estrado*, mesmo no tempo que parece oposto a teu reino e quando teus inimigos parecem reinar, isto é, antes de eu haver prostrado teus inimigos e tê-los tornado submissos a ti. *Depois* desta sujeição de teus adversários, é desnecessário dizer: Tu continuarás reinando". Se este não é o sentido da passagem, devemos presumir que o reinado de Cristo cessará, quando tiver subjugado completamente o mundo; e isso é contrário ao que a Escritura ensina. A partícula é usada de uma forma semelhante em Salmos 123.3 e Deuteronômio 7.24" – *Phillips*.

ocasião Ele entregará o reino a Deus, sim, ao Pai, de quem Ele recebeu o reino [1Co 15.24]; mas não devemos tomar estas palavras como a denotar que Ele deixará de reinar e se tornará, por assim dizer, um indivíduo privado. Devemos considerá-las como a descrever o método de seu reinado, isto é, que sua majestade divina será mais evidente. Além do mais, nesta passagem o salmista está falando exclusivamente dos réprobos que, para sua própria ruína e destruição, caem sob os pés de Cristo. Toda a humanidade se opõe naturalmente a Cristo; por isso, antes de ser levada a produzir uma obediência voluntária a Ele, tem de ser subjugada e humilhada. Ele faz isso com alguns daqueles que mais tarde fará participantes com Ele de sua glória, enquanto lança fora outros, a fim de que permaneçam para sempre em sua condição de perdidos.

2. Jehovah enviará de Sião o cetro do seu poder. O salmista não só confirma, em termos diferentes, o que declarou antes, mas também adiciona que o reino de Cristo se estenderá amplamente, porque Deus fará seu cetro estender-se em grande amplitude. Davi fez tributárias não poucas nações vizinhas, mas o seu reino, contrastado com outras monarquias, foi sempre confinado em pequenos limites. Há nas palavras do salmista um contraste implícito, como se ele quisesse dizer que Cristo não reinaria, como Rei, apenas sobre Sião, porque Deus faria seu poder estender-se às regiões mais remotas da terra. E por esta o poder de Deus é denominado *o cetro de seu poder*.[7] Quão assustador foi esse poder, pois, embora o mundo inteiro se coligasse em oposição ao reino de Cristo, o reino continuou a expandir-se e a prosperar. Em um termo, Davi aqui anima os corações dos piedosos para que não desanimassem ante as tentativas temerárias por parte dos que presumiam introduzir a discórdia e a desordem no reino de Cristo; pois ele lhes mostra que Deus manifestará seu invencível poder para a manutenção da glória de seu trono sagrado. Portanto, quando nossa mente for agitada por várias comoções, aprendamos

---

7 "*A vara de tua força* ou *o cetro de tua força*, isto é, teu poderoso cetro, o cetro com que governas teu poderoso reino" – *Phillips*.

a repousar confiantemente neste amparo: não importa o quanto o mundo se enfureça contra Cristo, jamais será capaz de arrancá-Lo da mão direita do Pai. Além do mais, como Ele não reina em seu próprio benefício, e sim visando à nossa salvação, podemos descansar seguros de que, sob a guarda deste Rei invencível seremos protegidos e preservados de todos os males.

Sem dúvida, nossa condição neste mundo está conectada a muitas dificuldades. No entanto, como é a vontade de Deus que o reino de Cristo esteja envolvido com muitos inimigos, com o desígnio de conservar-nos num estado de guerra constante, cumpre-nos exercitar paciência e mansidão e, assegurados do auxílio divino, menosprezar com ousadia a fúria do mundo inteiro. Desta passagem somos instruídos quanto à vocação dos gentios. Porque, se Deus não nos tivesse informado neste salmo a respeito da extensão do reino de Cristo, não poderíamos hoje ser contados entre seu povo. Mas como a parede foi derrubada [Ef 2.14] e o evangelho, promulgado, fomos congregados no corpo da Igreja, e o poder de Cristo se manifesta para sustentar-nos e defender-nos.

3. Teu povo virá.[8] Neste versículo, o salmista enaltece as honras do reino de Cristo em relação ao número de seus súditos e à disposta e prazerosa obediência destes aos mandamentos dEle. O termo hebraico que o salmista emprega denota *oblações voluntárias*. Neste caso, porém, se refere ao povo escolhido, os que são genuinamente o

---

8 "'Teu povo será voluntário no dia de teu poder.' *Voluntários*, um povo de voluntariedade ou liberalidade [como em Sl 68.10]; isto é, eles, mui espontânea, voluntária e liberalmente, apresentarão a si mesmos e as suas oblações a ti (como em Jz 5.9, At 11.41, Êx 25.2, Rm 12.1, Sl 67.10, 119.108, Ct 6.11)" – *Ainsworth*. "נדבות significa, literalmente, *prontidão, disposição*. Assim, o termo, sendo plural e abstrato, pode ser considerado altamente enfático, como se o salmista dissesse: *Teu povo será mui disposto*. Este substantivo também significa *oblações voluntárias*. Por isso Lutero o traduziu por *willglich opfern*. Neste sentido, este substantivo se acha presente em muitas passagens, tais como Êxodo 35.29, 36.3, Deuteronômio 23.24 e várias outras. Se este significado for admitido aqui, será necessário suprir algum verbo, como יבא. O salmista está falando evidentemente de uma batalha; por isso, a admissão deste significado seria incoerente" – *Phillips*. "Visto que um exército", diz Rosenmüller, "é representado nesta passagem como que convocado para uma expedição de guerra, não podemos entender נדבות de outra modo, senão no sentido de uma mente pronta e disposta, sentido este presente em Oséias 14.5 (*voluntário, espontâneo*), Salmos 51.14, Juízes 5.2, 9" – *Messianic Psalms, Biblical Cabinet*, vol. xxxii. p. 271.

rebanho de Cristo, declarando que eles constituirão um povo disposto, consagrando-se espontânea e alegremente ao serviço dEle.

No tempo da reunião de teu exército, isto é, sempre que houver uma convocação de assembléias solenes e legítimas ou o rei desejar uma contagem de seu povo. Isso pode ser expresso assim, em francês: *au jour des montres – no dia da revista*. Outros traduzem a expressão assim: *no dia de teu poder*.[9] Mas o primeiro sentido é preferível, pois, quando Cristo quiser congregar seu povo, eles renderão uma obediência imediata, sem serem constrangidos pela força. Além do mais, para o propósito de assegurar-nos que este reino, em preferência a todos os demais, foi separado por Deus para seus serviços peculiares, acrescenta-se: *na beleza* ou *honra da santidade*, notificando que todos quantos se tornarem súditos de Cristo não se aproximarão dele como se fosse um rei terreno, e sim como que se chegando à presença do próprio Deus, tendo como sua única meta o servir a Deus.

Desde o ventre da alvorada.[10] Não serviria a qualquer edificação trazer a lume as interpretações que se têm dado a esta sentença, pois, após eu haver estabelecido seu conteúdo genuíno e natural, será totalmente supérfluo passar a refutações de outras. De fato, não me parece haver dúvida alguma de que, neste lugar, Davi enaltece o favor divino em aumentar o número do povo de Cristo. E, por isso, em conseqüência de seu extraordinário aumento, ele compara ao *orvalho*[11] a

---

9 "Traduzi as palavras חילך ביום por *no dia de teu poder*. Entendo esse dia como uma referência ao tempo em que, por conseqüência da exortação de Pedro, três mil pessoas fizeram sua profissão de fé cristã" – *Dante on the Messianic Psalms, Biblical Cabinet*, vol. xxxii. p. 318. A isto corresponde a interpretação de Hammond: "O Messias, nos versículos anteriores, assenta-se em seu trono para o exercício de seu poder régio, com uma espada ou um cetro em sua mão; e, como tal, supõe-se que ele governa o mundo, sai para vencer e subjugar todos diante de si. O exército que Ele usa para este fim é o colégio dos apóstolos, enviados a *pregar a todas as nações*; e o tempo de sua pregação é aqui chamado יום חילך — *o dia de seu poder*, ou *forças*, ou *exército*". Mas, os tradutores da Rainha Elizabete entenderam a frase no mesmo sentido que Calvino a traduz: "O povo virá voluntariamente no tempo da reunião de teu exército". De igual modo, Rosenmüller diz: "No dia de teu exército, isto é", diz ele, "no dia em que congregares e liderares teu exército. A palavra חיל (*militia*) é aqui usada como em Deuteronômio 11.4, 2 Reis 6.15, significando forças militares" – *Ibidem*, vol. xxxii. p. 273.

10 "*De la matrice*, comme de, *l'estoille du matin*" – *fr*. "*Do ventre*, como que de ou *da estrela da manhã*."

11 "Entre os escritores gregos primitivos, tudo indica que orvalho era uma expressão figurada

juventude ou raça que Lhe nasceria. Como os homens são tomados de espanto ao verem a terra umedecida e refrescada com o orvalho, embora sua descida seja imperceptível, assim Davi declara que uma descendência inumerável procederá de Cristo, um descendência que se espalhará por toda a terra. A juventude, que, como as gotas de orvalho, é inumerável, aqui é designada de *o orvalho da infância* ou *da juventude*. O termo hebraico ילדות (*yalduth*) é usado como um substantivo coletivo, isto é, um substantivo que não realça somente um indivíduo, e sim uma comunidade ou sociedade.[12] Se alguém quiser dar uma significação mais definida e distinta ao termo, pode fazer isso da seguinte maneira: que uma descendência, inumerável como as gotas de orvalho da manhã, emanará de seu ventre.

O testemunho da experiência prova que houve boa razão para o pronunciamento desta predição. A multidão que, em tão pouco tempo, se congregou e se sujeitou à autoridade de Cristo é admirável. Contudo, mais admirável ainda é o fato de que isto se consumou unicamente pela proclamação do evangelho, a despeito da grande oposição do mundo inteiro. Além disso, não nos surpreende o fato de que pessoas idosas, recém-convertidas a Cristo, seriam designadas filhos recém-nascidos, porque o nascimento espiritual, conforme Pedro, faz com que todos os piedosos se tornem recém-nascidos [1Pe 2.2]. As palavras de Isaías [53.10] têm esse mesmo propósito: Cristo "verá uma posteridade cujos dias serão prolongados seus dias"; e sob o reinado de Cristo a Igreja tem a promessa de desfrutar um período de incalculável fertilidade. O que foi dito servirá para recordar o apelo feito à Igreja ou aos filhos de Deus. E, seguramente, é motivo de surpresa que haja alguns, embora o número seja pequeno, congregados de um mundo que jaz em ruínas, habitado pelos filhos da ira. É ainda mais surpreendente o fato de que multidões tão vastas sejam regeneradas pelo Espírito de Cristo e pela Palavra. Ao mesmo

---

para o filhote de qualquer animal. Assim, δροσος é usada por Ésquilo para referir-se a uma ave ainda não emplumada [*Agamemn*. 145]; e ἔρση, por Homero, para significar um cordeiro ou cabrito [*Od*. I.222]" – *Horsley*.

12 "Qui ne se dit pas d'une personne seule, mais de quelque multitude et compagnie" – *fr*.

tempo, faremos bem se guardarmos em mente o fato de que praticar os mandamentos de Deus, pronta e alegremente, e deixar-nos guiar somente por sua vontade é uma honra e privilégio peculiares de seus escolhidos. Cristo não reconhecerá a ninguém como seu, exceto aqueles que tomam voluntariamente sobre si o jugo dEle e entram em sua presença por meio da voz de sua Palavra. E, para que ninguém imagine que o serviço visível é um desempenho próprio de seu dever, o salmista acrescenta apropriadamente que Cristo não ficará satisfeito com a mera cerimônia externa; Ele quer ser adorado com genuína reverência, como Ele mesmo nos instrui a trazer à presença de Deus.

[v. 4]
Jehovah jurou e não se arrependerá:[13] Tu és sacerdote para sempre, segundo a ordem de Melquisedeque.

Jehovah jurou. Este versículo constitui uma prova satisfatória de que a pessoa aqui mencionada não é nenhum outro, senão Cristo. Quando os judeus, com o intuito de mistificar esta predição, traduzem o termo כהן (*chohen*) por *um príncipe*, a tradução deles é, em última análise, frágil e frívola. Deveras, reconheço que os descendentes de nobres ou de sangue real são, em hebraico, denominados כהנים (*chohanim*), mas, esse termo diria alguma coisa à honra de Cristo, se Davi lhe desse meramente o título de chefe, que é inferior ao de dignidade real? Além disso, qual seria a importância de dizer que Ele era um príncipe para sempre e segundo a ordem de Melquisedeque? Não pode haver dúvida de que o Espírito Santo aqui está se referindo a algo específico e peculiar, com o intuito de distinguir e separar este rei de todos os demais. Este também é o título bem conhecido com que Melquisedeque outrora

---

13 A adição "*e não se arrependerá*" tenciona indicar o caráter absoluto do juramento; tencionar dizer que o juramento não pode ser anulado nem suspenso em conseqüência de circunstâncias alteradas e que nenhuma mudança de conselho nem de conduta nas partes envolvidas causará qualquer mudança no propósito divino, para que se diga: *Jehovah se arrependeu*, como lemos haver ele se arrependido de criar o homem, ao observar a perversidade da raça humana [Gn 6.6]. Uma forma semelhante de expressão é empregada em outras passagens para expressar a imutabilidade do que Deus declara ou jura [Nm 23.19; 1Sm 15.29].

foi honrado por Moisés [Gn 14.18]. Deveras, concordo que antigamente, entre as nações pagãs, os reis costumavam exercer o ofício sacerdotal; Melquisedeque, porém, é chamado "o sacerdote do Deus Altíssimo", em conseqüência de adorar devotadamente o Deus verdadeiro. Entre seu próprio povo, contudo, Deus não permitiu a fusão desses ofícios. Daí, Uzias, sucessor legítimo de Davi, ser ferido com lepra porque tentou oferecer incenso a Deus [2Cr 26.21]. As circunstâncias conectadas com a linhagem de Davi eram amplamente diferentes daquelas relativas a Melquisedeque. Não é difícil averiguar quais são estas circunstâncias, visto que neste novo Rei o santo ofício do sacerdócio estará associado à coroa e ao trono. Pois, com certeza, a majestade imperial não era tão evidente num príncipe tão obscuro como Melquisedeque, que servisse para justificar o ser ele apresentado como um exemplo acima de todos os demais. Salém, a sede de seu trono, onde ele reinou com paciência, era naquele tempo uma cidade pequena e obscura; assim, com respeito a ele, nada havia digno de nota, exceto a conjunção da coroa com o sacerdócio. Ambiciosos de granjear maior reverência para suas pessoas, os reis pagãos aspiravam a honra do ofício sacerdotal, mas foi por autoridade divina que Melquisedeque foi investido de ambas essas funções.

Toda dubiedade quanto a ser esta a intenção de Davi deve ser banida de nossa mente pela autoridade do apóstolo. E, ainda que os judeus mantenham o contrário com tanta obstinação, como lhes agrada, a lógica declara manifestamente que a *beleza da santidade*, para a qual anteriormente chamei a atenção, é aqui claramente descrita. Uma característica decisiva e peculiar é acrescentada, uma característica que eleva Cristo acima de todos os demais reis no que concerne à dignidade do sacerdócio e que, ao mesmo tempo, tende a realçar a diferença entre seu sacerdócio e o de Levi. Em conexão com seu ofício sacerdotal, faz-se menção do *juramento de Deus*, que não costumava misturar seu venerável nome com questões de menor importância; mas, ao contrário, Ele almeja ensinar-nos, por meio de seu exemplo, a jurarmos deliberada e reverentemente ou nunca jurarmos, a não ser em questões sérias e de importantes. Admitindo, pois, que Deus jurara que o Messias seria o príncipe e governador de seu povo, assim como Melquisedeque o fora, isso não teria sido nada mais do que uma profanação inconveniente de seu nome. Entretanto, quando se faz evidente que algo incomum e peculiar se denotava neste lugar, podemos concluir que o sacerdócio de Cristo se reveste de grande importância, visto que é ratificado pelo juramento de Deus. E, de fato, este é um ponto decisivo do qual depende nossa salvação, porque, se não fosse por causa de nossa confiança em Cristo, nosso Mediador, seríamos todos impedidos de entrar na presença de Deus. Também em oração, nada é mais necessário do que a firme confiança em Deus. Portanto, Ele não somente nos convida a irmos à sua presença, mas também, por meio de um juramento, designou um advogado com o propósito de obter-nos aceitação diante dEle. Quanto àqueles que fecham a porta contra si mesmos, esses se sujeitam à culpa de impugná-Lo, como se fosse um Deus de inverdade e perjúrio. É com base nisto que o apóstolo argumenta sobre a completa anulação do sacerdócio levítico, porque, enquanto aquele permanecesse intocável, Deus não poderia jurar que haveria uma nova ordem de sacerdócio, a menos que contemplasse alguma mudança. Mais ainda, quando Ele promete um novo sacerdote, é certo que este seria um sacerdote superior a todos os demais e aboliria a ordem vigente.

Há quem traduza o termo דברתי (*diberathi*) por *de acordo com a minha palavra*, uma interpretação que não me disponho a rejeitar inteiramente, visto que Davi seria representado como a afirmar que o sacerdócio de Melquisedeque se fundamentava no chamado e mandamento de Deus. Mas, visto que a letra י (*yod*) é amiúde redundante, eu, de comum acordo com a maioria dos intérpretes, prefiro traduzi-la simplesmente por *maneira*. Além do mais, como muitos dentre os pais entenderam mal a comparação entre Cristo e Melquisedeque, devemos aprender do apóstolo que semelhança é essa; e disso veremos prontamente o erro em que caíram a respeito dela. Poderia haver algo mais absurdo do que ignorar todos os mistérios sobre os quais o Espírito falou pelos lábios do apóstolo e atentar somente para aquilo que ele omitiu? Tais pessoas argumentam apenas sobre o pão e o vinho, os quais afirmam que foram oferecidos por Melquisedeque e Cristo. Melquisedeque, porém, ofereceu pão e vinho, não como um sacrifício a Deus, e sim como alimento a Abraão, para revigorá-lo em sua marcha. Na Santa Ceia não há uma oferenda de pão e vinho, como erroneamente imaginam, e sim uma participação mútua dela entre os fiéis. Quanto à passagem em análise, a similitude se refere principalmente à perpetuidade do sacerdócio de Cristo, como é óbvio da partícula לעולם (*leolam*), isto é, *para sempre*. Melquisedeque é descrito por Moisés como se fosse um indivíduo celestial; e Davi, conseqüentemente, ao instituir a semelhança entre Cristo e Melquisedeque, se propõe a realçar a perpetuidade de seu ofício sacerdotal. Disso concluímos (um ponto focalizado pelo apóstolo) que, como a morte não interceptou o exercício de seu ofício, Ele não tem sucessor. Esta circunstância demonstra o maldito sacrilégio da missa papista, porque, se os sacerdotes papistas assumirem a prerrogativa de efetuar reconciliação entre Deus e os homens, terão de despir a Cristo da honra peculiar e distintiva que seu Pai lhe conferira.

[vv. 5-7]
O Senhor, à tua direita,[14] fez em pedaços os reis, no dia da sua ira. Ele julgará entre os pagãos, encherá todos de ruínas, quebrará a cabeça de um grande país. Ele beberá da torrente no caminho e, por isso, erguerá sua cabeça às alturas.

---

14 "*O Senhor, à tua direita*. Neste Salmo, é evidente, no versículo 1, que יהוה é o título de Deus Pai, bem como no versículo 4; e אדני, o título do Messias, Deus Filho, o título que se refere àquela dignidade, domínio e poder régio aos quais Ele seria exaltado, em sua ascensão, quando 'ao nome de Jesus todo joelho' deveria se dobrar". Isto é expresso no versículo 1 pelo assentar de Cristo à direita de Deus, pelo que o apóstolo, em 1 Coríntios 15.25, registra: "Convém que ele reine". Deste fato é evidente que, neste versículo, "O Senhor, à tua direita" deve ser entendido como sendo o Messias instalado em seu poder régio à direita de seu Pai, e não como sendo o Pai no papel de seu παραστάτης, para apoiá-Lo e ajudá-Lo, tal como essa expressão é usada em Salmos 16.8 e outras passagens. Pois, acerca do Filho exaltado, sabemos em João 5.22 que "o Pai entregou ao Filho todo julgamento". É de acordo com isso que este "Adonai" ou "Senhor, à direita de Jehovah, ferirá os reis no dia da sua ira"; isto é, efetuará vinganças, severamente, sobre os opositores de seu reino. No Novo Testamento, essas vinganças são atribuídas peculiarmente a Cristo e denominadas "a vinda do Filho do Homem, vindo nas nuvens, vindo na companhia de seus anjos, e a aproximação ou a vinda de seu reino" – *Hammond*. Neste versículo 5, o salmista faz uma súbita apóstrofe a Jehovah. Horsley se sente inclinado a entregar-se a conjeturas, com as quais Kennicott também parece entreter-se, de que a palavra יהוה (*Jehovah*) foi perdida do texto ante à palavra original traduzida por *à tua direita* e que a passagem deveria ser redigida assim: "O Senhor, à tua direita, ó Jehovah!"

5. O Senhor, à tua direita. Nestas palavras, Davi celebra a terrível natureza daquele poder que Cristo possui para dispersar e destruir seus inimigos. E, por esse meio, Davi afirma que, embora envolto por bandos de adversários mortíferos, suas malignas tentativas não impediriam Deus de sustentar o Rei que Ele estabelecera. É oportuno considerar a expressão *no dia de sua ira*, pela qual somos instruídos a suportar pacientemente a cruz, se, por um momento, Deus pareça ocultar-se durante o tempo em que prevalecem a crueldade e a fúria dos inimigos, pois Ele bem sabe quando é a ocasião certa e oportuna para executar vingança sobre eles. Em seguida, Davi investe Cristo de poder sobre as nações e pessoas de lábios incircuncisos, querendo dizer que Ele não foi escolhido para reinar exclusivamente sobre os habitantes de Judá, mas também para manter sob sua autoridade nações distantes, de acordo com o que foi proclamado a seu respeito em Salmos 2.8. E, porque, em todas as partes da terra, bem como até aos confins de Judá, haveria muitas pessoas rebeldes e desobedientes, Davi também chama a atenção para a destruição dessas pessoas, sugerindo assim que todos quantos opõem a Cristo cairão diante dEle e que a obstinação deles será subjugada.

7. Ele beberá. Em minha opinião, não poucos intérpretes explicam este versículo de maneira bem drástica: que a carnificina seria tão grande, que faria com que o sangue dos mortos fluísse em torrentes, das quais Cristo, o Vencedor, pudesse beber até ficar saciado.[15] Parecida com esta é a exposição dos que tomam isso como uma representação figurativa da miséria e tristeza, descrevendo assim as muitas aflições por que Cristo se viu atingido durante esta vida transitória. A similitude

---

15 Esta opinião é mantida por Michaelis e Doederlein. Mas, ainda que uma terrível carnificina dos inimigos de Deus e de seu povo é, às vezes, descrita poeticamente por flechas embebidas de sangue [Dt 32.42] e como que produzindo uma torrente de sangue, na qual seu povo, vitorioso sobre eles, mergulhava ou lavava seus pés, como em Salmos 68.23, não lemos que Ele nem eles *beberem tal sangue*. Há uma grande diferença entre essa metáfora e as duas precedentes. E não podemos imaginar que a idéia de beber sangue humano e, muito menos, a de fazer Deus bebê-lo teriam penetrado a mente de qualquer israelita. A idéia causa repulsa à natureza humana e teria parecido particularmente chocante aos judeus, aos quais se proibiu estritamente, pela lei de Moisés, comerem sangue de animais.

parece antes ser extraída da conduta de generais bravos e poderosos que, quando em calorosa perseguição do inimigo, não suportavam que fossem desviados de seu propósito mediante a entrega às luxúrias, mas, sem dobrar seus joelhos, se contentam em extinguir sua sede bebendo do manancial que corre diante deles. Foi assim que Gideão encontrou soldados bravos e aguerridos: observando os que dobravam seus joelhos para beber, ele os considerou destituídos de coragem e ou enviou de volta a seus lares [Jz 7.5]. Portanto, parece-me que Davi atribui figuradamente bravura militar a Cristo, declarando que Ele não tomaria tempo para se revigorar, mas beberia apressadamente do rio que surgisse em seu caminho.[16] Isso tem o propósito de incutir terror em seus inimigos, notificando-lhes a célere aproximação da destruição iminente. Qualquer um poderia perguntar: Onde está o espírito de mansidão e gentileza sobre o qual a Escritura, em outras partes, nos informa que Ele terá sobre Si [Is 42.2, 3; 61.1, 2]? Respondo que, na qualidade de pastor, Ele é gentil em relação a seu rebanho, porém feroz e terrível em relação aos lobos e ladrões. D igual modo, Cristo é gentil e manso para com os que se entregam ao seu cuidado, enquanto os que rejeitam voluntária e obstinadamente o seu jugo sentirão com que assombroso e terrível poder Ele está armado. Em Salmos 2.9, já vimos que Ele tinha em sua mão um cetro de ferro, com o qual abaterá toda a altivez de seus inimigos; e, conseqüentemente, lemos aqui que Ele assume o aspecto de crueldade visando tomar vingança contra eles. Essa é a razão por que devemos refrear-nos, cuidadosamente, de provocar sua ira contra nós, mediante um espírito empedernido e rebelde, quando nos convida, terna e docilmente, a irmos a Ele.

---

16 Semelhante a esta idéia é a opinião de Grotius. Ele considera as palavras como que contendo uma descrição de um guerreiro vigoroso e ativo, a quem nenhum obstáculo pode impedir de buscar a vitória com o máximo ardor; um guerreiro "que", usando a linguagem de Grotius, "ao perseguir o inimigo, não busca lugares de entretenimento para revigorar-se com vinho, mas se contenta com a água que ele sorve às pressas, quando passa, sempre que puder achá-la, não só de um rio, mas também de uma torrente". "Schnurrer", diz Rosenmüller, "parece ter percebido o verdadeiro significado do versículo, o qual ele apresenta nas seguintes palavras: 'Ainda que fatigado pela matança de seus inimigos, ele não desiste; mas, havendo se revigorado com água tirada da fonte mais próxima, renova suas forças na perseguição do inimigo já derrotado'" – *Messianic Psalms*, p. 284.

Salmos 111[1]

O título deste Salmo é um argumento. E, para que outros sejam induzidos a engajar-se nos louvores de Deus, o salmista realça, por seu próprio exemplo, a maneira de fazer isso. Em seguida, ele fornece um breve relato dos múltiplos benefícios que, nos tempos antigos, Deus conferia aos fiéis e lhes confere diariamente. O Salmo é composto em ordem alfabética; cada versículo contem duas letras. O primeiro versículo começa com א (*aleph*), enquanto a letra ב (*beth*) é posta no começo da metade do versículo seguinte. Os dois últimos versículos são divididos em hemistíquios e contêm, cada um deles, três letras. En-

---

1 Supõe-se que este e os salmos subseqüentes, até ao 119, eram cantados pelos judeus na celebração da Páscoa. E seu tema foi peculiarmente adaptado a esse propósito. "Do Salmo 111 ao 118", diz Jebb em sua recente obra sobre os Salmos, "encontramos marcas interessantes de um cerimonial que, assevera a tradição, era observado pelos judeus quando comiam a Páscoa, isto é, cantar o Evangelho Hallel – com toda probabilidade, o hino que nosso bendito Senhor entoou com os discípulos após a Última Ceia. O Dr. Lightfoot nos informa que há considerável discrepância de opinião entre os judeus a respeito de quais salmos constituíam o Hallel Maior. As diferentes opiniões estendem ou contraem sua seção do Salmo 113 ao 137. Como é comum, essas tradições são incertas e mal definidas, tendo mais respeito pelas opiniões dos rabinos do que pela evidência interna da Santa Escritura. Examinemos agora esta evidência. Em primeiro lugar, devemos observar que todos os salmos (exceto o 114 e o 118) que precedem o 119 têm a palavra *Aleluia* (isto é, *louvai ao Senhor*) ou prefixada ou adicionada no final, ou ambos os casos, enquanto os que não trazem esse refrão estão em conexão evidente. O Salmo 119 começa, evidentemente, uma nova série. Na ausência de um testemunho consistente, parece justo presumir que este grupo de salmos formava o Hallel Maior. O sentimento que eles contêm é singularmente aplicável ao festival – ao grande livramento do Egito que o festival celebrava — e ao segundo livramento de Babilônia, que o festival lembrava tão fortemente. Segundo o Dr. Lightfoot, os Salmos 113 e 114 eram entoados num período da festa, no segundo cálice; e, após o quarto cálice, os demais salmos, isto é, 115 a 118; e aqui a festa terminava. Assim, eles mantinham o lugar da graça antes ou depois da refeição; e esta divisão é muito consistente, sendo os últimos salmos mais evidentemente eucarísticos" – *Jebb´s Literal Translation of the Book of Psalms, with Dissertations*, vol. ii. pp. 269-271.

tretanto, se alguém examinar detidamente o conteúdo, descobrirá que isso ocorreu por equívoco ou inadvertência, pois, se convertermos estes dois versículos em três,[2] a construção das sentenças corresponde muito bem entre si. Conseqüentemente, os copistas erraram não atendendo à distinção do profeta.

[vv. 1-4]
Louvai a Jehovah.[3] (א, *aleph*) Eu louvarei a Jehovah de todo meu coração (ב, *beth*), na congregação e assembléia dos justos. (ג, *gimel*) As obras de Jehovah são grandes (ד, *daleth*), procuradas por todos os que sentem prazer nelas. (ה, *he*) Sua obra é bela e magnificente; (ו, *vau*) sua justiça dura para sempre. (ז, *zain*) Ele fez que suas obras fossem lembradas; (ח, *cheth*) Jehovah é compassivo e misericordioso.

1. Louvarei a Jehovah. O melhor e mais eficiente método de inculcar o cumprimento de qualquer dever é sermos um exemplo; conseqüentemente, descobrimos que o profeta, neste caso, se põe como exemplo para levar outros a engajarem-se na celebração dos louvores de Deus. Sua resolução de louvar a Deus consiste de duas partes: ele celebraria os louvores de Deus sem fingimento, de todo seu coração; ele faria isso publicamente, na assembléia dos fiéis. De maneira bem apropriada, ele começa com o louvor de coração, porque é melhor louvar em secreto, quando ninguém é cônscio disso, do que elevar a voz e publicar louvores com lábios fingidos. Ao mesmo tempo, a pessoa que, em segredo, derrama seu coração em gratas emoções diante de Deus, também apresentará seus louvores em melodias copiosas. Do contrário, Deus seria privado de metade da honra que Lhe pertence.

---

2 "Estes dois versículos", diz o Dr. Geddes, "podem muito bem tornar-se três, e a totalidade de ambos os salmos seria regular". Segundo Jerônimo, este é o primeiro Salmo exatamente alfabético; e o resto desta descrição, que o precede, é quase isso.

3 O vocábulo hebraico que significa *louvai a Jehovah* é *Hallelujah*. Este, provavelmente, é o título e não propriamente uma parte do Salmo. A construção alfabética do poema parece confirmar esta opinião. Ele é um *acróstico* e começa com *aleph*, e cada hemistíquio seguinte começa com as outras letras do alfabeto, em ordem; mas se *Hallelujah*, que começa com a quinta letra do alfabeto, que corresponde ao nosso H, fosse a primeira palavra do Salmo, isso destruiria seu caráter perfeitamente alfabético.

O profeta determina que Deus seja louvado de todo o coração, isto é, com um coração reto e honesto; não que ele se empenhe em avançar rumo à plena medida de seu dever, mas declara que não seria como os hipócritas que, insensivelmente e com um coração dúbio, ou melhor, injuriosa e perfidamente, empregam seus lábios nos louvores de Deus. Este é um ponto digno de nota, para que ninguém desanime por não ser capaz de nutrir esperança de atingir aquela perfeição de coração que é tão desejável; pois, por mais imperfeitos que sejam nossos louvores, podem ser aceitáveis aos olhos de Deus, desde que pelos menos nos esforcemos, sinceramente, em render-Lhe este ato de devoção.

Chegamos agora à outra parte de sua resolução, na qual ele diz que proclamaria os louvores divinos diante dos homens; pois, ainda que o termo hebraico סוד (sod) denote uma assembléia privada,[4] creio que, nesta passagem, ele emprega duas palavras sinônimas. Ao mesmo tempo, quem quer que se sinta inclinado a assumir um ponto de vista mais refinado da passagem, pode fazer isso a seu bel-prazer. O salmista diz: *Na congregação dos justos*, porque o principal objetivo pelo qual se convocavam as santas assembléias era propiciar aos adoradores de Deus uma oportunidade de apresentar-Lhe sacrifícios de louvor, em concordância com o que se acha expresso em Salmos 65.1: "O louvor espera por ti em Sião, ó Jehovah!"

2. As obras de Jehovah são grandes. Agora, o salmista avança e nos informa que há abundantes assuntos pelos quais se deve louvar a Deus, supridos por suas obras, às quais, nessa altura, ele faz mera referência geral e que, subseqüentemente, ele define de modo mais explícito em relação ao governo da Igreja. A magnitude das obras de Deus

---

4 "Aben Ezra, entre outros, crê que עדה é colocada em oposição a סוד, que denota uma assembléia mais secreta; assim, ele diz que o versículo significa, em substância, o seguinte: Eu louvarei o Senhor de todo meu coração, tanto em particular como em público. Entretanto, creio que dificilmente este seria o sentido; é muito mais provável que סוד, aqui, se empregue para expressar uma congregação de israelitas, porque o restante do mundo era excluído de tal assembléia, e, por isso a assembléia assumia um aspecto *privativo* ou *secreto*. Este é o ponto de vista assumido por Lutero, cuja paráfrase deste versículo é este: 'agradeço ao Senhor aqui, nesta assembléia pública, onde nós (israelitas) nos encontramos em conselho privativo e onde nenhum pagão nem estrangeiro pode estar presente'" – *Phillips*.

é um tema que, em geral, escapa à observação dos homens; por isso, poucos dentre eles são familiarizados com esse tema. O profeta atribui essa ignorância à indiferença e ingratidão dos homens — comparativamente, poucos dentre eles se dão ao trabalho de notar a grande sabedoria, bondade, justiça e poder que resplendem nestas obras.

Os expositores se acham divididos em sua percepção da segunda sentença do versículo. Alguns o traduzem *procuradas por todos os seus deleites*; e, deveras, o termo hebraico חפֶץ (*chaphets*) significa *beneplácito*; mas, como esta é uma interpretação abrupta demais, é melhor entendê-lo como um adjetivo, expressando a idéia de *amável* ou *desejável*. Quanto ao particípio *procuradas*, o qual, segundo o verbo hebraico דרש (*darash*), denota propriamente *buscar com diligência*; contudo, achamos que as obras de Jehovah são, neste lugar, chamadas דרושים (*derushim*), isto é, *percebidas* ou *descobertas*. Por isso, lermos em Isaías 65.1: "Fui achado pelos que não me buscavam". Contudo, não devemos perder de vista o desígnio do profeta, a saber, que, em conseqüência de tão poucos se aplicarem ao estudo das obras de Deus, ele nos ensina que essa é a razão por que tantos são cegos em meio aos eflúvios de luz; pois, quando o salmista diz que a excelência das obras de Deus é conhecida a todos quantos a desejem, ele quer dizer que ninguém é ignorante acerca dela, exceto os que são voluntariamente cegos, ou melhor, os que extinguem maligna e desdenhosamente a luz que lhes é oferecida.

No entanto, devemos atentar aos meios que possuímos para chegar ao conhecimento dessas obras, porque sabemos que, enquanto os fiéis estiverem na terra, suas percepções são embotadas e frágeis, de modo que não podem penetrar os mistérios nem compreender a importância das obras de Deus. Mas, embora a imensidão da sabedoria, eqüidade, justiça, poder e misericórdia de Deus seja incompreensível em suas obras, os fiéis adquirem muito conhecimento dessas obras, que, por sua vez, os qualificam para manifestarem a glória de Deus. Só nos tornando firmes e reverentes estudantes das obras de Deus é que podemos deleitar-nos nelas, ainda que para os réprobos seu seja valor desprezível, os quais as tratam com escárnio ímpio. A Septuaginta traduziu a expressão assim: *procurado em todas as suas vontades*, Agostinho aproveitou o ensejo, com excelência filosófica, para indagar: Como pode haver ou, pelo menos, parece haver em Deus pluralidade de vontades? E, de fato, esta é uma consideração agradável: embora Deus manifeste sua vontade em sua lei, há outro propósito secreto pelo qual Ele é guiado na maravilhosa administração das atividades humanas. Essa doutrina é irrelevante à exposição desta passagem.

3. Sua obra é bela. Há quem o traduza por *esplendor*. O significado da sentença é este: todo ato de Deus está repleto de majestade gloriosa. Na parte seguinte do versículo, ele especifica claramente em que consiste esta beleza e magnificência, declarando que *a justiça de Deus* é evidente em toda parte. O desígnio divino não é fornecer-nos uma plena exibição de seu poder e soberania em suas obras, o que encheria nossas mentes de terror, e sim dar-nos uma exibição de sua justiça de maneira tão atraente, que cativa nosso coração. Este enaltecimento das obras e caminhos de Deus é introduzido em oposição ao clamor e calúnia dos ímpios, pelos quais eles se empenham perversamente, no máximo de seu poder, em desfigurar e denegrir a glória das obras de Deus. No versículo seguinte, o salmista enaltece ele mais de modo mais específico as maravilhosas obras em que Deus manifesta, principalmente, o seu poder. *Fez com que suas maravilhosas obras fossem lembradas* equivale a tornar as obras dignas de serem lembradas ou fazer que sua fama continue para sempre.[5] E, havendo anteriormente nos convocado a contemplar sua justiça, agora, de igual modo e quase nos mesmos termos, o salmista celebra a graça e a misericórdia de Deus, principalmente em relação a suas obras, porque aquela justiça que Ele exibe na preservação e proteção de seu povo flui da fonte do favor imerecido que mantém para com eles.

---

5 "זכר עשה. Ele fez para si um memorial em suas obras maravilhosas. זכר, o mesmo que זכרון em Números 17.5. Por isso, a Septuaginta, em Êxodo 17.14, traduz זכר por ὄνομα (*nome*); conseqüentemente, זכר עשה pode significar *Ele fez para si um nome*; isto é, suas obras maravilhosas existirão como memorial de seu nome" – *Phillips*.

[vv. 5-8]
(ט, *teth*) Ele deu uma porção aos que o temem; (י, *yod*) ele se lembrará de sua aliança para sempre. (כ, *caph*) Ele declarou ao seu povo o poder de suas obras, (ל, *lamed*) para dar-lhes a herança dos pagãos. (מ, *mem*) As obras de suas mãos são verdade e juízo; (נ, *nun*) todos os seus estatutos são verdadeiros. (ס, *samech*) Eles estão estabelecidos para sempre (ע, *ain*) e são feitos em verdade e justiça.

5. Ele deu uma porção aos que o temem. Sendo a Igreja um espelho da graça e justiça divinas, o que o profeta disse a respeito dessas virtudes, aqui, se aplica expressamente a ela. Ele não se propõe a tratar da justiça de Deus em geral, mas somente daquela justiça que Ele exibe de modo peculiar a seu próprio povo. Por isso, ele adiciona que o cuidado de Deus por seu povo é tal que o leva a fazer-lhe ampla provisão, para que sejam supridos de suas necessidades. A palavra טרף (*tereph*), a qual traduzimos por *porção*, é amiúde tomada no sentido de *presa*.[6] Outros a traduzem por *carne*; quanto a mim, ao contrário, decidi traduzi-la por *porção* (é nesse sentido que é considerada em Provérbios 30.8 e 31.15), como se ele quisesse dizer que Deus dera a seu povo tudo aquilo de que carecia e que, considerada como uma porção, era grande e liberal. Pois sabemos que o povo de Israel se enriqueceu, não em conseqüência de sua própria habilidade, mas devido à bênção de Deus, que, como um pai de família, outorga à sua casa tudo que é necessário à sua subsistência.

Na sentença seguinte do versículo, o salmista assinala a razão para o cuidado e a bondade de Deus: o seu desejo de demonstrar eficientemente que sua aliança não era nula e vazia. Aqui, é preciso observar cuidadosamente que, se, em tempos anteriores e em consideração à

---

6 "*Deu carne* — no hebraico, 'presa', isto é, alimento. Há quem pense que isto se refere ao *maná* que caia no deserto para Israel; ao contrário, cremos que se refere às codornizes. Ver Salmos 105.40" – *Williams*. "טרף. Esta palavra geralmente se traduz por *presa*, e a passagem é entendida por alguns no sentido do espólio que os egípcios sofreram dos israelitas, mencionado em Êxodo 12.36. Entretanto, é mais provável que טרף signifique *alimento* e aqui faz a alusão ao maná com que os filhos de Israel foram alimentados no deserto. Ver Provérbios 31.15, Malaquias 3.10. O primeiro hemistíquio é a conseqüência do que se declara no segundo, isto é, Deus se lembrou de sua aliança, *por isso* Ele deu alimento aos que o temem" – *Phillips*.

sua graciosa aliança, Ele manifestou tão grande bondade que dEle recebemos como resultado de nossa adoção em sua família, e, visto que Deus jamais se cansa de demonstrar bondade para com seu povo, Ele nos diz que a memória de sua aliança jamais será apagada. Além do mais, visto que Deus nos cumula como diária e constantemente com seus benefícios, a nossa fé deve, em alguma medida, ser correspondente com isso: ela não deve desvanecer, antes, deve subir além da vida e da morte.

O versículo seguinte está anexado, à guisa de exposição, com o propósito de mostrar que Deus, ao outorgar a seu povo a herança dos pagãos, manifestou-lhes o poder suas obras. O salmista emprega realmente o termo *mostrar*, mas este significa uma exibição genuína, porque a posse da Terra Santa não foi adquirida por mero poder humano, mas lhes foi dada pelo poder divino e através da operação de muitos milagres. Assim, Deus testificou publicamente aos descendentes de Abraão com que incomparável poder Ele está investido. É por essa razão que Ele estabelece o povo de Israel como um páreo para tantas outras nações, que jamais teriam subjugado tantos inimigos, se não fossem sustentados pelo poder do alto.

7. As obras de suas mãos. Na primeira sentença do versículo, o salmista exclama que Deus é conhecido em suas obras como fiel e reto; então, prossegue exaltando a mesma verdade e retidão que permeiam a doutrina da lei; o equivalente disto é que uma bela harmonia caracteriza todos os ditos e feitos de Deus, pois, onde quer que se manifeste, Ele o faz como justo e fiel. Temos uma memorável prova deste fato na redenção de seu antigo povo. Contudo, eu não duvido que, sob o termo *obras*, o profeta compreenda o constante governo da Igreja, porque Deus mostra, diária e incessantemente, ser justo e fiel, e prossegue incansavelmente no mesmo curso. Entre os homens, se considera ser da máxima importância que alguém seja achado justo tanto na vida prática como na confissão de seus lábios; no entanto, como a doutrina da lei era a própria vida e segurança do povo, o profeta amplia, de modo apropriado e com várias expressões, o mesmo sentimento contido na segunda sentença do versículo, dizendo: *Todos os seus estatutos são verdadeiros; eles e são feitos em verdade e justiça; são estabelecidos para sempre e mantidos em perfeita concordância com a estrita lei da verdade e da eqüidade.* E, com certeza, se não fosse por haver Deus conservado o povo unido a Si pelos laços sagrados da lei, o fruto da redenção deles teria sido bem minúsculo; e, até esse benefício, eles logo o teriam perdido. Devemos observar, pois, que este tema é ressaltado, de forma proeminente, neste lugar, porque, ao provar o eterno amor de Deus, esse amor se torna o meio de comunicar vida.

[vv. 9-10]

(פ, *phe*) Ele enviou a redenção a seu povo; (צ, *tzaddi*) ele ordenou sua aliança para sempre; (ק, *koph*) santo e terrível é seu nome. (ר, *resh*) O temor de Jehovah é o princípio da sabedoria; (ש, *schin*) bom entendimento possuem todos quantos fazem essas coisas; (ת, *tau*) seu louvor dura para sempre.

9. Ele enviou a redenção a seu povo. O que já fora declarado é reiterado aqui em termos diferentes. E, como o livramento de seu povo foi o começo da salvação deles, esse livramento é inicialmente introduzido; em seguida, anexa-se sua confirmação na lei, em razão da qual ocorre que a adoção divina jamais poderia falhar. Pois, embora muito antes disto Deus havia estabelecido sua aliança com Abraão (e essa aliança também foi a causa da redenção do povo), o que aqui se menciona tem referência exclusiva à lei, por meio da qual a aliança foi ratificada, para nunca mais ser anulada. O equivalente é que, no livramento do seu povo, Deus agiu como um pai benéfico, não meramente por um dia, e que, na promulgação da lei, Ele também estabeleceu sua graça, para que a esperança da vida eterna pudesse vigorar para sempre na Igreja. Além do mais, é preciso atentar cuidadosamente àquilo contra o que em outro lugar adverti o leitor e a respeito do que o advertirei mais extensamente no Salmo 119, que fala sobre a lei, ou seja: que os mandamentos não devem ser tomados sempre de forma abstrata, pois o Espírito Santo, de maneira especial, se refere às promessas que estão em Cristo, por meio das quais Deus, ao congregar a Si mesmo o seu povo, os gerou novamente para a vida eterna.

10. O temor de Jehovah. Havendo tratado da bondade divina e prestado um tributo bem merecido à lei, o profeta prossegue exortando os fiéis à reverência a Deus e ao zelo em guardar a lei. Ao chamar o *temor de Deus* de *o princípio* ou a *fonte da sabedoria*, o salmista culpa de insensatez os que não prestam a Deus obediência implícita. Como se quisesse dizer: Os que não temem a Deus e não regulam suas vidas em conformidade com a lei de Deus são bestas rudes e ignoram os elementos primários da genuína sabedoria. Devemos atentar cuidadosamente para isto, pois, embora o gênero humano geralmente deseje ser considerado sábio, quase toda a humanidade estima a Deus levianamente e se apraz em sua própria astúcia perversa. Mas, como até os piores dos homens são reputado como superiores a todos os demais seres, em questão de sabedoria, e, inflados com esta confiança, se tornam empedernidos contra Deus, o profeta declara que toda a sabedoria do mundo, sem o temor de Deus, é fútil ou vazia de conteúdo. E, deveras, todos os que ignoram o propósito para o qual vivem não passam de tolos e dementes. Servir a Deus, porém, é o propósito para o qual nascemos e para o qual somos preservados com vida. Não existe cegueira pior, nem insensibilidade tão aviltante como o desprezarmos a Deus e depositarmos nossas afeições em outras coisas. Pois, não importa quanta engenhosidade possuam os perversos, eles são destituídos do que é primordial, a saber, a genuína piedade.

As palavras seguintes têm esse mesmo propósito: *bom entendimento possuem todos quantos guardam os mandamentos de Deus*. Há grande ênfase sobre o adjunto qualificativo טוב (*tob*), porque o profeta, ao criticar a opinião insensata sobre a qual já advertimos, condena tacitamente os que se deleitam em sua própria astúcia perversa. Seu significado é: admito que geralmente são reputados sábios aqueles que cuidam bem dos seus próprios interesses, aqueles que podem abraçar uma diplomacia condescendente, aqueles que possuem a argúcia e a sutileza de preservar a opinião favorável do mundo e até praticam o engano contra os demais. Mas, ainda que eu admitisse que eles possuem tal caráter, a sabedoria deles é inútil e perversa, visto que a verdadeira sabedoria se manifesta na observância da lei.Em seguida, o salmista substitui o *guardar os mandamentos de Deus* pelo *temor de Deus*. Pois ainda que todos os homens, sem exceção, se vangloriem de temer a Deus, nada lhes é mais comum do que viverem negligenciando sua lei. Por isso, o profeta, com muita propriedade, inculca-nos a aceitação espontânea do jugo de Deus e a submissão às regulamentações de sua Palavra como a mais satisfatória evidência de vivermos no temor de Deus. O termo *princípio*[7] tem desnorteado alguns, levando-os a imaginar que o temor de Deus era denominado o acesso à sabedoria, como se ele fosse o primeiro passo, porque prepara os homens para a verdadeira piedade. Essa opinião dificilmente merece algum crédito, visto que em Jó 28.28 esse temor é a chamada de "sabedoria". Nesta passagem, *temor* não deve ser entendido como se referindo aos princípios iniciais ou elementares da piedade, como em 1 João 4.18; deve ser entendido como que incluindo toda a verdadeira santidade ou o culto a Deus. A conclusão do Salmo não demanda explicação — o objetivo do profeta era simplesmente inculcar nos fiéis o fato de que nada lhes é mais proveitoso do que viverem a vida celebrando os louvores de Deus.

---

7 "*O princípio* – a palavra assim traduzida também significa *o primeiro, a parte principal, a perfeição.* Este sentido se enquadra muito bem neste lugar [cf. Dt 10.12, Jó 28.28, Pv 1.7; 10.10]" – *Cresswell.* "ראשית. Esta palavra pode significar o primeiro no tempo e, assim, denotar o fundamento de alguma coisa; logo, o significado do salmista aqui é que o fundamento de toda a sabedoria é o temor de Senhor. Mas ראשית também possui o sentido de ser o *primeiro* em *dignidade*, bem como na ordem do tempo; assim, חכמה ראשית, *sabedoria é a coisa principal* [Pv 4.7]. Aqui, a palavra pode ser entendida da mesma maneira, isto é, o temor do Senhor é a principal sabedoria" – *Phillips.*

Salmos 112

Como a maior parte da humanidade espera prosperar através dos feitos maus e geralmente se esforça por enriquecer através do espólio, fraude e todo gênero de injustiça, o profeta enumera as bênçãos de Deus que assistem aos que O cultuam com pureza, a fim de sabermos que, ao almejar uma vida de piedade e moralidade, não perdemos nossa recompensa.[1]

[vv. 1-3]
Louvai a Jehovah. Bem-aventurado o homem que teme a Jehovah; ele se deleitará profundamente em seus mandamentos. Sua descendência será poderosa na terra;[2] a geração do justo será abençoada. Prosperidade e riquezas estarão em sua casa, e sua justiça dura para sempre.

1. Bem-aventurado o homem que teme a Jehovah. Embora o profeta comece com uma exortação, ele tem em vista, como já realcei, algo mais do que a convocação dos fiéis ao louvor divino. Praticar a perversidade e perpetrar a injustiça, em todos os quadrantes, era uma grande infelicidade; e, embora a integridade seja ocasionalmente enaltecida, dificilmente existe um entre cem que a siga, pois todos imaginam que serão infelizes se não, por um meio ou outro, lançarem mão, como seu despojo, de tudo que surgir em seu caminho. Em oposição a isso, o profeta nos

---

1 Este Salmo também é acróstico ou alfabético; e seu tema é apenas uma ampliação do último versículo do Salmo anterior, conforme Muis e outros observaram ser bem provável que o mesmo autor compôs ambos os salmos.

2 "*Na terra*, ou, melhor, como o diz Green, *no país*; visto que o termo parece significar a *terra de Israel*, à qual se limitava a promessa de bênçãos temporais" – *Dimock*.

diz que o mais vantajoso é esperar a consideração paternal de Deus, e não aplicar todo tipo de injúria e perpetrar todo tipo de injustiça a nosso alcance. E, ao colocar diante de nós a esperança segura da recompensa, o salmista nos chama de volta à prática da eqüidade e da beneficência. Esta é a análise que apresento do versículo: *Bem-aventurado o homem que teme ao Senhor e se deleita em seus mandamentos*; assim, com a segunda sentença do versículo, o profeta especifica em que consiste o temor de Deus. E o fato de que o acréscimo desta cláusula explicativa é necessário se torna bem evidente do que já observamos na conclusão do Salmo anterior. Porque, enquanto a lei é audaciosamente desprezada pelo gênero humano, nada é mais comum do que fingir temor a Deus. Essa impiedade é bem refutada pelo profeta, quando ele reconhece que só pertencente ao número dos adoradores de Deus aquele que se esforça para guardar a lei de Deus. O verbo hebraico חפץ (*chaphets*) é bem enfático e significa, por assim dizer, *ter prazer*, e o traduzi por *deleitar-se*. O profeta faz distinção entre o empenho voluntário e solícito para guardar a lei e aquilo que consiste em mera obediência servil e compulsória. Devemos, pois, abraçar alegremente a lei de Deus, fazendo isso de tal maneira que o amor por ela, com toda a sua doçura, se sobreponha a todas as fascinações da carne; do contrário, a mera atenção a ela seria totalmente sem valor. Por conseguinte, uma pessoa não pode ser considerada uma genuína observadora da lei, se não chega a esse ponto: o deleite que ela tem na lei de Deus se lhe torna em uma obediência prazerosa. Agora resumo a consideração da passagem em geral. O profeta, ao afirmar que os adoradores de Deus *são felizes*, nos guarda da terrível ilusão que os ímpios praticam contra si mesmos, imaginando que podem colher alguma felicidade (não sei qual) da prática do mal.

2. Sua descendência será poderosa. Com o propósito de confirmar a declaração que vem reiterando sobre a felicidade do homem que teme a Jehovah e se deleita em seus mandamentos, o profeta enumera as evidências da benignidade de Deus que Ele costuma conceder a seus adoradores. Em primeiro lugar, o salmista diz que a bondade paternal de Deus não se confina exclusivamente ao próprio adorador, mas se estende à sua posteridade. Em conformidade com o que a lei diz: "Tenho misericórdia de mil gerações daqueles que me amam e guardam meus mandamentos" [Ex 34.7]. E, em Salmos 103.8-9, bem como em outras passagens, já chamamos a atenção para esta afirmação doutrinária. Entretanto, visto que não poucos se dispõem a perverter esta doutrina, aplicando-a como o padrão segundo o qual Deus outorga seus favores temporais, é oportuno ter em mente o que já disse em Salmos 37.25, que esses favores são outorgados de acordo com a medida que agrada a Deus. Às vezes, ocorre que uma pessoa boa vive sem filhos; e a esterilidade é, em si mesma, considerada uma maldição de Deus. Além disso, muitos dos servos de Deus são oprimidos por pobreza e carência; têm de suportar o peso das enfermidades, são acossados por diversas calamidades e vivem em constante perplexidade. Por isso, é necessário ter em vista este princípio geral: às vezes, Deus outorga sua generosidade mais profusamente e, outras vezes, mais restritamente, de conformidade com o que Ele percebe ser melhor para seus filhos. Além do mais, às vezes Ele oculta as evidências de sua bondade, como se não levasse absolutamente em conta os interesses de seu povo.

No entanto, em meio a essa perplexidade, parece que estas palavras não foram pronunciadas em vão: *o justo e sua descendência são abençoados*. Com freqüência, Deus frustra as esperanças vãs dos ímpios, que têm como único objetivo impor regras ao mundo e elevar seus filhos a posições de riquezas e honra. Em contrapartida, como os fiéis se satisfazem em criar seus filhos no temor de Deus e se contentam em viver com modéstia, Deus, como que com mãos estendidas, os enaltece com honras. Além disso, nos tempos antigos, sob a vigência da lei, a veracidade desta doutrina era mais evidente. Visto que um requisito para pessoas inexperientes e débeis era que fossem treinadas gradualmente, por meio de benefícios temporais, a fim de que nutrissem uma esperança mais sólida. Em nossos dias, se não fosse por causa de nossos pecados, a bondade temporal de Deus brilharia mais fortemente sobre nós. Pois a experiência demonstra que as palavras anexadas não se mantêm invariavelmente verdadeiras: *prosperidade e riquezas estarão em sua casa*. Não é incomum os piedosos e santos sofrerem fome e viverem em carência até do que é mais elementar para a sobrevivência. Por essa razão, não concorreria para o bem deles que Deus lhes concedesse mais benefícios terrenos. Nas circunstâncias aflitivas, muitos deles seriam incapazes de portar-se de maneira conveniente à sua confissão cristã. Entrementes, podemos observar que a graça que o profeta recomenda aparece principalmente nisto: os bons e sinceros são satisfeitos com sua condição humilde, enquanto nenhuma porção, por maior que seja, mesmo na extensão do próprio mundo, satisfará o ímpio profano. O velho adágio se mantém verdadeiro: o cobiçoso quer aquilo que tem e o que não tem, porque não é dono de nada e escravo de sua própria riqueza. Em conexão com esta sentença, devemos considerar a sentença seguinte: *a sua justiça dura para sempre*. De fato, isso constitui a verdadeira e apropriada diferença entre o santo e o ímpio; porque este pode, durante algum tempo, acumular imensa riqueza, contudo, tudo isso, segundo as palavras do profeta, "de repente se desvanecerá pelo sopro do Onipotente" [Ag 1.9]. E vemos, diariamente, que o que foi adquirido por violência e fraude se torna presa e propriedade de outros. Mas, para os fiéis, sua integridade é a mais segura garantia de serem preservadas as bênçãos divinas.

[vv. 4-8]
Aos justos nasce luz nas trevas;[3] ele é gracioso, misericordioso e justo. O homem bom[4] se compadece e empresta; ele administra com retidão suas atividades. Certamente, ele não será abalado para sempre; o justo será mantido em perpétua lembrança. Ele não temerá quando ouvir más notícias; seu coração é firme, porque confia em Jehovah. Seu coração é estabelecido; ele não se atemorizará até[5] ver seu desejo[6] sobre seus inimigos.

---

3 "Ou, il a fait reluire la lumiere" – *fr. marg.* "Ou, ele fez a luz nascer ou brilhar." É bem provável haver aqui, como supõe Horsley, uma alusão ao que aconteceu no Egito, enquanto os israelitas tinham luz em suas habitações, a terra era coberta por trevas. "O primeiro hemistíquio", diz Phillips, "é figurativo. *Tribulação* é representada por חשׁך (*trevas*), e *saúde* ou *prosperidade*, por אור (*luz*). Uma pessoa piedosa se encontrará no desfrute de prosperidade, mesmo quando as tribulações sobrevierem ao resto do mundo. Nesse período de trevas gerais, nascerá a luz dos justos, a saber, o próprio Jehovah, que é *gracioso, misericordioso e justo*. Os primeiros dois epítetos do segundo membro se encontram em Salmos 11.4, aplicados a Deus".

4 "Ou, bien sera à l'homme qui." – *fr. marg.* "Ou, tudo estará bem com o homem que." A isto corresponde a tradução de Secker, a saber: "Feliz é o homem que", etc. Para provar que טוב significa *feliz*, ele menciona Isaías 3.10, Jeremias 44.17, Lamentações 4.9.

5 "*Até que*. Isto não deve ser entendido como se o seu livramento do medo não mais continuaria, e sim que se estenderia aos tempos futuros" – *Walford*.

6 *Seu desejo* é um suplemento feito pela versão francesa, mas não pela versão latina. E, se o

4. Nasce luz nas trevas. O verbo hebraico זרח (*zarach*) pode ser entendido como intransitivo, como o inseri neste texto, ou transitivo, como na redação marginal; em ambos os casos, a significação é a mesma. Em qualquer das traduções adotadas, as palavras são suscetíveis de dupla interpretação: ou que, como o sol brilha numa parte da terra, e todas as demais partes dela permanecem em trevas, Deus isenta o justo das calamidades comuns da vida humana; ou, como o dia sucede à noite, Deus, ainda que permita que o coração de seus servos sofra opressão por algum tempo, permitirá que a calma e a claridade lhes sejam devolvidas. Caso adotemos a segunda exposição, então, por *trevas* ou tempo nublado e chuvoso ou tempestuoso, o profeta tem em mente as aflições com as quais Deus sujeita seus servos para a provação de sua paciência. A primeira interpretação parece mais apropriada: enquanto o mundo inteiro é toldado por tribulações, a graça de Deus paira sobre os fiéis, os quais se sentem confortáveis e felizes, porque Ele lhes é propício. É assim que sua condição é apropriadamente distinguida daquela que paira sobre a sorte comum dos demais seres humanos. Para os ímpios, por mais que exultem em sua prosperidade, são cegos em meio à luz, visto que são estranhos à bondade paternal de Deus, e, na adversidade, se vêem mergulhados nas trevas da morte. E, conseqüentemente, jamais desfrutam de um tempo de repouso tranqüilo. Ao contrário, os santos, sobre quem paira constantemente o favor divino, embora sejam passíveis de maus incidentes que sobrevêm à humanidade, jamais são sufocados pelas trevas. Daí, a propriedade do que é expresso: aos justos *nasce*

---

admitimos, devemos ser cuidadosos em não entendê-lo como que implicando um tipo de vingança. O homem bom tem inimigos de vários tipos. Os profanos e perversos são, com freqüência, seus inimigos. Contudo, o homem bom não deseja a destruição *deles*; pois isso seria plenamente inconsistente com o espírito cristão. Segundo Hammond, o suplemento é desnecessário. Sua redação é: "Ele verá ou olhará para seus opressores ou perturbadores"; o que ele explica assim: "Ele olhará para eles de maneira firme e confiante, diretamente no rosto deles, como quem não mais está sob o domínio, e sim livre da tirania e pressões deles". Em Salmos 54.7, nos deparamos com uma expressão semelhante, que explicamos, no comentário daquele texto, em referência às circunstâncias de Davi naquele tempo.

luz nas trevas. Se dermos ao verbo hebraico uma significação ativa, num aspecto, a construção das palavras será preferível. Pois não temos dúvida de que o profeta tem em mente, como aplicáveis a Deus, os epítetos *gracioso, misericordioso* e *justo*. Portanto, se o lermos como um verbo neutro, *nasce a luz*, a última cláusula do versículo será a razão para a afirmação feita na primeira cláusula. Quanto à exposição de que os justos e amáveis não difundem trevas sobre o mundo, como o fazem os injustos e perversos, e que os justos e amáveis não extraem fumaça da luz, e sim luz da fumaça, deve ser considerada como nada mais do que uma perversão da linguagem do profeta.

5. O homem bom. Esta é a interpretação da passagem comumente aceita. Entretanto, estou disposto a preferir outra, a saber, que tudo estará bem com aqueles que são graciosos e comunicativos, porque isso está mais em consonância com o teor da linguagem do profeta. Sua intenção é mostrar quão profundamente os ímpios são enganados, quando aspiram a felicidade por meios perversos e práticas ilícitas, visto que o favor divino é a fonte e causa de todas as coisas boas. Daí, se torna necessário suprir o relativo *que*. Ele segue em frente, pondo-nos em guarda contra aquela ilusão que os ímpios evocam sobre si mesmos, apressando-se a enriquecer por meio de sórdida parcimônia e extorsão opressiva, enquanto os fiéis, por sua clemência e bondade, abrem um canal através do qual lhes flui o favor divino; pois o termo טוב (*tob*), ainda que seja do gênero masculino, significando *bom*, amiúde é tomado como se fosse neutro, para denotar aquele que é bom. Ele usa *emprestar* como se fosse o fruto da misericórdia, pois o usurário empresta, mas para que, sob a falsa pretensão de dar assistência aos desafortunados, ele os esbulhe. Portanto, o realmente liberal é aquele que, de sua compaixão, e não com o intuito de enredar o pobre, lhes propicia alívio. A esse Deus torna próspero. O termo דברים (*debarim*), no final do versículo, significa *palavras*. Mas, juntamente com David Kimchi, o mais correto expositor entre os rabinos, eu o entendo no sentido de *atividades*. *Palavras* é uma tradução muito insípida,[7] para não dizer que, se esta fosse a intenção do profeta, ele se teria expressado em termos mais simples. A tradução que apresentei é a mais própria, a saber, que os justos administrarão seus afazeres com prudência e discernimento; de modo que, em suas atividades domésticas, não serão demasiadamente perdulários nem sordidamente parcimoniosos; mas, em cada particular, se esforçarão por combinar frugalidade com economia, sem dar vazão ao luxo. E, em todas suas transações comerciais, sempre se deixarão guiar pelos princípios da eqüidade e moralidade.

6. Certamente ele não será abalado. A partícula hebraica כי (*ki*) pode ser aqui entendida em seu sentido natural e causal e, assim, ser traduzida no sentido de *para*, especialmente se, no versículo precedente, adotarmos a redação marginal *estará tudo bem com o homem*; pois se refere, em termos mais específicos, àquela felicidade da qual o salmista já falou, a saber, que Deus sustém os compassivos e amáveis, de modo que, em meio a todas as vicissitudes da vida, eles permanecem inabaláveis; que Deus faz a inocência deles manifestar-se e os protege de calúnias injustas. Diz-se que eles *jamais são abalados*. São, deveras, vulneráveis aos incidentes comuns da raça humana, e, às vezes, talvez pareça como que estivessem a naufragar sob o peso de suas calamidades, mas sua confiança permanece inabalável e, com paciência invencível, superam todas suas adversidades. Embora tenham a Deus como defensor de sua justiça, não escapam de ser assaltados pelas difamações dos ímpios; contudo, para eles basta que seu nome seja bendito diante de Deus, dos anjos e de toda a assembléia dos justos.

7. Ele não temerá quando ouvir más notícias. Talvez isso pareça uma combinação da afirmação contida no versículo precedente,

---

7 É assim traduzida em algumas das versões antigas e por vários críticos. Na versão Siríaca, o texto é "suportará suas palavras em juízo", isto é, nunca pronunciará algo que não seja estritamente verdadeiro. De modo semelhante, Cocceius. Na versão Arábica, que é seguida por Castalio, o texto é "moderará suas palavras em juízo", isto é, falará sobre os delinqüentes tão favoravelmente quanto puder falar de modo consistente com a verdade, fazendo-o assim ao contrário da prática dos perversos [Sl 94.21].

ou seja: que os justos são isentos do nome infame que os réprobos lhes atribuem por sua conduta pecaminosa. E, ao contrário, entendo o significado como que sendo este: os justos, diferentemente dos incrédulos que tremem ante o mais leve rumor, confiam tranqüila e pacificamente no cuidado paternal de Deus, em meio a todas as más notícias que lhes sobrevenham. Qual é a razão por que os incrédulos estão em constante agitação, se não o fato de imaginarem que, na terra, são brinquedos nas mãos do destino, enquanto Deus permanece ocioso no céu? Não admiremos que até o ruído da queda de uma folha os inquiete e alarme. Os fiéis são libertos dessa intranqüilidade, visto que não dão ouvidos a rumores, nem o medo que os rumores lhes causam impede-os de invocar constantemente a Deus. Os filhos de Deus podem manifestar sintomas de medo ante o prospecto de perigo iminente, pois, se desconsiderassem totalmente as calamidades, essa indiferença seria resultado não de confiança em Deus, e sim de insensibilidade. Eles não conseguem afastar todo temor e ansiedade, mas, reconhecendo a Deus como o guardião de sua vida e prosseguindo no curso de seu caminho, se entregam ao cuidado preservador de Deus e, alegremente, se resignam à disposição dEle. Esta é a magnanimidade dos justos sob a influência da qual o profeta declara que eles podem desconsiderar aqueles rumores do mal que causam medo em outros. Agindo com sabedoria, eles também confiam em Deus para sustentá-los, porque, cercados de todos os lados por inumeráveis mortes, imergiríamos em desespero, se não fôssemos sustentados pela confiança de que estamos seguros sob a proteção de Deus. O profeta descreve aqui a verdadeira estabilidade, que consiste em descansar em Deus com inabalável confiança. Em contrapartida, a confiança presunçosa, com a qual os ímpios se deixam intoxicar, os expõe à mais profunda indignação de Deus, visto que ignoram a fragilidade da vida humana e, em seu coração orgulhoso, se colocam loucamente em oposição a Ele. Portanto, quando "andarem dizendo: Paz e segurança, eis que lhes sobrevirá repentina destruição" [1Ts 5.3]. O senso de calamidade, embora deixe os fiéis alarmados e desconcertados, não os faz desanimar, porque não abala a sua fé, pela qual se tornam ousados e firmes. Em uma palavra, não são insensíveis a suas provações,[8] mas a confiança que depositam em Deus os capacita a elevarem-se acima de todas as preocupações da vida presente. Assim, preservam a serenidade e o equilíbrio da mente, aguardando com paciência que chegue o tempo próprio da vingança contra os réprobos.

[vv. 9, 10]
Ele distribuiu, deu aos pobres; sua justiça dura para sempre; seu chifre será exaltado com honra. Os perversos o verão e se enfurecerão; rangerão seus dentes e desaparecerão;[9] o desejo dos perversos perecerá.

9. Ele distribuiu, deu aos pobres. Uma vez mais o salmista afirma que os justos jamais perdem o fruto e a recompensa de sua liberalidade. Em primeiro lugar, por *distribuir*, o profeta sugere que os justos não dão com mesquinhez e má vontade, como o fazem alguns que imaginam que cumprem seu dever para com o pobre, quando lhes distribuem pequenas porções; os justos dão liberalmente, segundo requer a necessidade e seus proventos lhes permitem, pois talvez ocorra que um coração liberal não possua grande porção de bens neste mundo. Tudo o que o profeta tenciona dizer é que os justos nunca são tão comedidos, que não estejam sempre prontos a distribuir segundo seus proventos.

Em seguida, o salmista acrescenta: *deu aos pobres,* querendo dizer com isso que os justos não praticam sua caridade a esmo, e sim com prudência e discrição, satisfazendo os reclamos dos necessitados. Temos consciência de que o gasto desnecessário e supérfluo, por amor à ostentação, é enaltecido pelo mundo; e, conseqüentemente, uma maior quantidade de coisas boas desta vida é mais esbanjada em

---

8 "Neque ferrei sunt neque stipites" – *lat.* "Ils ne sont point de fer, ne semblables à des souches" – *fr.* "Não são de ferro, nem se assemelham a blocos."

9 "ונמם. *E desaparecerão.* Radical סמם. Diz-se que esse termo denota a total destruição de algo pelo processo de derretimento. O verbo é empregado à guisa de figura, para expressar o aniquilamento dos perversos, em Salmos 68.3" – *Phillips.*

luxo e ambição do que gasta em caridade prudentemente administrada. O profeta nos instrui que o louvor que pertence à liberalidade não consiste em distribuir nossos bens sem levar em conta as pessoas às quais os bens são conferidos e os propósitos nos quais são aplicados, e sim em aliviar as carências dos realmente necessitados e gastar o dinheiro nas coisas próprias e lícitas. Esta passagem é citada por Paulo [2Co 9.9], que nos informa que para Deus é uma questão muito simples abençoar-nos com abundância, para que possamos exercer nossa generosidade espontânea, liberal e imparcialmente; e isso concorda muito melhor com o desígnio do profeta.

A sentença seguinte, *sua justiça dura para sempre,* é suscetível de duas interpretações. A ambição imoderada que impele os ímpios a esbanjarem seus bens não merece o nome de virtude. Portanto, com propriedade pode-se dizer que o curso invariável da liberalidade é aqui louvado pelo profeta, em conformidade com o que ele observou anteriormente, a saber, que *o justo administra seus negócios com discrição.* Se alguém quiser usar isso como uma referência ao fruto da justiça, não faço objeção. E, de fato, isso parece uma repetição da mesma sentença que surgiu recentemente em nossa observação. Então, o profeta mostra como Deus, por meio de seus benefícios, preserva a glória daquela justiça que se deve à liberalidade deles, e não os priva de sua recompensa; Deus faz isso exaltando mais e mais o chifre deles, isto é, o seu poder ou a sua condição próspera.

10. Os perversos o verão.[10] Aqui vem a lume um contraste semelhante àquele que encontramos em Salmos 2.5, que torna a graça de Deus para com os fiéis ainda mais eminente. Seu significado é que, embora os perversos rejeitem todo o respeito pela piedade e descartem de sua mente todos os pensamentos de que os afazeres humanos se acham sob a providência superintendente de Deus, terão de sentir, queiram ou não, que os justos, em harmonia com a ordem de Deus, não se dedicam inutilmente a cultivo da caridade e da misericórdia.

---

10 "*Os perversos o verão,* isto é, o chifre exaltado" – *Dimock.*

Que os ímpios se endureçam como quiserem; apesar disso, o salmista declara que lhes será exibida a honra que Deus confere a seus filhos, diante dos quais os fará ranger os dentes e os excitará a tal inveja, que os consumirá pouco a pouco.[11] Em conclusão, o salmista acrescenta que *o desejo dos perversos perecerá*. Eles nunca estão contentes, mas estão continuamente sedentos por algo mais; e sua confiança é tão presunçosa quanto sua avareza é ilimitada. Daí, em suas loucas expectativas, não hesitam em apropriar-se do mundo inteiro. Mas o profeta lhes diz que Deus arrebatará deles o que imaginavam já estivesse em sua posse, de modo que sempre partirão deste mundo destituídos e necessitados.

---

11 "Et par une envie qu'ils auront les fera mourir à petit feu" – *fr*.

Salmos 113

Neste Salmo, a providência de Deus fornece motivo para O louvarmos, porque, embora sua excelência esteja muito acima dos céus, Ele se digna de baixar seus olhos à terra para observar a humanidade. E, visto que muitos se sentem desconcertados pelas mudanças que notam ocorrer no mundo, o profeta aproveita a ocasião, à luz destas mudanças súbitas e inesperadas, para advertir-nos a atentarmos expressamente para a providência de Deus, a fim de não nutrirmos qualquer dúvida de que todas as coisas são governadas de conformidade com a vontade e beneplácito dEle.[1]

[vv. 1-4]
Louvai a Jehovah. Louvai, vós, servos de Jehovah! Louvai o nome de Jehovah. Bendito seja o nome de Jehovah desde agora e para sempre. O nome de Jehovah deve ser louvado, desde o nascente até o poente. Jehovah é exaltado acima de todas as nações, sua glória está acima dos céus.

1. Louvai, vós, servos de Jehovah! Este Salmo contém razões abundantes para que todos os homens, sem exceção, louvem a Deus. Sendo

---

1 Este interessante e pequeno salmo, que é, igualmente, elegante em sua estrutura e devocional em seu sentimento, tem como seu tema a celebração do poder, glória e misericórdia de Jehovah. Patrick pensa ser este salmo o começo do que o hebraico denomina Grande Hallel ou Hinos, que recitavam às suas mesas nas luas novas e outras festas, especialmente na noite da Páscoa, depois que haviam comido o cordeiro. Ele supõe que o Grande Hallel incluía este e os cincos salmos seguintes. "É muito incerto quem foi o autor deste salmo; mas, como os versículos 7 e 8 são manifestamente tomados de 1 Samuel 2.8, e o versículo 9 provavelmente faça alusão à história de Ana, ele poderia ter sido composto por Samuel ou Davi, os quais tiveram tanto interesse nos sinais de misericórdias em seu favor" – *Dimock*.

os fiéis os únicos dotados de percepção espiritual para reconhecerem a mão divina, o profeta lhes fala em particular. E, se considerarmos quão frios e insensíveis são os homens neste exercício religioso, não julgaremos como supérflua a reiteração do convite a louvar a Deus. Todos reconhecemos que somos criados para louvar o nome de Deus, enquanto, ao mesmo tempo, sua glória é desrespeitada por nós. Apatia tão criminosa é condenada com justiça pelo profeta, visando incitar-nos ao zelo incansável de louvar a Deus. A repetição da exortação no sentido de que O louvemos deve ser considerada uma referência tanto à perseverança quanto ao ardor neste exercício. Se alguns preferem entender a expressão *servos de Jehovah* como uma referência aos levitas, aos quais se confiava a incumbência da celebração dos louvores de Deus, na vigência da lei, não me oponho muito a isso, contanto que não excluam o resto dos fiéis sobre os quais Deus havia designado os levitas como líderes e regentes de música, para que Ele fosse louvado por todo seu povo, sem exceção. Quando o Espírito Santo se dirige expressamente aos levitas, em relação ao assunto dos louvores a Deus, o Espírito tenciona que, por seu exemplo, os levitas mostrem o caminho aos demais e que toda a Igreja responda em coro santo. Agora, quando todos nós somos "um sacerdócio real" [1Pe 2.9], e, como Zacarias testifica [14.21] que sob o reinado de Cristo os mais humildes dentre o povo seriam levitas, não há dúvida de que, excetuando os incrédulos, que são mudos, o profeta nos convida, todos em comum, a prestarmos este culto a Deus.

2. Bendito seja o nome de Jehovah. O profeta confirma o que mencionei antes, a saber: que os louvores divinos devem ter continuidade ao longo de todo o curso de nossa vida. Se seu nome deve ser continuamente louvado; pelo menos, esse deve ser nosso ardente empenho durante nossa breve peregrinação aqui, tendo sempre em mente que será muito mais glorioso depois que morrermos. No versículo seguinte, ele estende a glória do nome de Deus a todas as partes da terra. Em conseqüência disso, nossa apatia seria totalmente injustificada, se não fizermos esses louvores ressoar entre nós mesmos. Na vigência da lei, Deus não podia ser louvado, de forma perfeita, por seu próprio povo, exceto em Judá;

e o conhecimento dEle se confinava a esse povo. No entanto, as suas obras, que são visíveis a todas as nações, são dignas da admiração do mundo inteiro. A cláusula seguinte, acerca da sublimidade da glória de Deus, têm o mesmo propósito; pois haveria algo mais vil para nós do que magnificá-la rara e tardiamente, visto que ela deveria encher nossos pensamentos com admiração arrebatadora? Ao enaltecer o nome de Deus de forma tão sublime, o profeta tenciona mostrar-nos que não há qualquer motivo para a indiferença; que o silêncio teria o sabor de impiedade, se não nos exercitássemos ao máximo de nossa habilidade para celebrar os louvores de Deus, a fim de que nossas afeições pudessem, por assim dizer, subir aos céus. Ao acrescentar, que *Deus é exaltado acima de todas as nações*, o salmista expressa uma reprimenda implícita, por meio da qual ele atribui ao povo escolhido a acusação de apatia no exercício do louvor. Porventura, há algo mais contraditório do que as testemunhas oculares da glória de Deus, a qual resplandece até entre os cegos, deixarem de torná-la o assunto de seus louvores? No próprio tempo em que Deus conferiu aos judeus a honra exclusiva de serem os depositários do conhecimento de sua doutrina celestial, Ele ficou sem testemunhas, conforme Paulo [At 14.17, Rm 1.20]. Após a promulgação do evangelho, a exaltação de Deus acima das nações foi mais evidente, pois o mundo inteiro foi colocado sob a soberania dEle.

[vv. 5-9]
Quem se assemelha a Jehovah nosso Deus, que tem sua habitação nas alturas, que se humilha para ver as coisas que são feitas no céu e na terra?[2] Que soergue do pó o pobre, que faz subir o aflito da esterqueira, para o pôr com os príncipes de seu povo. Que faz a estéril habitar em família, jubilosa mãe de filhos. Louvai a Jehovah.[3]

---

2 "Lowth traduz corretamente, seguindo Hare: Quem é como Jehovah, nosso Deus? Que habita nas alturas, que olha para baixo, no céu e na terra.
Ele se refere à mesma estrutura [Ct 1.5]. Quanto à primeira parte, ver Jeremias 49.8; e, quanto a todo o salmo, ver Salmos 138.6, Isaías 57.15" – *Secker in Merrick's Annotations on the Psalms*. Lowth observa que o último membro tem de ser dividido e atribuídas, em suas duas divisões, aos dois membros precedentes, ou seja, "Que habita os altos céus e olha para a terra."
3 As palavras *Louvai a Jehovah*, no final do Salmo, são, nas versões Septuaginta, Vulgata, Siríaca, Arábica e Etiópica, bem como em muitos manuscritos antigos, colocadas no início do próximo

5. Quem se assemelha a Jehovah, nosso Deus. O profeta corrobora sua posição na celebração dos louvores divinos, contrastando a sublimidade de sua glória e poder com a sua ilimitada bondade. Não que sua bondade pudesse ser separada de sua glória; mas esta distinção é delineada em consideração aos homens, que não seriam capazes de suportar a majestade de Deus, se Ele não se fosse gracioso a ponto de humilhar-se e nos atrair dócil e bondosamente para Si. Isso significa que o habitar de Deus acima dos céus, tão incomensuravelmente distante de nós, não O impede de estar bem próximo de nós e fazer liberalmente provisão para o nosso bem-estar. E, ao dizer que Deus é exaltado acima dos céus, o salmista enaltece a misericórdia de Deus para com os homens, cuja condição é vil e desprezível; e nos informa que Deus poderia, com justiça, manter os anjos em desprezo, se não fosse pelo fato de que, movido de consideração paternal, condescendesse em tomá-los sob o seu cuidado. Se, com respeito aos anjos, Ele se humilha, o que pode ser dito com respeito aos homens, os quais, decaídos na terra, são completamente torpes? Pode-se indagar se Deus enche ou não o céu e a terra. A resposta é óbvia. As palavras do profeta significam apenas que Deus pode pisotear, sob a planta de seus pés, as mais nobres de suas criaturas, ou melhor, por causa de sua infinita distância, Ele pode desconsiderá-las inteiramente. Em suma, devemos concluir que não é por nossa proximidade dEle, e sim por sua própria e livre escolha, que Ele condescende em fazer-nos os objetos de seu cuidado peculiar.

7. Que soergue do pó o pobre. Nesta passagem, o salmista fala em termos de enaltecimento do cuidado providencial de Deus em relação às várias mudanças que os homens se dispõem a considerar como acidentais. Ele declara que é unicamente pela designação de Deus que as coisas que sofrem mudanças excedem muito às nossas antecipações. Se o curso dos eventos fosse sempre uniforme, os homens o atribuiriam meramente a causas naturais, enquanto as mudanças que entram em

---

salmo, onde, possivelmente, outrora se posicionavam como título.

cena nos ensinam que todas as coisas são reguladas se acordo com o secreto conselho de Deus. Em contrapartida, golpeados de estupefação ante os eventos que ocorrem de modo contrário à nossa expectativa, nós os atribuímos instantaneamente ao acaso. E, como somos tão aptos a ver as coisas por um prisma muitíssimo diverso daquele que reconhece o cuidado superintendente de Deus, o profeta nos incita a admirar sua providência em questões maravilhosas ou de ocorrência inusitada; pois, visto que vaqueiros, bem como homens da mais humilde e mais abjeta condição têm sido elevados aos pincaros do poder, é muitíssimo razoável que nossa atenção se deixe arrebatar por uma mudança tão inesperada. Agora percebemos o desígnio do profeta. Nesta passagem, como em tantas outras, é possível que ele estava pondo diante de nós a estrutura dos céus e da terra. Mas, como nossa mente não é afetada pelo curso ordinário das coisas, o salmista declara que a mão de Deus é evidente em suas obras maravilhosas. E, ao dizer que os homens de condição humilde e abjeta não são elevados a qualquer posição importante, e sim investidos com poder e autoridade sobre o santo povo de Deus, o salmista corrobora a grandeza do milagre – sendo isso muito mais importante do que governar outras partes da terra, pois o estado do reino da Igreja constitui o principal e augusto teatro onde Deus apresenta e exibe os sinais de seu maravilhoso poder, sabedoria e justiça.

9. Que faz a estéril habitar em família. O salmista relaciona outra obra de Deus, a qual, se não for aparentemente tão notável, não deve, por essa razão, envolver nossos pensamentos. Insensíveis como somos às obras extraordinárias de Deus, nos vemos constrangidos a expressar nossa admiração quando uma mulher, que tem sido estéril por longo período, inesperadamente se torna mãe de uma família numerosa. O termo hebraico הבית (*habbayith*) deve ser entendido não simplesmente como uma *casa*, mas também como uma *família* – isto é, a coisa que contém aquilo que é contido –, justamente como os gregos aplicam οἶκος, e os latinos usam *domus* para expressar uma *família*. O significado é que a mulher que fora estéril é abençoada com a fertilidade e enche sua casa com filhos. Ele atribui alegria às mães porque, embora os corações de todos se inclinem a aspirar por riquezas, ou honra, ou prazeres, ou outras vantagens, a progênie é preferível a qualquer outra coisa. Por conseguinte, uma vez que Deus superintende o curso ordinário da natureza, altera o curso dos eventos, eleva os de condição abjeta e de origem ignóbil e torna férteis as estéreis, nossa insensibilidade é muitíssimo culpável, se não contemplarmos atentamente as obras de sua mão.

Salmos 114

Este Salmo contém um breve relato daquele livramento pelo qual Deus, ao tirar seu povo do Egito, e conduzi-lo à herança prometida, deu provas de seu poder e graça, os quais devem ser tidos como um memorial permanente. O desígnio daquele maravilhoso livramento foi que a semente de Abraão pudesse render-se totalmente a Deus, que, recebendo-os por um gracioso ato de adoção, propôs que eles Lhe seriam povo santo e peculiar.[1]

[vv. 1-4]
Quando Israel foi tirado do Egito, e a casa de Jacó, do meio de um povo bárbaro,[2] Judá tornou-se a sua[3] santidade, e Israel, seus domínios. O mar

---

1 "O êxodo de Israel do Egito, com alguns dos milagres mais notáveis que o acompanharam e dele foram conseqüência, é, neste breve Salmo, comemorado no estilo poético mais ousado, com personificações da natureza inanimada, com arrojo e sublimidade máximos, com 'pensamentos' que inspiram e palavras que queimam'" – *Darke's Harp of Judah*.

2 A palavra לֹעֵז (*loez*), que Calvino traduz por *um povo bárbaro*, em nossa Bíblia é traduzida por "um povo de língua estranha". Sua versão é endossada por muitas autoridades. A palavra é encontrada freqüentemente, no sentido que ele atribui a ela, em obras rabínicas e, assim, é entendida nesta passagem pela paráfrase Caldaica, que traz בַּרְבָּרָאֵי, e pela Septuaginta, que traz βαρβάρου. A raiz desses termos, bem como do termo latino que traduz *bárbaro*, provavelmente seja o hebraico בַּר (*fora* ou *fora de*), reduplicado; assim significa, para um judeu, alguém de outra nação. Segundo Parkhurst, a palavra, em vez de significar bárbaro ou idioma ou pronúncia estranha, parece, antes, referir-se à *violência* dos egípcios contra os israelitas, ou a *barbaridade de seu comportamento*, e isso, observa ele, se coadunava mais com o propósito do salmista do que a barbaridade da linguagem deles, mesmo supondo a realidade desta no tempo de Moisés – Ver Lexicon, sobre לֹעֵז. Horsley diz: "Um povo tirano."

3 "Há uma beleza peculiar na conduta deste Salmo, no qual o autor oculta plenamente a presença de Deus em seu começo e deixa um pronome possessivo (i.e., Seu) sem um substantivo, em vez de mencionar muito algo sobre a Divindade ali; porque, se Deus aparecesse antes, não haveria surpresa com o fato de os montes saltarem e o mar retirar-se. Portanto, para que esta convulsão da natureza seja introduzida com a devida surpresa, o nome de Jehovah é mencionado somente mais adiante. E, então, com uma agradável reviravolta no pensamento, Deus é introduzido de repente em toda sua

viu e fugiu;⁴ o Jordão voltou atrás. Os montes saltaram como carneiros, e os outeiros, como cordeiros do rebanho.

1. Quando Israel foi tirado do Egito. Sendo esse êxodo um memorável penhor e símbolo do amor de Deus para com os filhos de Abraão, não é surpreendente que seja lembrado com tanta freqüência. No início do Salmo, o profeta nos informa que o povo, que Deus adquirira a preço tão elevado, não mais lhe pertence. A opinião de certos expositores, de que nesse tempo a tribo de Judá era consagrada ao serviço de Deus, conforme o que lemos em Êxodo 19.6 e 1 Pedro 2.9, parece-me estranha ao desígnio do profeta. Pelo que vem imediatamente em seguida, remove-se a dúvida sobre este assunto, a saber, que Deus toma a Israel sob o seu governo; isso é simplesmente a reiteração do mesmo sentimento em outras palavras. Judá, sendo a mais poderosa e numerosa dentre todas as tribos e ocupando o principal espaço entre elas, assume aqui a precedência do restante do povo. Ao mesmo tempo, é evidente que a honra que de, maneira peculiar lhes é atribuída, pertence igualmente a todo o corpo do povo.⁵ Quando se diz que Deus é santificado, devemos entender que o profeta estava falando à maneira humana, porque, em Si mesmo, Deus não pode sofrer aumento nem diminuição. Judá é chamado *sua santidade*⁶ e *Israel, seu domínio*,⁷ porque a santa majestade de Deus, que até aqui era pouco conhecida, assegurou a veneração de quantos haviam

---

majestade" – *Spectator*, vol. vi. Nº 461. Entretanto, se as duas últimas palavras do Salmo anterior, יה־ הללו (*Halelu-yah*) — *Louvai a Jehovah* — constituem o título deste Salmo, o antecedente é suprido.

4 No hebraico não há pronome depois de *viu*; tampouco ele é um inserido nas versões Septuaginta, Arábica e Caldaica.

5 "Judá representa aqui todo o povo de Israel, como José, em Salmos 81.6. A razão indicada por Kimchi para este uso de יהודה, aqui, é que, no tempo da saída do Egito, Judá era considerado a cabeça e príncipe das tribos. ver Gênesis 44.8-10. Entretanto, isto é mera conjetura. Se for necessário indicar razões para a distinção aqui atribuída a esta tribo, eu mencionaria entre elas a da arca conservada na região ocupada pelos descendentes de Judá e, como outra, a de que o Messias proveio deles" – *Phillips*.

6 Visto que *a santidade de Deus* às vezes é entendida como expressão de guardar Ele a *sua promessa sacra* ou *inviolável*, como em Salmos 111.9, quando, ao fazer-se referência à imutabilidade de seu pacto, acrescenta-se: "Santo [como, em outro aspecto, *reverendo*] é seu nome". Alguns, como Hammond e Cresswell, supõem que o significado aqui é que o modo de Deus tratar Judá – o povo dos judeus – era uma demonstração de sua fidelidade em cumprir sua promessa feita a Abraão nos tempos antigos.

7 Hammond diz: "E Israel, seu poder", pois ele entende que Israel era um exemplo do poder de

testificado as manifestações de seu incrível poder. Ao libertar seu povo, Deus erigiu um reino para si e granjeou respeito para o seu santo nome. Se o seu povo não refletisse, constantemente, um exemplo tão memorável de sua bondade, a insensibilidade deles seria totalmente inescusável.

3. O mar viu e fugiu. Ele não enumera em sucessão todos os milagres que foram operados naquele tempo, mas em termos breves faz alusão ao mar, que, embora seja um elemento sem vida e insensível, é ferido de terror ante o poder de Deus. O Jordão fizera o mesmo, e os próprios montes se abalaram. É numa tensão poética que o salmista descreve o recuo do mar e do Jordão. A descrição não excede os fatos do caso. O mar, ao prestar tal obediência a seu Criador, santificou o nome dEle; e o Jordão, por meio de sua submissão, rendeu honra ao poder dEle; e os montes, por seu estremecimento, proclamaram como estavam terrificados pela presença da tremenda majestade de Deus. Estes exemplos não visam celebrar o poder de Deus mais do que o cuidado paternal e o desejo que Ele manifesta para preservar a Igreja. Conseqüentemente, Israel é mui apropriadamente distinguido do mar, do Jordão e dos montes – havendo uma diferença marcante entre o povo eleito e os elementos inanimados.

[vv. 5-8]
Que tiveste, ó mar, que fugiste? E tu, Jordão, que voltaste atrás? Vós, montes, que saltastes como carneiros? E vós, outeiros, como cordeiros do rebanho? Treme, ó terra,[8] na presença do Senhor, na presença do Deus de Jacó, aquele que converteu a rocha em tanques de água[9] e o seixo, numa fonte de águas.[10]

Deus e que Ele, em seu agir a favor de Israel, declarou magistralmente a sua onipotência.

8 Street traduz assim: "A terra estava em dores". "Todas as versões antigas", diz ele, "têm aqui o pretérito perfeito. Somente o Targum concorda com a presente redação, se, de fato, isso é um modo imperativo. Pois não vejo por que חולי não possa ser um particípio passivo com um *yod* adicionado a ele, visto que ההפכי pode ser um particípio ativo com a mesma adição".

9 Hammond traduz: "Num lago de água". "O מים אגם", observa ele, "é mais bem traduzido *um lago de água*, em razão de sua abundância; conseqüentemente, a Caldaica traduz לאריתה (*num rio*); e, assim, o salmista descreve expressamente o 'jorrar das águas da rocha', as quais corriam pelos lugares secos como um rio' [Sl 105.41]".

10 "O poeta divino representa a própria substância da rocha como sendo convertida em água, não literalmente, mas poeticamente – ornando, assim, seu cenário com o maravilhoso poder exibido nessa ocasião" – *Walford*.

5. Que tiveste, ó mar? O profeta interroga o mar, o Jordão e os montes, numa linguagem familiar e poética, como anteriormente lhes atribuíra senso e reverência para com o poder de Deus. E, por meio de tais similitudes, ele reprova mui asperamente a insensibilidade daquelas pessoas que não empregam a inteligência que Deus lhes deu para contemplar suas obras. Como o salmista nos informa, a aparência que o mar assumira é mais que suficiente para condenar a cegueira dessas pessoas. Ele não podia secar-se, o rio Jordão não podia fazer suas águas voltarem atrás, se Deus, através de sua ação invisível, não os constrangesse a prestarem obediência à sua ordem. As palavras são direcionadas ao mar, ao Jordão e aos montes, mas são mais imediatamente dirigidas a nós, para que cada um de nós, em auto-análise, avalie cuidadosa e atentamente esta questão. Portanto, sempre que nos depararmos com estas palavras, cabe a cada um reiterar o sentimento: "Tal mudança não pode ser atribuída à natureza e a causas subordinadas, e sim à mão de Deus, que aqui se manifesta". A figura extraída dos *cordeiros* e *carneiros* pareceria ser inferior à magnitude do tema. A intenção do profeta, porém, era expressar da forma a mais familiar a incrível maneira como Deus, em tais ocasiões, exibia seu poder. Estando a estabilidade da terra, por assim dizer, fundada nos montes, que conexão isso poderia ter com carneiros e cordeiros, os quais se agitam e saltitam de um lado para outro? Ao falar em termos tão familiares, o salmista não tenta diminuir a grandeza do milagre, e sim gravar energicamente na mente dos incultos esses extraordinários sinais do poder de Deus.

7. Na presença do Senhor. Tendo despertado os sentimentos dos homens pelo uso de interrogações, o salmista fornece uma réplica, que muitos entendem ser uma personificação da terra; porque tomam י (*yod*) como o afixo do verbo חולי (*chuli*) e representam a terra como a dizer: É meu dever tremer na presença do Senhor. Essa fantasiosa interpretação é insustentável; pois o termo *terra* é imediatamente anexado. Outros, considerando com mais propriedade o י (*yod*), nesta e muitas outras passagens, como redundante, adotam a seguinte interpretação: é razoável e conveniente que a terra trema na presença do Senhor. Uma vez mais, o termo חולי (*chuli*) é por muitos traduzido no modo imperativo; estou disposto a adotar esta interpretação, visto ser bem provável que o profeta uma vez mais faça um apelo à terra para que os corações dos homens se movam com a mais profunda sensibilidade. O significado é o mesmo – que a terra se abala na presença de seu Rei. Este conceito recebe confirmação pelo uso do termo וזדא (*adon*), que significa *um senhor ou mestre*. O salmista, então, introduz imediatamente o título *do Deus de Jacó*, com o propósito de banir dos homens todas as noções de deuses falsos. Sendo a mente dos homens propensa a enganar, eles estão sempre em grande perigo de seguir ídolos e, assim, usurpar o lugar do Deus verdadeiro.

Menciona-se outro milagre, no qual Deus, após a passagem do povo pelo mar Vermelho, forneceu esplêndida manifestação adicional do poder de Deus no deserto. A glória de Deus, como Ele nos informa, não apareceu apenas por um dia, na partida do povo. Ela resplendecia constantemente nas demais obras de Deus, como na ocasião em que uma torrente brotou subitamente da rocha [Ex 17.6]. É possível encontrar água fluindo das rochas e lugares pedregosos, mas, fazê-las fluir de uma rocha seca, isso era algo que estava inquestionavelmente acima do curso ordinário da natureza; era algo miraculoso. Minha intenção não é entrar aqui em uma discussão engenhosa, a saber, como a pedra se converteu em água. Tudo o que o profeta tinha em mente era simplesmente isto: a água fluiu em lugares anteriormente secos e abruptos. Quão absurdo, pois, é que os sofistas pretendam que ocorra uma transubstanciação em todo caso que a Escritura afirma se produziu uma mudança! A substância da pedra não se converteu em água; Deus criou miraculosamente a água que prorrompeu da rocha seca.

Salmos 115

É óbvio que este Salmo foi composto quando a Igreja se via profundamente afligida. Embora os fiéis sejam indignos de ser ouvidos por Deus, eles Lhe oferecem súplicas por livramento, para que seu santo nome não seja exposto ao escárnio e opróbrio entre os pagãos. Então, recobrando o ânimo, os fiéis zombam da insensatez de todos que seguem o culto dos ídolos. E, com santa exultação, magnificam sua própria felicidade, pelo fato de que foram adotados por Deus. E, com base nisto, aproveitam a ocasião para estimularem-se reciprocamente ao reconhecimento da bondade que receberam dEle.

[vv. 1-3]
Não a nós, ó Jehovah! Não a nós, mas ao teu nome dá glória, por amor da tua verdade. Por que diriam os pagãos: Onde está agora o Deus deles? Seguramente, nosso Deus está no céu; ele fez tudo quanto lhe aprouve.

1. Não a nós, ó Jehovah! Não é certo por quem ou em que tempo este Salmo foi composto.[1] Aprendemos de sua primeira parte que os fiéis recorrem a Deus em circunstâncias de extrema angústia. Não

---

1 "Visto que o Salmo anterior terminou de forma abrupta, este lhe é anexado pelas versões Septuaginta, Vulgata, Siríaca, Etiópica e dezenove manuscritos. E, como as exclamações seguintes surgem tão naturalmente da consideração das obras maravilhosas de Jehovah, justamente antes de ser recitado, não é improvável a opinião de Lorinus de que este Salmo é apenas uma continuação do anterior. Patrick o liga a 2 Crônicas 20.2. Há quem suponha que ele foi escrito por Moisés junto ao Mar Vermelho. Outros, por Davi nos primórdios de seu reinado. Outros, por Mordecai e Ester. Outros, pelos três jovens na fornalha ardente. Talvez, por Ezequias ou um dos cativos em Babilônia. (Ver *Psalm cxiv.1*.)" – *Dimock*.

fazem conhecidos seus desejos em palavras claras, mas sugerem indiretamente a natureza de sua súplica. Renunciam publicamente todo mérito e toda esperança de obter livramento, rogam a Deus que seja *o único merecedor de glória*, pois essas coisas estão inseparavelmente conectadas. Merecendo ser tidos em rejeição, apesar disso os fiéis rogam a Deus que não exponha o seu nome à irrisão dos pagãos. Em sua angústia, desejam obter consolação e sustento; mas, não achando em si mesmos nada que mereça o favor divino, clamam a Ele que lhes conceda segundo as suas súplicas, para que a glória dEle seja mantida. Este é o ponto ao qual devemos atentar cuidadosamente, a saber: sendo totalmente indignos da consideração divina, devemos nutrir a esperança de ser salvos por Ele, com base no respeito que Ele tem pela glória de seu próprio nome e no fato de que nos adotou sob a condição de jamais nos abandonar.

É preciso observar também que a humildade e a modéstia dos fiéis os impedem de queixarem-se francamente de suas angústias e que não começam com um pedido por seu próprio livramento, e sim pela glória de Deus. Cobertos de opróbrios, em razão de sua calamidade, a qual, em si mesma, equivale a certo tipo de rejeição, não ousam implorar abertamente de Deus o que desejavam, mas fazem seu apelo de modo indireto, para que Ele, em consideração à sua própria glória, comprovasse ser um pai para os pecadores, que não O invocam sem razão. E, como este modelo de oração foi entregue à na Igreja, nós também, em todos os nossos opróbrios diante de Deus, lembremo-nos de renunciar a toda justiça pessoal e depositar nossas esperanças inteiramente em seu gracioso favor. Além do mais, quando oramos por socorro, devemos ter em vista a glória de Deus no livramento que obtivermos. É mais provável que os fiéis adotaram essa forma de oração com base na promessa divina. Pois, durante o cativeiro, Deus havia dito: "Não faço isto por amor de vós, mas por amor a meu nome" [Is 48.11]. Quando todas as esperanças falham, os fiéis reconhecem isto como seu único refúgio. A reiteração disto é uma evidência de quão cônscios eram de seu próprio demérito, de modo que, se suas orações fossem rejeitadas cem vezes, não poderiam, em seu próprio nome, lançar qualquer acusação contra Ele.

2. Por que diriam os pagãos: Onde está agora o Deus deles? Aqui, os fiéis expressam como Deus deve manter sua glória na preservação da Igreja, que, se Ele permitisse ser destruída, exporia seu nome ao desdém ímpio dos pagãos, os quais blasfemariam o Deus de Israel como destituído de poder, porquanto abandonara seus servos no tempo de necessidade. Isto não é feito com base na persuasão de que Deus requer esse tipo de representação; antes, para que os fiéis retrocedessem seus pensamentos àquele santo zelo contido nas palavras para as quais antes chamamos a atenção: "As injúrias dos que te injuriaram caíram sobre mim" [Sl 69.9]. Esta é a razão para não terem recorrido a ornamento retórico para movê-Lo a exibir seu poder na preservação da Igreja. Eles apenas afirmam solenemente que sua ansiedade por segurança pessoal não os impedia de valorizar a glória de Deus, quando ela é digna de ser valorizada de forma mais sublime. Prosseguem e mostram como a glória de Deus estava conectada com o livramento deles, por declararem que Ele era o Autor do pacto, a respeito do qual os ímpios se vangloriaram de haver sido abolido e anulado e, por conseqüência, declararam que a graça de Deus fora frustrada e que suas promessas eram fúteis. Esta é a base sobre a qual os fiéis lembraram a Deus seu favor e fidelidade, sendo estas passíveis de calúnias equivocadas, se Ele frustrasse do as esperanças de seu povo, a quem se obrigara por um pacto eterno e sobre quem, no exercício de sua graciosa misericórdia, havia concedido o privilégio da adoção. E, como Deus, ao fazer-nos também participantes de seu evangelho, se condescendeu em enxertar-nos no corpo de seu Filho, devemos fazer um reconhecimento público disso.

3. Seguramente, nosso Deus está no céu.[2] Os fiéis, com santa ousadia, se encorajam ainda mais à oração. Nossas orações, bem sa-

---

2 "*Nosso Deus*, diz ele, *está no céu*, e isso equivale a dizer: vós não estais. O versículo pode ser também considerado uma resposta à indagação dos pagãos: *Onde está agora o Deus deles?* Essa resposta foi elaborada para fortalecer a mente dos piedosos adoradores de Jehovah, contra o ridículo que os vizinhos idólatras laçavam sobre eles" – *Phillips*.

bemos, não têm valor quando estamos agitados com dúvidas. Se tal blasfêmia houvesse penetrado seus corações, teria lhes infligido uma ferida mortal. Daí, mui oportunamente, eles se guardam contra ela, interrompendo o curso de suas súplicas. Adiante consideraremos a segunda cláusula deste versículo no devido lugar, onde os fiéis escarnecem dos ídolos e das superstições ímpias dos pagãos. Mas, no momento, cada palavra desta sentença demanda nossa consideração. Quando dizem que Deus está no céu, não O confinam a uma determinada localidade, nem põem limites à sua essência infinita; mas negam a limitação do poder dEle, negam o estar Ele impedido de servir-se da instrumentalidade humana e negam o estar Ele sujeito ao acaso ou destino. Em suma, os fiéis põem o universo sob o controle de Deus; e, sendo Ele superior a toda e qualquer obstrução, faz livremente tudo que Lhe pareça bom. Esta verdade é asseverada mais claramente na sentença seguinte: *ele fez tudo quanto lhe aprouve*. Pode-se dizer que Deus habita o céu, enquanto o mundo está sujeito à sua vontade, e nada pode impedi-Lo de concretizar seu propósito.

O fato de que Deus pode fazer tudo que deseja é uma doutrina de grande importância, contanto que seja verdadeira e legitimamente aplicada. Essa cautela é necessária, porque pessoas curiosas e presunçosas, segundo o seu costume, tomam a liberdade de usar mal a sã doutrina, apresentando-a em defesa de seus cismas frenéticos. E, quanto a esta matéria, testemunhamos diariamente e em demasia a força da engenhosidade humana. Este mistério, que deve suscitar nossa admiração e temor, é transformado por muitos, sem pudor e reverência, em assunto de conversa ociosa. Se quisermos tirar vantagem desta doutrina, devemos atentar ao significado de fazer Deus o que lhe apraz no céu e na terra. Em primeiro lugar, Deus tem todo o poder para preservar sua Igreja e prover o necessário ao bem-estar dela. Em segundo, todas as criaturas estão debaixo do controle de Deus; por isso, nada pode impedi-Lo de concretizar todos os seus propósitos. Não importa o quanto os fiéis se encontrem privados dos meios de subsistência e segurança, devem encorajar-se com o fato de que Deus é superior a todos os impedimentos e pode torná-los subservientes ao cumprimento de seus desígnios. Precisamos também ter isto em mente: todos os eventos resultam unicamente da determinação de Deus, e nada acontece por acaso. Isso era muito próprio à premissa acerca do uso desta doutrina, para que não formemos concepções indignas acerca da glória de Deus, como homens de imaginações vis costumam fazer. Adotando este princípio, não devemos ter vergonha de reconhecer francamente que Deus, por seu eterno conselho, administra todas as coisas de tal maneira, que nada pode ser feito senão por sua vontade e designação.

À luz desta passagem, Agostinho mostra, apropriada e habilmente, que esses acontecimentos, os quais nos parecem despropositados, ocorrem não somente pela permissão de Deus, mas também por sua vontade e decreto. Pois, se nosso Deus faz tudo quanto Lhe apraz, por que permitiria que se faça o que Ele não quer? Por que Ele não restringe o Diabo e todos os ímpios que se Lhe opõem? Se Deus for considerado como a ocupar uma posição intermédia entre o fazer e o permitir, a ponto de tolerar o que não quer, então, segundo a fantasia dos epicureus, Ele permanecerá despreocupado nos céus. Mas, se admitirmos que Deus está vestido de presciência, superintende e governa o mundo que criou e não ignora qualquer parte dele, concluiremos que todos os acontecimentos ocorrem de conformidade com a vontade dEle. Aqueles que dizem que isto torna Deus o autor do mal são polemistas perversos. Embora sejam cães imundos, não serão capazes de, com seus latidos, comprovar a acusação de mentira contra o profeta ou de tomar das mãos de Deus o governo do mundo.

Se nada ocorre, senão pelo conselho e determinação de Deus, parece que Ele não reprova o pecado. No entanto, Deus tem causas secretas, que não conhecemos, pela quais Ele permite aquilo que os homens perversos fazem. E isso acontece não porque Ele aprove as inclinações dos perversos. Era da vontade de Deus que Jerusalém fosse destruída; os caldeus também desejavam a mesma coisa, mas por razões diferentes. Embora Deus tenha chamado, freqüentemente, os babilônios de seus soldados assalariados e tenha dito que foram alugados por Ele [Is 5.26] e que eram a espada de sua própria mão, não os chamaríamos de aliados de Deus, porque os objetivos deles eram diferentes. Na destruição de Jerusalém, a justiça de Deus seria exibida, enquanto os caldeus seriam censurados por sua luxúria, cobiça e crueldade. Portanto, o que quer que aconteça no mundo está em conformidade com a vontade de Deus. No entanto, não é vontade dEle que o mal seja praticado. Pois, por mais incompreensível que nos seja o conselho de Deus, esse conselho está sempre fundamentado nas melhores razões.

Satisfeita somente com a vontade de Deus, a ponto de ficar plenamente persuadida de que, a despeito da grande profundidade dos juízos dEle [Sl 36.6], esses juízos são caracterizados pela mais profunda retidão — esta ignorância será muito mais erudita do que toda a habilidade daqueles que imaginam fazer de sua própria capacidade o padrão pelo qual podem medir as obras divinas. Em contrapartida, é digno de nota que, se Deus faz tudo quanto Lhe apraz, não é seu prazer fazer aquilo que não acontece. O conhecimento desta verdade é de grande importância, porque ocorre freqüentemente, quando Deus fecha os olhos e retém sua paz nas aflições da Igreja, que indagamos por que Ele permite que ela se enfraqueça, uma vez que está no poder dEle oferecer-lhe sua assistência. Avareza, fraude, perfídia, crueldade, ambição, orgulho, sensualidade, embriaguez e, em suma, toda espécie de corrupção, que nestes tempos prolifera desenfreadamente no mundo, tudo cessaria, se parecesse bem a Deus aplicar o remédio. Em conseqüência, se Ele neste momento parece estar dormindo ou não possuir os meios de socorrer-nos, que tais sensações nos façam esperar com mais paciência e nos ensinem que não é do agrado dEle agir imediatamente em nosso livramento, porque sabe que a demora e a procrastinação nos são de grande proveito; e a vontade dele no momento é fechar os olhos e tolerar, por algum tempo, aquilo que Ele certamente, se fosse do seu agrado, poderia corrigir instantaneamente.

[vv. 4-8]
Seus ídolos são de prata e de ouro, obra das mãos humanas. Têm boca, mas não falam; têm olhos e não vêem; têm ouvidos e não ouvem; têm narinas e não cheiram; têm mãos e não sentem; têm pés e não andam; eles não falam com sua garganta.[3] Aqueles que os fazem serão semelhantes a eles, bem como aqueles que põem neles sua confiança.

4. Seus ídolos. Este contraste é introduzido com o propósito de confirmar a fé dos piedosos, pela qual descansam somente em Deus, porque, excetuando-O, tudo o que a mente humana imagina a respeito da divindade é invenção da tolice e ilusão. Conhecer o erro e a insensatez do mundo certamente contribui bastante para a confirmação da verdadeira piedade; enquanto, em contrapartida, um Deus nos é apresentado, o qual sabemos com certeza ser o Criador do céu e terra e a quem devemos cultuar, não sem razão ou ao léu. Para silenciar mais eficientemente a arrogância dos ímpios, que imaginam, soberbamente anular a Deus e a seu povo eleito, Deus ridiculariza desdenhosamente seus falsos deuses, chamando-os primeiramente de *ídolos*, isto é, coisas de nenhum valor e, em seguida, mostrando que, ao serem formados de matérias inanimadas, são destituídos de vida e sentimento. Pois é impossível algo mais absurdo do que esperar assistência da parte deles, visto que nem a matéria da qual são formados, nem a forma que lhes é dada, pela mão dos homens, possui a menor porção de divindade, a ponto de exigirem respeito por eles! Ao mesmo tempo, o profeta indica tacitamente que o valor do material não dá aos ídolos mais excelência, a ponto de merecerem uma estima mais elevada. Por isso, a passagem pode ser traduzida adversativamente, assim: ainda que sejam de ouro e prata, não são deuses, porque são obras das mãos

---

3 Hammond lê assim a última sentença: "Nem fôlego, ou *murmúrio*, sai da garganta deles". "Aqui, o que יהגו significa", diz ele, "será concluído do contexto imediato, antes de mencionar 'tendo boca e não falam'. Aqui, pois (como ali a ação própria da *boca* era *falar*), a ação própria da *garganta* ou *laringe* parece estar em pauta, que é *respirar*. Assim, quando, Salmos 90.9 diz: "Consumimos nosso dia [כמו הגה]", o Targum afirma: היך הבל פומא — 'como vapor', isto é, 'hálito da boca no inverno'. Se este não é o sentido, certamente é um som inarticulado, em contraste com falar. Assim, Kimchi e Aben Ezra o afirmam e citam Isaías 38.14, onde a palavra se aplica ao *arrulho* da *pomba*".

humanas. Se fosse a intenção de Deus apenas depreciar a substância da qual os ídolos eram feitos, Ele os teria chamado madeira e pedra, mas, neste momento, Ele fala apenas de ouro e prata.

Nesse ínterim, o profeta nos lembra que nada é mais inconveniente aos homens do que afirmarem que podem comunicar a um deus ou essência, ou forma, ou honra, visto que eles mesmos são dependentes de outros quanto àquela vida que logo desaparece. Disso, concluímos que os pagãos se gabam futilmente de receber ajuda dos deuses que eles mesmos inventam. Onde, pois, a idolatria tem sua origem, senão na imaginação dos homens? Tendo abundância de materiais ao alcance de suas mãos, eles podem fazer de seu ouro ou prata não só uma taça ou uma espécie de vaso, mas também vasos para propósitos inferiores; contudo, preferem fazer um deus. E o que pode ser mais absurdo do que converter uma massa sem vida em uma nova deidade? Além disso, o profeta adiciona satiricamente que, enquanto os pagãos moldam membros para seus ídolos, não podem capacitá-los a mover ou a usar esses membros. É por esta razão que os fiéis experimentam seu privilégio de crer em algo mais valoroso: somente o Deus verdadeiro está do seu lado, e eles estão bem certos de que todos os pagãos se gabam futilmente do auxílio que esperam de seus ídolos, os quais não são nada além de sombras.

Esta é uma doutrina que deve receber mais amplo significado, pois dela aprendemos que é tolice buscar a Deus com o uso de imagens externas, que não têm nenhuma semelhança ou relação com a sua glória celestial. Também devemos nos apegar a este princípio; do contrário, seria fácil aos pagãos queixarem-se de que foram injustamente condenados, porque, embora tenham feito ídolos para si na terra, eram persuadidos de que Deus está no céu. Não imaginavam que Júpiter era composto de pedra, ou de ouro, ou de terra, e sim que ele estava meramente representado sob essas similitudes. Donde se originou esta forma de discurso comum entre os antigos romanos: "Fazer súplicas diante dos deuses", se não do fato de que eles criam que as imagens eram, por assim dizer, representações dos deuses? Os sicilianos, diz Cícero, não têm deuses diante dos quais possam apresentar suas súplicas. Ele não teria falado neste estilo bárbaro, se não tivesse a noção prevalecente de que as figuras das deidades celestiais eram representadas para eles em bronze, ou prata, ou mármore;[4] e nutriam a noção de que, ao aproximar-se dessas imagens, os deuses estavam mais perto; por isso o profeta com razão expõe esta fantasia ridícula, a saber: que estavam encerrando a Deidade dentro de representações corruptíveis, visto que nada é mais estranho à natureza de Deus do que habitar Ele sob pedras, ou um pedaço de mármore, ou madeira e um tronco de árvore, ou bronze, ou prata.[5] Por esta razão, o profeta Habacuque designa essa grosseira forma de cultuar a Deus, mestra de mentiras [2.18]. Além do mais, a maneira zombeteira como o salmista fala dos deuses dos pagãos merece nota: *têm boca, porém não falam*; pois, por que recorrermos a Deus, senão movidos pela convicção de que somos dependentes dEle para a vida; que nossa segurança está nele e que a abundância de bens e o poder de ajudar-nos estão nEle? Como essas imagens são insensíveis e imóveis, o que pode ser mais absurdo do que pedir-lhes aquilo de que elas mesmas são destituídas?

---

4 Mas, embora crêssemos que essas imagens pusessem a Deidade diante dos sentidos e, assim, imprimissem na mente, de modo mais profundo, o senso de reverência e devoção, no passar do tempo, começariam a ser consideradas, especialmente pela multidão ignorante, como sendo realmente deuses.

5 Os pagãos não só consideravam seus *ídolos* ou *imagens* como que representando seus deuses, mas também criam que, quando consagradas por seus sacerdotes, as imagens eram desde então animadas pelos deuses que elas representavam; por isso, eram adoradas como tais. "Agostinho (*De Civitate Dei*, B. viii. c. 23) nos informa da teologia dos pagãos, recebida de Trismegistus, de que as estátuas eram os corpos de seus deuses, os quais, por meio de algumas cerimônias mágicas, ou θεουργίαι, eram forçados a unir-se como almas e, assim, animavam e vivificavam aqueles órgãos mortos, para assumi-los e habitá-los. Assim, Proclus (*De Sacrif. Et Mag.*) menciona que uma opinião comum entre os gentios era a de que os 'deuses estavam, por seu favor e auxílio, presentes em suas imagens'. E, portanto, os tírios, temendo que Apolo os abandonasse, cobriram sua imagem de cadeias de ouro, presumindo que o deus não mais se apartaria deles. O mesmo imaginavam os atenienses quando aparavam as asas da imagem de Vitória, e os sicilianos (em Cícero — *De Divin.*), que se queixam de que não tinham deuses em suas ilhas, porque Verres, pretor na Sicília, tinha levado embora todas as suas estátuas. E sabemos que Labão, ao perder seus terafins, disse a Jacó [Gn 31.30] 'que ele roubara seus deuses'; e sobre o bezerro de ouro, depois da festa de consagração, sabemos que lhe foi dirigida feita uma proclamação: 'Estes são teus deuses, ó Israel'" – *Hammond*.

8. Aqueles que os fazem serão semelhantes a eles. Muitos nutrem a opinião de que esta é uma imprecação e traduzem o verbo no tempo futuro do modo optativo — *para que se tornem semelhantes a eles.* Mas será igualmente apropriado considerar essa afirmação como a linguagem de ridículo, como se o profeta afirmasse que os idólatras são igualmente estúpidos como as próprias árvores e pedras. E repreende, de modo severo e merecido, os homens dotados naturalmente de entendimento, porque se despem de razão e juízo, inclusive de senso comum. Pois aqueles que buscam vida nas coisas que são destituídas de vida, não se empenham ao máximo de sua força para extinguir toda a luz da razão? Numa palavra, se possuíssem uma partícula de senso comum, não atribuiriam as qualidades da Deidade a obras de suas próprias mãos, as quais não podem comunicar nenhuma sensação ou emoção. E, com certeza, esta consideração deve ser suficiente para remover a alegação de ignorância: fazerem deuses falsos para si mesmos, em oposição aos claros ditames da razão natural. O efeito legítimo disto é que eles são espontaneamente cegos, envoltos em trevas e se tornam insensatos. Isto os torna completamente inescusáveis, de modo que não podem imaginar que seu erro seja o resultado de zelo piedoso. Eu não tenho dúvida de que era a intenção do profeta remover toda causa e matiz de ignorância, já que a humanidade se torna espontaneamente estúpida.

Bem como aqueles que põem neles sua confiança. A razão por que Deus tem as imagens em tão profunda aversão transparece mui claramente disto: Ele não pode suportar que a adoração devida a Ele lhe seja retirada e oferecida aos ídolos. Que o mundo O reconheça como o único autor da salvação, busque e aguarde unicamente dEle tudo que é necessário, essa é uma honra que Lhe pertence de modo peculiar. Portanto, sempre que a confiança repousa em algo mais além de Deus mesmo, Ele é privado do culto que Lhe é devido, e sua majestade é, por assim dizer, anulada. O profeta fala contra tal profanação, quando em muitas passagens a indignação divina é comparada ao ciúme e Deus vê os ídolos e falsos deuses recebendo a homenagem da qual Ele tem sido privado [Ex 34.14; Dt 5.9]. Se um homem exculpe uma imagem de mármore, madeira, ou bronze, ou se cobre outra de ouro ou prata, isto em si mesmo não seria tão detestável. Mas, quando os homens tentam associar Deus às suas invenções e fazê-lo, por assim dizer, descer do céu, Ele é substituído por uma mera ficção. É mui verdadeiro que a glória de Deus é instantaneamente falsificada quando é vestida com uma forma corruptível. ("A quem me assemelhareis?", exclama Ele pelos lábios de Isaías — 40.25 e 46.5; e a Escritura é rica de tais textos.) No entanto, Ele é duplamente injuriado quando sua verdade, e graça, e poder são imaginados como que concentrados nos ídolos. Fabricar ídolos e confiar neles são coisas quase inseparáveis. Que outro motivo as pessoas do mundo têm para desejar tão fortemente deuses de pedras, ou de madeira, ou de argila, ou de algum material terreno, senão o crerem que Deus está tão longe delas e, por isso, O mantêm perto de si por meio de algum vínculo? Avessas a buscar a Deus de maneira espiritual, elas O fazem descer de seu trono e O põem sob coisas inanimadas. É assim que elas chegam a dirigir súplicas às imagens, porque imaginam que por meio destas os ouvidos, os olhos e as mãos de Deus estão perto delas. Tenho observado que estes dois erros vícios dificilmente podem ser divorciados, isto é: aqueles que, ao forjar ídolos, mudam a verdade de Deus em mentira devem também atribuir aos ídolos algo da divindade. Quando o profeta diz que os incrédulos depositam sua confiança nos ídolos, seu desígnio, como notei anteriormente, era condenar isso como a maior e mais detestável profanação.

[vv. 9-15]
Confia[6] em Jehovah, ó Israel; ele é teu auxílio e teu escudo. Confia em Jehovah, ó casa de Arão; ele é teu auxílio e teu escudo. Vós, que temeis a Jehovah, confiai em Jehovah; ele é vosso auxílio e escudo. Jehovah se

---

6 Muitos intérpretes traduzem o verbo *confiar*, que ocorre aqui e nos dois versículos seguintes, no modo indicativo: "Israel confia em Jehovah", etc., julgando ser esta a forma mais plausível à ocasião do que o imperativo, que se encontra nas cópias atuais do texto hebraico. Esta emenda é apoiada por todas as antigas versões.

lembrou de nós; ele nos abençoará, abençoará a casa de Israel, abençoará a casa de Arão. Ele abençoará aqueles que temem a Jehovah, tanto os pequenos como os grandes. Jehovah vos aumentará, a vós e a vossos filhos. Vós sois bem-aventurados de Jehovah, que fez o céu e a terra.

9. Confia em Jehovah, ó Israel. O profeta retorna novamente ao assunto doutrinário, dizendo que os genuínos adoradores de Deus não têm motivo para temer que Ele os abandone ou os decepcione no momento de necessidade, porque Ele está tão disposto a prover o necessário para a segurança deles como o está para outorgar-lhes poder. O salmista prossegue, em primeiro lugar, exortando a todos os israelitas a depositarem sua confiança em Deus; em segundo lugar, ele se dirige à casa de Arão em particular; em terceiro lugar, ele convoca todos a temerem a Deus. Havia boas razões para tal arranjo. Deus adotara indiscriminadamente todo o povo, ao qual também ofereceu sua graça, de modo que eram obrigados, em comum, a depositar nEle sua esperança. Em concordância com isto, Paulo diz que as doze tribos de Israel esperavam o livramento prometido [At 26.7]. O profeta, pois, com grande propriedade, primeiro se dirige diretamente a Israel. Mas, tendo, de uma maneira peculiar, separado para Si os levitas e, mais especialmente, os sacerdotes da casa de Arão, para assumirem precedência e presidirem sobre as questões eclesiásticas, Ele exige mais deles do que do povo comum; não que a salvação fosse prometida especialmente a eles, mas era próprio que aqueles que tinham o privilégio exclusivo de entrar no santuário apontariam o caminho aos outros. Como se o profeta dissesse: vós, filhos de Arão, a quem Deus escolheu para serdes os mestres da religião ao seu povo, sede para os outros um exemplo de fé, visto que Ele vos tem honrado de forma tão sublime, permitindo-vos entrar em seu santuário.

11. Vós, que temeis a Jehovah! O salmista não fala a respeito de estrangeiros, como erroneamente há alguns supõem, como se esta fosse uma predição relativa à vocação dos gentios. Conectando os estrangeiros com os filhos de Israel e os filhos de Arão, eles são de opinião de que a referência é aos pagãos e aos incircuncisos que ainda não tinham sido congregados no aprisco. Por paridade da razão, pode-se inferir que os sacerdotes não são da semente de Abraão, porque são mencionados separadamente. É mais provável que haja nestas palavras uma tácita correção do que ele dissera antes, pelo que ele faz distinção entre os genuínos adoradores de Deus e os hipócritas que eram os filhos degenerados de Abraão. Visto que muitos dentre a semente de Abraão, segundo a carne, haviam se apartado da fé de seu pai, o profeta restringe aqui a promessa aos que, tendo-a recebido pela fé, estavam adorando a Deus em pureza. Agora, percebemos a razão por que ele se dirigiu primeiramente *aos israelitas*; em seguida, *à casa de Arão*; e, depois, *aos que temem a Jehovah*. É como se uma pessoa em nossos dias fosse direcionar sua exortação primeiramente a todo corpo da Igreja; então, dirige-se mais particularmente aos ministros e mestres, que devem ser exemplos para os demais. E, como muitos falsamente se apegam à mera posição de serem membros da Igreja e, por isso, não merecem ser classificados com os genuínos adoradores de Deus, o salmista menciona expressamente os adoradores genuínos de Deus, e não os que fingem.

12. Jehovah se lembrou de nós. Muitos traduzem o termo *abençoar* no pretérito perfeito (*ele abençoou*), sendo o desígnio do profeta, de acordo com esses intérpretes, expor a experiência anterior da bondade de Deus como um encorajamento a que se nutra boa esperança para o futuro: "Temos sido ensinados, de longa experiência, quão valioso é o favor de nosso Deus, porque somente desta fonte tem fluído nossa prosperidade, nossa abundância e nossa estabilidade". O salmista presume o princípio (a verdade que deve ser admitida por todos) de que não desfrutamos prosperidade nem felicidade, se não pelo beneplácito de Deus em nos abençoar. Sempre que os israelitas eram resgatados de múltiplos perigos, ou socorridos em tempo de necessidade, ou tratados de uma maneira amigável, eles tinham muitas provas palpáveis da benignidade divina para com eles. Entretanto, como não há motivo justificável que nos leve a mudar o verbo do futuro para o pretérito, se dissermos que a mesma bênção aqui prometida aos fiéis já havia sido anteriormente desfrutada por eles,estaremos em pleno acordo com o escopo da passagem. Assim, o significado será que Deus, cônscio de seu pacto, tem atentado para nós até agora; portanto, como Ele já começou a nos favorecer, continuará a agir assim para sempre. Ao pronunciar estas bênçãos, o salmista observa a mesma ordem observada antes, designando aos filhos de Arão um lugar superior na bênção de Deus, excluindo dela todos que entre os israelitas eram hipócritas.

Ele diz: **Tanto os pequenos como os grandes** e, por meio dessa circunstância, magnifica ainda mais a consideração paternal de Deus, mostrando que Ele não olvida nem mesmo os mais humildes e mais desprezados, contanto que invoquem seu auxílio. Ora, como não há acepção de pessoas diante de Deus, nossa humilde e abjeta condição não deve ser um empecilho a nos aproximarmos dEle, visto que tão bondosamente convida a achegarem-se a Ele todos que parecem não ter nenhuma reputação. Além do mais, a repetição do verbo *abençoar* visa realçar a ininterrupta fonte da benignidade de Deus. Se alguém preferir o pretérito contínuo, *ele tem abençoado*, o significado será que o favor de Deus para com seu povo tem continuado por longo período, o que deve ser uma evidência segura da perpetuidade de sua consideração paterna. Esta interpretação é corroborada pelo versículo seguinte, no qual o salmista diz que Deus multiplicaria os benefícios que até aquele tempo lhes conferira. Pois a liberalidade é uma fonte inexaurível, que jamais cessará de fluir, enquanto não for impedida pela ingratidão dos homens. Por isso, ela será continuada à posteridade, porque Deus manifesta a graça e o fruto de sua adoção até mesmo a mil gerações.

15. Vós sois bem-aventurados de Jehovah. No versículo anterior, o profeta lhes dera a esperança de felicidade ininterrupta, oriunda dos recursos infinitos de Deus, que nunca falham, porque Ele é liberal e amoroso e nunca cessa de enriquecer aqueles a quem admite como participantes de sua exuberância. Em confirmação desta doutrina, o salmista declara que os filhos de Abraão foram separados das demais. nações; de modo que, confiando neste privilégio, podiam, sem qualquer hesitação e merecimento, entregar-se a um Pai tão benigno e liberal. E, como a carne, em conseqüência de sua estupidez, não pode perceber o poder de Deus, cuja compreensão nos preserva num estado de paz e segurança sob sua proteção, o profeta, ao designá-lo o Criador do céu e da terra, nos lembra que não há razão para temermos que Ele seja incapaz de defender-nos; pois, havendo criado o céu e a terra, Ele não permanece agora despreocupado no céu; toda a criação está sob seu controle Soberano.

[vv. 16-18]
Os céus, os céus são de Jehovah, mas a terra ele a deu aos filhos dos homens. Ó Deus, os mortos não te louvarão, nem aqueles que desceram ao silêncio. Nós, porém, bendizemos a Deus desta vez e para sempre. Louvado seja Jehovah.

16. Os céus, os céus são de Jehovah. Nesta passagem, o profeta enaltece a liberalidade de Deus e sua consideração pela raça humana, no fato de que, embora Ele mesmo não necessite de coisa alguma, criou o mundo com toda sua plenitude, para o uso dos homens. Como poderia a terra ser coberta com tão grande variedade de coisas boas, atraindo nossos olhos em todas as direções, a se Deus, como um providente pai de família, não houvesse planejado fazer provisão para nossas necessidades? Os sinais do cuidado paterno de Deus são proporcionais aos confortos que desfrutamos aqui. Isto é o que o profeta tem em mente, e o que me deixa atônito é que os intérpretes, em sua maioria, prestam tão pouca atenção a isso. O equivalente é que Deus, satisfeito com sua própria glória, enriqueceu a terra com abundância de coisas boas, para que a humanidade não tenha falta de coisa alguma. Ao mesmo tempo, o salmista demonstra que, como Deus tem sua habitação nos céus, Ele deve ser independente de todas as riquezas terrenas; pois, com certeza, nem de vinho, nem de trigo, nem de qualquer outra coisa necessária ao sustento desta vida se produz nos céus. Conseqüentemente, Deus possui em Si mesmo todo os recursos. A reiteração do termo *céus* se refere a esta circunstância: *os céus, os* *céus são bastante para Deus*. E, visto que Deus é superior a todo auxílio, Ele prefere a Si mesmo a centenas de mundos. Resta, como outra conseqüência disto, que todas as riquezas com que o mundo transborda proclamam, em alto e bom som, quão generoso Pai é Deus para a humanidade. De fato, é surpreendente que não haja interesse por esta doutrina, considerando que o Espírito Santo falava sobre a inestimável bondade de Deus. Sob a autoridade do papa, os católicos entoavam este Salmo em suas igrejas e continuam em tal prática; porém, um entre cem deles consegue ponderar que Deus, ao dar-nos todas as coisas boas, não espera nada para Si mesmo, exceto um grato reconhecimento de nossa parte. E a ingratidão do mundo transparece não só nesta matéria. Os perversos execrandos têm se conduzido de forma extremamente vil, em franca e infame blasfêmia, pervertendo este versículo e fazendo troça dele, dizendo que Deus permanece despreocupado no céu e não presta atenção às atividades dos homens. Aqui, o profeta declara expressamente que o mundo é empregado por Deus com o único propósito de testificar sua solicitude paternal para com os homens. Contudo, esses porcos e cães têm transformado estas palavras em motivo de riso, como se Deus, por razão da vasta distância existente entre Ele e os homens, os negligenciasse totalmente.

Neste ponto sinto-me induzido a relatar uma história memorável. Enquanto ceávamos numa estalagem e falávamos sobre a esperança da vida celestial, aconteceu estar ali um profano desprezador de Deus, o qual tratou nosso diálogo com escárnio e exclamou sarcasticamente: "Do Senhor é o céu dos céus!" Logo ele foi apoderado de dores terríveis e começou a gritar: "Ó Deus! Ó Deus!" E, com voz poderosa, encheu todo o recinto com seus gritos. Eu, que me sentira indignado com sua conduta, comecei a dizer-lhe, à minha própria maneira, com amor, que ele devia, pelo menos, perceber que aqueles que zombaram de Deus não escaparam impunemente. Um dos hóspedes, homem honesto e piedoso, ainda vivo, aproveitou a ocasião e disse de modo enérgico, com seriedade: "Você invoca a Deus? Já esqueceu a sua filosofia? Por que não Lhe permite ficar sossegado em seu próprio céu?" E sempre que o homem gritava: "Ó Deus!", o outro, motejando, retrucava: "Onde está agora o seu *Cœlum cœli Domino?*" Naquele momento, a dor foi mitigada; mas o homem gastou o resto de sua vida em impunidade.

17. Ó Deus, os mortos não te louvarão. Nestas palavras, o profeta continua rogando a Deus que se mostre propício para com sua Igreja, ainda que não houvesse outro objetivo a ser alcançado, exceto prevenir a humanidade de ser totalmente suprimida e preservar um povo não só para desfrutar de sua bondade, mas também para invocar e louvar seu nome. Depois de celebrar o favor peculiar de Deus para com os israelitas e a beneficência que exibira para com a humanidade em geral, o salmista recorreu à misericórdia de Deus, para que os pecados de seu povo fossem perdoados. Ele prossegue nessa posição dizendo que, embora as nações pagãs se deleitem com a profusão da liberalidade de Deus, só a semente de Abraão é separada para a celebração dos louvores de Deus. "Senhor, se permitires que pereçamos, qual será o resultado, senão que teu nome será extinto, sepultado juntamente conosco?" Da atitude do salmista em privar os mortos de toda sensibilidade, surge uma pergunta: as almas, depois de separarem-se de sua prisão corpórea, continuam existindo? É certo que são mais vigorosas e ativas; portanto, concluímos inevitavelmente que Deus também é louvado pelos mortos. Além do mais, ao designar aos homens sua habitação na terra, o salmista os dissocia de Deus de tal modo, que lhes deixa apenas a vida que desfrutam em comum com os animais. Pois a terra não foi dada exclusivamente aos homens, mas também aos bois, aos suínos, aos cães, aos leões, aos ursos e a toda sorte de répteis e insetos. Pois não existe uma mosca, nem algo que rasteja, por mais ignóbil que seja, aos quais a terra não seja uma habitação.[7]

A resposta da primeira pergunta é fácil. Os homens se acham tão bem estabelecidos na terra que podem, por assim dizer, celebrar, com a voz, os louvores de Deus. E foi a isto que o profeta se referiu neste lugar, como o faz também a Escritura em muitas outras passagens.

---

7 "Nulla enim musea est, nullus pediculus cui domicilium non præbeat terra" – *latim*.

"Não morrerei; antes, viverei e contarei as obras do Senhor" [Sl 118.17]. O piedoso rei Ezequias também afirmou: "Os vivos, somente os vivos, esses te louvam" [Is 38.19]. Jonas também, quando vomitado do ventre do peixe, disse: "Eu te oferecerei sacrifício; o que votei pagarei" [Jn 2.10].[8] Em suma, o salmista exclui mui corretamente os mortos de tomarem parte na celebração dos louvores de Deus; pois entre eles não há comunhão e companheirismo que os qualifiquem a entoarem esses seus louvores, visto que a proclamação da glória de Deus sobre a terra é o próprio objetivo de nossa existência.

A resposta à segunda pergunta é esta: o profeta diz que a terra fora dada à humanidade, para que eles se dediquem no culto a Deus, até que entrem na posse da felicidade eterna. Aliás, a abundância da terra pertence também aos animais; mas o Espírito Santo declara que todas as coisas foram criadas principalmente para o uso dos homens, para que, por meio disso, reconheçam a Deus como seu Pai. Enfim, o profeta conclui que todo o curso da natureza seria subvertido, se Deus não salvasse sua Igreja. A criação do mundo não serviria a nenhum propósito, se não houvesse um povo que invocasse a Deus. Disso, ele infere que sempre haverá alguns deixados vivos sobre a terra. E não só promete que a Igreja será preservada, mas também convoca todos os que são assim preservados a oferecerem um tributo de gratidão a seu Libertador. Além do mais, o salmista se inclui entre eles para apre-

---

8 Assim, este texto da Escritura e outros de teor semelhante, como Salmos 6.6, 30.10, 88.11 e Isaías 38.18-19, não devem ser entendidos no sentido de que os hebreus daquele tempo não nutriam nenhuma idéia de um estado de existência além da morte e da sepultura. Uma interpretação desse gênero se opõe às muitas passagens do Antigo Testamento, como Salmos 16.10; 49.11; 73.24; Provérbios 14.32; Eclesiastes 8.11-13; 11.9; 12.14; às mais explícitas declarações do Novo Testamento quanto à posse deste conhecimento pelos hebreus antigos (Hebreus 11; Lucas 20.37) e ao que se presume racionalmente de pessoas que foram favorecidas com uma revelação sobrenatural e desfrutaram de comunhão especial com Deus, e que, se fossem ignorantes de um estado futuro, conheceriam menos deste tema do que os escritores pagãos, muitos dos quais anteciparam um estado em que a virtude receberia seu galardão apropriado. Nestas passagens, as impressões sensíveis ocasionadas pela morte, e somente estas, são representadas. No que concerne à percepção física, nada aparece na vítima da morte senão inatividade, silêncio, decomposição e corrupção; os escritores sacros tomam estes acompanhantes daquele solene e impactante evento para corroborar a força do argumento que estão discutindo.

sentar os louvores de Deus. Ele não fala meramente de pessoas que pertencem a uma época, e sim de todo o corpo da Igreja, que Deus sustenta geração após outra, para que Ele jamais seja deixado sem alguns para testificarem e declararem sua justiça, bondade e misericórdia.

Salmos 116

Davi, sendo libertado de muitos e grandes perigos, relata quais tormentos e angústias ele suportou em sua mente. Em seguida, ele mostra quão maravilhosamente foi preservado por Deus. O estado desesperador dos problemas que Davi enfrentava naquele momento serviu para tornar o poder de Deus, em sua preservação, ainda mais evidente. Pois, não houvesse Deus se interposto para livrá-lo, toda a sua esperança teria desvanecido. Assim, Davi se ergue com gratidão e reconhece que não pode fazer a Deus nenhuma compensação por seus inumeráveis benefícios.[1]

[vv. 1-4]
Eu tenho amado, porque Jehovah ouvirá a voz de minha súplica. Porque ele inclinou para mim seus ouvidos, durante meus dias o invocarei. Laços[2]

---

1 Este Salmo não tem título no hebraico, embora a Septuaginta lhe tenha prefixado *Hallelujah*, com o qual termina o Salmo 115. Têm havido várias conjecturas entre os intérpretes quanto ao seu autor. Alguns o atribuem a Ezequias e presumem que o Salmo se relaciona com a recuperação da perigosa enfermidade de Ezequias, registrada em Isaías 38. Outros pensam que ele foi escrito por Davi em seu livramento da rebelião movida por seu filho Absalão, depois de haver sido libertado e regressado ao santuário e à assembléia pública em Jerusalém [vv. 14, 18, 19]. Esta opinião é confirmada pelo versículo 11, onde ele fala a respeito de haver, por algum tempo, sob a dolorosa experiência da traição e desilusão humanas, declarado todos os homens como mentirosos; esse é um estado emocional mais aplicável às circunstâncias estressantes de Davi, durante a rebelião de seu filho, do que a Ezequias em sua recuperação da saúde.

2 A raiz da palavra hebraica חבלי (*cheblei*), aqui traduzida por *laços*, "é תבל, que significa *amarrar* e, na conjugação Piel, *doer* ou *atormentar*. Gesenius, em seu *Thesaurus*, diz sobre חבל: 'Pi. i. q. Kal, No. 1, *torsit*, inde *cum tormentis* et doloribus *enixa est*'. Conseqüentemente, חבל significa *dor* ou *cabo*. Do verbo ao qual ela servia como sujeito, parece que este último significado é o mais adequado, enquanto o paralelismo favorece o primeiro significado. No entanto, aqui o primeiro significado está embutido no último, pois a expressão חבלי מוח se refere ao costume de amarrar as

de morte me cercaram,³ e angústias da sepultura me acharam.⁴ Encontrei-
-me em tribulação e tristeza. Invocarei o nome de Jehovah. Eu te invocarei,
ó Jehovah! Livra minha alma.

1. Eu tenho amado, porque Jehovah ouvirá a voz de minha súplica. No início deste salmo, Davi admite que fora atraído, pela dulcíssima bondade de Deus, a depositar sua esperança e confiança exclusivamente nEle. Este modo de falar (*Eu tenho amado*) é muito enfático, mostrando que ele não podia receber alegria e descanso senão em Deus. Sabemos que nosso coração sempre vagueará após os prazeres infrutíferos e será inquietado por preocupações, enquanto Deus não o unir a Si mesmo. Davi afirma que essa indisposição lhe fora removida, porque sentiu que Deus lhe era deveras propício. E, tendo descoberto por experiência própria que, em geral, os que invocam a Deus são felizes, ele declara que nenhuma fascinação o afastará de Deus. Quando ele diz: *Eu tenho amado*, isso significa que sem Deus nada lhe seria agradável ou satisfatório. Isto nos instrui que aqueles que têm sido ouvidos por Deus, mas não se colocam inteiramente sob a orientação e a guarda dEle, esses extraem poucos benefícios da experiência da graça de Deus.

O segundo versículo também se refere ao mesmo tema, excetuando que a segunda frase admite um significado bem apropriado, que os expositores ignoram. A frase *durante meus dias o invocarei* é invaria-

---

vítimas destinadas à matança ou malfeitores quando levados ao lugar de execução; e esse amarrar causava grande dor" – *Phillips*. Ver vol. I. P. 264. Cresswell traduz assim: "*Os apertos da sepultura*, isto é, os terrores morte *me acharam*".

3 "Me cercaram." "A palavra original אפף expressa a repetição do circundamento dos labores. Cercaram-no vezes e mais vezes." – *Horsley*.

4 A tradução de Fry para esta frase é: "As redes do Hades haviam caído sobre mim". Sobre a sua tradução, ele elaborou a seguinte nota: "Ou, de acordo com o significado usual de צור e צרר, 'as angústias ou dores do inferno'. De fato, não é possível que ela se derive de נצר. Podemos, então, traduzir: 'Os provedores do Hades me acharam'. E a imagem, em alguma extensão, parece ser tomada dos afazeres do caçador. Michaelis prefere מצורי ('redes'), em vez de מצרי (*angústias*). Mas é provável que, sem qualquer mudança, מצרי signifique uma parte do aparato do caçador". 'מצר, *um aperto, estresse, angústia*' [Sl 118.5; 116.3; Lm 1.3]. Quanto ao último texto, Mr. Lowth afirma que 'há uma metáfora proveniente dos que caçavam uma presa, conduzindo-a a alguma passagem estreita e apertada, de onde não havia escape".

velmente entendida por eles neste sentido: eu, até aqui tenho sido tão bem sucedido em lidar com Deus, que prosseguirei no mesmo curso ao longo de toda minha vida. Deve-se considerar, porém, que talvez seja igualmente apropriado *que os dias de Davi* eram tidos como que denotando uma época adequada de solicitar assistência, a ocasião em que ele se via afligido por necessidade. Não me vejo impedido de adotar esta significação, porque poderíamos dizer que o profeta emprega o tempo futuro do verbo אקרא (*ekra*). No primeiro versículo, o termo *ele ouvirá* deve ser entendido no pretérito contínuo (*ele tem ouvido*); e, neste caso, a conjunção copulativa exigiria ser entendida como um advérbio de tempo (*quando*), uma circunstância usual entre os hebreus. O escopo da passagem fluirá muito bem assim: visto que Ele inclinou seus ouvidos para mim, quando O invoquei no tempo de minha adversidade e, igualmente, no tempo em que fui reduzido aos apertos mais extremos. Se alguém estiver disposto a preferir a primeira exposição, não discutirei a matéria com ele. O contexto posterior parece sustentar o segundo significado, no qual Davi começa a explicar energicamente que dias foram aqueles. E, com o desígnio de enaltecer a glória de Deus de acordo com o merecimento dela, afirma que não havia para ele meio de escapar da morte, pois se sentia como que entre inimigos, preso com grilhões e cadeias, e lhe haviam sido eliminados toda esperança e livramento. Ele reconhece que estava sujeito à morte, fora alcançado e capturado, de modo que o escape era impossível. E, como Davi declara que fora cercado *por laços de morte*, ele, ao mesmo tempo, acrescenta que caíra em *tribulação e tristeza*. Aqui ele confirma o que dissera antes: quando parecia estar abandonado por Deus, aquele tempo fora oportuno e a ocasião certa para entregar-se à oração.

[vv. 5-9]
Jehovah é gracioso e justo; nosso Deus é misericordioso. Jehovah guarda os simples. Fui humilhado, e ele me salvou. Volta, ó minha alma, ao teu repouso, pois Jehovah te tem recompensado. Porque tu livraste minha alma da morte, meus olhos das lágrimas e meus pés da queda. Andarei na presença de Jehovah na terra dos viventes.

5. Jehovah é gracioso e justo. Davi passa a realçar os frutos do amor sobre o qual falara, pondo diante de si os títulos de Deus, a fim de que servissem para preservar sua fé nEle. Primeiro, ele O chama de *gracioso*, porquanto está sempre pronto a prestar uma assistência graciosa. Desta fonte emana aquela *justiça* que Ele exibe na proteção de seu próprio povo. A esta Davi anexa *misericórdia*, sem a qual não podemos merecer o auxílio divino. E, como as aflições que amiúde nos sobrevêm parecem obstruir o exercício de sua justiça, concluímos que nada há melhor que repousar somente nEle, para que sua bondade paterna encha nossos pensamentos e nenhum prazer voluptuoso os leve a vaguear em qualquer outra coisa. O salmista acomoda a experiência da benignidade e eqüidade de Deus à preservação dos simples, isto é, daqueles que, sendo sinceros, não possuem a prudência requerida para administrarem suas próprias atividades. O termo traduzido por *simples* é amiúde entendido num sentido negativo, denotando pessoas insensíveis e tolas que não seguirão conselhos sábios. Mas, neste lugar, se aplica aos que se expõem ao abuso dos perversos, que não são astutos e circunspectos suficientemente para evitar as redes que lhes são armadas – em suma, aqueles que se deixam apanhar facilmente; enquanto, ao contrário, os filhos deste mundo são cheios de engenhosidade e contam com muitos meios para se manterem e se protegerem. Davi se vê como um filho incapaz de levar em conta sua própria segurança e totalmente incapaz de afastar os perigos aos quais se achava exposto. Por isso, a Septuaginta não traduziu incorretamente o termo hebraico para o grego τὰ νήπια (*criancinhas*).[5] O equivalente é que, quando os que são passíveis de sofrimento não têm prudência,

---

[5] Esta tradução da Septuaginta sugere também a idéia de *fraqueza;* e Fly a adotou, traduzindo: "Jehovah preserva o fraco". "O significado usual de פתאים", diz ele, "é *simplices, fatui, persuasu faciles*. Creio, porém, que a Septuaginta preservou o verdadeiro significado da passagem — Φυλάσσων τὰ νήπια ὁ κυριος. A idéia principal de פתה é *complacência* ou *rendição* e pode muito bem aplicar-se à fraqueza do corpo ou das faculdades mentais, sob a pressão da tristeza e dor, a ponto de relaxar os poderes do entendimento, em render-se às seduções da insensatez ou dos pecados".

nem os meios de efetuar seu próprio livramento, Deus manifesta sua sabedoria para com eles e interpõe a proteção secreta de sua providência entre eles e todos os perigos pelos quais sua segurança pode ser ameaçada. Enfim, Davi apresenta a si mesmo como um exemplo pessoal deste fato, assim: depois de ser reduzido às maiores dificuldades, foi restaurado, pela graça de Deus, ao seu primeiro estado.

7. Volta, ó minha alma, ao teu repouso. Em seguida, ele exorta a si mesmo a ter bom ânimo, ou melhor, fala à sua alma e lhe diz que fique tranqüila, porque Deus lhe foi propício. Pelo termo *repouso*, alguns comentaristas entendem Deus mesmo, mas esta não é uma interpretação natural. Antes, o termo deve ser considerado como a expressar uma estado tranqüilo e sossegado da mente. Pois é mister notar que Davi se confessa dolorosamente agitado e perplexo em meio a um acúmulo de males, assim como cada um de nós toma ciência de sua própria inquietude, quando os terrores da morte nos cercam. Portanto, embora Davi possuísse fortaleza incomum, ele se sentia estressado por causa de conflito e tristeza, e o medo interior destroçava de tal modo sua mente, que ele se queixa, com razão, de estar privado de sua paz. No entanto, ele declara que a graça de Deus era suficiente para aquietar todas essas tribulações.

Pode-se perguntar: é somente a experiência da graça de Deus que pode mitigar o temor e a vacilação de nossa mente, visto que Davi declara que, havendo experimentado alívio proveniente do auxílio divino, ele ficaria tranqüilo no futuro? Se os fiéis só reconquistam sua paz mental quando Deus se manifesta como seu libertador, que lugar há para o exercício da fé e que poder as promessas possuirão? Pois, com certeza, a única evidência incontestável da fé é a espera, calma e silenciosa, por aquelas indicações do favor de Deus que Ele oculta de nós. E a fé vigorosa aquieta a consciência e recompõe o espírito; de modo que, segundo Paulo, "a paz de Deus que excede todo o entendimento" reina supremamente ali [Fp 4.7]. Por isso, os piedosos permaneceriam inabaláveis, embora o mundo todo estivesse caminhando para a destruição. Qual é a importância deste *voltar ao teu repouso*? Minha resposta é que, por mais que os filhos de Deus sejam lançados de um lado para outro, eles extraem constantemente sustento da Palavra de Deus, de modo que não podem definhar total e completamente. Confiantes nas promessas de Deus, os piedosos se lançam nos braços da providência e se sentem dolorosamente estressados por temores inquietantes e tristemente fustigados pelas tormentas da tentação. No mesmo instante em que Deus vem para dar-lhes assistência, não somente a paz interior se apossa da mente deles, mas também, como resultado da manifestação da graça divina, eles são supridos com motivos para júbilo e contentamento.

Aqui, Davi trata deste tipo de quietude. Ele declara que, a despeito de toda a prevalência de agitação mental, agora lhe era o tempo de deleitar-se tranqüilamente em Deus. O termo גמל (*gamal*) é impropriamente traduzido por *recompensar*, porque, no hebraico, ele geralmente significa conferir um favor, bem como conceder recompensa. Isso é confirmado por Davi no versículo seguinte, no qual ele diz que *sua alma foi libertada da morte*. Falando apropriadamente, esta é a recompensa, a saber, que Deus, ao livrá-lo da morte, enxugou as lágrimas de seus olhos. O arranjo das palavras é transposto, pois, segundo nosso idioma, diríamos: *ele livrou meus pés da queda e meus olhos, das lágrimas*; e, depois: *ele livrou minha alma da morte*; visto que costumamos seguir o arranjo pelo qual a circunstância mais importante é mencionada por último. Entre os hebreus, tal colocação das palavras, como nesta passagem, de modo algum é impróprio. Este é o significado: Deus não só me resgatou da morte, mas também me tratou com extrema bondade, afugentando a tristeza e estendendo suas mãos para evitar que eu tropeçasse. A graça de Deus é realçada no fato de que Ele restaurou à vida alguém que já estava quase morto.

9. Andarei na presença de Jehovah. *Andar na presença de Deus* é, em minha opinião, equivalente a viver sob o cuidado dEle. Assim, Davi espera desfrutar continuamente da segurança de Deus. Pois nada é mais desejável do que Deus ser nosso vigia, para que nossa vida esteja sempre envolta por seu cuidado protetor. Aliás, os perversos se consideram tão seguros, a despeito de viverem bem longe de Deus; os piedosos, porém, se consideram felizes neste único fato: que Ele dirige toda a vida deles. Sendo Deus o preservador de sua vida, Davi declara que viverá. Além disso, ao acrescentar *na terra dos viventes*, ele queria ressaltar o curso que devemos seguir; também queria enfatizar que, se Deus nos ignora, as destruições da carne nos pressionam quase todo momento,

> [vv. 10, 11]
> Eu cri, portanto falarei;[6] estou dolorosamente aflito. Eu disse em meu temor: Todo homem é mentiroso.[7]

10. Eu cri. Para que seu livramento pareça mais nítido, ele relata novamente o iminente perigo em que fora posto. Ele começa declarando que falou na genuína sinceridade de seu coração e que nada procedeu de seus lábios, senão o que era fruto de longa reflexão e madura deliberação. Essa é a implicação da cláusula *eu cri, portanto falarei* — palavras que procedem de plena afeição do coração. Em 2 Coríntios 4.13, Paulo, citando esta passagem, segue a versão grega: "Eu cri, por isso falei". Em outro lugar, observei que não era o propósito dos apóstolos repetir cada palavra e sílaba; é-nos suficiente que as palavras de Davi sejam corretamente aplicadas em seu sentido próprio e natural ao tema que Paulo menciona ali. Tendo se reportado indiretamente aos coríntios que estavam se exaltando, como se fossem isentos da sorte comum da humanidade, Paulo disse: "Eu cri e por isso

---

6 "'Eu cri, por isso tenho falado'; Eu creio firmemente no que digo, portanto não sentirei nenhum escrúpulo em repeti-lo. Isso deve estar conectado com o versículo anterior, e o ponto final deve ser posto em 'falei'" – *Horsley*.

7 Horsley traduz assim este versículo: "Num êxtase de desespero, digo: Toda a raça humana é uma ilusão'. 'Uma ilusão, *uma mentira, um embuste, uma coisa de nada, feita para nenhum propósito*. É assim que Mudge entende esta última parte. Ele observa criteriosamente que o ה prefixado determina necessariamente a frase האדם כל ao sentido coletivo de toda a raça. *Todo homem* ou *todos os homens* seria אדם כל, sem ה". Fry traduz de modo semelhante: "O gênero humano como um todo é uma mentira cabal ou", observa ele, "(como significa a palavra que traduzimos por *mentira*), uma coisa *evanescente* e frustradora das esperanças construídas sobre ela".

falei: aquele que ressuscitou Cristo dentre os mortos também nos dará a vida de Cristo"; isto é, eu cri e, por isso, falo. Assim, Paulo acusa os coríntios de se ensoberbecerem com orgulho fútil, porque não se submetiam humildemente à cruz de Cristo, especialmente quando deviam falar no mesmo espírito de fé de Paulo.

A partícula כי (*ki*), que traduzimos *portanto* é, por alguns intérpretes hebreus, tomada como uma partícula disjuntiva. O sentido mais correto, corroborado pelos melhores eruditos, é: Eu nada falarei, senão os sentimentos de meu coração. A mudança da passagem também requer isto, ou seja, que as declarações externas dos lábios correspondam aos sentimentos interiores do coração, pois muitos falam irrefletidamente e verbalizam o que nunca penetrou em seu coração. "Que nenhuma pessoa imagine que emprego termos sem sentido ou exagerados; o que eu falo é exatamente aquilo em que realmente creio". Disto aprendemos a proveitosa doutrina de que a fé não pode permanecer inoperante no coração, mas deve, necessariamente, manifestar-se. Aqui o Espírito Santo une, com um laço sacro, a fé do coração à confissão exterior; e "o que Deus juntou não o separe o homem". Portanto, aqueles dissimuladores que envolvem espontaneamente sua fé em obscuridade, corrompem insidiosamente toda a Palavra de Deus. Devemos ter em mente que a ordem que Davi observa aqui é exigida de todos os filhos de Deus: que creiam antes de fazerem qualquer confissão com os lábios. Mas, como eu disse, ele fala de seu iminente perigo, para que realce mais a segurança e livramento que Deus lhe concedera.

11. Eu disse em meu temor. Alguns entendem a palavra חפז (*chaphaz*) no sentido de *pressa* ou *fuga*, considerando-a como expressão do que Davi disse quando fugia com grande pressa da presença de Saul. Mas, como figuradamente ela significa *temor*, não tenho dúvida de que Davi estava declarando que se sentia atônito e de espírito deprimido, como se estivesse à beira de um precipício, pronto a cair no abismo. Ele reconhece que, quando sentia sua mente ser molestada tão terrivelmente, tinha seu coração quase submerso.

Os expositores não estão concordes sobre o significado da segunda parte do versículo. Uma classe afirma que Davi declara que tinha dúvidas sobre a promessa do reino que lhe fora feita pelo profeta Samuel. Que Samuel era uma testemunha competente, se admite sem qualquer dúvida; mas, quando Davi se viu banido de sua pátria natal e constantemente exposto à morte de várias formas, poderia ser surpreendido pela tentação de que fora ungido vã e ineficazmente por Samuel. Segundo eles, o significado é este: Quase pereci em minha fuga, e a promessa que me fora feita se desvaneceu; além do mais, fui enganado por falsa esperança. Outra classe, formulando uma interpretação oposta sobre esta passagem, assevera que Davi superou a tentação; de modo que, quando Satanás, por meio de seus estratagemas, planejou desesperá-lo, ele se refez imediatamente e removeu toda ocasião para incredulidade, da seguinte maneira: "Que estás fazendo, miserável homem que és, e para onde estás correndo? Porventura, ousas, mesmo indiretamente, imputar falsidade a Deus? Não! Antes, que Ele seja verdadeiro e que, em tua própria porta, encontres futilidade, falsidade e perfídia".

Minha opinião pessoal é que esta doutrina deve ser entendida de maneira mais geral, ou seja, que Davi não tencionava tomar diretamente esta predição para si; mas, estando a sua mente perplexa, ele emaranhou-se inadvertidamente nas tramas de Satanás e foi incapaz de depositar sua confiança em qualquer pessoa. Os fiéis amiúde cambaleiam, e, quando Satanás os conserva em estado de trevas profundas, a Palavra de Deus quase os abandona. Contudo, não abandonam sua confiança, nem culpam deliberadamente a Deus de falsidade; antes, mantêm seus maus pensamentos sob restrição.

Entre os hebreus, o verbo *dizer* é expressão da firme persuasão, como dizemos em francês: *J'ay conclu ou resolu* — "tenho concluído ou resolvido". Portanto, devemos entender que esta tentação não poderia ter penetrado o coração de Davi, sem que ele a resistisse instantaneamente. Em conseqüência, o ponto de vista que tenho apresentado da passagem é o mais apropriado: que Davi não via a Deus durante esse tempo de trevas mentais. Os fiéis não falam deliberadamente contra Deus, nem lhe pedem que seja ou não verdadeiro. Tampouco esta horrenda blasfêmia enche completamente seus pensamentos; mas, ao contrário, sempre que ela entra em cena, eles a expulsam de si e a mantêm em profunda aversão. No entanto, acontece ocasionalmente que eles são de tal modo atribulados, que nada visualizam, exceto futilidade e falsidade. Essa foi a experiência de Davi durante este temor e angústia. Ele sentiu como se densa fuligem obstruísse sua visão. "Por certo, não há nenhuma segurança. Em que pensar? Em quem confiar? A quem recorrer?" Amiúde, os fiéis arrazoam consigo nesses termos, não há confiança a ser depositada nos homens. Um véu se estende sobre seus olhos, o qual, impedindo-os de visualizar a luz de Deus, os leva a lançarem-se em terra, até que, elevados aos céus, começam outra vez a discernir a verdade divina.

O desígnio de Davi, como já observamos, era enaltecer a graça de Deus em todos os aspectos. Com este propósito, ao falar sobre as suas provações, ele reconhece que não merecia o auxílio e o conforto divino; pois deveria ter recordado que, dependendo da profecia, teria sido colocado acima de toda a incredulidade. Contudo, ele diz que não fizera isso, porque, em razão da perturbação de sua mente, ele não conseguia ver nada, exceto futilidade. Se a sua fé foi abalada de maneira tão violenta, o que faremos, se Deus não nos apoiar e sustentar? Isso não tem o propósito de manter os fiéis em suspense entre a dúvida e a incerteza, e sim fazê-los clamar a Deus com mais ardor. Devemos considerar atentamente esta prova, pois não poderemos formar qualquer concepção desses ataques, enquanto não os experimentarmos realmente. Ao mesmo tempo, recordemos que o ataque sofrido por Davi foi apenas temporário, enquanto jazia perplexo e mergulhado em dúvidas, em conseqüência da profecia que escapara de sua lembrança.

[vv. 12-14]
O que darei a Jehovah por todos os benefícios que me tem feito? Tomarei o cálice da salvação[8] e invocarei o nome de Jehovah. Pagarei meus votos a Jehovah na presença de todo seu povo.

---

8 "C'est, des deliverances" – *fr.marg.* "Isto é, de livramentos."

12. O que darei a Jehovah? Davi exclama, com piedosa admiração, que o volume dos benefícios de Deus era maior do que as palavras que ele poderia achar para dar vazão às gratas emoções de seu coração. A indagação é enfática: *o que darei?* E declara que se sentia destituído não do desejo, e sim do meio que o capacitariam a render graças a Deus. Reconhecendo sua incapacidade, Davi adota o único meio em seu poder: enaltece a graça de Deus da maneira mais sublime que podia. "Estou muitíssimo disposto a cumprir meu dever, mas, quando olho ao meu redor, não encontro nada que seja uma recompensa adequada". Alguns entendem a expressão *sobre mim* como uma notificação de que Davi tinha profundamente gravados em sua mente todos os benefícios que lhe outorgara. Outros, concordando com a Septuaginta, acrescentam a partícula **pois** e entendem assim: *Pois, o que darei a Jehovah por todos os seus benefícios para comigo?* Todavia, é melhor fazer da primeira frase do versículo uma sentença completa, inserindo um ponto depois de *Jehovah*. Porque, depois de sua incapacidade, ou melhor, de afirmar que não tinha nada a oferecer a Deus como compensação suficiente por seus benefícios, Davi acrescenta em confirmação disso que se via sob tais obrigações, não somente por causa de uma série de benefícios, mas também por causa de uma variedade de benefícios inumeráveis. "Não há nenhum benefício por causa do qual Deus não me tornasse seu devedor. Como eu poderia ter meios de recompensá-Lo por esses benefícios?" Já que toda compensação lhe escapa, ele recorre a uma expressão de ação de graças como a única compensação que bem sabia ser aceitável a Deus. O exemplo de Davi, neste caso, nos ensina a não tratarmos os benefícios divinos com leviandade e displicência, pois, se os estimarmos segundo o seu verdadeiro valor, cada lembrança deles deve encher-nos de admiração. Não há nenhum dentre nós que não tenha sido cumulado de benefícios da parte de Deus. Nosso orgulho, porém, que nos arrebata a idéias extravagantes, nos faz esquecer essa mesma doutrina, que deveria envolver nossa incansável atenção. E a liberalidade de Deus para conosco merece o máximo louvor, pois Ele não espera recompensa de nossa parte, nem pode receber nenhuma, porquanto não sente necessidade de nada, e somos pobres demais e destituídos de todas as coisas.

13. O cálice da salvação. Davi remonta a um costume prevalecente sob a época da lei. Quando rendiam graças solenes a Deus, designavam também uma festa, na qual, como emblema de sua alegria, havia uma libação santa. Sendo esta libação um símbolo do livramento da servidão ao Egito, ela era, por essa razão, chamada de *cálice da salvação*.[9] O termo *invocar* significa celebrar o nome de Deus. Davi expressa isso mais claramente em seguida, dizendo: *pagarei meus votos na assembléia dos fiéis*; e o santuário era o único lugar onde poderiam oferecer sacrifícios. O equivalente é que os fiéis não precisavam ficar estarrecidos sobre o modo de cumprir seus deveres, uma vez que Deus não lhes exigia uma retribuição, que Davi bem sabe não seriam capazes de dar. Eles deviam ficar satisfeitos com um mero e simples reconhecimento. A retribuição própria é nosso dever para com Deus, para sempre. Se Ele nos trata com tanta bondade e misericórdia, e falhamos em dar-Lhe o tributo de louvor por nosso livramento (o tributo que ele reivindica de nós), nossa falta de retribuição se torna a mais abjeta. E certamente são indignos de desfrutar, não só das riquezas do mundo, mas também da luz do sol e do ar que respiramos e do qual vivemos, aqueles que roubam do Autor desses benefícios a ínfima retribuição que tão legitimamente Lhe pertence. O ritual mosaico foi deveras abolido e, com ele, a libação mencionada por Davi;

---

9 O fato de que há aqui uma alusão ao cálice de vinho sorvido no oferecimento dos sacrifícios eucarísticos é mui geralmente admitido pelos comentaristas. Durante a festa em que seguiam estes sacrifícios, o chefe de família tomava um cálice de vinho em suas mãos e, depois de dar graças solenemente a Deus pelas misericórdias experimentadas, primeiro ele mesmo bebia dele e, em seguida, o entregava a todos os presentes para que participassem do rodízio. "O cálice aqui mencionado pelo salmista", diz Cresswell, "provavelmente fosse usado pelo chefe de uma família judaica em um momento de alegria em sua própria casa, quando o resto dos sacrifícios era comido, após ele ter oferecido o sacrifício de uma oferta pacífica em ação de graças [Lv 7.11, ss.]; quando, erguendo o cálice de vinho em sua mão, invocava o nome do Senhor, dando-lhe graças. Os judeus modernos usam a cada ano uma cerimônia parecida em comemoração do livramento de seus ancestrais da escravidão egípcia".

contudo, o serviço espiritual, como o encontramos em Salmos 50.3 ("o sacrifício de louvor me glorificará"), ainda está em vigor. No entanto, tenhamos em mente que Deus é legitimamente louvado por nós, quando oferecemos em sacrifício não apenas nossa língua, mas também a nós mesmos e tudo que possuímos. E fazemos isso não porque Deus obtém algum proveito, mas porque é correto que nossa gratidão se manifeste dessa maneira.

14. Pagarei meus votos a Jehovah. A firmeza da piedade de Davi resplandece nisto: em meio aos perigos, ele fizera um voto a Deus. Agora, ele prova que não esquecera, de modo algum, essas disposições, como o fazem muitos dos homens que, descendo sobre eles a forte mão de Deus, imploram seu auxílio por algum tempo, mas logo esquecem o livramento que receberam. O Espírito Santo, falando sobre o verdadeiro culto a Deus, conecta mui propriamente, por meio de um vínculo indissolúvel, estas duas partes do culto: "Invoca-me no dia da angústia" e: "Eu te livrarei, e tu me glorificarás" [Sl 50.15]. Se alguém considera absurdo o fato de que os fiéis façam com Deus um pacto, apresentando-Lhe um voto, para obterem sua aprovação, minha resposta é que não prometem um sacrifício de louvor para propiciá-Lo com suas bajulações, como se Deus fosse um mortal como eles, ou para que lhes fique obrigado, propondo-Lhe eles uma recompensa; pois Davi já dissera que não Lhe ofereceria qualquer recompensa. O desígnio e o uso de votos é, em primeiro lugar, que os filhos de Deus tenham o coração fortalecido pela confiança de obterem tudo que pedem; e, em segundo lugar, que eles sejam mais estimulados a oferecer seu tributo de gratidão a Deus por suas misericórdias. Para auxiliar os filhos de Deus em suas fraquezas, o privilégio de fazerem votos pode lhes ser concedido; visto que, por meio desse recurso, o seu Pai misericordioso condescende em permitir que se cheguem a Ele em diálogo familiar, desde que façam seus votos com o objetivo que tenho declarado. Aconteça o que acontecer, nada deve ser tentado sem a permissão de Deus. Por isso, os papistas parecem ainda mais ridículos. Eles, usando o que se diz neste versículo, defendem todos os tipos de votos, por mais tolos, absurdos e temerários que sejam, como se a embriaguez fosse lícita, só porque Deus nos permite comer.

[vv. 15-19]
Preciosa é aos olhos de Jehovah a morte de seus mansos. Vem, ó Jehovah, porque eu sou teu servo; eu sou teu servo, filho de tua serva: quebraste meus grilhões. Sacrificar-te-ei sacrifícios de louvor e invocarei o nome de Jehovah.[10] Pagarei meus votos na presença de todo seu povo, nos átrios da casa de Jehovah, no meio de ti, ó Jerusalém! Louvai a Jehovah.

15. Preciosa é aos olhos de Jehovah a morte de seus mansos. Davi prossegue rumo à doutrina geral do cuidado providente de Deus para com os piedosos. Por meio desse cuidado, Ele lhes presta assistência em tempo de necessidade, sendo a vida dos piedosos preciosas aos olhos dEle. Com este escudo, Davi quer defender-se dos terrores da morte, os quais o oprimiam e pelos quais ele imaginava que seria tragado instantaneamente. Quando estamos em perigo, e parece que Deus nos ignora, nos consideramos como condenados e pobres escravos, e nossa vida é considerada como uma nulidade. Estamos cônscios de que, quando os perversos percebem que não temos proteção, sua ousadia contra nós aumenta ainda mais, como se Deus não cuidasse de nossa vida nem de nossa morte. Em oposição à doutrina errônea dos perversos, Davi introduz este sentimento de que Deus não mantém seus servos em tão pouca estima, que os exponha casualmente à morte. De fato, podemos, por algum tempo, ser sujeitos a todas as variações do destino e do mundo. No entanto, temos sempre esta consolação: Deus manifestará publicamente quão amada é para Ele a nossa alma. Neste tempo, quando se derrama sangue inocente, e os ímpios desprezadores de Deus se exaltam tão furiosamente, como que exaltando-se acima de um Deus vencido, permaneçamos firmes por meio desta doutrina: que a morte dos fiéis, sem valor e ignominiosa

---

10 "Isto parece significar o sacrifício prescrito [Lv 7.12], porque são mencionados os átrios da casa do Senhor. Salmos 50.23 e 56.12 talvez signifiquem apenas ação de graças, como ocorre em Salmos 59.30. Ver o versículo 31" – *Secker*.

aos olhos dos homens, é tão valiosa aos olhos de Deus, que, mesmo depois da morte, Ele lhes estende as mãos e, por meio de terríveis exemplos, demonstra o quanto tem aversão à crueldade dos que perseguem injustamente os bons e simples. Se Ele põe as lágrimas deles num odre, como permitirá que pereçam [Sl 56.8]? Em seu próprio tempo, Ele cumprirá a predição de Isaías: "que a terra descobrirá o sangue que embebeu" [Is 26.21]. Para darmos lugar à graça de Deus, vistamo-nos do espírito de mansidão, como o profeta que, chamando os fiéis de *mansos*, convoca-os a colocarem-se, serenamente, sob o peso da cruz, para que, em sua a paciência, ganhem sua alma [Lc 21.19].

16. Vem, ó Jehovah, porque eu sou teu servo. Assim como no primeiro versículo o salmista se gloriou de que, nele mesmo, Deus havia dado um exemplo da consideração paternal que tem para com os fiéis, assim também ele aplica, agora, de maneira especial, a si mesmo a doutrina geral, declarando que seus *grilhões foram quebrados*, em conseqüência de haver sido incluído no número dos servos de Deus. Ele emprega o termo *grilhões* no sentido de alguém que, com mãos e pés presos, era arrastado pelo executor. Ao assinalar como razão de seu livramento o fato de ser servo de Deus, ele não se gaba, de modo algum, de seus serviços; antes, se refere à eleição divina, incondicional; pois não podemos fazer de nós mesmos servos de Deus, visto que esta é uma honra conferida exclusivamente pela adoção da parte dEle. Por isso, Davi afirma que não era meramente um servo de Deus, e sim *filho da tua serva*. "Esta honra me foi conferida antes de eu nascer do ventre de minha mãe." Ele, pois, se apresenta como um exemplo comum a todos que se dedicarem ao serviço de Deus, e se coloca sob a proteção dEle, para que não sentissem nenhuma apreensão pelas segurança deles mesmos, enquanto tivesse a Deus por sua defesa.

17. Sacrificar-te-ei os sacrifícios de louvor. O salmista repete novamente o que dissera sobre a gratidão, fazendo-o publicamente; pois devemos manifestar nossa piedade não só por meio de nossa afeição secreta diante de Deus, mas também por meio de uma confissão pública aos olhos dos homens. Davi, juntamente com o povo, observava os ritos da lei, sabendo que estes, naquele tempo, não eram serviços sem sentido. Contudo, enquanto fazia isso, ele tinha uma referência específica ao propósito para o qual fora designado e oferecia principalmente os sacrifícios de louvor e as oferendas de seus lábios. Ele fala sobre *os átrios da casa de Deus,* porque, naquele tempo, havia apenas um altar do qual era ilícito se afastar; e a vontade de Deus era que as santas assembléias se reunissem ali, para que os fiéis se estimulassem mutuamente ao cultivo da piedade.

Salmos 117

[vv. 1, 2]
Louvai a Jehovah todas as nações; engrandecei-o todos os povos.[1] Porque sua misericórdia é fortalecida[2] a nosso favor; e a verdade de Jehovah permanece para sempre. Louvai a Jehovah.

1. Louvai a Jehovah, todas as nações. O Espírito Santo, por meio do profeta, exorta todas as nações a celebrarem os louvores da misericórdia e da fidelidade de Deus. Paulo, na Epístola aos Romanos, considera corretamente esta predição como uma referência à vocação do mundo inteiro [15.11]. Como podem os incrédulos ser qualificados a louvar a Deus, os quais, embora não completamente destituídos da misericórdia de Deus, são insensíveis a ela e ignorantes à verdade dEle? Portanto, seria inútil o profeta dirigir-se às nações pagãs, a menos que estivessem elas congregadas na unidade da fé com os filhos de Abraão. Não há base para os críticos que, com seus argumentos sofísticos, tentam refutar o raciocínio de Paulo. Admito que o Espírito Santo, em outras partes, convoca os montes, os rios, as árvores, as chuvas, os ventos e os trovões a fazerem ressoar os louvores de Deus, porque toda a criação O proclama

---

[1] "O fato de que *todas as nações* aqui e, na frase seguinte, *todos os povos* significam, no mais amplo sentido, todas as nações, todos os povos gentios, bem como παᾶαν κτίσιν ('toda a criação') e κόσμον ἅπαντα' ("todo o mundo" - Mc 16.15), se evidencia tanto em Mateus 28.19 (onde a frase correspondente de Marcos é apenas πάντα τὰ ἔθνη - 'todas as nações') como neste salmo. Também se evidencia, de modo especial, em Romanos 15, onde estas palavras são usadas como prova do propósito divino de que todos os gentios sejam recebidos na Igreja, se unam aos crentes judeus num concerto de amor e fé cristãos e *louvem* a Deus juntos na mesma congregação" – *Hammond*.

[2] "Ou, multipliee" — *fr. marg*. "Ou, multiplicado."

silenciosamente como seu Criador. É de uma modo diferente que Ele é louvado por suas criaturas racionais.

A razão assinalada é que *a misericórdia e a fidelidade de Deus* fornecem motivos para a celebração desses louvores. Além disso, o profeta não quer dizer que Deus será louvado, em todos os lugares, pelos gentios, porque o conhecimento do caráter dEle se confina a uma pequena parte da terra da Judéia, mas esse conhecimento deveria ser difundido em todo o mundo. Ele ordena que Deus seja louvado, primeiro, *porque sua bondade é intensificada ou fortalecida*, pois o termo hebraico admite ambos os significados; segundo, *porque sua verdade permanece firme para sempre*. Como são qualificados a celebrar seus louvores aqueles que, com brutal insensibilidade, ignoram a bondade de Deus e fecham os ouvidos à sua doutrina celestial?

A *verdade* de Deus, nesta passagem, é introduzida corretamente como uma atestação de sua graça, pois Ele pode ser verdadeiro mesmo quando ameaça todo o mundo com perdição e ruína. O profeta pôs a *misericórdia* de Deus em primeiro plano, para que a fidelidade e a verdade de Deus, incluindo a certeza de sua bondade paterna, estimulem os corações dos piedosos. O poder e a justiça de Deus são igualmente dignos de louvor. Todavia, como os homens nunca louvam alegremente a Deus, enquanto não são atraídos por uma demonstração de sua bondade, o profeta, com muita razão, seleciona a misericórdia e a verdade de Deus, as quais são as únicas que abrem os lábios daqueles que não podem se engajar neste exercício. Quando lemos que a verdade de Deus é *eterna*, ela não é colocada em oposição à sua misericórdia, como se esta, depois de florescer por um tempo, se desvanecesse instantaneamente. A mesma razão serviria para provar que a verdade de Deus é pequena, quando comparada com sua misericórdia, que as Escrituras dizem ser abundante. O significado é que a misericórdia de Deus é rica para conosco, fluindo de uma fonte perene, porque está unida à eterna bondade de Deus. Se lermos, *sua misericórdia* é confirmada, removeremos toda dificuldade, porque tanto a constância como a estabilidade adornarão a misericórdia e bondade de Deus.

Salmos 118

Ao tempo em que este Salmo foi escrito, não importa quando, Davi, havendo assumido o poder real e cônscio de que reinava visando à segurança comum da Igreja, convoca todos os filhos de Abraão a considerarem atentamente esta graça. Também recorda seus perigos, cuja magnitude e variedade o teriam matado centenas de vezes, se Deus não o tivesse socorrido de forma maravilhosa. Com base neste fato, é óbvio que ele subiu ao trono do reino não por sua própria política, nem pelo favor dos homens, nem por quaisquer outros recursos humanos. Ao mesmo tempo, Davi nos informa que não foi por precipitação, ou intrigas perversas, ou pela força que tomou posse do reino de Saul, e sim que foi designado e estabelecido por Deus mesmo como rei. Tenhamos em mente que era o desígnio do Espírito, sob a figura do reino temporal de Davi, atribuir o reino eterno e espiritual ao Filho de Deus. E Davi representava o Filho de Deus.[1]

---

1 Calvino atribui este Salmo a Davi, porém, como ele está sem título, é incerto quem teria sido o seu autor. Sobre este assunto e sobre a ocasião em que foi escrito, prevalecem várias opiniões entre os comentaristas. Segundo Hengstenberg, esta Salmo celebra o regresso dos judeus do cativeiro babilônico, bem como o lançamento da fundação do segundo templo; e, para apoiar essa idéia, ele recorre a Esdras 3.11. Phillips acredita ser "provável que o salmo foi escrito por ocasião da unção de Davi como rei sobre as tribos de Israel, em Hebron [2Sm 5]; porque, antes da inauguração do reino, Davi se sujeitou a muitos perigos, tanto da parte dos inimigos declarados, como da parte do próprio Saul e seus seguidores. Ele se viu exposto à hostilidade dos filisteus [1Sm 39] e dos amalequitas [1Sm 30]; escapou daqueles em segurança, e venceu estes na guerra. Além disso, embora há muito havia sido escolhido por Deus como rei de Israel, esteve exposto a severas perseguições durante considerável período de tempo. Então, se viu obrigado a fugir de seu país, em busca de segurança. Só depois da morte de Saul, as tribulações de Davi cessaram, e ele ascendeu ao trono, que há muito já era seu, por designação divina. Portanto, este Salmo é atribuído a

[vv. 1-4]
Louvai a Jehovah, porque ele é bom, porque a sua misericórdia dura para sempre. Diga agora Israel:[2] a sua misericórdia dura para sempre. Diga agora a casa de Arão: a sua misericórdia dura para sempre. Digam agora todos quantos temem a Jehovah: a sua misericórdia dura para sempre.

1. Louvai a Jehovah. Nesta passagem, vemos que Davi não somente rende graças a Deus em uma capacidade particular, mas também convoca o povo, em voz alta, a participar dos exercícios comuns da piedade. Ele faz isso porque Deus o designara como líder e mestre de outros e porque, havendo-o Deus investido de poder régio, manifestara sua simpatia para com sua Igreja atribulada. Por isso, ele exorta os israelitas a enaltecerem a graça de Deus, sob cuja proteção amorosa Davi aparecera para restabelecê-los em segurança. No princípio do Salmo, ele faz uma alusão, em termos gerais, à bondade e à misericórdia de Deus, mas lança mão de exemplos pessoas como evidência da bondade divina, como veremos no lugar oportuno. Cumpre-nos, agora, ter em mente o que já mencionei no Salmo anterior: a razão para louvar a Deus é-nos dada em decorrência de sua misericórdia, em preferência ao seu poder e justiça; porque, embora sua glória resplandeça

---

Davi, quando estava em Hebron, porque só ele poderia dizer: O Senhor me castigou, porém não me entregou à morte. A pedra que os construtores rejeitaram, essa veio a ser a principal pedra angular. O Senhor está fazendo isto, e é maravilhoso a nossos olhos". Alguns o atribuem ao tempo de Ezequias; e outros, àquele período da história de Israel adornado pelas nobres realizações dos Macabeus. "Não ousarei", diz Walford, "decidir qual destas opiniões é a mais condizente com a verdade. Satisfará mais ao nosso propósito observarmos que o salmo era lido em uma ocasião de procissão solene, formada elo rei ou o principal magistrado (não importa quem era este), pelos sacerdotes e as pessoas em geral, de todas as condições, a fim de realizar os sacrifícios públicos de ação de graças no templo".

2 Horsley traduz, mui apropriadamente, neste e nos dois versículos seguintes, a palavra hebraica נא *(na)* pelo vocativo *oh!*, e não pelo termo *agora* – "Oh! diga Israel; Oh, diga a casa de Arão; Oh! digam todos que temem a Jehovah". Ele observa que a palavra *agora*, no inglês, é uma partícula de súplica; por isso, é usada por nossos tradutores para expressar a partícula de súplica do idioma hebraico — נא. Mas, ainda que *agora*, no idioma inglês, seja uma partícula de súplica, isso se dá somente quando o verbo está no modo imperativo e na segunda pessoa; por exemplo: "Concede-me, agora, este favor!", ou, pelo menos, quando falamos à pessoa de quem a coisa é solicitada. Quando נא é anexada ao verbo na terceira pessoa, ou quando a não nos reportamos diretamente à pessoa que deve outorgar ou fazer a coisa pedida, ela deve ser traduzida por alguma outra palavra ou expressão. Oh!, neste caso, é a melhor partícula que o idioma nos oferece".

também neles, nunca entoaremos pronta e sinceramente os louvores de Deus, se Ele não nos conquistar com a doçura de sua bondade. De acordo com isso, em Salmos 51.17, vemos que os lábios dos fiéis foram abertos para louvar a Deus, quando perceberam que Ele era realmente seu libertador.

Ao restringir seu discurso a Israel e aos filhos de Arão, Davi é guiado por uma consideração a seus próprios dias, porque, até aquele tempo, a adoção ainda não se estendia para além daquela nação. Ele uma usa novamente a ordem que observara no Salmo 116, pois, após exortar os filhos de Abraão, os quais tinham se separado dos gentios pela eleição divina, e os filhos de Arão, que, em virtude do sacerdócio, deviam assumir a precedência em conduzir o canto dos salmos, ele dirige seu discurso aos demais adoradores de Deus; porque havia muitos hipócritas entre os israelitas, os quais, ocupando um lugar na Igreja, não pertenciam a ela. Isso não é inconsistente com este discurso de Davi, proferido pelo espírito de profecia, em referência ao reino futuro de Cristo. Sem dúvida, esse reino se estenderia aos gentios, mas seus primórdios e primícias estavam entre o povo escolhido de Deus.

[vv. 5-9]
Em minha angústia clamei a Deus, e Deus me ouviu e me pôs num lugar espaçoso. Jehovah está comigo; não temerei o que o homem possa fazer-me. Jehovah está comigo entre os que me ajudam, e verei meu desejo sobre meus inimigos. É melhor esperar em Jehovah do que confiar no homem; é melhor esperar em Jehovah do que confiar em príncipes.

5. Em minha angústia clamei a Deus. Temos aqui uma aplicação específica, à pessoa de Davi, da doutrina que mencionamos antes, com a qual também está associado o regozijo de toda a Igreja, pois em favor de seu bem-estar público Deus fizera provisão, sustentando a Davi. Por seu exemplo pessoal, Davi fortalece os fiéis, mostrando-lhes que não devem desfalecer no dia da adversidade. É como se ele quisesse antecipar uma objeção que poderia surgir na mente dos homens no momento em que a bondade de Deus é proclamada: "Por que Ele permite que seus servos sejam tão dolorosamente oprimidos e afligidos?" Davi lhes recorda que a misericórdia de Deus nunca falha, pois temos na oração um consolo e um antídoto para todos nossos males. A ocasião em que ele diz que fizera a súplica, por meio da qual obtivera livramento, foi a de angústia; isso nos ensina que o tempo de adversidade dolorosa é propício para nos saturarmos de oração.

6. Jehovah está comigo entre os que me ajudam. Confiando exclusivamente no auxílio divino, o salmista desafia não apenas uns poucos inimigos, mas o mundo inteiro. "Defendido pela mão de Deus, eu posso, com ousadia e toda a segurança, desdenhar de todas as maquinações dos homens." Quando todo o poder do universo é considerado nulidade, em comparação com o de Deus, a honra é, de fato, atribuída a Ele. Assim, Davi reprova tacitamente a incredulidade de quase todos os homens, os quais se alarmam espontaneamente com temores sem fundamento. De fato, todos desejam a paz mental; mas, em conseqüência de não darem a Deus o devido louvor de seu poder, a ingratidão deles não lhes permite compreender esta bênção. Houvessem eles, como seria apropriado, se submetido, em todas as coisas, ao beneplácito e poder de Deus, estariam sempre prontos a superar ousadamente todas aquelas dificuldades, das quais o medo, de tempo em tempo, os inquietava. Contudo, levando mais em conta as tentativas equivocadas dos homens do que o auxílio que Deus lhes podia conceder, merecem tremer ante o leve ruído da queda de uma folha. E o desejo de Davi, por seu próprio exemplo, é corrigir essa perversidade. E, tendo isso em vista, ele afirma que, no desfrute do favor divino, não temeria homem algum, pois estava plenamente persuadido de que Deus poderia resgatá-lo de todas as nefandas tramas que lhe armassem.

Ou, se ele compôs este Salmo depois de seu livramento, vemos quanto proveito ele extraiu de sua experiência com a graça de Deus. Portanto, ante a freqüência com que Deus nos socorre, que nossa confiança nEle quanto ao futuro aumente ainda mais, e não sejamos indecisos quanto à sua bondade e poder, os quais experimentamos em nossas situações extremas. É provável que Davi estava relatando as meditações que lhe ocorreram em meio às angústias; a primeira conjetura parece mais provável, ou seja, que, depois de obter livramento, ele se gloriava, quanto ao futuro, na assistência contínua de Deus. Alguns atribuem a frase, *entre os que me ajudam* a uma pequena tropa que Davi havia levado consigo. Contudo, em minha opinião, isso é refinado demais, pois contribuiria pouco à honra de Deus o classificá-Lo entre os seiscentos aos quais Davi comandava, como se Ele fosse um dos membros da tropa. Minha interpretação é mais simples, a saber: que Davi chama a Deus de *meu ajudador*. "É bastante para mim que Deus esteja a meu lado." Fosse ele privado de todo auxílio humano, não hesitaria em colocar a Deus em oposição a todos seus inimigos.

8. É melhor confiar em Jehovah. É como se Davi declarasse o que é óbvio (e unanimemente admitido): quando Deus e os homens se confrontam, Ele deve ser visto como infinitamente exaltado acima dos homens; por isso, é melhor confiar nEle para obter o auxílio que prometera a seu povo. Todos fazem este reconhecimento. No entanto, raramente achamos um entre cem homens que se persuade plenamente de que somente Deus pode propiciar-lhe auxílio suficiente. Esse homem atingiu uma posição elevada entre os fiéis; esse homem, descansando satisfeito em Deus, nunca cessa de nutrir uma viva esperança, mesmo quando não acha nenhum auxílio na terra. Todavia, a comparação é imprópria, porque não podemos transferir aos homens a mínima porção de nossa confiança, que deve ser depositada somente em Deus. O significado é, de algum modo, ambíguo. O salmista está ridicularizando as esperanças ilusórias dos homens, pelas quais são arremessados de um lado para o outro, e declara que, quando o mundo os favorece, os orgulhosos se expandem e se esquecem de Deus ou O desprezam. Alguns acham que Davi censura amargamente seus inimigos, por estarem enganados em depender do favor de Saul. Isto me parece uma visão limitada demais da passagem. Não duvido que Davi se apresentou aqui como um exemplo para todos os fiéis: um exemplo de que ele havia colhido o fruto pleno de sua esperança, quando, dependendo unicamente de Deus, suportou pacientemente a perda de todo socorro terreno. No versículo 9, no qual Davi substitui *príncipes* por *homens*, há uma extensão desta idéia. "Não só os que põem sua confiança nos homens de grau inferior agem loucamente, mas também os que confiam até nos maiores potentados, pois a confiança que é posta na carne será, no mínimo, amaldiçoada, mas o desfrute do favor de Deus converterá em vida a própria morte."

[vv. 10-14]
Todas as nações me cercaram, mas em o nome de Jehovah certamente as despedaçarei. Elas me cercaram, sim, me cercaram; em o nome de Jehovah, certamente as despedaçarei. Elas me cercaram como abelhas; são apagadas[3] como um fogo no espinheiro; em o nome de Jehovah, cer-

---

3 O verbo דעכו (*doachu*), usado aqui, significa comumente *apagar, extinguir*. Mas, neste texto, ele é traduzido, em todas as antigas versões, no sentido contrário, de *queimar*. "Isto torna provável", diz Hammond, "que tantas outras palavras no idioma hebraico são usadas em significado contrário, como דעך, que, em outros lugares significa, no sentido passivo, *ser consumido* ou *extinto*, e aqui pode significar, como um ἐναντιόσημον, *inflamar*, ou, no sentido ativo, como se usa na versão Arábica, *entrar violentamente* ou *atacar*, como numa guerra ou contenda, quando os homens se impelem violentamente uns contra os outros". Isto parece mais adequado à conexão em que ele se encontra. À primeira vista, alguém pensaria ser estranho dizer que os adversários de Davi foram "apagados (*destruídos*) como fogo nos espinheiros"; e o salmista mais adiante declara: "Em o nome do Senhor, certamente os despedaçarei". Se o verbo for interpretado no sentido de *queimar*, o objetivo principal da metáfora seria expressar, por meio de uma figura empregada com freqüência na Escritura, a incapacidade ou o rápido término da fúria daqueles homens, por mais feroz e terrível que ela seja. Essa fúria logo se acabaria, e o poder deles para injuriar se consumiria como o fogo nos espinheiros; pois este, embora por um momento faça grande estrépito e ruja violentamente, como se estivesse a consumir tudo que perto, logo cessaria e nada mais restaria, senão cinzas. Se o verbo for entendido no sentido de *apagar*, a linguagem é muito elíptica, e o verdadeiro caráter da poesia hebraica, que amiúde condensa em poucas palavras tais imagens, como nas mãos de Homero, seria instrumento para uma descrição ampliada e dignificada, enquanto deixaria de expressar mais da metade do que ele pretendia entender. A repressão súbita do exército hostil, como a extinção do fogo nos espinheiros, implica a comparação de tal investida com um *fogo*. "É notável que, em uma conexão similar, Homero compare um exército hostil com um fogo; e nessa comparação Homero expressa aquilo que Davi deixou subentendido e omite (pois não teve ocasião de introduzir) o que Davi expressa, a saber, a extinção súbita do fogo:

'Como quando as chamas devoradoras se apoderam de uma floresta, sobre os altos montes, esplêndidas ao longe, aparecem as labaredas, movendo-se na planície, a numerosa hoste, vestida de aço, resplandece ao céu'. *Ilíada, 2.516*. Cowper" — Illustrated Commentary upon the Bible.

tamente as despedaçarei. Empurrando, tu me impeliste para que caísse;[4] Jehovah, porém, me socorreu. Deus é minha força e meu cântico, ele me salvará.

10. Todas as nações me cercaram. Nestes versículos, Davi relata o maravilhoso livramento que recebera, para que todos soubessem que este não fora de origem humana, e sim divina. Repetidas vezes o salmista declara que se achou cercado, não por algumas poucas pessoas, e sim por vasta multidão. O povo, inflamando-se todo com ira e fúria contra ele, cercara-o de tal modo que não lhe sobrara nenhum meio de escape, e não conseguiu nenhum auxílio, exceto do céu. Alguns consideram sua queixa, de que todas as nações lhe eram adversas, como uma referência às nações adjacentes, que, conforme sabemos, cercavam-no com perigos. Em minha opinião, a intenção de Davi é dizer que o mundo inteiro lhe era contrário, porque ele colocava o auxílio de Deus em oposição ao ódio mortal e furioso que seus próprios patrícios e as nações vizinhas tinham contra ele; assim, não havia lugar na terra em que ele pudesse viver a salvo. É verdade que não havia nenhum exército das várias nações sitiando a Davi; no entanto, ele não podia contar com nenhum abrigo pacífico entre a arrogância dos homens cruéis, das quais ele se afastara por terror. E as armadilhas armadas para prendê-lo eram proporcionais ao número de pessoas que ele encontrou. Portanto, não nos surpreende o fato de que ele tenha afirmado que se achava cercado por todas as nações. Além disso, este modo elíptico de falar é mais coerciva do que se ele dissesse apenas que

---

4 Hammond diz: "Tu me feres para arruinar-me ou derribar-me". "O significado completo de לנפל, diz ele, "é mais bem expresso pelo uso do gerúndio, *ad cadendum* (caindo), não somente para expressar o desejo daqueles que o afligiam e o empurravam, para que caísses, pois isso está pressuposto na violência do impulso deles, expresso pela repetição do verbo דחה דחיתני, "pois, cercando-me, cercaram-me"; mas também para significar o evento ou o sucesso dele, ou seja, "eu estava caindo" ou "pronto a cair". Τοῦ πεσεῖν, diz a Septuaginta, no modo infinitivo do gerúndio; isso é o mesmo que dizem as versões Caldaica e a Siríaca; e versão Arábico-judaica diz: "Há muito tempo que me impeliste ou empurraste, para cair". E isso expressa a grandeza e tempo exato do livramento: que, enquanto caía, Deus o socorreu".

confiava em Deus, razão por que se tornara vitorioso. Ao mencionar publicamente apenas *o nome de Deus*, o salmista sustenta que nenhum outro meio de livramento estava a seu alcance e que, não fora interposição divina, ele teria perecido. Parece-me preferível traduzir afirmativamente a partícula כי (*ki*). "Estou sitiado, de todos os lados, pelo mundo; mas, se o poder de Deus me socorrer, isso será mais que suficiente para o extermínio de todos meus inimigos." O ódio obstinado e implacável dos inimigos é realçado por repetir a expressão *me cercaram*; e a fúria ultrajante deles é realçada em compará-los com *abelhas*, as quais, embora não possuam muita força, são ferozes em extremo; e quando eles, em sua fúria insensível, atacam uma pessoa, causam muito medo.

E logo acrescenta: *são apagados como um fogo em espinheiro*, o qual, a princípio causa grande crepitação e produz lança chamas mais fortes que o fogo em madeira, mas logo se apaga. O equivalente é que os inimigos de Davi o assaltaram furiosamente, mas sua fúria logo se desvaneceu. Por isso, ele reitera outra vez que, sustentado pelo poder de Deus, qualquer oposição que surgisse contra ele logo se desvaneceria.

13. Tu me impeliste para que eu caísse. Agora, ele muda de pessoa ou dirige seu discurso a Saul, seu principal inimigo. Dirigindo-se a uma única pessoa, ele lança um desafio a todos seus inimigos juntos. Ao dizer que fora impelido, ele admite que não resistiu ao ataque por sua própria bravura, como aqueles que, sendo bastante poderosos para enfrentar oposição, resistem aos assaltos de seus inimigos, sem esquivarem-se. O poder de Deus é mais eminentemente exibido em erguer o salmista da própria ruína.

No versículo seguinte, o salmista extrai a conclusão de que Deus é *sua força e seu cântico*. Ao usar o adjunto *força*, ele reconhece claramente sua fraqueza e atribui sua segurança exclusivamente a Deus. E, havendo admitido que sua força estava somente em Deus, pois ele era sustentado pelo poder de Deus, acrescenta imediatamente que Deus é o *seu louvor* ou o *seu cântico*. Isso deve ser entendido passivamente.

"Em mim mesmo, não há motivo para vanglória. A Deus pertence todo o louvor de minha segurança." A última cláusula do versículo, pela qual ele diz que Deus é a sua salvação, se refere ao mesmo assunto.

[vv. 15-21]
A voz de brado e de salvação está nos tabernáculos do justo. A destra de Jehovah tem feito proezas. A destra de Jehovah é exaltada, a destra de Jehovah tem feito proezas. Eu não morrerei, sim, eu viverei e falarei das obras de Deus. Em disciplinar, Deus me disciplinou, mas não me entregou à morte. Abri-me os portões da justiça; e, havendo entrado por eles, louvarei a Deus. Este é o portão de Jehovah, o justo entrará por ele. Eu te louvarei, porque me ouviste e te fizeste minha salvação.

15. A voz de brado e de salvação está nos tabernáculos do justo. Ele afirma que a benignidade que Deus lhe outorgar era tão extensa, que não lhe permitia render-Lhe graças privativamente. Nos benefícios que o salmista recebera, o poder de Deus veio a lume de maneira notável e memorável; e o fruto desse poder também se estendeu a toda a Igreja. Portanto, como o livramento de Davi foi maravilhoso e vantajoso a todos os piedosos, ele promete que faria um agradecimento público e os convida a unirem-se a ele neste exercício santo. Por esta circunstância, ele almeja principalmente enaltecer a graça de Deus, bem como, por seus efeitos, demonstrar que, em sua pessoa, foi realizada não somente a preservação individual, mas também o de toda a Igreja. A comunhão entre os crentes os obriga a render, alternadamente, graças a Deus uns pelos outros. No caso de Davi, houve uma razão especial que já mencionei: a sua maravilhosa preservação de muitas mortes e sua designação como soberano do povo escolhido de Deus. É digno de nota que Davi combina a voz de alegria e deleite com o louvor de Deus, pelo que ele mostra que os crentes devem associar com sua jovialidade o senso da graça de Deus.

Fazer proezas equivale a exibir a magnificência do poder de Deus, para que haja uma radiante manifestação de seu fulgor. Com freqüência, Deus outorga, de modo secreto e aparentemente frágil, livramento a seu povo fiel, para que eles sintam que o livramento procede dEle.

Mas isso não é tão bem conhecido de outros. Aqui, Davi assevera que a operação de Deus foi tão claramente desenvolvida, que ninguém podia duvidar de onde vinha a sua segurança. A outra frase, *para que a mão de Deus seja exaltada,* se relaciona com o mesmo tema, porque, ao agir poderosa e inusitadamente, Deus exaltara sua mão.

17. Não morrerei. Davi fala como alguém que emerge da sepultura. A mesma pessoa que diz *eu não morrerei* reconhece que foi resgatada da morte, da qual se achava tão próximo, como alguém condenado a ela. Durante vários anos, ele passara sua vida em perigo iminente, exposto a mil mortes a todo momento; e, logo que era libertado de uma, se via diante de outra. Assim, ele declara que *não morreria,* porque recobrava a vida, cuja esperança ele abandonara inteiramente. Nós, que temos a vida oculta com Cristo, em Deus, devemos meditar sobre este cântico todos os dias [Cl 3.3]. Se desfrutamos ocasionalmente de algum alívio, somos obrigados a unir-nos a Davi, dizendo que, quando estávamos cercados de morte, fomos ressurgidos para novidade de vida. Portanto, devemos perseverar constantemente em meio às trevas. Como nossa segurança jaz na esperança, é impossível que ela nos seja muito visível. Na segunda parte do versículo, Davi realça o uso correto da vida. Deus não prolonga a vida de seu povo para que se empanturrem com comida e bebida, com sono e deleite, desfrutando de toda bênção temporal, e sim para que Ele seja glorificado por seus benefícios com os quais, diariamente, abençoa seu povo. Já falamos sobre este tema no Salmo 115.

18. Em disciplinar, Deus me disciplinou. Nestas palavras, Davi declara que seus inimigos o atacaram injustamente, que foram usados por Deus para corrigi-lo, que esta foi uma disciplina paterna, não infligindo Deus uma ferida mortal, e sim corrigindo-o em justa medida e em misericórdia. É como se ele antecipasse as decisões com as quais homens perversos o pressionavam seriamente, como se todos os males que suportara fossem evidências de ser ele abandonado por Deus. Ele aplica de modo bem diferente essas calúnias lançadas sobre ele pelos réprobos, declarando que a sua disciplina era suave e paterna. O elemento principal na adversidade é saber que somos humilhados pela mão de Deus e que esta é a maneira que Ele usa para provar nosso compromisso de fidelidade, erguer-nos de nosso entorpecimento, crucificar o velho homem, purgar-nos de nossa impureza, trazer-nos em submissão e sujeição a Deus e impelir-nos à meditação sobre a vida celestial.

Se estas coisas forem relembradas por nós, não haverá nenhum de nós que não estremecerá ante o pensamento de irritar-se contra Deus; e que, pelo contrário, não nutrirá submissão a Ele com espírito dócil e humilde. A nossa atitude de mostrar impaciência e de avançar precipitadamente, por certo, procede da maioria dos homens que não vêem suas aflições como varas de Deus e de outros que não desfrutam do cuidado paternal de Deus. A última cláusula do versículo merece atenção especial: Deus sempre trata com misericórdia seu povo peculiar, de modo que as disciplina da parte de Deus comprova a cura deles. Não que o cuidado paterno de Deus seja sempre visível, mas no fim Ele mostrará que suas disciplinas, longe de serem fatais, servem como um remédio, que, embora produza debilidade temporária, nos livra de nossa doença e nos torna saudáveis e vigorosos.

19. Abri-me os portões da justiça.[5] Sob a influência de zelo ardente, Davi testifica sua gratidão, ordenando que o templo lhe fosse aberto, como se todas as oblações já estivessem preparadas. Agora, ele confirma o que já havia dito: que renderia graças a Deus publicamente, na assembléia dos fiéis, apropriadamente constituída. Era prática dos sacerdotes abrir as portas do templo ao povo. Parece que, nesta altura, Davi se refere ao seu longo exílio; essa suposição é corroborada pelo versículo seguinte. Tendo sido, por muito tempo, impedido de ter acesso ao santuário e mesmo de chegar perto dele, Davi se regozija e exulta agora por ser novamente admitido ao oferecimento de sacrifícios a Deus. E declara que não se chegará da maneira como costumavam fazê-lo os hipócritas, a respeito dos quais

---

5 Os portões do templo ou as portas do tabernáculo eram, supostamente, chamados de *os portões da justiça*, porque se destinavam a receber somente aqueles que eram justos.

Deus censura, por meio do profeta Isaías, o pisarem em vão os átrios dEle. Davi se chegará com o sacrifício de louvor [Is 1.12]. Plenamente persuadido de que se aproximava no espírito de devoção genuína, ele diz ser oportuno que as portas do templo, as quais ultimamente ele fora impedido de ultrapassar, seriam abertas para ele e para outros como ele. Davi diz que é **o portão de Jehovah**, que, portanto, o abrirá para os justos. O significado é que, banido do templo e de sua pátria, como o fora Davi, agora o reino está em melhor situação, ele e todos os verdadeiros adoradores de Deus reconquistaram o direito de acesso ao santuário de Deus. Assim, ele deplora indiretamente a profanação do templo, quando, sob a tirania de Saul, foi ocupado pelos profanos desprezadores de Deus, como se não passasse de um covil para cães e outros animais imundos. Esta abominação — ser o templo, por longo período, um antro de ladrões — é aqui combatida. No entanto, agora que o templo está aberto aos justos, o salmista declara que ele é a santa casa de Deus. O que ocorreu nos dias de Saul também ocorre nestes dias: os inimigos de Deus ocupam ímpia e descaradamente seu santuário. O papa não seria o Anticristo, se não se assentasse no templo de Deus [2Ts 2.4]. Havendo ele, por suas vis poluições, convertido todos os templos em bordéis, envidemos todos os esforços que pudermos para purificá-los e prepará-los para o culto santo a Deus. E, como agradou a Ele escolher sua santa habitação entre nós, apliquemo-nos a remover todas as contaminações e abominações que desfiguram a pureza da Igreja. Davi relata, de forma breve, a razão por que oferecia sacrifício de louvor a Deus: fora preservado pela graça divina.

[vv. 22-26]
A pedra que os construtores rejeitaram, essa veio a ser a pedra angular.[6]

---

6 O erudito Michaelis entende isto no sentido literal. "Parece que", diz ele, "provavelmente, na construção do templo de Salomão, uma daquelas pedras que Davi teve o cuidado de prover e preparar para ser usada foi reputada defeituosa pelos construtores e declarada inútil; e que Deus, numa ocasião totalmente diferente, ordenou pelos lábios de um profeta que essa pedra fosse constituída a pedra angular. Os orientais consideram a pedra angular a pedra peculiarmente santa em um templo e julgam que ela confere santidade a todo o edifício. Portanto, é mais provável que, ou pelo Urim e Tumim (a sorte sagrada dos judeus), ou por um profeta, Deus fora

Isto foi feito por Jehovah; é maravilhoso aos nossos olhos. Este é o dia que Jehovah fez; regozijemo-nos e nos alegremos nele. Eu te imploro, ó Jehovah, salva-me; eu te imploro, eu te imploro, ó Jehovah, concede prosperidade, eu te imploro. Bendito é aquele que vem em nome de Jehovah; nós te bendizemos desde a casa de Jehovah.

22. A pedra que os construtores rejeitaram. Nestas palavras, Davi lança ousadamente desprezo sobre as calúnias com que fora atacado injusta e imerecidamente. Como houve algo detestável no fato de que ele foi condenado por toda a assembléia dos nobres e todos os que eram investidos de autoridade; e, como era prevalecente a opinião de que Davi era um homem perverso e proscrito, ele refuta este erro deliberadamente e vindica sua inocência diante dos principais homens entre eles. "A mim pouca importa que eu seja abandonado pelos líderes, visto que fui escolhido pelo juízo divino para ser rei sobre Israel." A similitude que ele emprega é apropriada, comparando-se com uma *pedra*, e os governantes da Igreja, com os *principais construtores*. Aliás, poderia parecer mui irracional de sua parte asseverar que os chefes do reino, a quem foi entregue o governo da Igreja, eram privados do Espírito de Deus e destituídos do juízo correto. Em oposição ao juízo perverso e errôneo dos inimigos, Davi enaltece a graça de Deus, declarando que chegara àquela posição de acordo com o propósito e o poder de Deus para sustentar todo o edifício. Numa palavra,

---

consultado a respeito de qual pedra Ele destinara fosse tomada como a pedra angular. A resposta era: aquela que haviam rejeitado com persistência e declarado totalmente imprestável. Por certo, teria sido por uma razão mui importante que Deus designara positivamente esta pedra como a pedra angular. E o Novo Testamento nos declara isso em Mateus 21.42, Atos 4.11, 1 Pedro 2.7. A nação judaica se comportaria em relação ao Messias precisamente como os construtores agiram para com esta pedra e O rejeitariam. Deus, porém, O escolheria para ser a pedra angular, que sustentaria e santificaria toda a Igreja" – citado por Dr. Pye Smith (*On the Priesthood of Christ*, p. 150). A opinião de Michaelis, de que as palavras se relacionam literalmente com uma pedra que os construtores rejeitaram a princípio e que, subseqüentemente, se viram induzidos a colocar na parte mais importante do edifício é mera conjetura. O sentido profético no qual este versículo é aplicável ao Messias, que foi rejeitado pelos principais sacerdotes e fariseus de seu tempo e que agora é o fundamento de uma Igreja ampla, que cresce constantemente, repousa sobre bases mui sólidas. Essa profecia é sancionada por Cristo mesmo e pelos apóstolos. *A pedra angular* não significa a pedra do topo, e sim a principal pedra no alicerce, correspondendo à que chamamos de "a primeira pedra". Ver Efésios 2.20-21, 1 Pedro 2.4-5.

ele mostra que títulos esplêndidos e posição elevada, nos quais seus inimigos se vangloriam, não lhe são obstáculo, porque, confiando na vocação divina, ele possui uma glória superior ao veredicto do mundo inteiro. Visto que persuadi-los da veracidade deste fato era uma questão difícil, ele enaltece e engrandece a graça de Deus, a fim de que sua autoridade excedesse todas as más conversações e conjeturas vergonhosas.

Ele diz: *isto foi feito por Jehovah.* "Vão e contendam com Deus a respeito de tudo que vocês tentaram fazer intrepidamente contra mim e meu trono, ao qual não fui elevado por acidente, ou por política humana, e sim pelo poder manifesto de Deus." Davi confirma isso com o fato de que todos foram constrangidos a admirar o que ocorreu como algo incrível. Ora, quando Deus age de maneira maravilhosa, de maneira que excede nossa compreensão, seu poder não pode deixar de ser-nos tão evidente. Se alguém prefere interpretá-lo assim: "Embora esta obra encha os homens de espanto, isso não é uma razão para rejeitá-la"; pode interpretar assim. Entretanto, para mim certamente parece mais provável que Davi empregou o termo *maravilhoso* para que a arrogância dos homens se submetesse a Deus e ninguém presumisse proferir um murmúrio contra Ele. A conveniência de estas coisas serem aplicadas a Cristo será discutida mais propriamente quando considerarmos o versículo 25.

24. Este é o dia que Jehovah fez. Agora o salmista Ele fala sobre aquele dia como sendo ditoso e agradável em que, finalmente, ele foi constituído rei sobre Israel e sua unção, realizada por Samuel, foi confirmada por este evento. Sem dúvida, todos os dias foram criados igualmente por Deus; mas Davi, à guisa de eminência, chama esse *o dia de Deus*, o dia que, depois de um longo período de trevas, por fim raiou para a felicidade da Igreja, porque foi marcado por um evento nobre, merecendo ser lembrado por gerações sucessivas. E porque, assim, a Igreja emergira de um estado de profunda obscuridade, Davi exorta os fiéis ao regozijo e à exultação. Ele fez isso porque muitos ainda demonstravam ignorância quanto à graça de Deus, ou porque a tratavam com desdém, ou porque outros estavam tão restringidos devido aos perversos ataques de Saul, que não podiam ser trazidos à lealdade a Davi.

25. Eu te imploro, ó Jehovah, salva-me. Como o termo נא (*na*), no hebraico é freqüentemente usado como um advérbio de tempo, muitos o traduzem por *agora,* neste versículo: Salva-me agora, eu te imploro. Também, com freqüência, ele é usado na forma de uma solicitação. E este é o significado que lhe anexo e que concorda muito bem com esta passagem, pois estou persuadido de que o Espírito Santo, ao reiterar a mesma frase, pretendia, pelos lábios do profeta, incitar e estimular os fiéis a grande solicitude e ardor em oração. Se alguém preferir uma interpretação diferente, não será difícil levar-me a concordar com ela. Uma coisa é clara: aqui há uma forma de oração prescrita ao povo escolhido, para que busquem a prosperidade do reino de Davi, do qual dependia a segurança de todos. Nestas palavras, o salmista também afirmou com veemência que conservava seu reino como um legado divino; e, por isso, aqueles que não concordassem em desejar a prosperidade de seu reino eram indignos de ocupar um lugar na Igreja.

No versículo seguinte, um pedido particular é acrescentado, um pedido que os fiéis deviam entreter, ou seja: um vez que Deus havia designado Davi como ministro de sua graça, este também *queria bendizê-Lo*. Aqueles que Deus emprega para o bem-estar de sua Igreja são identificados como aqueles que *vêm em nome do Senhor* – tais como os profetas e mestres que Deus levanta para congregar sua Igreja; tais como generais e governantes que Ele instrui por meio de seu Espírito. Mas, como Davi era um tipo de Cristo, seu caso era peculiar, visto que era a vontade de Deus que seu povo vivesse sob os cuidados de Davi e de seus sucessores até ao advento de Cristo. A expressão *bendito aquele que vem* pode ser considerada como uma forma de congratulação. Todavia, visto que a bênção dos sacerdotes é imediatamente anexada, disponho-me antes a crer que o povo desejava que Davi recebesse a graça e o favor de Deus. Para induzi-los a apresentar esta petição com mais vivacidade e, assim, serem encorajados a receber o rei a quem

Deus lhes designara, esta promessa é adicionada na pessoa dos sacerdotes: *Nós te bendizemos desde a casa do Senhor.* Eles falam dessa maneira em harmonia com seu ofício, que lhes impunha o dever de abençoar o povo, como transparece de várias passagens nos livros de Moisés (particularmente, Números 6.23). Não é sem razão que eles conectam o bem-estar da Igreja com a prosperidade do reino, sendo o desejo deles apresentar a sugestão e mostrar que a segurança do povo permaneceria enquanto o reino continuasse a florescer e que todos participariam das bênçãos que seriam conferidas a seu rei, por causa da conexão indissolúvel que existe entre a cabeça e os membros.

Sabendo, como agora sabemos, que, ao ser Davi constituído rei, foi lançado o fundamento daquele reino eterno que, eventualmente, se manifestou no evento de Cristo; sabendo também que o trono temporal sobre o qual os descendentes de Davi foram postos era um tipo do reino eterno dado a Cristo por Deus, seu Pai, em conseqüência do qual Ele obteve todo o poder, tanto no céu como na terra, não pode haver dúvida de que o profeta convoca os fiéis a orarem fervorosa e constantemente pela prosperidade e progresso deste reino espiritual. Pois de orarem por Davi e seus sucessores era uma incumbência dos que viviam durante aquela sombria dispensação; mas, depois que toda a grandeza daquele reino foi subvertida, coube-lhes rogar com todo ardor que Deus, no cumprimento de suas promessas, o restabelecesse.

Em suma, tudo o que é declarado aqui se relaciona propriamente com a pessoa de Cristo. E aquilo que era indistintamente prefigurado em Davi foi apresentado e cumprido em Cristo. A eleição de Davi foi secreta; e, depois de ser ungido como rei por Samuel, ele foi rejeitado por Saul, bem como por todos os líderes do povo; e todos nutriam aversão por ele, como se fosse merecedor de centenas de mortes. Assim, mal interpretado e desonrado, Davi não parecia ser uma pedra adequada para ocupar um lugar no edifício. Semelhante a isto foi o princípio do reino de Cristo, que, sendo enviado pelo Pai para a redenção da Igreja, não somente foi desprezado pelo mundo, mas também odiado e execrado, tanto pelas pessoas comuns como pelos nobres da Igreja.

Mas é possível que alguém pergunte: Como o profeta chama de construtores aqueles que, em vez de desejarem a proteção da Igreja, almejavam somente a destruição de toda a estrutura? Sabemos, por exemplo, com que veemência os escribas e sacerdotes, nos dias de Cristo, labutavam para a subversão de toda piedade. A resposta não é difícil. Davi se refere somente ao ofício que eles exerciam, e não às inclinações pelas quais eram impelidos. Saul e todos os seus conselheiros foram subvertedores da Igreja; no entanto, em relação ao seu ofício, eram os principais construtores. O Espírito Santo costuma conceder aos ímpios os títulos honrosos que pertencem ao ofício deles, até que Deus os remova do ofício. Portanto, quão desavergonhados eram, às vezes, os sacerdotes entre o antigo povo de Deus; no entanto, retinham a dignidade e a honra que pertenciam a seu ofício, até que eram destituídos do ofício. Por isso, as palavras de Isaías [42.19]: "Quem é cego, senão meu servo; e quem é louco, senão aquele a quem enviei?" Ora, ainda que a intenção deles era minar toda a constituição da Igreja, visto que haviam sido chamados por Deus para cumprir um objetivo diferente, o salmista os chama servos e enviados de Deus.

Também, em nossos dias, o papa e seu imundo clero usurpam o título do sacerdócio, mas continuam sendo os inimigos professos de Cristo. Disso, concluímos que eles são qualquer coisa, menos servos legítimos de Deus; e ocupam a posição de pastores, embora dispersem o rebanho, para que a condenação deles mesmos seja ainda maior. Entre eles e os sacerdotes levitas há, certamente, uma diferença enorme. Entretanto, como são investidos de autoridade usual, não pode haver nenhum mal em conceder-lhes o título, contanto que não o usem como um disfarce para ocultar sua vil tirania; pois, se o mero título fosse suficiente para granjear-lhes reverência pessoal, Cristo teria de ser, necessariamente, silenciado, visto que os sacerdotes rejeitaram sua doutrina.

Esta passagem nos informa que aqueles que são investidos do ofício de governo da Igreja, são, às vezes, os piores operários. Davi, falando pelo Espírito, denomina de construtores àqueles que tentavam destruir o Filho de Deus e a salvação da humanidade. Por meio deles, o culto divino foi adulterado, o cristianismo, totalmente corrompido, e o templo de Deus, profanado. Se todos os que são investidos de autoridade ordinária devem ser ouvidos, sem exceção, como pastores legalmente designados, então Cristo não deve falar, porque freqüentemente seus inimigos mais amargos vivem ocultos sob as vestes de pastores.

Aqui, vemos que poderoso e inexpugnável escudo o Espírito Santo nos dá contra a vanglória fútil dos clérigos papais. Eles possuem o título de "construtores"; mas, se não conhecem a Cristo, segue-se, necessariamente, que nós também não O conhecemos? Ao contrário, que condenemos e rejeitemos todos os decretos deles e reverenciemos esta preciosa pedra sobre a qual repousa a nossa salvação. Pela expressão *essa veio a ser a pedra angular*, devemos entender o fundamento real da Igreja, o fundamento que sustenta todo o peso do edifício, sendo indispensável que os cantos formem a principal força do edifício. Não aprovo a opinião ingênua de Agostinho, que faz de Cristo a pedra angular, porque Ele uniu judeus e gentios, fazendo assim da pedra angular a pedra intermédia entre as duas paredes diferentes.

Davi prossegue, repetindo, em alguma extensão, como tenho observado, que é errôneo estimar o reino de Cristo pelos sentimentos e opiniões dos homens, porque, a despeito da oposição do mundo, o reino está erigido de maneira espantosa pelo poder invisível de Deus. Entretanto, devemos ter em mente que tudo o que foi realizado na pessoa de Cristo se estende ao desenvolvimento gradual de seu reino, inclusive até ao fim do mundo. Quando Cristo habitou na terra, Ele foi desprezado pelos principais sacerdotes. Agora, os que se chamam sucessores de Pedro e de Paulo, mas realmente não passam de sucessores de Ananias e Caifás, deflagram guerra, como gigantes, contra o evangelho e o Espírito Santo. Mas esta rebelião furiosa não deve inquietar-nos. Antes, adoremos humildemente aquele maravilhoso poder de Deus que reverte as perversas decisões do mundo. Se nosso entendimento limitado pudesse compreender o curso que Deus segue para a proteção e preservação de sua Igreja, não haveria nenhuma menção de um milagre. Deste fato, concluímos que o modo de operar de Deus é incompreensível e frustra o entendimento dos homens. Poderíamos indagar: era necessário que Cristo foi censurado pelos construtores? Certamente, a Igreja indicaria encontrar-se em um estado lamentável, se ela tivesse como pastores somente aqueles que eram inimigos mortais do seu bem-estar. Quando Paulo se intitula "construtor", ele nos informa que este ofício era comum a todos os apóstolos [1Co 3.10]. Minha resposta é: todos os que exercem liderança na Igreja não são culpados de cegueira perpétua e que o Espírito Santo confronta essa pedra de tropeço, que, em outros aspectos, tende a ser um obstáculo para muitos, quando testificam o nome de Cristo envoltos em esplendor profano.

Quando Deus, visando que sua glória resplandeça com mais fulgor, solta as rédeas de Satanás, de modo que os que são investidos com poder e autoridade rejeitam a Cristo, o Espírito Santo nos ordena a que sejamos corajosos e, rejeitando todas essas decisões perversas, recebamos com todo respeito o Rei a quem Deus pôs sobre nós. Sabemos que desde o início os construtores têm se empenhado para subverter o reino de Cristo. Isso continua a ocorrer em nossos dias, na atitude daqueles que, tendo recebido a incumbência da superintender a Igreja, fazem todas as tentativas para subverter esse reino, por dirigem contra ele todo as armas que puderem inventar. Mas, se guardarmos em mente esta profecia, nossa fé não desanimará. Pelo contrário, mas será mais e mais confirmada, porque, dentre essas coisas, se tornará ainda mais evidente que o reino de Cristo não depende do favor humano, nem extrai sua força de apoios terrenos, porque não obteve sua força dos sufrágios humanos. No entanto, se os construtores edificam bem, a perversidade dos que não permitem a si mesmos o tornarem-se apropriados ao edifício sagrado será muito menos escusável. Além do mais, sempre que nós, por esta espécie de tentação, nos vemos diante das provações, não nos esqueçamos de que é irracional esperar que a Igreja seja governada segundo a nossa compreensão dos problemas e que somos ignorantes quanto ao governa dela, porque aquilo que é miraculoso excede a nossa compreensão.

A sentença seguinte, *este é o dia que Deus fez*, nos lembra que não há nada, exceto o reino de trevas morais, se Cristo, o Sol da Justiça, não nos ilumina com seu evangelho. Devemos ainda lembrar que esta obra deve ser atribuída a Deus e que a humanidade não deve arrogar para si qualquer mérito em virtude de seus próprios empenhos. O chamado ao exercício da gratidão, que segue imediatamente, tem o propósito de nos advertir contra o render-nos à loucura de nossos inimigos, por mais furiosos que se mostrem contra nós, a fim de privar-nos da alegria que Cristo nos conquistou. De Cristo deriva toda a nossa felicidade; conseqüentemente, não haverá motivo para admiração, se todos os ímpios se inflamarem de aborrecimento e sentirem-se indignados ante o fato de sermos elevados a um clímax de gozo tão sublime, que superamos toda tristeza e suavizamos todas a severidade das provas que temos suportado.

Antes do advento de Cristo, a oração que aparece em seguida era familiar ao povo e às crianças, pois os evangelistas declaram que Cristo foi recebido com esta forma de saudação. Certamente era a vontade de Deus ratificar, naquele tempo, a predição que Ele falara pelos lábios de Davi. Ou melhor, essa exclamação demonstra nitidamente que a interpretação contra a qual os judeus ergueram um clamor era unanimemente admitida; e isso torna sua obstinação e malícia ainda mais inescusáveis. Eu os culpo não por sua estupidez, visto que se deixam envolver intencionalmente por um misto de ignorância, a fim de cegarem a si mesmos e aos demais. E, como os judeus nunca cessaram de pronunciar esta oração durante aquela dolorosa desolação e aquelas chocantes devastações, sua perseverança deve inspirar-nos com novo vigor nestes dias.

Naquele tempo, os judeus não tinham a honra de um reino, um trono real, um nome senão com Deus. Contudo, nesse estado deplorável e corrompido, apegaram-se à forma de oração outrora prescrita para eles pelo Espírito Santo. Instruídos por seu exemplo, não desfaleçamos em orar ardentemente pela restauração da Igreja, a qual, em nossos dias, se encontra envolta em melancólica desolação. Além disso, nestas palavras somos também informados que o reino de Cristo não é erigido e desenvolvido pela política humana, e sim que esse reino é uma obra exclusiva de Deus, pois os fiéis são ensinados a confiar somente na bênção dEle. Além do mais, a própria repetição das palavras que, como temos observado, as torna mais vigorosas, deve despertar-nos de nossa letargia e tornar-nos mais intensamente zelosos em verbalizar esta oração. Deus pode, por Si mesmo, sem a instrumentalidade da oração de qualquer crente, erigir e proteger o reino de seu Filho; porém não é sem bom motivo que Ele nos impõe esta obrigação, visto que nada deve ser mais conveniente aos fiéis do que a busca solícita do avanço da glória de Deus.

[vv. 27-29]
Jehovah é Deus, ele nos tem dado luz. Amarrai o cordeiro com cordas, sim, aos chifres do altar.[7] Tu és meu Deus, eu te louvarei; meu Deus, eu te exaltarei. Louvai a Jehovah, porque ele é bom, porque a sua misericórdia dura para sempre.

27. Jehovah é Deus. Aqui o profeta estabelece o que dissera previamente: Deus, movido de compaixão por sua Igreja, dissipara as trevas e introduzira a luz de sua graça, quando Davi subiu ao trono, pois ele era o precursor da redenção que foi antecipada antes de realizar-se, por Cristo, no devido tempo. O salmista ainda assevera que Deus era o autor daquele livramento, tão maravilhoso e imprevisto; e declara que, pelo resultado, Ele se mostrou claramente como verdadeiro Deus. As palavras *Jehovah mesmo é um Deus forte, porque ele nos restaurou a luz da vida* são enfáticas. Pois, como os fiéis, em conseqüência do estado confuso da Igreja, foram reduzidos quase ao abismo de desespero, os ímpios imaginaram que tudo isso acontecera

---

[7] "*Sim, aos chifres do altar* – estas palavras devem ser entendidas *levai-o*; pois as vítimas eram amarradas a argolas fixas no piso. *Os chifres* eram ornamentos arquitetônicos, um tipo de capitel, feitos de ferro ou de bronze, na forma de chifres entalhados de um animal, projetando-se dos quatro ângulos do altar. O sacerdote oficiante, quando orava, colocava suas mãos neles e, algumas vezes, os aspergia com o sangue do sacrifício (cf. Êxodo 30.3; Levítico 4.7, 18). No final deste versículo, deve ser suprida a palavra *dizendo* " – Cresswell.

aos filhos de Abraão pelo fato de que Deus mesmo havia, por assim dizer, se esquecido deles. Por isso, o salmista volta a oferecer seu grato reconhecimento pela graça divina.

Ele ordena aos fiéis que amarrem *a vítima aos chifres do altar*, porque, segundo a instituição legal, não podiam render graças solenes a Deus sem sacrifícios. Como Davi era um estrito cumpridor da lei, ele não omitiria as observâncias cerimoniais que Deus havia ordenado. No entanto, ele sempre mantém sua atenção fixada em seu grande desígnio e recorre a elas unicamente como auxílios a assisti-lo na apresentação de um serviço espiritual a Deus. Agora, quando a dispensação imprecisa passou, resta que ofereçamos a Deus nossa ação de graças por meio de Cristo, que a santifica mediante sua própria oferenda imaculada, para que não sejamos impedidos deste exercício de piedade, pelas corrupções de nossa carne. E o fato de que Davi volveu sua atenção para os louvores de Deus é sobremodo manifesto no versículo seguinte, no qual Davi prometeu que *celebraria o nome de Deus,* porque era *o* seu Deus. E Davi conhecia a Deus; isto é, ele sentia por experiência pessoal que poderia imaginar que da mão de Deus receberia assistência infalível e imediata.

Salmos 119

Como este Salmo trata de vários assuntos, é difícil apresentar um resumo de seu conteúdo. No entanto, há duas coisas que o profeta almeja primordialmente: exortar os filhos de Deus a seguir uma vida de piedade e santidade, bem como prescrever a norma e realçar a forma do verdadeiro culto a Deus, de modo que os fiéis possam devotar-se totalmente ao estudo da lei. Em associação com isso, ele combina amiúde promessas que têm o propósito de animar os adoradores de Deus a viverem de um modo mais justo e piedoso. E, ao mesmo tempo, ele introduz queixas a respeito do menosprezo ímpio da lei, para que os santos se desvencilhassem desses maus exemplos. Em suma, ele passa de um tópico a outro, não seguindo nenhum tema específico de maneira contínua.[1] Por isso, será melhor discutir cada tema em seu próprio lugar.

---

1 Entretanto, é um equívoco supor que não se observa nenhuma conexão de pensamento em toda esta extensa composição, como, às vezes, se tem asseverado até entre os escritores de notas. "Tem sido tão comumente assumido", diz Jebb, "que o Salmo 119 é uma coleção de pensamentos sem conexão entre si. O Dr. Barrow se inclina a esta opinião, embora seja ele um profundo filósofo religioso (*Sermon 48*, sobre Salmos 119.60). E suas palavras eloqüentes devem, neste caso, ser recebidas com bastante cautela. 'Este Salmo', diz ele, 'excelente em virtude e imenso em extensão, contém múltiplas reflexões sobre a natureza, as propriedades, os adjuntos e os efeitos da lei de Deus; muitas exclamações estimulantes sobre ela, concebidas em diferentes formas de linguagem; algumas, à guisa de petição; outras, de ação de graças; ainda outras, de resolução; e, também, de asseveração ou aforismos; muitas diretrizes úteis, muitas exortações zelosas à observação dela, as quais não se acham alinhadas numa ordem estrita, mas, como uma variedade de ervas salubres em um belo campo, com graciosa confusão, jazem dispersas, à medida que emanavam livremente do coração ou eram sugeridas pelo espírito devoto daquele que compôs este Salmo, que não designa nenhuma coerência de sentenças; assim, podemos considerar qualquer delas absoluta ou singular por si mesma". A excelente imaginação deste iminente escritor reconhece corretamente a bela variedade, a multiplicidade de pensamento, a πολυποίκιλος σοφία exibida neste Salmo;

[vv. 1-8]
א Bem-aventurados os retos[2] em seu caminho, que andam na lei de Jehovah. א Bem-aventurados os que, guardando os seus testemunhos, o buscam de todo o seu coração. א Seguramente, não praticam iniqüidade, mas andam em seus caminhos. א Tu ordenaste que teus estatutos fossem cuidadosamente observados.[3] א Desejo que meus caminhos sejam dirigidos à observância de teus estatutos! א Então, não serei envergonhado, quando tiver respeito por todos os teus preceitos. א Eu te louvarei na retidão de meu coração, quando tiver aprendido os juízos de tua justiça. א Eu observarei os teus estatutos; não me desampares totalmente.[4]

Alguns chamam este Salmo de *octonário*, porque, em cada oito versículos sucessivos, as palavras iniciais de cada linha começam com a mesma letra, na ordem alfabética. Que isso foi feito para ajudar a memória é possível deduzir de cada parte que contém uma doutrina, que deve formar um tema de meditação constante entre os filhos de Deus. Com o propósito de torná-lo menos enfadonho ao leitor, o profeta distinguiu cada grupo de oito versículos sucessivos, iniciando cada versículo com a letra correspondente do alfabeto hebraico. Assim, todas as desculpas, a pretexto de ignorância, são removidas, inclusive dos insensíveis e indolentes. Este auxílio não se estende a todos os que o lêem em outros idiomas; porém, não se deve ignorar o princípio: a doutrina exibida neste Salmo deve ser cuidadosamente estudada por todos os filhos de Deus

---

mas, ele parece ceder demais à opinião prevalecente quanto à falta de conexão. De bom grado, admito que os sentimentos não se limitam e se fascinam por alguma regra exata ou mutiladora. Admito igualmente que não há medidas de geometria intelectual aderidas pelo salmista, reduzindo este divino poema a um sistema didático rígido, e que a mente do profeta é livre, fluente e discursiva. Contudo, até mesmo o que flui do pensamento implica conexão e associação e impossibilita a idéia frígida de que o Salmo é um mero canto de reflexões, como a coleção de aforismos de Lord Bacon ou as máximas de Isocrates. Não tenciono afirmar o que não se pode provar: que se pode traçar plenamente uma ordem consecutiva; porém, sem dúvida, podemos extrair das passagens exemplos que mantêm uma bela seqüência e conexão entre seus vários membros" – *Jebb's Literal Translation of the Book of Psams, with Dissertations*, volume 2, pp. 274-276.

2 "Vel, perfecti" – *lat. marg.* "Ou, perfeitos."

3 מאד (*meod*), superlativamente – ao máximo.

4 Hammond traduz: "Oh! não me esqueças no grau mínimo" e acrescenta: "O hebraico עד־מאד (*ad meod*), aqui e no versículo 43, significa, literalmente, *para tanto*. Assim a Septuaginta traduz ἕως σφόδρα, isto é, *a qualquer grau elevado*. A versão Caldaica traduz: 'para tudo imediatamente', mas a Siríaca: *para sempre*, ambas em referência ao *tempo*, enquanto o hebraico parece antes referir-se ao *grau*, do substantivo que significa *multidão, plenitude, abundância*".

e entesourada em seus corações, para torná-los mais versados nele.

No tocante ao autor, nada afirmo, porque não se pode ter certeza quem foi ele, mesmo através de conjectura provável. Os expositores concordam que não se pode chegar a nenhuma conclusão satisfatória sobre a matéria. Como Davi suplantou a todos os demais em questão de talento poético e devocional, não terei escrúpulo de inserir ocasionalmente seu nome.[5]

Pode ser oportuno observar certos termos que amiúde ocorrem neste Salmo. Quanto ao termo תורה (*torah*) nada digo além de que, tendo sua derivação em uma palavra que significa *instruir*, é entendido invariavelmente no sentido de *lei*. Alguns dos rabinos afirmam que חוקים (*chukim*) significa estatutos ou ritos divinamente designados, cuja razão é muito óbvia. Dizem que פקדים (*phikudim*) denota aqueles preceitos que se relacionam com a justiça natural. É certo que משפטים (*mishpatim*) significa mandamentos, porque isto se prova pela etimologia da palavra. Quanto a עדות (*edoth*), os hebreus a entendem como que referindo-se à doutrina da lei, mas com a indicação

---

5 Alguns consideram este Salmo, bem como os demais Salmos alfabéticos, como composições mais modernas do que as do tempo de Davi e atribuem sua escrita ao tempo do cativeiro babilônico. Muitos outros, porém, como Venema e Michaelis, o atribuem a Davi e presumem que foi escrito antes de sua elevação ao trono. Certamente, seu conteúdo favorece esta última opinião, parecendo concordar bem com a longa e estressante perseguição a que Davi se sujeitara em decorrência da malícia e vingança de Saul. Se Davi foi seu autor, este Salmo é o mais simétrico e laborioso, em sua composição, de todos os seus Salmos. E ele exibiu, no tratamento de seu tema – que é a celebração da perfeição da lei de Deus e a felicidade dos que lhe obedecem –, extraordinária fecundidade de expressão, como se uma de suas intenções fosse mostrar como ele podia, em muitas formas diferentes e profusão de palavras, enunciar e ilustrar uns poucos e mesmos tópicos. As aspirações por instrução, consolação e proteção, com que quase toda parte deste Salmo se acha entretecida, tem um efeito confortador e deleitoso, enquanto a linguagem se torna totalmente impressionante por sua força e concisão peculiares. Entretanto, pode ser duvidoso se é justo elevá-lo, como alguns o têm feito, acima de todos os demais salmos. O Dr. Adam Clarke observa criteriosamente: "Como todas as demais porções da revelação divina, este salmo é elegante, importante e útil. Enquanto eu admiro a criatividade do gênio do salmista, o fluxo incessante de sua veia poética, seus numerosos sinônimos e seu copia verborum, pelos quais ele capacitado a expor, diversificar e ilustrar a mesma idéia, apresentando-a a seu leitor em todos os pontos de vista possíveis, a ponto de torná-la agradável, instrutiva e impressionante, não posso usurpar do resto do livro seu justo louvor, pondo este salmo, como muitos o têm feito, acima de todas as peças de que o livro se compõe. Por mais longo, simétrico e diversificado que seja, na proporção de sua extensão, este salmo contém as idéias mínimas de qualquer outro salmo no livro".

indubitável ressaltando-nos que ela inclui a maneira como Deus entra em aliança com seu povo. Os preceitos da lei são denominados juízos e justiça, para informar-nos que Deus nada impõe, senão o que é direito e justo, e que a humanidade não deve buscar nenhuma outra norma para o aperfeiçoamento da santidade, exceto o que consiste em regular nossa vida mediante a obediência à lei. O significado é quase sinônimo quando são chamados *os caminhos do Senhor*, sugerindo que os que não se apartam da diretriz da lei podem concluir seguramente que não correm nenhum risco de apostasia. As ordenanças de Deus, e os decretos dos reis, têm o termo חוקים (*chukim*) aplicado a eles indiscriminadamente. E פקודים (*phikudim*) refere-se a diferentes tipos de justiça, como transparece de muitas partes da Escritura; isso demonstra que não há fundamento para a sutil distinção notada anteriormente. Neste Salmo, quase todos esses termos são sinônimos, como o contexto o demonstrará.[6] Para granjear maior respeito pela

---

6 Outros negam que estes e outros termos, que amiúde ocorrem neste Salmo, são meramente sinônimos e têm envidado grande esforço para mostrar, com base na investigação etimológica, que, embora todos eles designem a lei, apresentam-na sob um aspecto diferente. Jebb tentou, em alguma medida, realçar as diferenças específicas entre estas palavras. Eis um sumário de suas observações: "A próxima peculiaridade a ser observada neste salmo é a recorrência regular de nove palavras características, pelo menos uma ou outra das quais se encontra em cada dístico, com uma exceção solitária, o segundo dístico da décima segunda divisão. Estas palavras são *lei, testemunhos, preceitos, mandamentos, juízos, palavra, dito* e uma palavra que ocorre somente duas vezes como um característico: *caminho*.

"Estas são, indubitavelmente, todas designações da lei divina. Contudo, faríamos profunda injúria à causa da verdade revelada se afirmássemos que são meros sinônimos; em outros termos, que os sentimentos deste compêndio de sabedoria celestial são pouco melhores que uma série de tautologias. O fato é que, como alguns críticos, tanto judeus como cristãos, têm observado, cada um desses termos designa a mesma lei de Deus, porém cada um sob um aspecto distinto, significando os diferentes modos de sua promulgação e de sua recepção. Cada uma dessas palavras será examinada em ordem, e faremos uma tentativa de distingui-las.

1. *Lei*. Esta palavra é formada de um verbo que significa *dirigir, guiar, almejar, projetar-se*. Seu significa etimológico seria uma norma de conduta, uma κανών σαφής. Significa, em geral, a lei de Deus, seja aquela regra universal chamada lei da natureza, seja aquela que foi revelada à sua Igreja por intermédio de Moisés e aperfeiçoada por Cristo. Estritamente falando, a lei significa uma regra simples de conduta, posta claramente à vista do homem, e não reforçada por algum mandamento; isso equivale dizer que esta palavra não inclui necessariamente as suas sanções.

2. *Testemunhos* são derivados de uma palavra que significa dar testemunho, testificar. A arca do tabernáculo é chamada assim por causa das duas tábuas de pedra e do tabernáculo — garantias e testemunhas da habitação de Deus no meio do povo. Testemunhos são, mais particular-

lei, o profeta a adorna com uma variedade de títulos, tomando cuidado constante para nos recomendar a mesma doutrina. Procedo agora à consideração do conteúdo do salmo.

1. Bem-aventurados os retos. Nestas palavras, o profeta apresenta o mesmo paradoxo que encontramos no início do Livro dos Salmos. Todos os homens aspiram naturalmente por felicidade, mas, em vez de buscá-la na vereda certa, preferem perambular deliberadamente para lá e para cá, por veredas intermináveis, para sua ruína e destruição. O

---

mente, a lei revelada; as testemunhas e confirmação das promessas de Deus feitas a seu povo e penhores de sua futura salvação.

3. *Preceitos*, de uma palavra que significa pôr sob *confiança*, significa algo confiado ao homem, 'aquilo que te é confiado': designações divinas que conseqüentemente têm a ver com a consciência, pelas quais o homem é responsável, como um ser inteligente.

4. *Estatutos*. O verbo do qual esta palavra é formada significa gravar, inscrever. A palavra significa uma lei escrita, definida e prescrita. O termo se aplica à lei de José sobre a porção dos sacerdotes no Egito, à lei sobre a Páscoa, etc. Neste Salmo, essa palavra tem um significado mais interno – a lei moral de Deus, gravada nas tábuas carnais do coração; a apreensão íntima e espiritual da vontade dEle; não tão óbvios como a lei e os testemunhos e uma questão de comunicação espiritualmente mais direta do que os preceitos divinos, sendo estes mais elaborados pelos esforços da própria mente, guiada por Deus, porém talvez mais instrumentalmente e menos passivamente empregada.

5. *Mandamentos*, derivados de um verbo que significa mandar ou ordenar. Essa foi a ordem de Deus a Adão acerca da árvore e a Noé acerca da construção da arca.

6. *Juízos*, derivados de uma palavra que significa governar, julgar ou determinar; significa ordenanças e decisões judiciais, sanções legais.

7. *Palavra*. Há dois termos, bem distintos em hebraico, ambos traduzidos pelo vocábulo *palavra*. O segundo destes é traduzido por *dito* no primeiro volume desta obra. São estreitamente conectados. De vinte e duas passagens em que ocorre o termo *palavra*, em quatorze dessas passagens ele é paralelo a ou está em conexão com *dito*. Esta mesma circunstância evidencia que não são sinônimos. Aqui, o termo traduzido por *palavra* significa o Λόγος, ou a Palavra de Deus, em seu sentido meramente divino; o anúncio da vontade revelada de Deus; seu mandamento; seu oráculo; às vezes, a comunicação especial aos profetas. Os Dez Mandamentos são chamados por esse termo em Êxodo. E דביר é o oráculo no templo. Neste salmo, esse termo pode ser considerado: 1. os mandamentos revelados de Deus, em geral; 2. uma promessa revelada de certas bênçãos para os justos; 3. algo entregue a ele como ministro de Deus; 4. uma norma de conduta; um canal de iluminação.

8. Quanto à palavra *caminho*, que ocorre apenas duas vezes como uma palavra característica, e às passagens em que ocorre, devem ser consideradas como exceções à regra geral. Por isso, não me disponho a considerá-la um termo relacionado com o anterior. Em todos os eventos, seu significado é tão direto e simples, que não requer nenhuma explanação, significando uma norma clara de conduta. Em seu sentido mais elevado, a graça assistidora da parte de Deus através de Cristo nosso Senhor, que é o Caminho, a Verdade e a Vida" – *Jebb's Literal Translation of the Book of Psalms, with Dissertations*, vol. ii. pp. 279-293.

Espírito Santo condena com razão essa apatia e cegueira. E, não fosse a cobiça do homem, a qual, com impetuosidade brutal, o apressa na direção oposta, o significado das palavras lhe seria bem nítido. E, quanto mais o homem se afasta de Deus, tanto mais ele se imagina infeliz. Por isso, todos reputarem como fábula aquilo que o Espírito Santo declara sobre a verdadeira piedade e culto a Deus. Esta é uma doutrina que raramente um entre cem a recebe.

O termo *caminho* expressa aqui o método ou o curso e vereda da vida; daí, ele chamar de retos em seu caminho aqueles cujo desejo sincero e invariável é praticar a justiça e devotar sua vida a este propósito. Na frase seguinte do versículo, ele especifica mais claramente que uma vida piedosa e justa consiste em *andar na lei de Deus*. Se uma pessoa segue sua própria inclinação e capricho, se desviará indubitavelmente; e, mesmo que desfrute os aplausos do mundo inteiro, ela se cansará com o excesso de vaidade. Mas é possível que alguém indague se o profeta exclui da esperança da felicidade todos quantos não cultuam perfeitamente a Deus. Fosse essa sua intenção, ninguém, exceto unicamente os anjos, seria feliz, visto que a perfeita observância da lei não se achará em parte alguma da terra. A resposta é fácil: quando a retidão é exigida dos filhos de Deus, eles não perdem a graciosa remissão de seus pecados, na qual consiste a sua salvação. Mesmo quando os filhos de Deus são felizes, precisam buscar refúgio na misericórdia de Deus, porque a retidão deles não é perfeita. Justamente por isso lemos que realmente são felizes aqueles que observam fielmente a lei de Deus; assim, cumpre-se aquilo que está dito em no Salmos 32.2: "Bem-aventurado o homem a quem o Senhor não atribui iniqüidade".

No segundo versículo, confirma-se mais plenamente a mesma doutrina, por pronunciar bem-aventurança, não aos que são sábios em seu próprio conceito, ou presumem um tipo de santidade fantástica, mas àqueles que se dedicam ao pacto divino e rendem obediência aos ditames de sua lei. Além do mais, por meio destas palavras o salmista nos informa que Deus não se satisfaz, de modo algum, com o mero serviço externo, pois demanda a afeição sincera e honesta do coração. E, com toda a certeza, se Deus é o único juiz e detentor de nossa vida, a verdade tem de ocupar o principal lugar em nosso coração, porque não basta ter somente as mãos e os pés alistados em seu serviço.

3. Seguramente, não praticam iniqüidade. A afirmação de que aqueles que seguem a Deus como seu guia não praticam iniqüidade parece, a princípio, mera trivialidade e uma verdade universalmente admitida. O profeta tem duas razões para formulá-la: primeira, para ensinar-nos que nossa vida deve estar inteiramente sob a orientação de Deus; segunda, para que atentemos mais diligente e criteriosamente a esta doutrina.

É reconhecido por todos que aqueles que rendem obediência a Deus não correm o risco de desviar-se; mas, apesar disso, todos se encontram voltados a seus próprios caminhos. Porventura, essa licenciosidade ou presunção não demonstra, de modo palpável, que eles têm mais consideração por suas próprias idéias do que pela lei inerrante de Deus? Afinal de contas, sempre que um homem cai, ele não apresenta imediatamente a alegação de inadvertência, como se ninguém pecasse de modo consciente e voluntário, ou como se a lei de Deus, que é o antídoto contra todos os delitos, visto que mantém sob controle todas as nossas propensões pecaminosas, não nos desse sabedoria suficiente para ficarmos em vigilância? O profeta declara com justiça que aqueles que são instruídos na lei de Deus não podem ceder à alegação de ignorância, quando caem em pecado, visto que são voluntariamente cegos. Tivessem atentado cuidadosamente à voz de Deus, teriam sido bem fortalecidos contra todas as armadilhas de Satanás. A fim de imprimir-lhes terror, o salmista lhes informa, no versículo 4, que Deus demanda uma observância rígida da lei. Disso podemos concluir que Ele não permitirá que os seus desprezadores da lei escapem impunemente. Além disso, ao falar na segunda pessoa, Deus se coloca diante de nós como Juiz.

5. Desejo que meus caminhos sejam dirigidos. A palavra original כון (*kun*) é traduzida, às vezes, por *estabelecer*. Conseqüentemente, a afirmação pode sugerir que o profeta estivesse solicitando para si mesmo a virtude da perseverança. Inclino-me, antes, a entendê-la no sentido de *dirigir*; pois, embora Deus nos instrua claramente em sua lei, a obtusidade de nosso entendimento e a perversidade de nosso coração necessitam constantemente da direção do Espírito de Deus. Nosso principal desejo deve ser um entendimento sabiamente regulado pela lei de Deus, bem como um coração dócil e obediente. Em seguida, o salmista adiciona: se o homem observar criteriosamente a lei de Deus, ele não precisa viver sob a apreensão de que se lamentará do que já fez ou se empenha a fazer.

A palavra *respeito* sugere que não devemos deixar-nos influenciar por nossos próprios desígnios, nem decidir, segundo a razão carnal, o que vamos fazer e que devemos chegar imediatamente à determinação de que aqueles que não se afastam, nem para a direita, nem para a esquerda, da observância dos mandamentos de Deus estão, de fato, na vereda certa. Os que respeitam reverentemente a lei de Deus não podem escapar à censura da maior parte da humanidade; contudo, o profeta declara que *não serão envergonhados* porque têm uma boa consciência na presença de Deus e dos anjos e, com a aprovação dessa assembléia celestial, vivem satisfeitos e contentes; pois, se dependessem da opinião do mundo, sua coragem desvaneceria. Ele diz *todos os teus preceitos* dando a entender que entre as armadilhas de Satanás, em meio a tão densas trevas e tão profunda insensibilidade como a nossa, são necessárias a máxima vigilância e cautela, caso almejemos viver inteiramente isentos de culpa. Por isso, em tudo o que fazemos, devemos esforçar-nos por ter a lei diante de nós, a nos proteger de cairmos.

7. Eu te louvarei. O salmista afirma que, se uma pessoa atinge considerável proficiência na lei de Deus, isto é um exemplo singular da benignidade dEle. Como evidência e testemunho desse fato, ele apresenta o ato de dar graças a Deus, como se dissesse: Senhor, tu me conferirás uma bênção inestimável, se me instruíres em tua lei. Conclui-se que nada nesta vida deve ser mais desejável do que isso. E minha fervorosa oração é que sejamos pronta e plenamente convencidos dessa gloriosa verdade. Pois, enquanto buscarmos criteriosamente aquelas coisas que julgamos vantajosas para nós, não menosprezamos a conveniência terrena e negligenciamos aquilo que é mais importante. A expressão *os juízos de tua justiça* equivale a mandamentos, nos quais a justiça perfeita está compreendida. Assim, o profeta enaltece a lei de Deus em virtude da plena perfeição da doutrina contida nela. Deste versículo aprendemos que ninguém louvará sincera e cordialmente a Deus, senão aquele que atingiu tal habilidade na escola dEle, que pode moldar sua vida em sujeição a Ele. É inútil fingirmos louvar a Deus com a boca e a língua, se o desonramos com nossa vida. Por isso, o profeta ensina aqui, mui criteriosamente, que o fruto da genuína piedade consiste na celebração sincera dos louvores de Deus.

8. Observarei os teus estatutos. Nestas palavras, ele assegura que sua intenção era observar a lei de Deus. Porém, cônscio de sua fraqueza pessoal, ele verbaliza uma oração para que Deus não o prive de sua graça. O termo *desamparar* é suscetível de duas interpretações: ou que Deus subtrai seu Espírito, ou que Ele permite seu povo ser arrasado pela adversidade, como se os houvesse abandonado. A segunda interpretação concorda melhor com o contexto e está mais em concordância com o termo acrescentado em seguida— *totalmente*. O profeta não é totalmente contrário à provação de sua fé, está apenas apreensivo de que ela não desfaleça, quando a provação for protelada demais. Por isso, ele deseja ser tratado com benignidade em sua enfermidade. "Ó Deus, tu vês o meu estado de espírito; e, sendo eu apenas um homem, não ocultes de mim, por tempo demasiadamente longo, os sinais de teu favor, nem demores a ajudar-me, por mais tempo do que sou capaz de suportar, para que, imaginando estar esquecido de ti, não me afaste do rumo certo da piedade".

[vv. 9-16]
ב Como purificará o jovem o seu caminho? Atentando à tua palavra. ב Tenho te buscado de todo o meu coração; não permitas que eu me desvie

de teus mandamentos. ב Escondi a tua palavra em meu coração,[7] para não pecar contra ti. ב Bendito és tu, ó Jehovah! Ensina-me os teus estatutos. ב Com meus lábios tenho declarado todos os juízos de tua boca. ב Tenho me deleitado no caminho de teus testemunhos, como em todas as riquezas. ב Meditarei em teus preceitos, e atentarei às tuas veredas. ב Deleitar-me-ei em teus estatutos; não esquecerei as tuas palavras.

9. Como purificará o jovem o seu caminho? Neste lugar, o salmista repete, em termos diferentes, a mesma verdade que fomentou anteriormente: por mais que os homens se orgulhem de suas próprias obras, não haverá nada puro na vida deles, enquanto não fizeram uma rendição completa de si mesmos à Palavra do Senhor. Para incitá-los mais eficazmente a isso, o salmista apresenta, de um modo especial, o exemplo de crianças e jovens. Ao mencionar estes, ele não está, de modo algum, dando licença desenfreada aos que atingiram os anos da maturidade ou aos idosos, como se fossem competentes para regularem sua própria vida e como se a sua própria prudência lhes servisse de lei. Mas, visto que a juventude é a época da vida que coloca os homens em uma encruzilhada e torna imprescindível que eles escolham o curso da vida que pretendam seguir, o salmista declara que, quando uma pessoa assume a orientação de sua vida, nada lhe será vantajoso, se não adotar a lei de Deus como sua regra e guia. Assim, o profeta estimula os homens a regularem de maneira solícita e racional o seu comportamento, e não demorarem em agir assim, conformando-se às palavras de Salomão: "Lembra-te também de teu Criador nos dias de tua mocidade, antes que venham os dias maus e cheguem os anos dos quais venhas a dizer: Não tenho neles prazer"[8] [Ec 12.1]. Todos aqueles que protelam o tempo se tornam empedernidos em suas práticas pecaminosas e chegam aos anos de maturidade quando é tarde demais para tentar uma reforma. Há outra razão proveniente do fato de

---

7 *Escondi a tua palavra em meu coração*, isto é, eu a depositei ali, como os homens costumam depositar suas mais preciosas possessões num lugar seguro, conhecido somente deles mesmos. Cf. Provérbios 11.1. Ver 2 Reis 20.13, etc., quanto a um exemplo da prática contrária.
8 "Et les ans qui se seront en fascherie" – *fr.*

que, sendo as inclinações carnais mui poderosas no jovem, demandam dupla restrição. E, quanto mais eles são inclinados aos excessos, tanto mais intensa é a necessidade de coibir sua licenciosidade. O profeta os exorta, com razão, a atentarem particularmente à observância da lei. Podemos argumentar do maior para o menor; pois, se a lei de Deus possui poder de restringir a impetuosidade da juventude, a ponto de preservar a pureza e a retidão de todos que a tomam como seu guia, então, com toda certeza, quando chegarem à maturidade, e seus desejos irregulares forem consideravelmente refreados, a lei de Deus será o melhor antídoto para corrigir seus pecados. A razão por que o mal é tão prevalecente no mundo é que os homens se engolfam em sua própria impureza, inclinando-se a cederem mais à sua própria inclinação do que à instrução celestial. A única proteção segura é regularmos a nós mesmos em conformidade com a palavra de Deus. Alguns, sábios em seu próprio conceito, se lançam nas armadilhas de Satanás; outros, cedendo à sua apatia e debilidade, vivem de modo ímpio e perverso.

10. De todo o meu coração. Cônscio da integridade de seu coração, o profeta implora o auxílio de Deus, para que não tropece em razão de sua enfermidade. Ele não se vangloria de sua preparação pessoal, como se tivesse começado espontaneamente a buscar a de Deus; mas, ao louvar a graça que experimentara, aspira, ao mesmo tempo, por firmeza para perseverar no andar nos caminhos dEle. É tolice da parte dos papistas usarem esta e passagens afins, como se os santos, de seu próprio livre-arbítrio, antecipassem a graça do Espírito Santo e, em seguida, fossem favorecidos com auxílio da parte dEle. O profeta não faz divisão entre Deus e ele mesmo, antes, ora para que Deus continue sua obra, até que ela se complete, em conformidade com o que geralmente somos instruídos: manter Deus ciente de seus benefícios, até que Ele os complete.

Nesse ínterim, há bom motivo para apresentarmos nossa súplica a Deus, a fim de que Ele nos estenda sua mão, quando vemos nossa mente tão firmada, que nos mostramos solícitos de nada mais do que agir retamente. E, assim como ele nos eleva com confiança a buscar o dom da perseverança, quando inspira nosso coração com genuíno afeto para com Deus, assim também nos exorta a que, no futuro, não nos entreguemos a um estado de negligência e fraqueza, como soldados que foram exonerados, e sim que busquemos ser constantemente dirigidos pelo espírito de sabedoria e sustentados pelos princípios da força e virtude.

Aqui Davi, a partir de seu próprio exemplo, nos chama a atenção a uma regra: quanto mais uma pessoa se vê socorrida por Deus, tanto mais deve sentir-se induzida a implorar mais cautelosa e solicitamente a continuação do seu auxílio; pois, a menos que Ele nos refreie, vacilaremos e nos desviaremos instantaneamente. Esse sentimento é expresso de modo mais explícito na palavra original תשגני (*tashgeni*), que está na voz passiva e significa *ser desviado*.[9] Com base no significado desse termo, não pretendo estabelecer a doutrina de que Deus nos incita secretamente a cometer pecado; desejo apenas que meus leitores saibam que tal é nossa propensão ao erro, que caímos no pecado no exato momento em que Ele nos deixa entregue a nós mesmos. Esta passagem também nos adverte que o homem que se desvia apenas um pouquinho dos mandamentos de Deus se torna culpado de extraviar-se.

11. Escondi a tua palavra em meu coração. Uma vez que este Salmo não foi composto para o uso pessoal, peculiar e exclusivo do autor, podemos entender que, na mesma freqüência com que põe diante de nós seu exemplo pessoal, o salmista nos aponta, usando este modelo, o curso que devemos seguir. Aqui somos informados que somos suficientemente fortalecidos contra os estratagemas de Satanás quando a lei de Deus é profundamente arraigada em nosso coração. Pois, a menos que ela encontre ali um laço forte e sólido ali, cairemos prontamente em pecado. Entre os eruditos, aqueles cujo conhecimento se confina aos livros, se não tiverem o livro sempre diante de si, sua ignorância será prontamente desmascarada. De igual modo, se não assimilarmos a doutrina de Deus, e não nos tornarmos bem

---

9 "O hebraico תשגני está aqui na conjugação Hiphil, de שגה — *ser ignorante* ou *errar*. Dessa conjugação os hebreus observam que, como às vezes esse vocábulo significa não mais que *permitir*, assim também às vezes ele significa *causar* e, às vezes, *ocasionar*, aquilo que o verbo denota" – *Hammond*.

familiarizados com ela, Satanás nos surpreenderá facilmente e nos enredará em suas armadilhas. Nossa verdadeira segurança não está num conhecimento tacanho da lei de Deus ou num manuseio displicente dela, e sim em ocultá-la profundamente em nosso coração. Aqui somos lembrados de que, por mais que os homens se convençam de sua sabedoria pessoal, eles estão destituídos de todo reto juízo, se não têm a Deus como seu Senhor.

12. Bendito és tu, ó Jehovah! Tal era a proficiência do profeta, que se tornara não mero discípulo de Deus, mas também um mestre público da Igreja. No entanto, reconhecendo que ele e todos os íntegros estão sozinhos em sua jornada, até chegarem ao final da vida, ele falha em não solicitar o espírito de compreensão. Esta passagem nos informa, em termos gerais, que, se Deus não nos iluminar com o espírito de discernimento, não seremos capazes de visualizar a luz que resplandece em sua lei, mesmo que ela esteja constantemente diante de nós. Assim, muitos são cegos mesmo quando cercados pela revelação clara desta doutrina, porque, confiantes em sua própria perspicácia, desdenham da iluminação interna do Espírito Santo.

Além do mais, aprendamos, com base nesta passagem, que ninguém possui tal superioridade de intelecto que não admita constante aprimoramento. Se o profeta, a quem Deus conferira um ofício tão honroso como mestre da Igreja, confessa que não passa de discípulo ou estudante, que insensatez manifestam aqueles que estão muito aquém do salmista, no tocante às obtenções, e não se empenham por alcançar uma excelência mais elevada! Ele não depende de seus próprios méritos para obter seus pedidos; antes, roga a Deus que os conceda com base na consideração por sua própria glória. Isso transparece da frase com a qual ele introduz sua súplica: *Bendito és tu, ó Jehovah!*, notificando que sua confiança no sucesso se originou do fato de que Deus é plenamente merecedor de todo louvor, em virtude de sua infinita bondade, justiça e misericórdia.

13. Com meus lábios. Neste versículo, ele declara não só que a lei de Deus estava gravada profundamente em seu coração, mas também que seu anelo e incansável empenho era o ganhar muitos de seus co-discípulos à submissão a Deus. É realmente uma atitude insensível falar sobre a lei de Deus em termos abstratos, como vemos os hipócritas fazerem, os quais conversam fluentemente a respeito de toda a doutrina da piedade, mas são completamente estranhos a essa doutrina. O que o profeta notou antes acerca da afeição do coração para com a lei de Deus, ele o aplica agora aos lábios. E, imediatamente, ele estabelece uma vez mais a veracidade do que havia dito sobre seu cordial e sincero empenho para instruir outros, ao dizer que extraía mais deleite da doutrina de Deus do que de todas as riquezas do mundo. Indiretamente, o salmista contrasta seu amor santo pela lei de Deus, com o qual estava inflamado, à avareza profana que tomara posse de quase todo o mundo. "Como a riqueza atrai a si o coração da humanidade, achei mais deleite no progresso que faço na doutrina da piedade do que o deleite que eu teria se fosse cumulado de todas as formas de riquezas."

15. Em teus preceitos. Não devemos esquecer aquilo para o que chamei a atenção anteriormente – que o profeta não está se gloriando em suas próprias aquisições, mas está pondo diante dos outros um exemplo a ser imediato. Somos cônscios de que a maior parte da humanidade se acha tão envolvida nas preocupações do mundo, que não tem tempo para meditar na doutrina de Deus. Para confrontar essa indiferença empedernida, ele recomenda, muito oportunamente, diligência e atenção. E, ainda que não fôssemos tão emaranhados pelo mundo, sabemos quão prontamente perdemos de vista a lei de Deus nas tentações diárias que subitamente se assenhoreiam de nós. Portanto, não é sem razão que o profeta nos exorta ao constante exercício e nos ordena a dirigirmos todas as nossas energias à meditação nos preceitos de Deus. E, como a vida dos homens é instável, sendo eles continuamente distraídos pela carnalidade de sua mente, ele declara que considerará atentamente *os caminhos de Deus*. Em seguida, ele repete o inusitado deleite que achou nesta busca. Pois nossa proficiência na lei de Deus será pequena, enquanto não alegre e sinceramente focalizarmos nossa mente nessa lei. E, de fato, o começo de uma boa vida consiste em sermos atraídos a Ele pela doçura da sua lei. Esses mesmos meios mitigam e subjugam as luxúrias da carne. Em nosso estado natural, o que achamos mais agradável do que aquilo que é pecaminoso? Esta será a constante tendência de nossa mente, a menos que o deleite que sentimos na lei nos impulsione à direção oposta.

[vv. 17-24]
ג Faze bem a teu servo, para que eu viva e guarde a tua palavra. ג Abre os meus olhos, e verei as coisas maravilhosas da tua lei. ג Sou estrangeiro na terra; não ocultes de mim os teus mandamentos. ג Minha alma está quebrantada de tanto desejar os teus juízos o tempo todo. ג Tu tens destruído os soberbos; malditos são os que se desviam de teus mandamentos. ג Remove de mim o opróbrio e o desprezo; pois tenho guardado os teus testemunhos. ג Príncipes também se assentaram e falaram contra mim; teu servo meditou em teus estatutos. ג Também, os teus testemunhos são o meu deleite, os meus conselheiros.

17. Faze bem a teu servo. O termo גמל (*gamal*), que alguns traduzem por *retribuir*, entre os judeus não implica recompensa mútua, mas significa amiúde *conferir um benefício*, como em Salmos 116.7 e muitas outras passagens. Aqui, deve ser visto como expressão de favor espontâneo. No entanto, as palavras podem admitir dois sentidos. Podem ser lidas como uma cláusula separada, assim: Ó Deus, exibe tua bondade a teu servo e viverei, ou, me considerarei feliz. Ou o versículo pode formar uma afirmação conectada: Ó Deus, concede a teu servo este favor: enquanto eu viver, guardarei teus mandamentos. Se for adotada a primeira variante, o profeta declara, por meio destas palavras, que sem o favor de Deus ele é como um homem morto; que, embora fosse rico em muitas outras coisas, não poderia subsistir sem sentir que Deus lhe era propício. A segunda interpretação é preferível – que o profeta busca isto como um favor principal: enquanto ele vivesse, se devotaria inteiramente a Deus, estando plenamente persuadido de que o grande objetivo de sua existência consistia em exercitar-se no servir a Ele, um objetivo que o salmista resolve perseguir com toda firmeza.

Por essa razão, estas duas cláusulas são unidas: *para que eu viva e guarde a tua palavra*. "Não desejo outro modo de viver além daquele em que eu possa me comprovar como um verdadeiro e fiel servo de Deus." Todos desejam que Deus lhes concedam o prolongamento de sua vida; esse é um desejo que todo o mundo aspira seguir ardentemente. No entanto, raramente uma entre cem pessoas pensa realmente sobre o propósito para o qual deve viver. Com o intuito de impedir-nos de nutrir tais inclinações irracionais, o profeta descreve aqui o principal objetivo de nossa existência. Ele declara que é devido à graça peculiar do Espírito Santo que uma pessoa guarda a lei de Deus. Se ele imaginasse que o exercício de preparar-se para observar esta lei dependia de seu livre-arbítrio, esta oração teria sido nada mais que hipocrisia.

Mui similar a esta é a doutrina contida no versículo seguinte. Havendo reconhecido que o poder de guardar a lei é comunicado por Deus ao homem, o salmista adiciona, ao mesmo tempo, que cada homem é cego, até que Deus também ilumine os olhos do entendimento do homem. Admitindo que Deus nos provê luz por meio de sua palavra, o profeta tem em mente que somos cegos em meio à mais clara luz, enquanto Deus não remove o véu de nossos olhos. Ao confessar que seus olhos estão velados e fechados, tornando-o incapaz de discernir a luz da doutrina celestial, enquanto Deus, pela graça invisível de seu Espírito, não os abre, o salmista fala como se estivesse deplorando sua própria cegueira, bem como a de toda a raça humana. Mas, ao mesmo tempo que Deus reivindica para Si este poder, Ele nos informa que o remédio está à mão, contanto que não rejeitemos a graciosa iluminação que Ele nos oferece, por confiarmos em nossa própria sabedoria. Aprendamos também que não recebemos a iluminação do Espírito de Deus para desdenharmos a palavra externa e ter prazer somente nas inspirações secretas, como fazem muitos fanáticos que não se consideram espirituais, se não rejeitam a Palavra de Deus e a substituam por suas próprias especulações insensatas. Bem diferente é o alvo do profeta: informar-nos que nossa iluminação visa capacitar-nos a discernir a luz da vida, que Deus manifesta por meio de sua palavra. Ele designa a doutrina da lei como *coisas maravilhosas*,[10] para humilhar-nos a fim de contemplarmos com admiração a grandeza da lei e convencer-nos de nossa urgente necessidade da graça de Deus, para compreendermos os mistérios que excedem nossa capacidade limitada. Disso inferimos que não somente os Dez Mandamentos estão inclusos no termo *lei*, mas também a aliança da salvação eterna que Deus fez, bem como todas as provisões dessa aliança. E, sabendo que Cristo, "em quem todos os tesouros da sabedoria e do conhecimento estão ocultos", "é o fim da lei", não nos cabe surpresa pelo fato de que o profeta enaltece a lei em conseqüência dos sublimes mistérios que ela contém [Cl 2.3; Rm 10.4].

19. Sou estrangeiro na terra. É oportuno inquirir sobre a razão por que ele se denomina peregrino e estrangeiro no mundo. A grande preocupação dos profanos e mundanos é passar a vida na ociosidade, tranqüilamente; mas os que sabem que têm uma jornada a empreender e uma herança reservada para eles no céu não são dominados nem enredados por essas coisas perecíveis. Antes, eles aspiram àquele lugar para o qual são convidados. O significado pode ser assim sumariado: "Senhor, visto que devo atravessar rapidamente o mundo, o que será de mim se for privado da doutrina da lei?" Destas palavras aprendemos de que ponto devemos começar nossa jornada, se desejamos seguir nosso caminho jubilosamente em direção a Deus.

Além disso, lemos que Deus *oculta seus mandamentos* daqueles cujos olhos não se abrem, pois, não sendo dotados de visão espiritual, vendo, eles não vêem; assim, o que está diante de seus olhos lhes

---

10 *Coisas maravilhosas* "significam coisas que são difíceis e grandiosas. A referência aqui é às figuras e sombras da lei, que velavam e escondiam as substâncias às quais se relacionavam e que a maioria dos leitores perdera de vista totalmente. O salmista ora pela iluminação divina, a fim de ser capacitado a resolver, pelo menos num grau mínimo, os enigmas em que as coisas futuras estavam envolvidas" – *Walford*.

está oculto. E, para demonstrar que não apresenta seu pedido de uma maneira displicente, o profeta acrescenta que sua afeição pela lei é intensa, pois não é comum o fervor que ele apresenta nesta linguagem: *Minha alma está quebrantada de tanto desejar os teus juízos o tempo todo*. Assim como um homem que concentra todos seus pensamentos num só ponto, com tal intensidade, que chega a privar-se do poder da percepção e se torna vítima de seu zelo imoderado, assim também o profeta declara que a energia de sua mente está paralisada e exaurida por seu ardente amor pela lei.[11] A expressão *o tempo todo* expressa a perseverança do salmista. Pois talvez suceda ocasionalmente que um homem se aplique com grande ardor ao estudo da doutrina celestial, mas, se essa dedicação for temporária, seu zelo logo se desvanecerá. Portanto, é necessário firmeza, para que por meio do cansaço não desfaleçamos em nossa mente.

21. Tu tens destruído o soberbo. Outros o traduzem: *Tu tens repreendido o soberbo*. Essa tradução é admitida pelo termo hebraico גער (*gaar*), quando a letra ב (*beth*) lhe é anexada na construção. Mas, se esta letra está ausente, é preferível traduzir por *destruir*.[12] No entanto, isso faz pouca diferença ao propósito principal da passagem, pois não há dúvida de que a intenção do profeta é informar-nos que os juízos de Deus o instruíram a aplicar sua mente ao estudo da lei. E, certamente, esse é um exercício que não devemos, de modo algum, adiar até que Deus nos visite com disciplina. Mas, quando O contemplamos tomando vingança contra os perversos e os desprezadores de sua palavra, somos estúpidos se a sua vara não nos ensina sabedoria. E, sem dúvida, um exemplo de bondade especial da parte de Deus é o fato de que Ele nos poupa e nos amedronta de longe, a fim de nos atrair a Si sem nos ferir ou nos castigar.

---

11 "Se continuado por muito tempo, todo esforço vigoroso da mente exerce uma influência para exasperar e prejudicar as suas faculdades em algum grau. Aqui, alude-se a esse tipo de efeito. A atenção detida e assídua que o salmista empregava e o esforço do forte desejo que ele empregava produziram o sentimento sobre o qual ele aqui fala. É preciso que se considere também o uso que ele faz da linguagem poética, que admite tons mais fortes do que a descrição prosaica" – Walford.

12 "Maintenant veu qu'elle n'y est point adjoustee, le mot de Destruire y conviendra mieux" – fr.

Não é sem razão que o salmista denomina todos os incrédulos de *soberbos* porque somente a verdadeira fé nos humilha, e toda rebelião tem sua origem no orgulho. Disso aprendemos quão proveitoso é considerar criteriosa e atentamente os juízos de Deus, por meio dos quais Ele subverte tal soberba. Quando os fracos na fé vêem os perversos surgindo em furiosa oposição contra Deus, se desvencilhando arrogantemente de toda restrição e desprezando toda o cristianismo, com impunidade, esses fracos na fé começam a indagar se realmente existe um Deus que se assenta no céu para julgar. É possível que, por algum tempo, Deus feche os olhos para isso; mas logo passamos a percebê-Lo manifestando alguma indicação de seu juízo, a fim de convencer-nos de que não foi em vão que Ele pronunciou ameaças contra os que infringem sua lei. Precisamos ter em mente que todos quantos se afastam dEle são réprobos.

Deve ser observado, com cuidado, que *desviar-se dos mandamentos* de Deus não significa todos os tipos de transgressão, indiscriminadamente, e sim aquela licenciosidade desenfreada que procede do ímpio desprezo de Deus. Aliás, ela é dada como uma sentença geral de que "maldito é todo aquele que não persevera em todas as coisas escritas" [Dt 27.26]. Mas, como Deus, em sua bondade paternal, tolera aqueles que falham por causa da fraqueza da carne, aqui devemos entender esses juízos como sendo executados expressamente sobre os perversos e réprobos; e o objetivos desses juízos, como declarou Isaías, é "que os moradores do mundo aprendam a justiça" [26.9].

22. Remove de mim o opróbrio. Este versículo admite dois sentidos: que os filhos de Deus andem tão discretamente quanto lhes seja possível, e não deixarão de ser suscetíveis a muitas calúnias; por isso, têm boa razão para pedir a Deus que proteja das línguas peçonhentas a piedade sincera que eles praticam. O outro significado pode ser dado apropriadamente à passagem: Ó Senhor, já que eu desfruto de plena consciência, e Tu és testemunha de minha integridade sincera, não permitas que os injustos manchem a minha reputação, lançando sobre mim acusações infundadas. Mas o significado será ainda mais completo se lermos a expressão como que formando uma sentença contínua: Ó Deus, não permitas que os ímpios zombem de mim por me esforçar para guardar tua lei. Essa impiedade tem sido abundante prolífica no mundo desde seus primórdios; ou seja, a sinceridade dos adoradores de Deus tem sido assunto de repúdio e zombaria. Até nestes dias, as mesmas zombarias ainda são lançadas sobre os filhos de Deus, como se os ímpios, não satisfeitos com o modo comum de se viver, aspirassem ser mais sábios do que os demais. Agora se cumpre aquilo que foi expresso por Isaías: "Eis-me aqui, e os filhos que o Senhor me deu, para sinais"; de modo que os filhos de Deus, com Cristo, o Cabeça deles, são como pessoas estranhas entre os profanos. De acordo com isso, Pedro testifica que os ímpios nos acusam de loucura por não seguirmos os caminhos deles [1Pe 4.4]. E, como este opróbrio – o tornar-se alvo de zombaria por causa da afeição sincera pela lei de Deus – tendia a desonrar seu nome, o profeta demanda mui corretamente a supressão de todos esses insultos. Também Isaías, por seu exemplo pessoal, nos orienta a correr para esse refúgio, porque, embora os ímpios transbordem arrogantemente suas blasfêmias na terra, Deus está assentado no céu como nosso Juiz.

No versículo seguinte, o salmista declara mais explicitamente que não foi debalde haver rogado a Deus que o defendesse dessas calúnias; pois ele era tido em desprezo não só pelas pessoas comuns e pelos mais devassos dentre a raça humana, mas também pelos homens eminentes que se assentavam como juízes. O termo *se assentaram* implica que haviam falado ofensiva e injustamente a respeito dele, não meramente em suas casas e ao redor de suas mesas, mas em público e no próprio tribunal, onde lhes competia executar a justiça e dar a cada um o que lhe era devido. A partícula גַּם (*gam*), que ele emprega e significa *também* ou *ainda*, contém um contraste implícito entre os cochichos velados do povo comum e os motejos imperiosos desses homens arrogantes, realçando ainda mais a vileza de sua conduta. No entanto, em meio a tudo isso ele perseverava resolutamente em seguir a piedade.

Satanás o assaltava com este artifício, a fim de conduzi-lo ao desespero, mas ele nos conta que buscou um remédio para isso na meditação sobre a lei de Deus. Aqui somos instruídos que não é raro que os juízes terrenos oprimam os servos de Deus e zombem de sua piedade. Se Davi não pôde escapar de tal opróbrio, por que, nestes tempos atuais, esperaríamos melhor? Aprendamos também que nada há mais perverso do que depositar nossa dependência nos juízos humanos, porque, ao agirmos assim, teremos, necessária e constantemente, de enfrentar vacilação. Descansemos, pois, satisfeitos com a aprovação divina, ainda que os homens nos difamem sem causa – não só os homens de grau inferior, mas também os próprios juízes, de quem deveríamos esperar imparcialidade suprema.

24. Também, os teus testemunhos são o meu deleite. A partícula גם (*gam*) conecta essa cláusula com o versículo precedente. Apegar-nos resolutamente ao nosso propósito, quando o mundo fomenta uma opinião injusta a nosso respeito, e ao mesmo tempo meditar constantemente na lei de Deus é um exemplo de firmeza cristã muito raro entre nós. O profeta agora nos informa como ele venceu a tentação. *Teus testemunhos*, diz ele, *são o meu deleite*. "Ainda que a injustiça cruel dos homens, ao acusarem-me falsamente, me entristeça e me aborreça, o prazeroso deleite que tenho em tua lei é uma recompensa suficiente para tudo isso." Acrescenta ainda que os testemunhos de Deus dele, pelo que devemos entender que o salmista não se fiava simplesmente em seus próprios juízos, e sim buscava conselho na palavra de Deus. Esse ponto deve ser considerado com atenção, visto percebermos quão cega afeição predomina nas diretrizes das vidas humanas. Onde os homens avarentos buscam conselho, senão no princípio errôneo que têm adotado, de que as riquezas são superiores a todas as coisas própria realidade? Por que o homem ambicioso aspira tanto o adquirir poder, senão porque ele julga que nada se equipara a manter uma condição honrosa no mundo? Não nos surpreende o fato de que os homens vivem tão lamentavelmente desorientados, visto que se entregam, sem reservas, às diretrizes desses maus conselheiros. Guiados pela palavra de Deus e rendendo prudentemente obediência aos seus ditames, não haverá nenhuma brecha para os enganos de nossa carne e as ilusões do mundo, e permaneceremos invencíveis contra todos os ataques das tentações.

[vv. 25-32]

ז Minha alma se apega ao pó; vivifica-me segundo tua palavra. ז Tenho declarado os meus caminhos, e tu me respondeste; ensina-me os teus estatutos. ז Faze-me entender o caminho de teus preceitos, e meditarei em tuas obras maravilhosas. ז Minha alma[13] se consome de tristeza;[14] levanta-me segundo a tua palavra. ז Desvia de mim o caminho da falsidade e concede-me o favor de tua lei. ז Tenho escolhido o caminho da verdade e tenho posto teus juízos diante de mim. ז Tenho-me apegado aos teus testemunhos; não me deixes envergonhado, ó Jehovah! ז Percorrerei o caminho de teus mandamentos, quando tiveres dilatado meu coração.

25. Minha alma se apega ao pó.[15] Ele quer dizer que não tinha mais esperança de vida, como se estivesse encerrado no túmulo. E precisamos atentar bem a esse fato, para que não nos tornemos impacientes e entristecidos, sempre que aprouver a Deus fazer-nos suportar vários tipos de morte. E, por seu exemplo pessoal, o salmista nos instrui que, ao encararmos a morte de frente e toda esperança de escape se esvair, devemos apresentar nossa petição a Deus, em cuja mão, como já vimos em outra parte, estão os escapes da morte e cuja

---

13 A expressão *minha alma* pode ser considerada equivalente a *eu mesmo*. Em Jeremias 51.14, *por minha alma* é traduzida *por si mesmo*.

14 "Mon ame s'escoule goutte a goutte" – *fr*. "Flui gota a gota." Walford, que traduz "está prostrada", considera a tradução de Calvino objetável, visto não corresponder à oração na sentença seguinte: *Levanta-me segundo a tua palavra*. "A versão da Vulgata nesta sentença", diz ele, "*minha alma se derrete*, ou, como outros intérpretes pensam, *minha alma se dissolve em lágrimas*, parece inadmissível, principalmente em virtude da sentença seguinte. Dathe, seguindo Driessenius, Knapp e Seiler, explica-a, como o faz aqui, *está prostrada*, sentido que a palavra דלף tem no uso árabe dela e que certamente se harmoniza com a conexão, muito melhor do que o sentido de *prantear* e *dissolver-se*."

15 A palavra original traduzida por *minha alma* pode, tanto neste como no versículo 28, ser traduzida *eu mesmo* ou *minha vida*; então, *apegar ao pó* pode implicar uma apreensão da morte próxima. E isso concorda melhor com a petição. "O termo *pó*, aqui, provavelmente implica o sepulcro ou sepultura, como no Salmo 22.15, 29. Portanto, o salmista deve ser entendido como a dizer: 'Os perigos que me cercam são tantos que me ameaçam até à morte'; e logo adiciona: 'Vivifica-me segundo a tua palavra', isto é, "Alegra-me, livrando-me destes perigos, de conformidade com as promessas que me fizeste" – Walford.

prerrogativa peculiar é restaurar vida àqueles que jazem mortos [Sl 68.20]. Quando o combate é árduo, ele se vale das promessas de Deus e convida outros a fazerem o mesmo. A expressão *segundo tua palavra* [16] é um reconhecimento de que, se ele se apartar da palavra de Deus, não lhe restará nenhuma esperança; mas, como Deus tem afirmado que a vida dos fiéis está em suas mãos e sob a sua proteção, embora o salmista estivesse encerrado como que em um túmulo, ele se consolava com a expectativa de vida.

26. Eu tenho declarado os meus caminhos. Na primeira parte deste versículo, o profeta afirma que orava com sinceridade e que não tinha de forma alguma tinha imitado os arrogantes, que, confiando em sua própria sabedoria, força e opulência, não tornavam a Deus o seu refúgio. Esse homem disse que declarara *a Deus os seus caminhos*, não presumira atentar nem recorrer a coisa alguma além do assistência dEle. E, dependendo totalmente da providência de Deus, ele confia todos os seus planos ao soberano beneplácito de Deus e focaliza todas as suas afeições nEle. Faz tudo isso honestamente, e não como os hipócritas, que professam uma coisa com seus lábios e ocultam outra em seu coração. O salmista adiciona ainda que *fora ouvido* e isso era sobremodo importante para levá-lo a nutrir boa esperança no tocante ao futuro.

Na segunda parte do versículo, o profeta declara solenemente que nada lhe era mais estimado do que a aquisição de uma compreensão genuína da lei. Não são poucos os que fazem seus desejos conhecidos diante de Deus, mas fazem isso para expandir suas paixões extravagantes. Por isso, o profeta afirma que não desejava nada mais que ser *bem instruído nos estatutos de Deus*. Esta afirmação é corroborada pelo versículo seguinte, no qual ele solicita uma vez mais que o conhecimento desses estatutos lhe seja transmitido. Em ambas as passagens, é preciso observar cuidadosamente que, tendo a lei de Deus diante de

---

16 Arnóbio e Agostinho interpretam *tua palavra* como que significando, neste lugar, *tua promessa*. Ver o versículo 28 e Salmos 44.25.

nós, colheremos pouco benefício se apenas lermos e não tivermos seu Espírito como nosso mestre íntimo.

Alguns expositores, em lugar da palavra *meditarei* (conforme traduzi), preferem *rogarei* ou *argüirei*. O termo hebraico שׁוּחַ (*shuach*) é usado para referir-se tanto a palavras quanto a pensamentos. O segundo significado está em mais harmonia com o escopo da passagem. Tomo a essência das palavras do profeta como sendo: Para que eu possa meditar em tuas obras maravilhosas, faze-me entender teus mandamentos. Não teremos qualquer interesse pela lei de Deus, enquanto Ele não santificar nossa mente e não torná-la suscetível de apreciar a sabedoria celestial. Desta falta de interesse emana a indiferença. Portanto, para o mundo é algo doloroso dar atenção respeitosa à lei de Deus, não sentindo nenhum interesse pela admirável sabedoria que ela contém. Com grande propriedade, o profeta ora para que se lhe desse entendimento por meio do dom do conhecimento. Destas palavras somos instruídos que nossa consideração pela lei de Deus e nosso deleite em meditar nela devem crescer em proporção ao espírito de conhecimento que nos foi dado.

28. Minha alma se consome de tristeza. Como um pouco antes ele dissera que sua alma se apegava ao pó, agora, quase no mesmo tom, ele se queixa de que sua alma se consumia de tristeza. Há quem nutra a opinião de que o salmista faz alusão às lágrimas, como se quisesse dizer que sua alma se dissolvia em lágrimas. Mas o significado mais simples é que seu vigor era derramada como água. O verbo está no tempo futuro, contudo denota uma ação contínua. O profeta se assegura de um remédio para a sua dor, se Deus lhe estender a sua mão. Outrora, quando se sentia quase sem vida, ele nutria a expectativa de um vivificação por meio da graça de Deus; agora também, pelo mesmo instrumento, ele nutre a esperança de lhe ser restaurado o vigor, renovado e completo, embora estivesse quase sem aliento. Ele reitera a expressão *segundo tua palavra* porque, sem a palavra de Deus, o seu poder nos proporcionaria pouco conforto. Mas, quando Ele vem em nosso socorro, mesmo quando nossa coragem e força desfaleçam, sua promessa é ricamente eficaz para nos fortalecer.

29. Desvia de mim o caminho da falsidade. Sabendo quão propensa é a natureza humana à vaidade e à falsidade, ele solicita primeiramente a santificação de seus pensamentos, para que não caísse em erro, se fosse emaranhado pelas armadilhas de Satanás. Em seguida, para que pudesse guardar-se da falsidade, ele ora para ser fortalecido com a doutrina da lei. A segunda cláusula do versículo é interpretada de modo variado. Alguns a traduzem *faz com que tua lei me seja agradável*. E, como a lei é desagradável à carne, que a lei subjuga e mantém em sujeição, há boa razão para que Deus seja solicitado a tornar a lei aceitável e agradável a nós. Outros a expõem assim: *tem misericórdia de mim de acordo com a tua lei*, como se o profeta extraísse piedade do próprio manancial, porque Deus, em sua lei, a prometeu aos fiéis. Ambos esses significados me pareceram um tanto forçados. Por isso, sou mais inclinado a adotar outro: *outorga-me gratuitamente a tua lei*. O termo original חנני (*channeni*) não pode ser traduzido de outro modo em latim, senão ; esta é uma expressão insólita e bárbara, admito, mas que pouco me preocupará, contanto que meus leitores compreendam a intenção do profeta.[17] O equivalente é: para ser totalmente cego nada é-nos mais fácil do que ser grandemente enganado pelo erro. E, portanto, a não ser que Deus nos ensine, pelo Espírito de sabedoria, incorreremos em vários erros. O meio de sermos preservados de erros é declarado que consiste no instruir-nos Deus em sua lei.

O salmista faz uso do termo *gratificar*. "De fato, é uma bondade incomparável os homens se deixarem dirigir por tua lei; mas, em conseqüência de tua bondade ser imerecida, não hesito em rogar-te que me admitas como participante desta tua bondade." Se o profeta, que, algum tempo antes, servira a Deus, ao aspirar agora por mais conquistas, não pede que uma medida maior da graça lhe seja dada meritoriamente, mas confessa que ela é o dom gratuito de Deus; então, cai por terra aquele dogma ímpio que se adquire no papado, de que um aumento de graça é dado ao mérito como merecedor dele.

---

17 "On pourroit dire en francois, Donne moy gratuitement." – *fr.* "Em francês, alguém poderia dizer: Dá-me gratuitamente."

30. Tenho escolhido o caminho da verdade. Neste e no versículo seguinte, ele afirma que se sentia tão disposto que nada mais desejava, senão seguir a justiça e a verdade. Portanto, é com grande propriedade que ele emprega o termo *escolher*. O antigo adágio de que a vida do homem está, por assim dizer, em um ponto em que dois caminhos se encontram se refere não simplesmente ao teor geral da vida humana, mas também à ação particular dela. Pois, no mesmo instante em que empreendemos algo, não importa quão pequeno seja, ficamos seriamente perplexos e, como que fugindo de uma tempestade, somos confundidos por conselhos conflitantes. Por isso, o profeta declara que, a fim de seguir constantemente a vereda certa, resolvera e determinara plenamente não abandonar a verdade. Assim, ele notifica que não estava inteiramente isento de tentações, mas as sobrepujava, entregando-se à consciente observância da lei.

A sentença final do versículo, tenho posto teus juízos diante de mim, se relaciona com o mesmo tema. Não haveria nenhuma escolha fixa por parte dos fiéis, a menos que contemplassem firmemente a lei, não permitindo que seus olhos vagueassem ao léu. No versículo seguinte, ele não somente assevera que nutre esta santa afeição pela lei, mas também combina-a com a súplica de que não viesse a envergonhar-se e sentir-se vacilante ante a zombaria dos ímpios, enquanto se dedicava totalmente à lei de Deus. Aqui, ele emprega o mesmo termo que empregou antes, quando disse que sua alma se apegava ao pó. E, ao fazer isso, afirma que tinha levado tão a sério a lei de Deus, que não podia separar-se dela. A sua expressão de medo de se ver envergonhado ou esmagado pelo opróbrio nos ensina que, quanto mais sinceramente uma pessoa se rende a Deus, tanto mais será ela atacada por línguas saturadas de vileza e peçonha.

32. Percorrerei o caminho de teus mandamentos. A intenção do profeta é que, quando Deus o inspirar com o amor por sua lei, ele será vigoroso e disposto — disposto e preparado para não desfalecer em meio ao seu viver. Suas palavras contêm uma admissão implícita da passividade e incapacidade dos homens de fazerem qualquer avanço na prática do bem, enquanto que Deus não dilata seus corações. No mesmo instante em que Deus expande o coração dos homens, eles se sentem preparados para andar e correr no caminho dos mandamentos dEle. O salmista nos lembra que a observância própria da lei consiste não meramente em obras externas – ela demanda obediência voluntária, de modo que o coração deve, até certo ponto e de alguma maneira, dilatar-se a si mesmo. Não que o coração tenha poder auto--determinante de fazer isso, mas, assim que sua dureza e obstinação são subjugadas, ele se move livremente, não sendo mais limitado por sua própria estreiteza. Finalmente, esta passagem nos informa que, quando Deus tiver dilatado nossos corações, não haverá mais falta de poder, porque, juntamente com a afeição própria, Ele dará capacidade, de modo que nossos pés estejam prontos a correr.

[vv. 33-40]
ה Ensina-me, ó Jehovah, o caminho de teus estatutos, e o guardarei até o fim. ה Faz-me entender, e observarei a tua lei, e a guardarei de todo meu coração. ה Dirige-me no caminho de teus estatutos, pois nele meu coração tem prazer. ה Inclina o meu coração aos teus testemunhos e não à cobiça. ה Desvia os meus olhos de ver a vaidade e vivifica-me em teu caminho. ה Confirma a tua palavra a teu servo, que se devota ao teu temor. ה Remove de mim o opróbrio que tanto temo, pois teus juízos são bons. ה Eis que tenho desejo por teus preceitos; vivifica-me em tua justiça.

33. Ensina-me, ó Jehovah, o caminho de teus estatutos. Uma vez mais, ele apresenta a mesma oração que apresentara com freqüência neste Salmo, sendo-nos da máxima importância saber que a coisa primordial em nossa vida consiste em que tenhamos a Deus como nosso soberano. A maior parte da raça humana não pensa nisso como algo que deve rogar a Deus. O Espírito Santo, pois, inculca amiúde este desejo. E devemos conservá-lo sempre em mente, para que não só os inexperientes e incultos, mas também aqueles que têm feito grande progresso não cessem de aspirar maior avanço. E, como o Espírito de entendimento vem do alto, assim eles devem deixar-se guiar, por meio da agência invisível do Espírito Santo, ao conhecimento próprio da lei.

Na segunda sentença do versículo, o profeta realça o tipo particular de doutrina que ele aborda, aquela que, virtual e efetivamente, tende a renovar o coração do homem. Os intérpretes explicam a palavra עקב (*ekeb*) de duas maneiras. Há quem a tome para denotar salário ou recompensa; assim, o significado do salmista seria: depois de haver sido bem instruído, saberei que aqueles que se aplicam à observância de tua lei não labutam em vão; portanto, por causa da recompensa, guardarei os teus mandamentos, persuadido de que nunca decepcionarás teus servos. Outros a traduzem por *até ao fim*, pois aqueles a quem Deus ensina Ele ensina com sucesso, e, ao mesmo tempo, os fortalece, para prosseguirem sua jornada sem sentir lassidão ou langor ao longo do caminho, e os capacita a perseverarem com constância, até que cheguem ao término de seu viver. Estou longe de supor que o salmista não faz aqui uma referência à graça da perseverança. No entanto, que meus leitores considerem se este versículo não pode ser tomado simplesmente como as palavras estão no original. A preposição *até* não é expressa pelo profeta, que apenas diz: *guardarei o fim*. "Senhor, tenho necessidade de instrução constante, para que eu não fracasse, mas mantenha meus olhos continuamente em meu alvo, pois me ordenaste que seguisse teu curso, sob a condição de que somente a morte seria o alvo. A menos que tu me ensines diariamente, esta perseverança não se achará em mim. Mas, se me guiares, estarei em vigilância constante e jamais desviarei os olhos de meu propósito ou alvo." Em minha versão, inseri a redação comumente aceita.

34. Faze-me entender. Aqui somos informados que a verdadeira sabedoria consiste em ser sábio em conformidade com a lei de Deus, para que ela nos preserve no temor e obediência a Ele. Ao pedir que Deus lhe outorgue essa sabedoria, ele reconhece que os homens, em decorrência de sua cegueira natural, almejam tudo, menos isso. E, de fato, envidar esforços em guardar a lei de Deus é muito estranho às noções geralmente prevalecentes entre os homens. O mundo estima como sábios somente aqueles que visam a seus próprios interesses, que são argutos e sagazes em questões temporais e que, inclusive, excedem na arte de lograr os simples. Em oposição a esse sentimento, o profeta denuncia os homens como sendo destituídos de entendimento, enquanto o temor de Deus não predomina entre eles. Pois ele mesmo não pede nenhuma outra prudência, senão a de ver-se cercado inteiramente pela orientação divina. Ao mesmo tempo, ele reconhece que este é um dom especial de Deus, o qual ninguém pode granjear por seu próprio poder ou habilidade, pois se cada um estivesse preparado para ser seu próprio mestre nesta matéria, esta petição seria supérflua.

Além do mais, como a observância da lei não é uma ocorrência comum, ele emprega dois termos em referência a ela. "Senhor, é algo muito elevado e difícil guardar tua lei estritamente como se deve, o que demanda de nós pureza acima do que somos capazes de alcançar; no entanto, dependendo da iluminação celestial de teu Espírito, não cessarei de me esforçar em guardá-la." Mas estas palavras tornam o sentido mais claro: "Dá-me entendimento para guardar e observar a tua lei de todo meu coração". Faz-se menção a *todo o coração*, para informar-nos quão longe estão da retidão da lei aqueles que só lhe obedecem na letra, não fazendo nada digno de culpa aos olhos dos homens. Deus põe restrição principalmente no coração, para que floresça ali a retidão genuína, cujos frutos aparecem mais tarde na vida. Esta observância espiritual da lei é uma evidência mui convincente da necessidade de ser divinamente preparado e moldado para ela.

35. Dirige-me no caminho. Não se deve considerar a freqüente repetição que o profeta faz desta linguagem como sendo redundante. Visto que o fim da existência do homem deve consistir em ser proficiente na escola de Deus. No entanto, percebemos como o mundo o distrai com suas fascinações e como ele também cria para si mesmo milhares de avocações destinadas a afastar seus pensamentos da principal atividade desta vida. A sentença seguinte do versículo, *nele meu coração tem prazer* deve receber atenção especial. Ela é uma indicação de rara excelência, quando uma pessoa dispõe de tal modo seus sentimentos e afeições que chega a renunciar todos os entretenimentos prazerosos da carne e não se deleita em nada mais do que o serviço de Deus. O profeta já havia alcançado essa virtude, mas percebe que ainda não atingira a perfeição. Por isso, para que seu desejo seja plenamente concretizado, ele solicita nova assistência de Deus, em conformidade com o dito de Paulo: "Deus é quem efetua em vós tanto o querer como o realizar segundo a sua boa vontade" [Fp 2.13]. Devemos ter em mente que ele não se gloria na operação inerente de sua natureza, mas exibe a graça que recebera, para que Deus complete a obra que começara. "Senhor, tu me tens dado coragem, concede-me também força." Por isso, no termo *prazer* há uma oposição implícita às luxúrias da carne, as quais conservam o coração da raça humana agrilhoada aos seus encantos.

36. Inclina meu coração. Neste versículo, ele confessa que o coração humano está tão longe de render-se à justiça de Deus, que se inclina muito mais a seguir um curso oposto. Fôssemos nós, natural e espontaneamente, inclinados à retidão da lei, não haveria ocasião para a súplica do salmista: *inclina meu coração*. Nossos corações se acham saturados de pensamentos pecaminosos e totalmente rebeldes, enquanto Deus, por sua graça, não os transforma. Não se deve ignorar esta confissão da parte do profeta: que a corrupção natural do homem é tão profunda, que ele busca qualquer coisa, menos o que é certo, até que se converta, pelo poder de Deus, a uma nova obediência e, assim, comece a inclinar-se para aquilo que é bom.

Na segunda cláusula do versículo, o profeta aponta aqueles impedimentos que não permitem a raça humana alcançar o desejo por retidão; os homens são inclinados à cobiça. Por meio de uma figura de linguagem,[18] na qual uma parte é apresentada em lugar do todo, a espécie, em lugar do gênero. O termo hebraico בצע (*batsang*) significa *violência*, ou *cobiçar*, ou *defraudar*. Mas cobiça está em concordância com o espírito da passagem, se admitimos que o profeta selecionou esta espécie: "a raiz de todos os males", para demonstrar que nada é mais oposto à retidão de Deus [1Tm 6.10]. Aqui somos instruídos, em

---

18 Per Synecdochen.

termos gerais, que vivemos tanto sob a influência das afeições perversas e pecaminosas, que nosso coração odeia estudar a lei de Deus, até que este nos inspire com o desejo por aquilo que é bom.

37. Desvia os meus olhos. Estas palavras nos ensinam que todos os nossos sentidos se acham tão saturados de vaidade, que, até serem refinados e retificados, sua alienação do caminho da retidão já não é mais surpresa. No versículo anterior, o salmista nos informou sobre o domínio daquela depravação do coração humano; agora ele afirma que essa depravação atinge os sentidos externos. "A cobiça não somente se esconde em nosso coração, mas também se difunde por todas as partes, de modo que nem olhos, nem ouvidos, nem pés, nem mãos escapam à danosa influência da cobiça; numa palavra, nada fica isento de corrupção." E temos plena consciência de que a culpa do pecado original não se confina a uma só faculdade do homem; ela permeia toda o homem. Se nossos olhos se desviarem da vaidade, pela graça especial de Deus, segue-se que, tão logo eles são abertos, são atacados pelas imposturas de Satanás, pelas quais eles estão cercados de todos os lados. Se Satanás nos armasse redes, e possuíssemos prudência suficiente para guardar-nos de seus embustes, não poderia ser dito, com propriedade, que Deus desvia nossos olhos da vaidade. Todavia, como eles são, por natureza, dados às fascinações pecaminosas, há necessidade de que sejam afastados delas. Com freqüência, quando abrimos nossos olhos, não devemos esquecer que dois portões estão abertos para o acesso do diabo em nossos corações, a menos que Deus nos guarde por seu Espírito Santo. As observações que o salmista faz em referência aos olhos são igualmente aplicáveis aos demais sentidos, visto que uma vez mais ele emprega aquela figura de linguagem pela qual uma parte é tomada em lugar do todo.

A outra sentença do versículo corresponde bem ao significado aqui expresso. Outros podem propor diferentes interpretações; contudo, creio que esta é a mais natural: Senhor, visto que toda a humanidade está sob maldição, enquanto empregam suas faculdades na prática de pecado, concede que o poder que possuo aspire nada mais do que a retidão que nos designaste. Para expressar isso mais claramente, devemos estabelecer isto como princípio fundamental: ver, ouvir, andar e sentir são dons preciosos de Deus; nosso entendimento e vontade, com que somos munidos, constituem um dom ainda mais valioso; e, acima de tudo, não há nenhuma visão, nenhum movimento dos sentidos, nenhum pensamento da mente que não esteja mesclado com erros e depravação. Sendo este o caso, o profeta, com boas razões, se rende inteiramente a Deus, para a mortificação da carne, a fim de que comece a viver outra vez.

38. Confirma a tua palavra a teu servo. Aqui, apresentamos sucintamente o único fim e uso legítimo da oração, ou seja, que possamos colher os frutos das promessas de Deus. Disso concluímos que comete pecado quem nutre desejos vagos e incoerentes. Pois notamos que o profeta não permite a si mesmo o pedir ou desejar algo além daquilo que Deus condescendeu prometer. E, certamente, é grande a presunção daqueles que se lançam à presença de Deus sem qualquer consideração por sua palavra; como se O tornasse subserviente aos gostos e caprichos deles. Merece observação o argumento com o qual o salmista reforça sua súplica: *que se devota ao teu amor*. O relativo אשר (*asher*), assume neste lugar a significação de conjunção causal: *porque* ou *pois*. O profeta notifica que não se contenta com mero gozo temporal, como o fazem as pessoas mundanas, que não comete um abuso insensato das promessas de Deus, para assegurar os deleites da carne, e faz do temor e da reverência a Deus o seu alvo. Realmente, a melhor segurança que podemos ter na obtenção de nossos pedidos é quando estes e o culto prestado a Deus se harmonizam, e o nosso único desejo é que Ele reine em e sobre nós.

39. Remove de mim o opróbrio. Não é certo a que opróbrio ele se refere. Sabendo que muitos caluniadores estavam de espreita, para achar ocasião de injuriá-lo, e que tudo faziam para apanhá-lo em algum escândalo, não é sem razão que ele temia que pudesse cair em tal desgraça, e isso, por sua própria falha. Talvez ele estava apreensivo sobre algum outro opróbrio, ciente de que os perversos geralmente caluniavam de modo vergonhoso e prejudicial os bons e de que, por suas calúnias, distorciam e pervertiam suas boas ações. A sentença conclusiva *porque os juízos de Deus são bons* é a razão por que Deus silenciaria as línguas enganadoras, que derramavam o veneno de sua malícia, sem impedimento, contra o inocente que observa reverentemente a sua lei. Caso alguém se incline a considerar a palavra *opróbrio* como que dirigida contra Deus mesmo, esse tipo de interpretação não é, de modo algum, objetável: que o profeta, cujo alvo era manter sua vida aprovada à vista de Deus, desejava meramente, quando comparecia diante do tribunal de Deus, não ser julgado como um réprobo; como se, com grande zelo e magnanimidade, desprezasse toda conversa fútil dos homens do mundo, se permanecesse íntegro aos olhos de Deus. Acima de tudo, os homens santos passam a temer o opróbrio de serem cobertos de vergonha ante o tribunal de Deus.

40. Eis que tenho desejo por teus preceitos. Esta é uma repetição do que ele declarara um pouco antes a respeito da sua piedosa afeição e de seu apreço por retidão; e que nada lhe faltava, exceto que Deus completasse a obra que havia começado. Se esta interpretação for admitida, então ser vivificado na *justiça de Deus* equivalerá a ser vivificado no caminho. O termo é, às vezes, expresso neste Salmo em relação à lei de Deus ou à regra de uma vida justa. Este ponto de vista tende a harmonizar as duas partes do versículo. "Senhor, esta é, no momento, uma notável bondade que me fizeste, inspirando-me desejo com santo de guardar a tua lei; no entanto, uma coisa é necessária: que esta mesma virtude permeie toda minha vida." Mas, como a palavra *justiça* é ambígua, meus leitores podem, se preferir, entendê-la assim: Restaura-me, defende-me e sustenta-me por amor de tua bondade, que costumas demonstrar em favor de todo o teu povo. Já ressaltei que exposição prefiro.

[vv. 41-48]
1 E que as tuas misericórdias me alcancem, ó Jehovah, e a tua salvação, segundo a tua palavra. 1 E darei uma resposta àquele que me repreende, porque tenho confiado em tua palavra. 1 E não afastes de minha boca,

por muito tempo, a palavra da verdade, porque espero por teus juízos. ˥ Sempre guardarei a tua lei, para sempre e eternamente. ˥ E andarei tranqüilamente,¹⁹ porque tenho buscado os teus estatutos. ˥ Falarei dos teus testemunhos diante de reis, e não me envergonharei. ˥ E me deleitarei em teus mandamentos, os quais tenho amado. ˥ Erguerei minhas mãos para os teus estatutos, os quais tenho amado, e meditarei em teus preceitos.

41. E que as tuas misericórdias me alcancem. Não pode haver dúvida de que, ao mencionar as *misericórdias de Deus*, antes e depois da *sua salvação*, o salmista, segundo a ordem natural, põe a causa antes do efeito. Ao adotar esse arranjo, ele reconhece que não há salvação para ele senão na misericórdia de Deus. Enquanto deseja uma salvação gratuita, ao mesmo tempo confia na promessa, como já vimos em outra parte.

No segundo versículo, ele se gloria no fato de que está munido da melhor defesa contra as calúnias de seus inimigos, oriunda de sua confiança na palavra de Deus. Podemos decompor o tempo futuro no modo optativo como muitos o fazem: "Ó Senhor, visto que *tenho confiado em tua palavra*, concede que minha boca rejeite, com toda ousadia, as calúnias que pronunciam contra mim, e não permitas que me mantenha em silêncio, quando me cumulam com opróbrio imerecido". Seja qual for desses significados o que adotarmos, somos ensinados que sempre haverá maledicentes que não cessarão de difamar os filhos de Deus, embora sejam totalmente imerecedores desse tratamento. É um tanto duvidoso que tipo particular de opróbrio ele tinha em mente, pois os ímpios não só cobrem os filhos de Deus com ignomínia, mas também fazem da fé que eles possuem tema de zombaria. Prefiro a interpretação que apresento em seguida, porque se harmoniza melhor com o contexto, e Davi está depositando sua confiança em Deus, em oposição ao menosprezo deles. "Terei o que responder ao vil desdém dos inimigos que me injuriam sem causa, dizendo-lhes que Deus nunca desaponta aqueles que depositam nEle sua confiança." Se alguém sentir vontade de considerar a passagem como que abrangendo ambos os

---

19 "Au large." – *fr.*

significados, não faço objeção a isso. Além disso, ele diz não somente que confiava em Deus, mas também que confiava em sua palavra, que é a base da sua confiança. Devemos atentar cuidadosamente à correspondência e relação mútua entre o termo *resposta*, na primeira parte do versículo, e o termo *palavra* na outra parte. Não houvera Deus, por sua Palavra, nos munido com outra palavra para nossa defesa, seríamos constantemente esmagados pela insolência de nossos inimigos. Se desejamos ser provados contra os ataques do mundo, o princípio e o fundamento de nossa magnanimidade é aqui realçado – nossa confiança na palavra de Deus, guardados pela qual o Espírito de Deus nos convoca a desprezarmos ousadamente as perniciosas blasfêmias dos ímpios. E, para qualificar-nos a repelir tais blasfêmias, o salmista conecta a palavra de esperança com a palavra de confissão.

43. E não afastes de minha boca, por muito tempo, a palavra da verdade.[20] É possível formular a pergunta: por que ele demanda primeiramente que sua língua esteja saturada, e não que seu coração seja fortificado pela *palavra da verdade*, visto que a segunda assume a precedência, tanto no aspecto de ordem como no de excelência? De que nos adiantará ter uma língua fluente e eloqüente, se nosso coração estiver destituído de fé? Em contrapartida, sempre há firmeza de fé quando a língua também flui espontaneamente. Minha resposta é que Davi não estava tão preocupado com a confissão externa, a ponto de não dar preferência à fé do coração. Contudo, levando em conta que ele estava falando com Deus, não há nada estranho em fazer menção só da primeira, sob a qual inclui também a segunda. "Senhor, sustenta meu coração com fé, para que não seja eu esmagado pelas tentações,

---

20 "*Não afastes*. Este versículo parece admitir uma das duas seguintes interpretações: Não permitas que eu desista totalmente de fazer uma profissão pública da verdadeira religião, pois espero por tuas promessas. Ou: Não permitas que eu seja repreendido com falsidade (por ter asseverado que tomarias vingança contra os perversos), pois tenho contemplado teus juízos, isto é, teus juízos penais. Calvino favorece a primeira interpretação; Le Clerc, a segunda" – *Cresswell*. Walford entende por *palavra* a resposta que o salmista tinha de dar às acusações de seus inimigos e observa: "Ele declara ser plenamente verdadeira a resposta que comprovava sua inocência dos erros de que o acusavam e roga a Deus que seja seu Juiz, não permitindo que ele fosse privado do benefício daquela resposta e pronunciando uma sentença justa entre eles".

mas concede-me também a liberdade da expressão vocal, para que eu faça soar destemidamente teus louvores entre os homens." Observemos que, ao rogar que fosse revestido de ousadia no falar, ele começa com o coração.

Aqui, também pode se perguntar por que ele diz *por muito tempo*, como se não temesse ser privado da palavra da verdade por pouco tempo? Tal suposição é extremamente absurda, já que devemos vigiar a todo instante, para não sermos assaltados pelo inimigo, quando nos sentimos desarmados e impotentes. A solução desta dificuldade deve ser extraída de nossa própria experiência. Pois, na enfermidade de nossa carne, é quase impossível isso não acontecer, uma vez que, ocasionalmente, até o coração mais robusto desfalecerá sob os violentos ataques de Satanás. Embora a fé dos corações robustos não desfaleça, ela estremece e não encontra aquela presença de espírito com a qual podem constantemente ter um fluxo invariável de linguagem e uma resposta imediata aos escárnios dos ímpios. Antes, começam a cambalear e a tremer por pouco tempo.

Cônscio de sua fraqueza, que é perceptível em todo o gênero humano, o salmista acomoda sua oração à seguinte forma: "Ainda que nem sempre eu esteja preparado com aquela ousadia de linguagem que é tão desejável, não consigo manter silêncio por mais tempo". Com esta linguagem, o profeta admite tacitamente que não fora tão firme e ousado como se esperava e que fora, por assim dizer, dominado pela mudez por causa do temor. Disso podemos aprender que a faculdade de falar espontaneamente não está em nosso poder, assim como não o estão as afeições do coração. Quando Deus dirige nossa língua, ela está preparada para a expressão imediata. Todavia, logo Ele subtrai o espírito de magnanimidade, nosso coração desfalece (ou falha) e nossa língua fica muda. A causa disso é acrescentado nestas palavras: *porque espero por teus juízos* é assim que ele se expressa literalmente. Disso concluímos que o termo se refere não somente aos preceitos da lei, mas também às promessas, que constituem o verdadeiro fundamento de nossa confiança. Alguns traduzem a cláusula assim: *eu tinha medo de teus juízos*, derivando a palavra aqui empregada do radical חוּל (*chul*). Não me vejo em condição de afirmar se essa tradução é ou não apropriada. Mas estou certo disto: entender como equivalente a *castigos* é totalmente estranho ao desígnio do profeta.

44. Sempre guardarei a tua lei. Ele decide devotar-se ao estudo da lei, não por um breve tempo, mas até ao término de sua vida. O emprego de três palavras sinônimas: תָּמִיד (*tamid*), עוֹלָם (*olam*), עַד (*ed*), em vez de ser considerado um acúmulo supérfluo de termos, contém uma indicação implícita de que, se os fiéis não fizerem extrema e firme oposição, o temor de Deus poderá ser gradualmente apagado da mente deles por várias tentações; e perderão a afeição que nutrem pela lei. Portanto, a fim de que estejam mais bem preparados para enfrentar essas provações, o salmista alude à dificuldade e risco conectados a elas.

O versículo seguinte pode ser lido como que expressando o desejo de que ele pudesse andar. Seja o que for, retemos a redação comumente aceita: que Davi exulta ante o pensamento de seu caminho tornar-se plano e fácil, em conseqüência de sua diligência em buscar os preceitos de Deus, isto é, *andar tranqüilamente*. Os caminhos dos homens são, com freqüência, ásperos e cheios de obstáculos, porque eles mesmos entulham seus caminhos com vários empecilhos ou se emaranham em sinuosidades inextricáveis. Disso resulta que, embora ninguém se submeta à palavra de Deus como sua norma, cada pessoa suporta o castigo devido legitimamente a tal arrogância. Deus nos arma redes de todos os lados, põe armadilhas em nosso caminho, nos faz andar com passos trôpegos e incertos e, por fim, nos encerra num abismo profundo. E, quanto mais sagaz for um homem, tanto mais ele se deparará com obstáculos em seu caminho.

Este versículo nos ensina que, se alguém render obediência implícita a Deus, receberá isto como recompensa: andará com uma mente calma e lúcida. E, se ele se deparar com dificuldades, achará os meios de superá-las. Os fiéis, embora se entreguem pronta e submissamente a Deus, talvez se verão envolvidos em perplexidades. No entanto, o fim contemplado por Paulo se concretiza: embora sejam atribulados e enfrentem dificuldades, não prosseguirão em angústia irremediável, porque o ofício (por assim dizer) de Deus é apontar-lhes um caminho onde parece não haver nenhum caminho (2Co 4.8). Além do mais, quando são cruelmente oprimidos, caminham tranqüilamente, porque entregam a Deus os duvidosos resultados dos eventos, de tal maneira que, tendo-O por seu guia, não nutrem dúvida de que, por fim, sairão com ousadia dos abismos da angústia.

46. Falarei dos teus testemunhos diante dos reis.[21] Nestas palavras, o salmista parece acreditar que estava de posse daquilo pelo que orara anteriormente. Tendo dito: "Não retires a palavra de minha boca", agora, como se houvesse obtido o que pedira, ele se ergue e afirma que não manterá silêncio, mesmo que seja convocado a falar na presença de reis. Não pode haver dúvida de que ele afirma que se poria espontaneamente em defesa da glória de Deus, diante do mundo inteiro. Ele escolhe reis, os quais geralmente infligem mais medo do que os homens comuns e fecham arrogantemente a boca das testemunhas de Deus. De fato, às vezes ocorre que não permanecemos firmes nem mesmo na presença de homens de condições mais humildes. No momento em que um homem se põe em oposição à palavra de Deus, nos retraímos instintivamente, com medo. E aquela ousadia de linguagem, da qual a princípio nos vangloriamos, desaparece de repente. Mas nossa falta de coragem é mais palpável quando somos intimados a comparecer perante os reis. Esta é a razão por que Davi assevera que se manterá resoluto contra os inimigos dentre os homens plebeus, mas também permanecerá firme e destemido diante dos próprios reis. Estas palavras nos informam que tiramos bom proveito da palavra de Deus,

---

21 "O Dr. Delaney presume que isto é dito em referência ao rei Aquis de Gate, a quem Davi instruíra na religião judaica; porém já vimos que mais provavelmente este Salmo foi composto sob o cativeiro babilônico. Mas as palavras podem, com mais propriedade, referir-se ao caso de Daniel e de outros israelitas ousados e fiéis que falaram corajosamente diante de Nabucodonosor, Belsazar e Dario. Ver os livros de Daniel, Esdras e Neemias" – *Dr. Adam Clarke*.

quando nosso coração é plenamente fortificado contra o medo do homem; que não tememos a presença de reis, mesmo quando o mundo inteiro tenta encher-nos de angústia e desfalecimento. É sobremodo inconveniente que a glória de Deus seja obscurecida pelo esplendor fútil dos reis.

47. E me deleitarei. O sentimento contido neste versículo se assemelha àquele que o profeta mencionara antes. E equivale a isto: ele tinha os mandamentos de Deus em tão elevada estima, que não experimentava nada mais agradável do que fazer deles seu constante tema de meditação. Com o termo *deleitar,* ele expressa a intensidade de seu amor. A expressão *erguerei minhas mãos* aponta à mesma coisa. É uma indicação certa de que desejamos ardentemente algo, quando estendemos as mãos para apanhá-lo e desfrutá-lo. Este símile, pois, denota o ardor dos desejos do salmista.[22] Se alguém, de iniciativa própria, pretende demonstrar afeição pela lei de Deus, mas não demonstra respeito para com ela nas atividades da vida, será culpado da mais vil hipocrisia. Além disso, o salmista afirma que tal afeição, tão sincera e ardente, emana da doçura da lei de Deus, que entrelaça nosso coração com ela. Finalmente, ele diz: *meditarei em teus preceitos.* Fazendo coro com a maioria dos comentaristas, não tenho dúvida de que a palavra שׂוּחַ *(shuach)* denota aquela contemplação silenciosa e secreta na qual os filhos de Deus se exercitam.

[vv. 49-56]
ז Lembra-te da tua palavra dada a teu servo, na qual o fizeste esperar. ז
Esta é minha consolação em minha aflição: tua palavra me vivifica. ז Os soberbos têm zombado grandemente de mim; não me tenho desviado da tua lei. ז Trouxe à mente teus juízos de outrora, ó Jehovah, e me consolei. ז O terror se apoderou de mim, porque os perversos esqueceram a tua lei. ז

---

22 *"Erguer as mãos* é usado na Escritura para denotar, primeiramente, *o ato de orar* [Sl 28.2; Lm 2.19; 1Tm 2.8]; segundo,o *de abençoar* [Lv 19.22; Sl 22.4]; terceiro, o *de jurar* [Gn 14.22; Dt 32.40; Sl 106.26; Ez 36.7; Ap 10.5]; e, quarto, o de *começar a realizar alguma coisa* [Gn 41.44; Sl 10.12; Hb 12.12]. Entretanto, Aben Ezra explica (e talvez corretamente) que a metáfora, neste lugar, é tomada da ação dos que recebem uma pessoa e, por verem-na, ficaram tão alegres e orgulhosos, a ponto de levantarem as mãos" – Cresswell. Merrick explica assim a frase: "Estenderei minhas mãos com avidez, a fim de receber teus mandamentos".

Teus estatutos têm sido os meus cânticos na casa de minha peregrinação. † À noite, me lembrei do teu nome, ó Jehovah, e guardo a tua lei. † Isto me aconteceu porque tenho guardado os teus estatutos.

49. Lembra-te da tua palavra. Ele ora para que Deus realmente cumpra o que prometera, pois o acontecimento prova que Ele não esquece sua palavra. Ele está falando das promessas, inferimos isso do final do versículo, onde ele declara que lhe foi dado motivo de esperança, a qual não pode existir, se a graça não a acompanhar. No segundo versículo, o salmista assevera que, embora Deus o mantivesse em suspense, ele descansa com confiança na palavra dEle. Ao mesmo tempo, o salmista nos informa que, durante suas tribulações e ansiedades, não saiu em busca de vãs consolações, como o mundo costuma fazer, pois lança os olhos em todos as direções em busca de algo para amenizar suas misérias. E, se alguma fascinação atiça suas fantasias, fazem uso dessas coisas como antídoto para aliviar suas dores. Ao contrário, o profeta diz que estava satisfeito com a própria Palavra de Deus e que, ao falharem todos os demais refúgios, ele achava na Palavra vida plena e perfeita. No entanto, ele confessa francamente que, se não tomasse posse da coragem oriunda da palavra de Deus, se tornaria como um homem morto. Os ímpios podem experimentar, às vezes, enlevo de espírito durante suas misérias, porém são totalmente destituídos deste fortalecimento interior da mente. O profeta tinha boas razões para declarar que. no tempo de aflição, os fiéis experimentam ânimo e vigor somente na palavra de Deus, que os inspira com vida. Portanto, se meditarmos cuidadosamente em sua palavra, viveremos, mesmo em face à morte, e nunca nos depararemos com uma aflição tão intensa, que a Palavra de Deus não possa nos dar um remédio para ela. E, se ficarmos destituídos de consolação e socorro em nossas adversidades, a culpa será de nós mesmos, porque, ao desprezarmos ou ignorarmos a palavra de Deus, nos enganamos intencionalmente com vã consolação.

51. Os soberbos têm zombado grandemente de mim. Este exemplo é muitíssimo útil, pois serve para informar-nos que, embora nossa honestidade se torne ofensiva aos insultos dos ímpios, devemos, por nossa constância resoluta, repelir o orgulho deles, a fim de que não venhamos a nutrir aversão pela lei de Deus. Muitos que, em outros aspectos, deviam dispor-se a temer a Deus, cedem a essa tentação. A terra sempre esteve cheia de ímpios desprezadores de Deus; e, em nossos dias, ela está quase coberta por eles. Por isso, se não menosprezarmos suas injúrias, não haverá estabilidade em nossa fé. Ao chamar os incrédulos de *soberbos*, ele lhes aplica uma designação mui apropriada, pois a sabedoria deles consiste em desprezar a Deus, estimando levianamente seus juízos, pisoteando toda piedade e, em suma, lançando desdém sobre o reino celestial. Não estivessem cegos pelo orgulho, não seguiriam um curso tão precipitado. É mister que interpretemos as palavras nestes termos: Ainda que os soberbos me tenham tratado com escárnio, não me desviarei da tua lei.

Não devemos ignorar a partícula *tanto* ou *grandemente*, que implica achar-se o salmista perturbado pelos ímpios, não meramente em alguma ocasião ou por breve tempo, mas que o ataque era contínuo, dia após dia. Aprendamos destas palavras que os perversos, em decorrência de constituírem a grande maioria da raça humana, arrogam para si liberdade irrestrita. O número dos piedosos que cultuam a Deus reverentemente é sempre diminuto. Por isso, devemos resistir a uma enorme multidão e turba de ímpios, caso queiramos manter nossa integridade.

52. Trouxe à mente teus juízos de outrora, ó Jehovah. Neste Salmo, os *juízos de Deus* geralmente são tomados por seus estatutos e decretos, isto é, sua justiça.[23] Neste lugar, em decorrência da frase qualificadora (*de outrora*), é mais provável que a referência seja aos exemplos pelos quais Deus se fez conhecido como o justo Juiz do

---

[23] "As Escrituras, como um genuíno espelho, exibem a justiça de Deus na punição dos pecadores e sua bondade, em outorgar justiça" – *Dimock*.

mundo. Por que ele diz que a lei de Deus existiu desde a eternidade? Isso pode ser explicado, em certa extensão, com base no fato de que a justiça aqui mencionada não é um desenvolvimento recente, e sim uma justiça verdadeiramente eterna, porque a lei escrita é apenas uma atestação da lei da natureza, por meio da qual Deus nos traz à memória aquilo que já gravou anteriormente em nosso coração.

Sinto-me inclinado a adotar outra interpretação: Davi recordava os juízos de Deus, pelos quais Ele testificava que havia estabelecido sua lei perpetuamente no mundo. Esse estabelecimento da lei é muito necessário para nós, visto que, quando Deus não desnuda seu braço, sua palavra produz pouca impressão. Mas, quando Ele toma vingança contra os ímpios, confirma o que já havia falado. E esta é a razão por que na lei civil as penalidades são chamadas de confirmações. O termo se harmoniza melhor com os juízos de Deus, pelos quais Ele estabelece a autoridade de sua lei, como se uma verdadeira demonstração acompanhasse suas palavras. E, visto que o salmista declara haver trazido à mente os juízos antiqüíssimos de Deus, é-nos mister aprender que, se os juízos de Deus não são exibidos tão amiúde quanto desejamos, para o fortalecimento de nossa fé, isto se deve a nossa ingratidão e apatia. Pois outrora havia falta de demonstrações mais claras para este propósito. Assim, é possível afirmar com plena verdade que os juízos de Deus fluíam de uma maneira contínua nos tempos antigos e que a razão por que não os temos percebido agora se deve ao fato de que não condescendemos em abrir os olhos e contemplá-los.

Se porventura alguém objetar, dizendo que propiciar-nos consolação é contrário à natureza dos juízos de Deus, porque eles são planejados, antes, para ferir-nos com terror, a resposta é imediata – os fiéis tremem de pavor ante os juízos de Deus, porquanto este é um requisito para a mortificação de sua carne. Em contrapartida, estes juízos suprem aos fiéis grande fonte de consolação, com base no fato de aprenderem deles que Deus exerce sua providência superintendente sobre a raça humana. Além do mais, aprendem que, depois de haverem os ímpios se regozijado em licenciosidade por algum tempo, por fim se apresentarão ante o tribunal de Deus, enquanto eles mesmos, os fiéis, depois de haverem combatido pacientemente sob o comando desse Guardião de seu bem-estar, não podem nutrir dúvidas sobre a sua preservação.

53. O terror se apoderou de mim.[24] Este versículo pode ser entendido em dois sentidos: ou que o profeta se sentira gravemente aflito, quando viu a lei de Deus sendo violada pelos perversos, ou que ele se sentira aterrorizado ante o pensamento de sua perdição. Alguns o traduziriam por *ardor*, o que não se harmoniza apropriadamente com a natureza da passagem. Portanto, insisto no termo *temor*, que creio ressalta o ardente zelo do salmista, zelo que se expressava no fato de que ele estava profundamente entristecido por causa das transgressões da lei e tinha aversão extrema pela ousadia ímpia dos que davam pouco valor à lei de Deus.

Ao mesmo tempo, é digno de nota que os fiéis não acham um novo motivo de ofenderem-se, quando pessoas se desvencilham do jugo de Deus e hasteiam a bandeira da rebelião contra ele. Repito que isso merece atenção, porque muitos extraem da degeneração da idade pretextos insensatos e frívolos para isso, como se necessitassem uivar enquanto vivem entre os lobos. Nos dias de Davi, notamos que houve muitos que apostataram da fé. Mas, apesar disso, ele estava tão longe de sentir-se desencorajado ou desfalecido por essas coisas, que o temor de Deus, ao contrário, acendeu em seu coração uma santa indignação. O que devemos fazer quando nos encontramos cercados por maus exemplos, senão que disputemos uns com os

---

24 A palavra hebraica usada aqui e traduzida por *terror* é זלעפה (*zalaphah*); ela é entendida como que se referindo ao vento que cresta ou abrasa, chamado *Simoom*, bem conhecido das nações orientais. Conseqüentemente, Michaelis o traduz: "Um vento oriental mortífero se assenhoreia de mim". Cocceius o traduz: "O horror, como uma tempestade, se apodera de mim". "O escritor sagrado", diz ele, "representa a veemente comoção de sua mente como algo semelhante a uma violenta comoção na atmosfera". Segundo Dimock, זלעפה denota, neste lugar, a *febre ardente* ocasionada pelos ventos pestilentos do oriente. A palavra ocorre somente três vezes na Escritura: aqui, em Salmos 11.6 e Lamentações 5.10. Nossos tradutores verteram-na em Salmos 11.7 por *tempestade* e em Lamentações 5.10, na margem, no plural, por *terrores* ou *tempestades*. Ver vol. i. p. 168, nota.

outros para manter esses exemplos em aversão? Aqui está implícito um contraste, embora não diretamente expresso, entre a unção lisonjeira que aplicamos a nós mesmos, crendo que tudo que é comum é lícito, e o horror com que o profeta nos informa se viu dominado. Se os perversos se opõem a Deus, arrogantemente e sem restrições, em decorrência de não sermos sensíveis aos juízos dEle, convertemos isso numa ocasião de confiança perversa e insensibilidade. Ao contrário, o profeta assevera que fora tomado de horror, porque, embora de um lado considerasse a longanimidade de Deus, do outro lado estava plenamente persuadido de que, mais cedo ou mais tarde, seria merecedor de punição.

54. Teus estatutos têm sido os meus cânticos.[25] Ele repete em diferentes palavras o que mencionara antes: a lei de Deus era seu único ou especial deleite durante toda a sua vida. Cantar é uma indicação de júbilo. Os santos são peregrinos neste mundo e devem ser considerados como filhos de Deus e herdeiros do céu, com base no fato de que são peregrinos na terra. Por isso, *a casa de minha peregrinação* deve subentender a jornada do salmista ao longo da vida. Uma circunstância merece observação particular: Davi, durante seu afastamento de seu país, não cessou de extrair consolação da lei de Deus, em meio às suas dificuldades; ou melhor, ele não deixou de obter um gozo que se era superior a toda tristeza que seu banimento lhe ocasionara. Davi possuía uma espécie nobre de virtude rara, pois, quando lhe era negado a visão do templo, e não podia aproximar-se dos sacrifícios, e se via privado das ordenanças da religião, ele nunca se afastava do seu Deus. A expressão *a casa de minha peregrinação* é empregada para reforçar a conduta de Davi, que, ao ser banido de seu país, ainda retinha a lei de Deus profundamente gravada em seu coração; e, em meio à severidade daquele exílio, que visava esmorecer-lhe o espírito, sua alegria era meditar na lei de Deus.

---

25 "Nos tempos primitivos, era costume versificar as leis, para que o povo pudesse aprendê-las de coração e a cantá-las." – *Williams*.

55. À noite, me lembrei do teu nome, ó Jehovah. Como a segunda sentença do versículo depende da primeira, considero todo o versículo como a demonstrar uma e a mesma verdade; por isso, o profeta tem em mente que fora induzido, pela lembrança que mantinha de Deus, a guardar a lei. O menosprezo da lei se origina disto: poucos nutrem alguma consideração por Deus. Por isso, a Escritura, ao condenar a impiedade dos homens, declara que eles *se esqueceram de Deus* [Sl 1.22; 78.11; 106.21]. Para corrigir isso, Davi nos exorta que a lembrança de Deus é o único remédio que nos preserva no temor e de Deus na observância à sua lei. Indubitavelmente, quanta mais a majestade de Deus ocorrer à nossa mente, tanto mais ela tenderá a humilhar-nos. E, cada vez que pensarmos nessa majestade, ela nos estimulará a cultivarmos a piedade. A palavra *noite* não é usada pelo salmista para significar a lembrança de Deus simplesmente por um breve momento, e sim uma lembrança perpétua dEle. No entanto, ele se refere àquele tempo em particular, porque quase todos nossos sentidos são dominados pelo sono. "Quando outras pessoas estão dormindo, Deus visita meus pensamentos durante meu sono." Ele tem outra razão para referir-se à noite: sejamos informados de que, embora não houvesse ninguém a observá-lo e ninguém a trazê-lo a essa recordação – sim, embora estivesse envolto em trevas –, estava solícito em nutrir a recordação de Deus, como se ocupasse um lugar público e notório.

56. Isto me aconteceu. Não tenho dúvida de que o profeta, sob o termo זאת (*zoth*) compreende todos os benefícios divinos. Todavia, como ele chega diante de Deus em razão das bênçãos que desfrutava, fala como se estivesse apontando para elas. Daí, sob esse termo está incluso o reconhecimento de todos os benefícios com que fora cumulado; ou ele declara que Deus dera testemunho, por algum livramento magistral, da integridade de sua conduta. O salmista não se gaba de merecer alguma coisa, como fazem os fariseus de nossos dias que, quando acham na Escritura com alguma assunto desse tipo, pervertem-na para provar o mérito das obras. O profeta não tinha outro desígnio, exceto o de opor-se aos desprezadores de Deus, os quais ou imputam toda sua prosperidade à sua própria dedicação, ou a atribuem ao acaso, ignorando malignamente ou ocultando a providente superintendência de Deus. Ele convoca a si mesmo a volver-se para Deus e convida a outros a seguirem seu exemplo, exortando-os por dizer: visto que Deus é um juiz imparcial, ele reservará sempre uma recompensa para os piedosos. Também é provável que, por meio desta ostentação santa, ele estivesse repelindo as calúnias vis dos ímpios, pelas quais, conforme vimos, ele era gravemente assaltado.

[vv. 57-64]
ח Tu és a minha porção, ó Jehovah. Eu disse que guardaria as tuas palavras. ח Tenho buscado ardentemente a tua face, de todo o meu coração. Tem misericórdia de mim, segundo a tua palavra. ח Ponderei os meus caminhos e voltei meus pés aos teus testemunhos. ח Apressei-me e não me demorei em guardar os teus mandamentos. ח As cordas dos perversos se apoderaram de mim;²⁶ mas não me esqueci da tua lei. ח Levantar-me-ei à meia-noite para louvar-te por teus justos juízos. ח Sou companheiro de todos aqueles que te temem e guardam os teus preceitos. ח A terra está cheia de tua misericórdia, ó Jehovah; ensina-me os teus estatutos.

57. Tu és a minha porção, ó Jehovah. O significado desta sentença é duvidoso, porque o termo *Jehovah* pode ser traduzido ou no caso nominativo ou no vocativo, e a expressão *eu disse* pode relacionar-se com a primeira ou com a segunda parte do versículo. Portanto, uma redação do texto diria: *Jehovah é a minha porção; portanto, resolvi observar a tua lei*. Outra variante diria: *ò Deus, tu és a minha porção, resolvi observar a tua lei*. Uma terceira: *Eu disse, ou resolvi, que Deus é minha porção, a fim de observar sua lei*. Uma quarta: *Eu disse, ou resolvi, ó Senhor, que minha porção seja o observar tua lei*. Esta é a redação que tenho aprovado. A interpretação seguinte é plenamente aplicável: que Deus, sendo nossa porção, deve animar-nos e encorajar-nos a observar sua lei. Já notamos em várias outras passagens que Deus é chamado a herança dos fiéis, porque Ele sozinho é suficiente

---

26 "Ou, les assemblees des meschans m'ont despouillé, ou pillé" – *fr. marg.* "Ou, as assembléias dos perversos me roubaram."

para a plena e inteira felicidade dos fiéis. E, visto que Ele nos escolheu para ser sua possessão peculiar, é plenamente razoável de nossa parte que descansemos satisfeitos unicamente nEle. Se fizermos isso, nosso coração também estará disposto a guardar a lei de Deus; e, renunciando todas as paixões da carne, nosso supremo deleite e nossa firme resolução serão continuar firmados nela.

Eu já disse que esta explicação não é inconsistente com o escopo da passagem e provê uma doutrina muitíssimo proveitosa. A quarta e última redação, que, como já observei, eu aprovo, é mais simples – estou plenamente persuadido de que minha melhor porção consiste em guardar a lei de Deus. E isto concorda com a afirmação de Paulo: "De fato, grande fonte de lucro é a piedade com contentamento" [1Tm 6.6]. Neste salmo, Davi extrai uma comparação entre o guardar a lei e o bem fictício que cativa a ambição do gênero humano. "Que cada um cobice o que lhe parece bom e se deleite em seus próprios prazeres. Não tenho motivo para invejar tais coisas, desde que eu tenha isto como minha porção: a completa rendição de mim mesmo à palavra de Deus."

58. Tenho buscado ardentemente a tua face. Neste versículo, Davi assevera que perseverava no exercício da oração; pois sem oração a fé se tornaria fraca e sem vida. A maneira como ele se expressa, o que em outros idiomas poderia ser rústico, entre os hebreus expressa a comunicação familiar que Deus admite e à qual convida a seus servos, quando se chegam à presença dEle. A essência de suas orações e a totalidade de seus desejos, o salmista os resume em uma única sentença: ele implorava a misericórdia de Deus, a esperança inabalável que formara com base na palavra de Deus. Observemos, em primeiro lugar, que somos despertados de nossa letargia para exercermos nossa fé por meio da oração. Em segundo lugar, a principal coisa pela qual devamos orar é que Deus, por sua livre graça, nos seja favorável, contemple nossa aflição e nos conceda alívio. Na verdade, Deus nos ajuda de várias maneiras, e nossas necessidades são inumeráveis. Contudo, o que devemos pedir principalmente é que ele tenha compaixão de nós; isto é a fonte de todas as demais bênçãos. Em último lugar, para que não apresentemos orações destituídas de conteúdo, aprendamos que Deus, em todas as suas promessas, é apresentado diante de nós como se fosse nosso devedor espontâneo.

59. Ponderei os meus caminhos. Isso significa que, depois de haver atentado bem ao seu modo de vida, o único alvo do profeta era seguir o ensino da lei. Nestas palavras, ele informa indiretamente que, se fosse interrogado por que os homens se desviam e se tornam miseravelmente distraídos, em meio aos impulsos conflitantes, a razão é que se entregam irrefletidamente à satisfação de suas paixões. Todos os homens vigiam cuidadosamente e aplicam sua energia a tudo a que sejam guiados por sua inclinação, mas são cegos ao escolher o objeto que devem perseguir. Ou melhor, como se os olhos deles estivessem selados, ou eles se precipitam irrefletidamente, ou, ainda mais, movidos pela displicência, oscilam imperceptivelmente de um objeto para outro. Uma coisa é certa: não há ninguém que considere atentamente seus caminhos. Por isso, não é sem razão que o profeta nos exorta: o início de uma vida piedosa consiste em que os homens despertem de sua letargia, examinem seus caminhos e, por fim, considerem sabiamente o que significa regular sua conduta com propriedade. Em seguida, ele nos instrui que, sendo uma pessoa inclinada, com boa disposição, a ordenar o curso de sua vida, não há nada melhor para ela do que seguir a direção que o Senhor indica. De fato, se os homens não fossem soberbos, escolheriam universal e unanimemente a Deus como o guia de sua vida.

60. Apressei-me. Ainda que as palavras estejam no tempo pretérito, denotam um ato contínuo. O profeta declara com que prontidão ele se dedicara ao serviço de Deus. Diligência e presteza demonstram o fervor de seu zelo. A seguir, ao dizer que *não se demorava*, isso, segundo o idioma hebraico, imprime intensidade à idéia comunicada pelo termo *apressei-me*. Como entre os hebreus *falar* e *não ficar em silêncio* equivale a falar livremente, sem reservas e dissimulação, como a ocasião o exige, assim *apressar-se* e *não se demorar* significa correr rapidamente sem vacilação ou demora. Se refletirmos sobre nossa indiferença e as armadilhas que Satanás nunca se descuida em armar em nosso caminho, perceberemos imediatamente que estas palavras não são adicionadas em vão; porque, um homem deveria estar sempre mui desejoso de aplicar-se real e sinceramente à justiça de Deus. Contudo, de açodo com Paulo, sabemos que não fazemos aquilo que deveríamos fazer [Rm 7.15, 18, 19].

Embora nenhum obstáculo externo possa permanecer em nosso caminho, somos tão retardados por impedimentos internos, que nada é mais difícil do que apressar-nos a guardar a lei de Deus. Ao mesmo tempo, devemos lembrar que o profeta está falando comparativamente em referência aos que são culpáveis de procrastinação durante maior parte de sua vida, os quais não somente se aproximam de Deus hesitante e tardiamente, mas também se demoram, de propósito, em seu viver, ou melhor, impedem a si mesmos de vir a Deus por seguirem caminhos tortuosos. O profeta não manifestou mais satisfação em servir a Deus do que Paulo. Tudo o que ele tencionava era que, superando todos os obstáculos que estavam em seu caminho, prosseguiria sua jornada com rapidez. E, por seu exemplo, ele nos ensina que vãs e frívolas são as súplicas que oferecemos na justificação de nossa indolência, quer sejam elas provenientes dos impedimentos apresentados pelo mundo ou de nossa própria fraqueza.

61. As cordas dos perversos se apoderaram de mim. Os que traduzem חבלי (*cheblei*) por tristezas não produzem um significado natural e, perplexos, deturpam a passagem. Permanecem duas redações, e ambas podem ser admitidas: *as cordas dos perversos têm-me apanhado* ou *os companheiros dos perversos têm-me roubado*.[27] Quer adotemos uma ou outra destas redações, o que o profeta tenciona de-

---

27 "A congregação dos ímpios me tem roubado" – *Livro de Oração Comum*. Melhor, *as cordas dos perversos têm-me envolvido*; isto é, as maquinações deles têm sido dirigidas contra mim, e não sem efeito. Uma corda, composta de muitos fios entretecidos, era usada pelos hebreus no sentido metafórico, como a palavra *bando* é usada por nós para denotar um grupo de homens. E, de acordo com isso, ela é traduzida, em 1 Samuel 10.5, 10, segundo nossa versão, por *companhia*. É com este sentido que, neste versículo, ela é traduzida na versão de nosso Livro Comum de Oração, seguindo a versão Caldaica. A Septuaginta dá a tradução literal da palavra" – Cresswell.

clarar é que Satanás assaltou os princípios da piedade em sua alma através de sérias tentações; no entanto, ele prosseguia com firmeza irreversível no amor e na prática da lei de Deus. No entanto, *cordas* pode ser entendido de duas maneiras: primeiro, como a denotar as fascinações enganadoras com as quais os perversos se esforçavam para enredar o salmista na sociedade deles; segundo, as fraudes que praticavam para efetuar a ruína do salmista. Se o primeiro sentido for preferido, Davi pretende dizer que manifestara uma virtude rara, ao continuar perseverante na lei de Deus, mesmo quando os ímpios pareciam havê-lo envolvido em suas redes. Mas, como a maioria concorda que o verbo עוד (*ived*) significa *espoliar* ou *roubar*, adotemos esta interpretação: o profeta, assaltado por bandos de ímpios e, mais tarde, roubado e envolvido em suas tramas, nunca abandou seu fundamento. Esta era uma prova de fortaleza singular; pois, quando nos vemos expostos a perigos e erros de um gênero extraordinário, se Deus não nos socorre imediatamente, começamos a questionar sua providência. É como se não houvesse vantagem alguma em um homem ser piedoso. Imaginamos também que podemos vingar-nos licitamente. E, em meio a essas ondas, a lembrança da lei divina é facilmente perdida e, por assim dizer, submersa. Mas o profeta nos assegura que uma evidência de verdadeira piedade é continuar a amar a lei e a praticar a justiça, quando estamos expostos como um presa dos ímpios e não percebemos o auxílio divino.

62. Levantar-me-ei de noite para louvar-te. Neste versículo, ele mostra não somente que aprovava e abraçava de todo o coração tudo o que a lei divina continha, mas também que dava evidência de sua gratidão a Deus, por havê-lo tornado participante de tão grande bênção. Parece ser algo comum confessarmos sinceramente a Deus, quando Ele nos ensina por meio de sua lei; pois quem ousaria levantar sua voz contra Ele? Mas o mundo está ainda muito longe de reconhecer que a verdade que Ele revelou é racional em todos os aspectos. Em primeiro lugar, a rebelião de nossa corrupta natureza é tal que todo homem ou se alterou ou se desviou bastante. Além disso, se os homens tivessem sua escolha, seriam governados mais por sua própria vontade do que pela palavra de Deus. Em suma, a razão humana, bem como as paixões humanas, estão sempre e amplamente em discordância com a lei divina.

O salmista, portanto, havia extraído não pouco proveito da verdade revelada e a abraçara obedientemente; e, sentindo agradável deleite nela, rende graças a Deus por ela. O profeta declara que engrandece os justos juízos de Deus, por afirmar que *se levantava à meia-noite* para fazer isso. Por meio disso, ele expressa a intensidade de seus desejos, pois os esforços e cuidados que interrompem nosso sono implicam necessariamente grande fervor de alma. Ao mesmo tempo, ele notifica que, ao dar testemunho em favor da lei de Deus, não se deixava influenciar pela ostentação, visto que em seu retiro secreto, quando nenhum olho humano o contemplava, pronunciou os mais elevados louvores sobre os justos juízos de Deus.

63. Sou companheiro de todos aqueles que te temem. Ele não fala simplesmente do amor fraternal e da harmonia que os verdadeiros crentes cultivam entre si. Ele quer dizer também que, sempre que se deparava com alguém que temia a Deus, estendia-lhe a mão como símbolo de amizade e que ele não era apenas um dentre os servos de Deus; era um ajudador deles. Essa harmonia é exigida indubitavelmente de todos os piedosos, a fim de que cada um contribuísse para o progresso do outro no temor de Deus. Parece haver uma comparação implícita entre esta santa combinação, pela qual os fiéis se ajudavam e fomentavam mutuamente o culto de Deus e a verdadeira piedade, bem como se opunham às ímpias associações que prevaleciam por toda parte no mundo. Vemos como os homens profanos se unem contra Deus e ajudam uns aos outros em suas tentativas de subverter o culto a Deus. Como é necessário que os filhos de Deus sejam estimulados a manterem a unidade santa! O salmista enaltece os fiéis, primeiramente, por temerem a Deus; em segundo, por observarem a lei. O temor de Deus é a raiz ou a origem de toda justiça. E, ao dedicarmos nossa vida a serviço dEle, manifestamos que seu temor habita em nossos corações.

64. A terra está cheia de tua misericórdia, ó Jehovah. Aqui o profeta roga a Deus que, no exercício de sua infinita bondade, refletida em toda parte do mundo, torne-o graciosamente participante do tesouro da sabedoria celestial – um modo de orar muito enfático. Quando ele diz que *a terra está cheia da misericórdia de Deus*, esse é um tipo de súplica calorosa. Ele engrandece a bondade de Deus, em geral (como o faz em outros lugares), não deixando nenhuma parte do mundo sem provas da generosidade de Deus, exercida não só em prol da humanidade, mas também em prol da criação animal. O que o salmista faz? Deseja que a misericórdia de Deus, que se estende a todas as criaturas, se manifeste para com ele numa só coisa, qual seja: capacite-o a fazer progresso no conhecimento da lei divina. Disso, deduzirmos que ele considerava o dom da compreensão como um tesouro inestimável. Ora, ser revestido com o espírito de entendimento é a principal evidência do favor divino. Nossa carência desse espírito, oriunda de nossa própria incredulidade, é uma indicação de nossa alienação dEle. Cabe-nos lembrar o que temos afirmado em outra parte: é uma evidência, que fornecemos a nós mesmos, da mais vergonhosa indolência o fato de que, contentes com um conhecimento superficial da verdade divina, somos, em grande medida, indiferentes quanto a fazer maior progresso, ao vermos um mestre renomado da Igreja labutar, com o mais profundo ardor, para tornar-se mais e mais familiarizado com os estatutos de Deus. Além disso, é certo que o salmista não trata aqui do ensino externo, e sim da iluminação interior da mente; e isso é um dom do Espírito Santo. A lei foi exibida a todos sem distinção; mas o profeta, ciente de que, se não fosse iluminado pelo Espírito Santo, a lei lhe seria de pouco proveito, ora a fim de ser instruído eficazmente por uma influência sobrenatural.

[vv. 65-72]

ಬ Fizeste bem a teu servo, ó Jehovah, segundo a tua palavra. ಬ Ensina-me o bom gosto e o conhecimento, pois tenho crido em teus mandamentos. ಬ

Antes que fosse humilhado, eu vivia desviado; mas agora guardo tua palavra. ט Tu és bom e fazes o bem, ensina-me os teus estatutos. ט Os soberbos têm tecido mentiras contra mim, mas guardarei teus estatutos de todo o meu coração. ט O coração deles é gorduroso como sebo; eu, porém, me deleito em tua lei. ט Foi-me bom ter sido afligido, para que aprendesse os teus estatutos. ט A lei de tua boca é para mim melhor do que milhares de ouro e prata.

65. Fizeste bem a teu servo, ó Jehovah. Há quem entenda isso em termos gerais, como se o profeta argumentasse que, não importando como o tratassem, ele tirava bom proveito disso, convencido de que, por fim, resultaria em seu bem-estar. Todavia, como se faz menção expressa da palavra ou promessa divina, o profeta, não tenho dúvida, celebra a fidelidade de Deus em pôr em ação a graça que havia prometido. Realmente tenho experimentado (como se ele dissesse) que tu és fidedigno e não enganas teus servos com palavras fúteis. Aqui se faz referência especial às promessas de Deus, porque delas nos fluem todos os benefícios de Deus, não como de uma fonte original, mas, por assim dizer, por meio de agentes condutores. Embora a soberana bondade de Deus seja a única causa que O induz a tratar-nos de modo tão generoso, não podemos esperar nada de suas mãos, se, primeiramente, Ele não se obrigar para conosco por meio de sua palavra.

66. Ensina-me o bom gosto e o conhecimento. Depois de haver confessado que havia descoberto, por experiência pessoal, a fidelidade de Deus às suas promessas, Davi acrescenta um pedido semelhante ao que está contido no versículo 64, ou seja, que se desenvolva no entendimento correto. Embora a fraseologia seja um tanto diferente, pois, em vez de *teus estatutos*, como naquele versículo, ele usa aqui *bom gosto e conhecimento*. Como o verbo טעם (*taãm*) significa *saborear*, o substantivo que se deriva dele denota propriamente *sabor*. No entanto, ele é aplicado à mente. Não há dúvida de que Davi ora para que lhe seja comunicado conhecimento, acompanhado de discrição sóbria e juízo. Aqueles que lêem, disjuntivamente, *bondade e gosto*, prejudicam toda a sentença. No entanto, a fim de chegar ao cerne do significado, é necessário acrescer a segunda sentença. Ele assevera que cria nos mandamentos de Deus; em outros termos, que abraçava alegremente tudo que se acha prescrito na lei. Assim, ele se descreve como dócil e obediente. Visto que fora pela orientação do Espírito Santo que chegara a inclinar-se assim à obediência, ele roga que lhe seja outorgado outro dom – o dom de um gosto saudável e bom entendimento.

Disso, aprendermos que estas duas coisas – afeição correta e bom entendimento – são indispensavelmente necessárias à devida regulação da vida. O profeta cria nos mandamentos de Deus, mas seu respeito pela lei, procedente de um zelo santo, o levou a desejar conformidade com ela e o fez temeroso, não sem motivo, de um afastamento irrefletido. Aprendamos que, depois de Deus haver moldado nosso coração para a obediência à sua lei, devemos, ao mesmo tempo, pedir sua sabedoria pela qual regulemos bem o nosso zelo.

67. Antes que fosse humilhado, eu vivia desviado. Como o verbo ענה (*anah*), às vezes significa *falar* ou *testificar*, alguns adotam esta tradução: *Antes que meditasse em teus estatutos, eu andava desviado*. Mas isso parece forçado demais. Outros se afastam ainda mais do significado, na suposição de que, quando o profeta se desviou, ele nada tinha a dizer em resposta a Deus. Não posso deixar de refutar esses conceitos, porque não há ambigüidade nas palavras. Davi descreve, em sua própria pessoa, ou a libertinagem ou a rebelião, comum a toda a humanidade, a qual se exibe nisto: que nunca rendemos obediência a Deus, se não formos compelidos por sua disciplina. De fato, recusar-nos, obstinadamente, a submeter-nos a Ele é algo horrível. No entanto, a experiência demonstra que, ao tratar-nos mansamente, sempre nos prorrompemos em insolência contra Ele. Visto que até um profeta de Deus alegava ter sua rebelião corrigida por meios forçosos, esse tipo de disciplina é-nos, com certeza, muito necessário.

Visto que a mortificação da carne é o primeiro passo na obediência; e todos os homens naturalmente não se inclinam à mortificação da carne, não nos surpreende o fato de que Deus nos conduz ao senso de nosso dever mediante aflições Variadas. Sim, como a carne, de tempo em tempo, se torna rebelde, mesmo quando parece estar domada, não nos surpreendemos em encontrá-Lo sujeitando-nos reiteradamente à vara. Isto é feito de maneiras diferentes. Deus humilha alguns com pobreza; outros, com opróbrio; outros, com problemas domésticos; ainda outros, com labores difíceis e penosos. Assim, segundo a diversidade dos erros aos quais nos inclinamos, Ele aplica a cada um seu remédio apropriado. Agora fica claro quão proveitosa é a verdade contida nesta confissão.

O profeta fala de si mesmo como o fez Jeremias [31.18], referindo-se a si mesmo como um novilho ainda não domado. No entanto o salmista põe diante de nós uma imagem da rebelião que era natural em todos nós. Deveras seríamos muito ingratos se o fruto que cumulamos das disciplinas não suavizasse ou mitigasse o amargor delas. Enquanto somos rebeldes contra Deus, vivemos no estado da mais profunda miséria. Ora, o único meio pelo qual Ele nos inclina e nos doma à obediência é a ministração de instrução, quando nos aplica as suas disciplinas. O profeta, ao mesmo tempo, nos ensina, por meio de seu exemplo, que, se Deus fornece evidência de sua disposição de que nos tornemos seus discípulos, pelos sofrimentos que Ele usa para subjugar nossa obstinação, devemos pelo menos fazer tudo que nos for possível para sermos mansos e, deixando de lado toda nossa obstinação, tomemos espontaneamente o jugo que ele nos impõe.

O versículo seguinte não precisa de explicação, sendo quase do mesmo teor que o último versículo da primeira oitava. Ele roga a Deus que exerça sua bondade em seu favor, não por aumentar suas riquezas e honras, ou por saturá-lo de deleites, e sim por capacitá-Lo a fazer progresso no conhecimento da lei. Quase toda a humanidade é acostumada a implorar o exercício da bondade divina para com ela, bem como a desejar que Ele a trate com muita liberalidade, a fim de satisfazer a diversidade dos desejos nos quais eles são severamente precipitados pelas inclinações da carne. Davi afirma com convicção que ficaria plenamente satisfeito, se experimentasse a liberalidade divina para com ele neste particular; e isso quase todos os homens encaram com total desdém.

69. Os soberbos têm tecido[28] **mentiras contra mim**. Ele declara que, a despeito da interpretação maligna que os perversos faziam de todas as suas atitudes, e das tentativas deles, por meio da mentira, para desviá-lo de seguir a retidão louvável, o estado de sua mente permaneceu inalterado. Enfrentamos uma severa tentação quando, mesmo inocentes, somos sobrecarregados com opróbrio e infâmia e somos não só assaltados por palavras injuriosas, mas também mantidos no ódio do mundo, por pessoas ímpias, motivadas por uma ou outra pretensão espúria. Vemos muitas pessoas que, de outra sorte, seriam boas e inclinadas a viver com integridade e que ou se tornam desanimadas ou são grandemente abaladas, quando recompensadas de forma tão indigna. Por isso, o exemplo dos profetas deve cativar ainda mais nossa atenção, para que não sejamos apanhados pela perversidade dos homens; não cessemos de nutrir em nosso íntimo o temor a Deus, mesmo quando os ímpios sejam bem sucedidos em destruir nossa reputação perante os nossos companheiros; e vivamos contentes em ter nossa piedade irradiando junto ao tribunal de Deus, embora tenhamos que enfrentar as calúnias dos homens. Enquanto dependermos do juízo dos homens, viveremos sempre em estado de flutuação, como já foi observado. Além do mais, visto que nossas obras nunca serão tão esplêndidas, saibamos que não terão nenhum valor aos olhos de Deus se, ao realizá-las, nosso objetivo for granjear o favor do mundo. Portanto, aprendamos a volver nossos olhos para o palco celestial e a desprezar todas as rumores maliciosos que os homens divulgarem contra nós. Deixemos os filhos deste mundo desfrutarem de suas recompensas, visto que a nossa coroa nos está guardada no céu, e não na terra. Desvencilhemo-nos das redes com que Satanás procura obstruir nosso caminho, suportando pacientemente, por algum tempo, as infâmias.

O verbo טפל (*taphal*), que de outro modo significa *enfeixar*, é aqui, mediante uma elegante metáfora, tomado para *tecer* ou *entremear*, in-

---

28 O arcebispo Secker traduz: "composto". "Significa", diz ele, "enfeixar coisas".

formando que os inimigos do profeta não somente o sobrecarregaram com opróbrios brutais, mas também inventaram crimes contra ele e agiram assim com grande astúcia e distorção da verdade, para que ele parecesse ser o mais execrável dos personagens. Todavia, ainda que não cessassem de tecer-lhe esta teia, o salmista foi capacitado a rompê-la por sua invencível constância; e, exercendo um estrito controle sobre seu coração, continuou a observar fielmente a lei de Deus. Ele lhes aplica a designação *soberbos*; e a razão para isso pode ser conjeturada, ou seja, as pessoas de quem ele fala não eram dentre a plebe, mas homens importantes que, inchados pela confiança em suas honras e riquezas, se insurgiram contra ele com audácia tremenda. Evidentemente, o salmista pretende dizer que o pisaram sob a planta de seus pés, com soberbo desdém, como se fosse um cão morto.

A isto corresponde a afirmação no versículo seguinte [v. 70], a de que *o coração deles é gorduroso como sebo*[29] – um erro tão comum entre os desprezadores de Deus. Donde provém que os homens perversos, cuja própria consciência remorde seu interior, se vangloriem tão insolentemente contra os mais eminentes servos de Deus? Isso não ocorre porque certa densidade envolve excessivamente seus corações, de modo que se tornam insensíveis e enfurecidos por sua própria obstinação? Maravilhosa, porém, e digna do mais elevado louvor é a magnanimidade do profeta que encontrou todo seu deleite na lei de Deus. É como se ele declarasse que este era o alimento com que se nutria e com que era renovado no mais elevado grau; e isso não poderia ter acontecido, se o seu coração não houvesse sido libertado e plenamente purificado de todos os prazeres profanos.

71. Foi-me bom ter sido afligido. Aqui, o salmista confirma o sentimento que já consideramos antes – lhe foi proveitoso sujeitar-

---

29 A gordura do corpo humano, como nos informam os fisiologistas, é absolutamente insensível; sendo as partes membranosas e magras as únicas que são sensíveis. De acordo com isso, *gordura do coração* é usada com muita propriedade para expressar a insensibilidade, estupidez ou sensualidade daqueles sentimentos ou afeições de que o coração é considerado a sede.

-se às disciplinas de Deus, para que fosse, mais e mais, reconduzido e enternecido à obediência. Com estas palavras, ele confessa que não se isentara da obstinação perversa com que todo o gênero humano está afetado; porque, se nisto ele fosse diferente, o proveito de que fala, ao dizer que sua docilidade se devia ao fato de haver sido humilhado, seria mera pretensão; visto que nenhum de nós se submete voluntariamente a Deus, enquanto Ele não abranda nossa natural dureza por meio dos golpes de seu martelo. É bom que provemos continuamente o fruto que nos emana das correções divinas, para que elas se nos tornem em doçura. E, para que, deste modo, nós, que somos rebeldes e obstinados por natureza, possamos ser reconduzidos à sujeição.

O último versículo também não demanda exposição, visto que contém um sentimento muito freqüente neste Salmo e, em si mesmo, é suficientemente claro – ele preferia a lei de Deus a todas as riquezas do mundo, cujo desejo imoderado ensoberbece tão deploravelmente a maior parte da humanidade. Ele não compara a lei de Deus com as riquezas que ele mesmo possuía, mas afirma que ela era mais preciosa em sua estima do que uma vasta herança.

[vv. 73-80]
' Tuas mãos me fizeram e me moldaram; faze-me entender para que aprenda os teus mandamentos. ' Os que te temem me verão e se alegrarão, porque eu tenho esperado em tua palavra. ' Bem sei, ó Jehovah, que os teus juízos são justiça; e, na verdade, tu me tens humilhado. ' Rogo-te que tua bondade seja para minha consolação, segundo a tua palavra a teu servo. ' Que venham sobre mim tuas compaixões e me façam viver, porque tua lei é meu deleite. ' Que os soberbos sejam envergonhados, pois têm tentado falsamente me perverter; meditarei em teus preceitos. ' Voltem-se para mim os que te temem e aqueles que têm conhecido os teus testemunhos. ' Que meu coração seja íntegro em teus estatutos, para que eu não venha a me envergonhar.

73. Tuas mãos me fizeram e me moldaram. A admissão do profeta de que fora criado pela mão de Deus contribuiu, grandemente, para inspirá-lo com a esperança de obter o favor que suplicava. Visto que somos as criaturas e a obra prima de Deus, que Ele não só nos outorgou vida em comum com os animais inferiores e que, em adição a isto, nos deu a luz do entendimento e a razão, somos encorajados a orar para que Ele nos dirija à obediência de sua lei. No entanto, o profeta não invoca a Deus como se Ele lhe estivesse sob qualquer obrigação; mas, sabendo que Deus nunca abandonaria a obra que começara, o salmista suplica nova graça, mediante a qual Deus leve a bom termo a perfeição que havia começado. Temos necessidade da assistência da *lei*, visto que nosso entendimento é corrupto; de modo que não conseguimos perceber o que é certo, a menos que aprendamos de alguma outra fonte. Nossa cegueira e estupidez são ainda mais notavelmente manifestas no fato de que o ensino de nada nos vale, se nossa alma não é renovada pela graça divina. O que já dissemos antes deve ser mantido em mente: sempre que o profeta ora para que lhe seja dado entendimento, a fim de aprender os mandamentos divinos, ele condena a si mesmo e a toda a humanidade como que existindo num estado de cegueira, para a qual o único remédio é a iluminação do Espírito Santo.

74. Os que te temem me verão e se alegrarão. Este versículo ou é conectado com o precedente, ou inclui outros benefícios divinos, além da bênção mencionada naquele versículo. Se o salmista chama a atenção só para uma espécie particular de bênção, ou fala em termos gerais, com estas palavras ele enaltece de forma sublime os benefícios com que Deus o honrara, para que todos os santos genuínos experimentassem alegria juntamente com ele. Ele não pretende dizer que essa alegria procede somente da confiança em Deus, e sim que ela procede disto: uma vez preservado por Deus, de maneira inusitada, e cumulado com muitos benefícios, a sua esperança recebera amplo galardão. Como Deus convida a todos seus servos a confiar nEle, segue-se que, sempre que Ele exibe um sinal de sua graça para algum deles, testifica a todos que é fiel a suas promessas e que eles não têm qualquer motivo para viverem receosos de que Ele desaponte os que nEle põem a sua confiança.

75. Bem sei, ó Jehovah, que os teus juízos são justiça. Pelo termo *juízos*, neste Salmo, devemos entender os preceitos da lei. Mas, como o profeta diz imediatamente que era disciplinado com justiça, tudo indica que ele usa a palavra neste versículo para significar os castigos pelos quais Deus incita os homens ao arrependimento. Estas duas palavras: צדק (*tsedek*), *justiça*, na primeira sentença, e אמונה (*emunah*), *verdade*, na última, têm quase o mesmo significado. Na primeira sentença, o profeta confessa que Deus regula de tal modo seus juízos, que chega a fechar a boca dos ímpios, caso algum deles se queixe de sua crueldade ou rigor. E essa eqüidade brilha neles, a ponto de extrair de nós a confissão de que nada é melhor para o homem do que ser reconduzido à consideração de si mesmo. Em seguida, o salmista mostra um exemplo disso em sua própria pessoa. Até os hipócritas rendem, às vezes, o louvor à justiça de Deus, quando Ele disciplina outros e não condenam a severidade deles, enquanto eles mesmos forem poupados. Mas um característica da verdadeira piedade é ser menos austera e rígida em relação às falhas de outros do que em relação às suas próprias. O *conhecimento* de que fala o profeta é uma evidência segura de haver ele feito um auto-exame estrito e sincero; pois, não houvera ele examinado bem sua própria culpa, não poderia ter tido uma experiência sólida nem aprendido a justiça divina em suas aflições. Se acharmos preferível entender a palavra *juízos* em sua acepção usual, o significado do texto será: Senhor, sei que tua lei é santa e justa. E, mesmo que me tenhas afligido com tanta severidade, mantenho a persuasão desta verdade, pois mesmo em minhas aflições posso discernir a justiça, que corresponde ao caráter de tua palavra.

76. Rogo-te que a tua bondade seja para minha consolação. Embora reconhecesse que fora humilhado com justiça, desejava que sua tristeza fosse aliviada por alguma consolação. Ele implora a misericórdia de Deus, como essencialmente necessária para amenizar e curar suas infelicidades. Assim, ele mostra que nada pode remover a tristeza dos fiéis, enquanto Deus não se reconcilia com eles. Podemos encontrar na Palavra que Deus oferece, em sua misericórdia, não pouco conforto para a cura de toda tristeza a que os homens estão sujeitos. Mas o salmista está falando de misericórdia *concreta*, se posso usar esse termo, quando, pelo próprio ato, declara o favor que prometera. Confiando na promessa divina, ele já nutria em seu coração uma alegria procedente da esperança de receber as comunicações da graça divina. Mas, como toda nossa esperança findaria em mera frustração, se Deus não se manifestasse como nosso libertador, ele solicita a concretização daquilo que Deus lhe prometera. Senhor, como se quisesse dizer, visto que tu prometeste graciosamente estar pronto a socorrer-me, agrada-te em fazeres que tua palavra entre em ação. Que a observação que fiz anteriormente seja bem lembrada: não é perda de tempo lembrar a Deus sua promessa. Seria mera presunção os homens se chegarem à presença de Deus, se Ele, de seu beneplácito, não lhes abrisse o caminho de acesso. Quando o salmista diz *a teu servo*, ele não reivindica a misericórdia divina exclusivamente para si, como se esta tivesse sido feita exclusivamente para ele, por algum oráculo especial. Antes, ele aplica a si mesmo o que Deus prometera a toda a Igreja, que é a província peculiar da fé, pois a menos que eu creia que sou um daqueles a quem Deus fala em sua Palavra, de modo que suas promessas pertençam a mim e aos demais, nunca terei a confiança de invocá-Lo.

77. Que tuas compaixões me sobrevenham. Neste versículo, o salmista repete e confirma quase o mesmo pedido feito no versículo anterior, embora em fraseologia um diferente. Como acabara de dizer que sua tristeza não podia ser removida, nem sua alegria ser restaurada de alguma outra maneira, exceto pela misericórdia de Deus exercida em seu favor, agora ele afirma que não pode viver sem estar reconciliado com Deus. Assim, ele se distingue dos homens profanos, os quais estão pouco interessados em saber se Deus realmente se reconciliou com eles; ou melhor, que não cessam de desfrutar de segurança, enquanto Deus está irado com eles. O salmista afirma distintamente que, enquanto não souber que Deus se reconciliou com ele, não passa de um homem morto, ainda que esteja vivo; e que, em contrapartida, sempre que Deus mover sua misericórdia para reanimá-lo, será restaurado dos mortos à vida. De igual modo, ele notifica que se achava por algum tempo privado dos sinais do favor paterno de Deus, pois lhe teria sido desnecessário haver desejado que *ela lhe sobreviesse*, se ela não lhe tivesse sido removida. Como um argumento para obter o que suplica, ele assevera que *a lei de Deus era seu deleite*. Tampouco ele podia esperar, de outro modo, que Deus lhe fosse misericordioso. Além disso, ninguém realmente sente que existe virtude no favor de Deus, senão quando põe sua principal bem-aventurança somente nEle e se convence de que todos quantos se separam de Deus são infelizes e malditos. Essa verdade o profeta aprendera da lei.

78. Que os soberbos sejam envergonhados. Já tivemos ocasiões freqüentes de observar que, no idioma hebraico, o tempo futuro é usado no sentido do modo optativo, como aqui – *serão envergonhados*, em vez de *sejam envergonhados*. No entanto, não seria impróprio explicar o significado assim: como os soberbos me têm tratado de forma enganosa e me têm molestado sem causa, o Senhor lhes dará sua recompensa. Mas, como quase todos os intérpretes concordam que aqui temos uma oração, na tradução do versículo não me sinto disposto a afastar-me da explanação geralmente aceita, em especial quando a linguagem se dirige expressamente a Deus mesmo. É importante atentar bem à razão por que o salmista espera que Deus seja inimigo de inimigos: estes o atacavam perversa e maliciosamente. A palavra שקר (*sheker*), que traduzi por *falsamente*, alguns a traduzem por *sem causa*. Mas estes parecem apenas ocultar parte do significado do profeta, pois esta palavra, em minha opinião, deve referir-se aos estratagemas e artifícios por meio dos quais os perversos tudo faziam para destruir a Davi. Disso concluímos que, sempre que somos equivocadamente perseguidos pelos perversos, somos convidados a recorrer diretamente a Deus, em busca de proteção. Ao mesmo tempo, somos ensinados que não temos razão para nos atemorizarmos ante a insolência dos perversos; pois, não importa que poder arroguem para si, Ele abaterá a sua altivez e a deitará abaixo, para o opróbrio deles. Assim, sendo eles confundidos, servirão de exemplo a ensinar outros que nada é mais ridículo do que entoar a canção de triunfo, antes que a vitória esteja ganha. O verbo אשיח (asiach), na segunda sentença do versículo, pode ser traduzido: *eu falarei de*, bem como: *eu meditarei em*; e implica que, obtivesse ele a vitória, proclamaria a bondade de Deus, a qual eu havia experimentado. *Falar dos estatutos de Deus* é equivalente a declarar, com base na lei, quão fielmente Ele guarda os seus santos, quão seguramente os liberta e quão justamente pune os seus erros.

79. Voltem-se para mim os que te temem. Neste versículo, que está conectado ao anterior, o salmista afirma que o livramento que obtivera proporcionaria instrução a todos os piedosos. Minha condição, como se quisesse dizer, por algum tempo talvez haja desencorajado os justos, bem como aumentado a insolência de meus inimigos; agora, porém, tomando alento, volverão seus olhos para este jubiloso espetáculo. Além do mais, aprendamos das duas marcas, com as quais ele distingue os verdadeiros crentes, qual é a natureza da verdadeira piedade. Ele põe *o temor* ou *a reverência a Deus*, em primeiro lugar; imediatamente, anexa ao temor *o conhecimento da verdade divina*, para ensinar-nos que essas duas coisas se conectam inseparavelmente. Os supersticiosos, de fato, exibem certo tipo de temor a Deus, mas esse temor não passa de encenação que rapidamente se desvanece. Além disso, eles se exaurem em suas próprias imaginações, sem qualquer propósito; pois Deus não levará em conta quaisquer outros serviços, senão aqueles que são feitos em obediência a seus mandamentos. A verdadeira religião e o culto divino têm sua origem na fé – a fé do que Ele tem ordenado; de modo que nenhuma pessoa pode servir a Deus corretamente, se não recebe instruções em sua escola.

80. Que meu coração seja íntegro em teus estatutos. Havendo, um pouco antes, desejado ser revestido com entendimento firme, ele agora suplica, de maneira semelhante, afeição sincera de coração. O entendimento e as afeições, como bem sabemos, são as duas principais faculdades da alma humana; e o salmista mostra claramente que ambas são depravadas e perversas, quando solicitou que seu entendimento fosse iluminado e, ao mesmo tempo, seu coração fosse moldado para a obediência da lei. Isso refuta tudo o que os papistas balbuciam sobre o livre-arbítrio. Aqui, o profeta não somente ora para que Deus o ajude, visto que sua vontade é fraca, mas também testifica, sem restrições, que a retidão do coração é dom do Espírito Santo. Além do mais, essas palavras nos ensinam em que consiste a verdadeira observância da lei. Grande parte do gênero humano, depois de haver moldado displicentemente sua vida em conformidade com a lei de Deus, mediante a obediência externa, crê que nada mais lhes falta. Aqui, porém, o Espírito Santo declara que nenhum serviço é aceitável a Deus, exceto aquele que procede da integridade do coração.

Quanto à palavra תמים (*thamim*), traduzida por *íntegro*, já afirmamos em outro lugar que um *coração íntegro* é apresentado em oposição a um coração dobre e enganoso. É como se o profeta dissesse que todos os que são destituídos de dissimulação e oferecem a Deus um coração puro se rendem verdadeiramente a Ele. Ao acrescentar *para que eu não venha a me envergonhar*, ele subtende qual será o resultado indubitável de todos os soberbos, que, menosprezando a graça de Deus, apóiam-se em sua própria força, e de todos os hipócritas, que, por algum tempo, se alardeiam em vivas cores. O equivalente é que, se Deus não nos governar por meio de seu Espírito e nos conservar no cumprimento de nossos deveres, de modo que nosso coração seja íntegro em seus estatutos, embora por algum tempo nossa vergonha seja oculta, sim, embora todos os homens nos louvem e nos tenham em admiração, não poderemos, por fim, evitar o cairmos em desonra e ignomínia.

[vv. 81-88]

נ Minha alma desfalece por tua salvação; eu espero na tua palavra. ⊠ Meus olhos têm se ofuscado, esperando por tua promessa; e digo: Quando me consolarás? נ Pois tenho sido como um odre na fumaça; no entanto, não esqueço os teus estatutos. נ Quantos são os dias do teu servo? Quando executarás juízo sobre os meus perseguidores? נ Os soberbos cavaram poços para mim, o que não é conforme a tua lei. ࠥ Todos os teus mandamentos são verdade. Eles me perseguem fraudulentamente; portanto, ajuda-me. ࠥ Eles quase me consumiram de sobre a terra; contudo, não esqueço os teus estatutos. ࠥ Vivifica-me segundo a tua bondade, e guardarei o testemunho de tua boca.

81. Minha alma desfalece por tua salvação. O salmista sugere que, embora tivesse sido castigado com tristeza contínua, não percebendo nenhuma solução para suas aflições, a tribulação e a fadiga não produziram um efeito tão perturbador em sua mente, a ponto de impedi-lo de descansar sempre com confiança em Deus. Para tornar o significa ainda mais distinto, é preciso introduzir a segunda sentença, que, obviamente, é adicionada à guisa de exposição. Ali, ele afirma que confia em Deus; este é o fundamento de tudo. Mas, tencionando expressar a invencível constância de sua confiança, ele nos informa que suportou pacientemente todas as angústias, sob as quais outros sucumbiriam. Vemos alguns abraçando com profundo ardor as promessas de Deus; no entanto, seu ardor desvanece em pouco tempo; ou, pelo menos, se acaba com a adversidade. No caso de Davi, isso estava descartado. O verbo כלה (*kalah*), que significa *desfalecer* ou *consumido*, parece comunicar, à primeira vista, um sentido diferente. O profeta, porém, nesta passagem, assim como em outras, ao usar o vocábulo *desfalecer*, tem em mente a *paciência* que continua a ser nutrida por aqueles que se acham privados de toda força e parecem já quase mortos e inspira seus corações com gemidos secretos, que não podem ser expressos. Este desfalecimento do salmista é o oposto da fragilidade daqueles que não podem suportar uma demora muito longa.

82. Meus olhos têm se ofuscado, esperando por tua promessa. Este versículo se assemelha muito ao anterior – transferindo para os olhos o que fora dito acerca da alma. A única diferença é que, em vez da expressão *anelar por salvação* ou *por auxílio* ou *anelando pela Palavra*, aqui é usada a expressão ou *promessa de Deus*. Pois a *salvação* é um ato, ou seja, consiste em efeito, enquanto *uma promessa* nos mantém em suspense, em expectativa. Deus talvez realize, de uma só vez, publicamente, tudo que prometera. Neste caso, visto que é somente em sua palavra que Ele promete nos ajudar, não há outra maneira pelo qual possamos esperar por auxílio, senão descansando serenamente em sua palavra. Como a Palavra precede, em ordem, o auxílio que Deus propicia, ou melhor, como essa é a maneira em que ela é representada a nossa vista, o profeta, quando suspira por salvação, declara com muita propriedade que ele mantinha seus olhos fixos na Palavra de Deus, até que sua vista lhe falhasse. Aqui, ele nos apresenta o maravilhoso e incrível poder da paciência, sob a enfermidade da carne, quando, desfalecendo e privados de todo vigor, recorremos a Deus em busca de auxílio, embora Ele nos esteja oculto. Em suma, o profeta, para impedir que se pensasse dele como alguém muito débil e desfalecido, notifica que seu desfalecimento não era sem causa. Ao perguntar a Deus: Quando tu me consolarás?, ele mostra, com clareza suficiente, que não ficou por muito tempo proscrito e esquecido.

83. Pois tenho sido como um odre na fumaça.[30] A partícula כי (*ki*),

---

[30] Os odres, entre os judeus e outras nações orientais, eram feitos de cabras ou cabritinhos, como é o costume entre as nações orientais de nossos dias. Quando o animal era morto, cortavam-lhe os pernas e a cabeça e tiravam-no de dentro da pele, sem abrir-lhe a barriga. Depois, costuravam as partes em que as pernas e a cauda haviam sido cortadas; e, quando ficava cheia, a amarravam pelo pescoço. Nestes odres, eles depositavam não só água, leite e outros líquidos, mas tudo o que pretendiam levar para longe, seco ou líquido. Indubitavelmente, aqui se faz referência a um desses odres de pele de cabra. Os camponeses da Ásia têm o hábito de mantê-los suspensos no teto ou pendurá-los nas paredes de suas tendas ou habitações modestas. Aqui, eles logo ficam muito escuros pela fumaça; porque, como em suas habitações raramente há chaminés, e a fumaça só pode escapar pela abertura no teto, ou pela porta, sempre que se acende fogo no cômodo, este logo se enche de fumaça. Por conseguinte, há quem suponha que a alusão aqui é principalmente à negridão que o odre contraía por ficar pendente sobre a fumaça. E o tradutor de nossa Bíblia em inglês, numa referência marginal a Jó 30.30, paralela a este salmo, parece haver presumido que a referência do salmista era à *negridão* que sua face contraíra pela tristeza. "Mas", diz Harmer, "isso dificilmente pode ser presumido de todo o pensamento do salmista. Em um caso como este, ele não teria falado da *negridão* de um pote, como se presume do profeta Joel [Jl 2.6], como daquela de um odre de pele?" – *Harmer's Observations*, volume 1, p. 218. Quando tais odres são suspensos na tenda esfumaçada de um árabe, se não contêm líquidos, ou não ficam totalmente cheios de líquidos, ficam secos, enrugados e contraídos; e a isto, bem como à sua negridão, o salmista teria se reportado. A longa duração da aflição física e tribulação mental produzem uma mudança semelhante na estrutura humana, destruindo sua beleza e força, secando a umidade natural. Tem-se pensado também que há um contraste entre esses odres tão modestos e os ricos vasos de ouro

traduzida pois, pode também, não impropriamente, ser reduzida no advérbio de tempo *quando*. Assim, podermos ler o versículo numa só sentença: *Quando eu era como um odre seco, não esqueci a tua lei*. O desígnio óbvio do salmista é ensinar-nos que, embora tenha sido testado por severas provações e ferido profundamente, não perdera o temor de Deus. Ao comparar-se a um *odre* ou uma *bexiga inflada*, ele sugere que estava, por assim dizer, ressequido pelo contínuo calor das adversidades. Disso aprendermos que aquela dor era tão intensa, a ponto de reduzi-lo a um estado de miséria e definhamento, que ele parecia um odre enrugado e abandonado. No entanto, parece que o salmista pretendia enfatizar não só a severidade de sua aflição, mas também a sua natureza prolongada – ele era atormentado como que num fogo brando, como a fumaça que procede do aquecimento de odres secos, em graus baixos. O profeta experimentou uma longa série de tristezas, que poderiam tê-lo consumido centenas de vezes, devido à sua natureza demorada e fatigante, se ele não tivesse sido sustentado pela Palavra de Deus. Em suma, uma genuína evidência de verdadeira piedade se manifesta quando, mergulhados nas mais profundas aflições, não cessamos de nos submeter a Deus.

84. Quantos são os dias do teu servo? Há alguns quem entendem estas duas sentenças separadamente, como se a primeira constituísse uma queixa geral da brevidade da vida humana, tal como podemos achar em outros salmos e, mais amiúde, no livro de Jó. E, em seguida, na opinião deles, há uma oração especial do salmista, pedindo que Deus tome vingança contra seus inimigos. Mas prefiro unir as duas sentenças e limitar ambas às aflições de Davi; como se ele quisesse dizer: Senhor, até quando determinaste abandonar teu servo à vontade dos ímpios? Quando te oporás a crueldade e ultraje deles, a fim de tomar vingança contra eles? As Escrituras usam amiúde a palavra *dias*

---

e prata que eram usados nos palácios dos reis. "Minha aparência na condição de meu exílio é tão diferente da que eu tinha quando habitava na corte, assim como são os vasos de ouro e prata de um palácio são diferente dos odres esfumaçados de pele existente em uma pobre tenda, onde agora sou obrigado a morar" – *Ibid.* e *Paxton's Illustrations*, volume 2, p. 409-410.

neste sentido. Por exemplo, "os dias do Egito" [Ez 30.9]; "os dias de Babilônia" e "os dias de Jerusalém" [Sl 137.7]. Essa palavra, em outras passagens, significa "o dia da visitação" [Is 10.3]. Pelo uso do plural, denota-se certa porção determinada de tempo, o que, em outros lugares, é comparado aos "dias do jornaleiro" [Jó 14.6; Is 16.14]. Portanto, o salmista não está deplorando a vida transitória do homem; antes, ele se queixa de que o tempo de seu estado de conflito neste mundo tem durado muito tempo; por isso, deseja naturalmente que esse estado seja levado ao final. Ao falar com Deus sobre suas dificuldades, o salmista não age obstinadamente, nem com espírito de murmuração. Todavia, ao indagar até quando lhe seria necessário sofrer, ele roga humildemente que Deus não demore mais o seu socorro. Quanto à questão de sentir-se instigado a orar por vingança, já vimos em outras passagens qual o sentido em que lhe era lícito fazer tal pedido; ou seja, a vingança que ele desejava se adequava bem ao caráter de Deus. É certo que ele se despia de todas as afeições corruptas da carne, para que, com zelo puro e imperturbável, aspirasse ao juízo divino. No entanto, nesta passagem, ele só deseja, em termos gerais, ser libertado pela mão divina dos erros que lhe eram atribuídos, sem condenar à perdição de seus adversários, pois ele estaria satisfeito, se Deus interviesse para defendê-lo.

85. Os soberbos[31] **cavaram poços para mim.** Ele se queixa de que vivia cercado pelas fraudes e ardis de seus inimigos, como se quisesse dizer: Eles não somente se empenharam por me prejudicar, por meio da força pública e da violência da espada, mas também buscaram maliciosamente destruir-me com armadilhas e artifí-

---

31 "זדים (*os soberbos*). Soberbos, aqui, bem como em muitas outras passagens da Escritura, representa os *homens ímpios e iníquos*. Assim, a versão da Septuaginta é παράνομοι; a da Vulgata, *iniqui*. O relativo אשר refere-se a שיחות (*poços*). Muitos, como Amyraldus, parafraseiam a última parte do versículo assim: 'At retia illa, cum lege tua directe pugnant'. Outros fazem de זדים o antecedente, e disso consideram o segundo hemistíquio como descritivo. "Os soberbos, que não têm agido em conformidade com tua lei, têm cavado poços para mim." O sentido é mais óbvio, se está de acordo com esta última exposição; pois não percebemos bom sentido na expressão "cavar poços" que não são de conformidade com a lei de Deus, como se pudessem ser cavados poços que são de conformidade com a lei" – *Phillips*.

cios secretos. A sentença adicional *o que não é conforme a tua lei* é introduzida como um argumento com o intuito de incitar a Deus ao exercício de sua misericórdia; pois Ele se inclina mais a socorrer a seus servos quando vê que as tentativas feitas contra o bem-estar deles envolvem a violação de sua própria lei. Ao mesmo tempo, o salmista fornece prova de sua própria inocência, notificando que não merecia tal tratamento em suas mãos e que, apesar de tudo que praticaram, se mantinha pacientemente sob restrição, não tentando nada que ele sabia ser contrário à lei de Deus.

86. Todos os teus mandamentos são verdade. Neste versículo, ele confirma uma vez mais a afirmação de que, não importando as maneiras como era afligido, sua mente não se distraía por várias artifícios, porque, confiando na palavra de Deus, ele nunca duvidava da assistência divina. Em primeiro lugar, ele nos informa que a consideração com a qual se armara para repelir todos os ataques era esta: os fiéis, sob o comando de Deus, se engajaram em um conflito vitorioso, sendo absolutamente certa a salvação que esperavam com base na palavra dEle. Por essa razão, ele declara que *os mandamentos de Deus são verdadeiros;*. E, por meio dessa apreciação, ele nos ensina que aqueles que confiam na palavra de Deus estão fora de todo perigo; e estabelece a verdade de que esse apoio pode sempre sustentar nossa coragem. Em segundo lugar, ele se queixa da traição de seus inimigos, como já o havia declarado. Aqui, a palavra שקר (*sheker*) é reiterada; e, por meio disso, o salmista tem em mente que seus inimigos não levavam em conta a eqüidade. Com base nesta consideração, ele foi levado a nutrir esperança de livramento, pois o ofício peculiar de Deus é socorrer os pobres e aflitos que são injustamente oprimidos.

87. Eles quase me consumiram de sobre a terra. O salmista reitera, em palavras um pouco diferentes, o que falara um antes, ou seja, que, embora tenha sido dolorosamente tentado, se mantinha de pé, visto que não renunciara a verdadeira religião. Uma única declaração deste fato teria sido bastante para aqueles que são perfeitos; mas, se tivermos em mente nossa própria fraqueza, confessaremos prontamente que a atitude já afirmada não era indigna de ser repetida. Quando somos abalados por conflitos extremos, não somente esquecemos a lei de Deus, mas também a maioria perde a coragem mesmo antes de se envolverem no conflito. Por conta disso, esta maravilhosa virtude do profeta é digna de nota especial, ou seja, que, embora quase reduzido à morte, nunca cessara de avivar sua coragem mediante a meditação contínua na lei. Tampouco é inútil o que ele acrescenta: foi *sobre a terra* que seus inimigos quase o consumiram, comunicando a idéia de que, ao se lhe manifestarem os temores da morte, ele elevava sua mente acima do mundo. Se a fé atinge o céu, será fácil emergir do desespero.

88. Vivifica-me segundo a tua bondade. Este versículo não contém nada novo. Em seu início, Davi representa sua vida como que dependente da misericórdia de Deus, não somente porque ele tinha consciência da fragilidade humana, mas também porque se via diariamente exposto à morte, em múltiplas formas; ou melhor, porque estava convencido de que, se o poder de Deus lhe fosse retirado, se veria prostrado, como se estivesse morto. Em seguida, ele promete que, ao ser novamente restaurado à vida, não seria ingrato, mas reconheceria isso como uma bênção divina, e não somente com a língua, mas também com a totalidade de sua vida. Visto que as várias instâncias em que Deus nos socorre e nos livra dos perigos são novas vidas, é razoável que dediquemos ao serviço dEle todo o tempo adicional que nos for concedido neste mundo. Ao ser chamada de *o testemunho da boca de Deus*, a autoridade da lei é, por desta apreciação, asseverada com muita clareza.

[vv. 81-88]
⊃ Minha alma desfalece por tua salvação; eu espero na tua palavra. ⊃ Meus olhos têm se ofuscado, esperando por tua promessa; e digo: Quando me consolarás? ⊃ Pois tenho sido como um odre na fumaça; no entanto, não esqueço os teus estatutos. ⊃ Quantos são os dias do teu servo? Quando executarás juízo sobre os meus perseguidores? ⊃ Os soberbos cavaram poços para mim, o que não é conforme a tua lei. ⊃ Todos os teus mandamentos são verdade. Eles me perseguem fraudulentamente; portanto, ajuda-me. ⊃

Eles quase me consumiram de sobre a terra; contudo, não esqueço os teus estatutos. ɔ Vivifica-me segundo a tua bondade, e guardarei o testemunho de tua boca.

89. Tua palavra, ó Jehovah, dura para sempre. Muitos explicam este versículo como se Davi citasse a estabilidade dos céus como prova da verdade de Deus. Segundo eles, o significado é: visto que os céus permanecem continuamente no mesmo estado, Deus é comprovado como verdadeiro.[32] Outros oferecem uma interpretação ainda mais forçada: a verdade de Deus é mais infalível que o estado dos céus. Quanto a mim, parece que o profeta pretendia comunicar uma idéia bem diferente. Como não vemos sobre a terra nada constante ou de longa duração, ele eleva nossa mente ao céu para que esta se fixe ali. Sem dúvida, Davi poderia ter dito, como o fez em muitos outros lugares, que toda a ordem do mundo dá testemunho da estabilidade da Palavra de Deus – a Palavra que é mui veraz. Mas, como havia razão para temer que a mente dos piedosos vacilaria em incerteza, se depositassem a prova da verdade de Deus no estado do mundo, onde prevalecem desordens múltiplas. Ao pôr a verdade de Deus no céu, o salmista lhe concede uma habitação não sujeita a mudanças. Para que ninguém avalie a Palavra de Deus com base nas várias eventualidades que seus olhos deparam neste mundo, o céu é posto em oposição a terra. Nossa salvação, como se ele estivesse dizendo, estando encerrada na palavra de Deus, não está sujeita a mudanças, como estão todas

---

32 Esta é a explicação dada por Walford. Sua tradução é: *"Ó Jehovah, para sempre a tua palavra está estabelecida no céu".* Sobre isso ele observa: "O desígnio destas palavras não é claro, e os intérpretes variam muito em suas explicações. Ainda não encontrei uma explicação que seja totalmente satisfatória; por isso, darei o que me parece ser o verdadeiro significado. Em geral, o desígnio do salmista é celebrar a imutabilidade da Palavra de Deus: tudo que Ele fala é digno de plena confiança. Para ilustrar essa posição, o salmista se refere à criação dos céus e da terra; estes foram igualmente formados pela palavra de Deus – 'Ele falou, e tudo foi feito'. Por virtude dessa ordem, as vastas produções persistem por todas as eras, de modo que a Palavra de Deus é estabelecida e se manifestou no céu e sobre a terra. Como a mesma palavra expressou todos os preceitos e instituições da lei e todas as promessas da aliança de misericórdia, a imutabilidade destes preceitos e promessas é verificada e manifestada pela conservação perpétua de todas estas ocorrências de poder e energia físicos".

as coisas terrenas, mas se acha ancorada num céu seguro e pleno de paz. O profeta Isaías ensina a mesma verdade em palavras um pouco diferentes: "Toda carne é erva, e toda sua glória, como a flor da erva" [Is 40.6]. Ele queria dizer, segundo a exposição do apóstolo Pedro [1Pe 1.24], que devemos buscar a certeza da salvação na Palavra. Portanto, erra grandemente aquele que fixa sua mente no mundo, pois a firmeza da Palavra de Deus transcende em muito a estabilidade do mundo.

90. Tua verdade é de geração em geração. Neste versículo, o salmista repete e confirma o mesmo sentimento. Ele ensina expressamente que, embora os fiéis vivam por breve tempo como estrangeiros sobre a terra e depressa a deixam, a vida deles não é perecível, pois são gerados de novo de uma semente incorruptível. No entanto, o salmista avança ainda mais. Antes, ele nos ordenara a penetrar, pela fé, o céu, porque neste mundo nada acharemos em que possamos descansar seguros. Agora, uma vez mais, ele nos ensina, por experiência pessoal, que, embora o mundo esteja sujeito a reviravoltas, nele resplandecem testemunhos portentosos e magistrais quanto à verdade de Deus, de modo que a firmeza da Palavra não se confina exclusivamente no céu, porém desce a nós que habitamos a terra. Por essa razão, o salmista acrescenta que a terra permanece, porque foi estabelecida por Deus no princípio. É como se ele dissesse: Senhor, mesmo na terra percebemos tua verdade refletida como que por um espelho, pois, embora a terra esteja suspensa no meio dos mares, ela permanece no mesmo estado. Estas duas coisas são plenamente consistentes: primeiro, a firmeza da palavra de Deus não deve ser julgada de acordo com a condição do mundo, que é sempre instável e se dissipa como uma sombra; segundo, os homens são ingratos, se deixam de reconhecer a constância que, em muitos aspectos, marca a estrutura do mundo. Pois a terra, que, de outro modo, não poderia ocupar essa posição inabalável, permanece firme, porque a Palavra de Deus é o fundamento sobre o qual ela repousa. Além do mais, ninguém tem qualquer motivo para argumentar que é muito difícil ir além deste mundo em busca das evidências da verdade de Deus, visto que, neste caso, isso estaria muito além da apreensão dos homens. O profeta responde essa objeção afirmando que, embora a verdade habite no céu, podemos ver, sob nossos próprios pés, provas claras da verdade e podemos avançar gradualmente rumo a um conhecimento perfeito dela, até ao ponto que permitir a nossa capacidade limitada. Assim, o profeta nos exorta, por um lado, a subir acima de todo o mundo, pela fé, de modo que a Palavra de Deus seja encontrada pela experiência, se é adequada, como realmente é, para suster nossa fé. Por outro lado, ele nos adverte que não temos desculpa se, pela própria visão da terra, não descobrirmos a verdade de Deus, visto que traços legítimos dela podem ser encontrados aos nossos pés. Na primeira sentença, os homens são chamados a abandonar a vaidade de seu próprio entendimento; e, na outra sentença, a fraqueza dos homens é amenizada, para que tenham, na terra, uma prelibação do que deve ser encontrado mais plenamente no céu.

91. Por teus juízos, eles permanecem até este dia. A palavra היום (*hayom*), que, seguindo outros intérpretes, tenho traduzido por *até este dia*, pode ser traduzida, não de modo impróprio, por *diariamente* ou *cada dia*. No entanto, nesse caso o sentido seria substancialmente o mesmo, pois o profeta tem em mente que toda a ordem da natureza depende somente do mandamento ou decreto de Deus. Ao usar o termo *juízos*, ele faz alusão à lei, notificando que o mesmo respeito para com a retidão que se exibe na lei é magistralmente exibido em cada parte do procedimento de Deus. Disto, concluímos que os homens são em extremo perversos quando, por sua descrença, fazem o que podem para abalar e manchar a fidelidade de Deus, na qual todas as criaturas repousam. E, além do mais, quando por rebelião impugnam a justiça de Deus e negam a autoridade dos seus mandamentos, dos quais depende a estabilidade do mundo inteiro.

Dizer que *todos os elementos são servos de Deus* é uma maneira abrupta de falar; porém isso expressa mais do que se disséssemos que todas as coisas estão prontas a Lhe prestarem obediência. Como podemos explicar que o ar, tão tênue, não consume a si mesmo por soprar incessantemente? Como podemos explicar que as águas não desapareçam pelo constante fluir, senão com o princípio de que esses elementos obedecem à ordem secreta de Deus? É verdade que, pela fé, percebemos que a existência contínua do mundo se deve ao decreto divino. Mas todos que têm a mínima pretensão de compreender são levados à mesma conclusão, com base nas provas evidentes e indubitáveis desta verdade que nossos olhos deparam por toda parte. Seja totalmente impresso em nossa mente o fato de que todas as coisas são governadas e mantidas pela secreta operação de Deus, de tal modo sua permanência no mesmo estado se deve a obediência que prestam ao mandamento ou palavra de Deus. Devemos ter sempre em mente aquilo que o profeta almeja, a saber, que a fidelidade de Deus, que resplandece em suas obras externas, pode fazer-nos crescer, gradualmente, até que alcancemos tal persuasão da veracidade da doutrina celestial, que ficaremos totalmente salvos de qualquer dúvida.

92. Não fora a tua lei o meu deleite. O profeta continua a perseguir quase o mesmo tema, afirmando que teria sido destruído, não houvera, em meio a suas calamidades, buscado consolação na lei de Deus. O advérbio אז (*az*) significa *então*; mas, como às vezes é usado para significar *um tempo longo* aqui é equivalente a *há muito tempo*, a menos que alguns prefiram considerá-lo como que apontando algo de modo significativo e enfático, como se o salmista estivesse ainda no estado que descreve. Ele confirma, com base em sua própria experiência, o que dissera antes, para tornar manifesto que não falara de coisas com as quais não estava familiarizado, mas assevera o que realmente experimentava – ou seja, que não há outro consolo, nem outro remédio para a adversidade, senão o descansarmos na Palavra de Deus e o aceitarmos a graça e a certeza de nossa salvação oferecidas nela. Ele enaltece de modo inquestionável a mesma Palavra sobre a qual dissera que habita o céu. Embora ela ainda ressoe na terra, penetre nossos ouvidos e se fixe em nosso coração, ainda retém a sua natureza celestial; pois desce até nós de tal maneira que não está sujeita às mudanças do mundo. O profeta declara que estava dolorosamente oprimido por aflições intensas, capazes de esmagá-lo; mas a consolação que derivava da lei divina, em circunstâncias tão desesperadoras, era-lhe como que vida.

93. Nunca esquecerei os teus estatutos. Este versículo contém ação de graças. Como a lei do Senhor o preservara, ele se comprometeu a que jamais a esqueceria. No entanto, ao mesmo tempo admoesta, a si mesmo e a outros, quão necessário é que alimentemos o coração com lembranças da lei divina; pois, ainda que, por experiência própria, tenhamos encontrado o seu poder doador de vida, facilmente permitimos que ela saia de nossa memória; e, quando isso ocorre, Deus nos pune com justiça, deixando-nos por longo tempo à mercê de nossas tristezas.

94. Eu sou teu, salva-me. Em primeiro lugar, o salmista se encoraja a orar com base na consideração de que ele mesmo é, como dizemos, uma estampa ou cunhagem do próprio Deus. Em segundo lugar, o salmista prova que é de Deus usando como base o fato de que guarda os mandamentos dEle. No entanto, não devemos entender isso como que ele se vangloriasse de algum mérito que possuía; visto que, no lidar com os homens, é costumeiro citarmos algo meritório que temos feito como argumento para obter o que desejamos – Eu sempre o amei e o estimei; sempre tentei promover sua honra e vantagem; meu serviço sempre esteve a seu dispor. Em vez disso, Davi apresenta a graça imerecida de Deus (e tão-somente ela), pois ninguém, por qualquer esforço propriamente seu, adquire a elevada honra de viver sob a proteção de Deus – honra essa que procede unicamente de sua soberana adoção. A bênção que Deus conferira ao salmista é aqui mencionada à guisa de argumento, por que ele não abandonaria a obra que Deus havia começado.

Quando ele afirma que também aspirava ansiosamente pelos mandamentos de Deus, mostra que dependia da vocação divina, pois não começara a aplicar sua mente aos mandamentos de Deus antes que houvesse sido chamado e recebido na família de Deus. Como ele deseja, neste versículo, que o Senhor o salve, assim também, no versículo seguinte, expressa a necessidade de ser salvo, dizendo *que os perversos o buscavam para o destruir*. Com isso, ele declara, ao mesmo tempo, a constância de sua piedade, visto que pusera sua mente na lei de Deus – um ponto digno de nota especial. Aqueles que, em outros tempos, sendo zelosos e querendo seguir a Deus, não sabem para que lado volver-se quando são atacados pelos perversos e se inclinam mais a seguir conselhos profanos. Portanto, é uma grande virtude honrar a Deus e descansar contentes somente com suas promessas, quando os perversos conspirarem para nossa destruição e, com toda evidência humana, nossa vida está em jogo. *Considerar os testemunhos de Deus* é, neste lugar, equivalente a aplicar nossa mente à palavra de Deus, a qual nos sustenta contra todos os ataques, acalma eficazmente todos os temores e nos restringe de seguirmos um conselho perverso.

96. Tenho visto o fim de toda perfeição.[33] Uma vez mais, o profeta usa outras palavras que contêm a mesma verdade que havia ensinado no primeiro versículo desta parte: a palavra de Deus não está sujeita a mudança, porque ela está muito acima dos elementos perecíveis deste mundo. Ele aqui assevera que não existe, debaixo do céu, nada tão perfeito e estável ou tão completo, em todos os aspectos, que não tenha fim; e que somente a palavra de Deus possui uma amplitude que excede a todas as fronteiras e limites. Visto que o verbo כלה (kalah) significa *consumir* e *consumar*, bem como *tornar perfeito*, há quem entenda o substantivo תכלה (*tichelah*) no sentido de *medida* ou *fim*. Mas é necessário traduzi-lo por *perfeição*, para que a comparação seja mais evidente e seja melhor para ampliar a fidelidade da palavra de Deus. Esta é a idéia que o profeta pretendia comunicar: depois de haver considerado todas as coisas, especialmente aquelas que são distintas por sua maior perfeição, ele descobriu que nada eram quando compara-

---

33 "A tradução literal é: *para toda perfeição percebo um limite*. No entanto, a palavra hebraica traduzida por *perfeição* ocorre somente neste lugar. Tudo indica que ela tenha sua raiz num verbo que significa *completar, finalizar*. O significado é: para toda coisa criada, por mais perfeita que seja, vejo um limite; ou seja, ela é limitada quanto à sua capacidade, bem como à sua duração" – *Cresswell*.

das com a Palavra de Deus, pois todas as demais coisas logo chegarão ao fim, enquanto a Palavra de Deus permanece sempre firme em sua própria eternidade.[34] Disso, concluímos que não temos motivos para apreensão, imaginando que seremos esquecidos no meio de nosso viver. Ele usa o termo *amplo* para denotar que, embora o homem possa subir acima dos céus ou descer aos abismos mais profundos, ou atravesse todo o espaço, à sua direita ou à sua esquerda, não irá além daquele ponto a que a verdade de Deus nos conduz. Cumpre à nossa mente assimilar essa vasta extensão; e isso acontecerá quando eles cessarem de enclausurarem-se e fecharem-se dentro dos estreitos limites deste mundo.

[vv. 97-104]

מ Oh! Como tenho amado a tua lei! É a minha meditação todo o dia. מ Tu me fizeste mais sábio que meus adversários por causa de teus mandamentos, porque eles estão sempre comigo. מ Tu me fizeste conhecer mais que todos os meus mestres, porque os teus testemunhos são a minha meditação. מ Excedo os idosos em entendimento, porque tenho guardado os teus estatutos. מ Tenho guardado os meus pés de toda vereda má, para guardar a tua palavra. מ Não me tenho afastado dos teus juízos, porque me tens ensinado. מ Oh! Quão doce têm sido as tuas palavras ao meu paladar! São mais doces que o mel a minha boca! מ Por meio dos teus estatutos tenho adquirido entendimento, portanto tenho odiado todo caminho falso.

97. Oh! Como tenho amado a tua lei! Não contente com uma simples afirmação, o profeta exclama, à guisa de informação, que se sentia inflamado por incrível amor à lei de Deus; e, como prova disso, ele acrescenta que estava continuamente engajado em meditar sobre ela. Se alguém se vangloria de amar a lei de Deus, mas negligencia o seu estudo e aplica sua mente a outras coisas, tal pessoa revela a mais grosseira hipocrisia; pois o amor à lei, especialmente um amor ardente por ela, como o profeta expressa aqui,

---

34 "Todas as coisas humanas, por mais perfeitas e admiráveis que sejam, são necessariamente deficitárias e mutáveis, mas a lei de Deus, tal como a natureza dAquele de quem ela procede, dura para sempre e, em todos os aspectos, é completa e inalterável. Devemos entender pela lei, aqui, toda a vontade revelada de Deus, incluindo tanto a promessa como o preceito" – *Walford*.

produz sempre meditação contínua sobre ela. E, indubitavelmente, a menos que a lei de Deus inflame e arrebate nossos corações, com profundo amor por ela, muitas fascinações depressa se aproximarão de nós e nos arrastarão à vaidade. Aqui, o profeta enaltece um amor tal para com a lei que, possuindo todos os nossos sentidos, exclui eficazmente todos os enganos e corrupções, para os quais, de outro modo, nos inclinamos excessivamente.

98. Tu me fizeste mais sábio que meus adversários. Aqui o salmista declara que era mais culto que seus adversários, seus instrutores e os idosos, porque era aluno da lei de Deus. É num sentido diferente que ele se descreve como alguém dotado de entendimento acima de seus adversários; e com base nisso ele se descreve como mais sábio que seus mestres. Ele supera os seus inimigos, porque a astúcia e os artifícios deles de nada lhes vale quando os empregavam ao máximo para realizarem sua destruição. A malícia dos perversos sempre os instiga a agir mal. E como, freqüentemente, eles são astutos e fraudulentos, temos medo de que nossa simplicidade seja corrompida pelos enganos deles, se não utilizarmos as mesmas astúcias e atitudes furtivas que eles praticam. Conseqüentemente, o profeta se gloria de que encontrou na lei de Deus o suficiente para capacitá-lo a escapar de todas as armadilhas deles.

Quando reivindica o mérito de ser superior em conhecimento a seus mestres, ele não pretende negar que também tinham aprendido da Palavra de Deus o que era útil para ser conhecido. Mas dá graças a Deus por havê-lo capacitado a ultrapassar, em proficiência, àqueles de quem havia aprendido os primeiros elementos do conhecimento.[35] Não é algo novo o fato de que um aluno exceda seu mestre, de acordo com a medida de entendimento que Deus distribui a cada um. É verdade que os fiéis são instruídos pelos sofrimentos e labores dos homens, mas isso acontece de um modo que Deus é considerado como

---

35 "Como havia penetrado na natureza espiritual da lei de Deus e visto a extraordinária amplitude do mandamento, ele se tornou imediatamente mais sábio do que qualquer dentre os sacerdotes ou mesmo entre os profetas que o haviam instruído" – *Dr. Adam Clarke*.

o iluminador deles. E a essa iluminação se deve o fato de que o aluno ultrapassa o mestre, pois Deus quer mostrar que Ele usa o serviço dos homens de um modo tal que Ele mesmo continua sendo o principal mestre. Portanto, aprendamos a render-nos à instrução dEle, para que, com Davi, nos gloriemos que, recebendo o ensino de Deus, temos progredido além do que a instrução dos homens poderia nos levar.

O salmista acrescenta a mesma coisa a respeito aos *idosos*, para confirmar mais abundantemente sua confissão. Devido à longa experiência e à prática, a idade é de grande valor no aprimoramento de homens que, por natureza, são obtusos e rudes. Ora, o profeta assevera que havia adquirido, por meio da lei de Deus, mais discrição do a dos homens idosos.[36] Em suma, ele pretende afirmar que todo aquele que se rende com docilidade a Deus, mantém seus pensamentos em sujeição à palavra dEle e se exercita diligentemente em meditar na lei, obterá sabedoria suficiente para capacitá-lo a avaliar sua própria segurança, em oposição aos estratagemas de seus inimigos, a exercitar a circunspeção necessária para escapar dos enganos deles e, finalmente, a equiparar-se aos mui eminentes mestres ao longo de todo o curso de sua vida.

No entanto, Davi não menciona a sua sabedoria para vangloriar-se dela diante do mundo. Mas, por seu próprio exemplo, ele nos adverte que nada é melhor que aprender de Deus, visto que só é perfeitamente sábio quem aprendeu em sua escola. Ao mesmo tempo, aqui se ordena sobriedade aos fiéis, para que não busquem sabedoria em outras plagas além da palavra de Deus e para que a ambição ou curiosidade não os incite a vã ostentação. Em suma, aqui se recomenda a todos que se comportem com modéstia e humildade, para que ninguém reivindique para si um conhecimento tal que o eleve acima da lei de Deus, e

---

36 "*Eu compreendo mais do que os antigos*. Deus lhe revelara daquela sabedoria oculta, que estava em sua lei, mais do que o que revelara a qualquer de seus antecessores. Isso era mais literalmente verdadeiro a respeito de Davi, que falou mais plenamente sobre Cristo do que qualquer outro que existira antes dele ou, deveras, viria depois dele. As composições de Davi são, eu quase diria, um *evangelho sublime*" – *Ibid.*

sim que todos os homens, por mais inteligentes que sejam, se rendam espontaneamente às lições da sabedoria celestial revelada na Palavra de Deus. Ao afirmar que *guardava os estatutos de Deus* o salmista nos ensina que tipo de meditação é aquela sobre a qual falamos, para que saibamos que ele não filosofava friamente sobre os preceitos de Deus, mas se devotava a eles com ardente afeição.

101. Tenho guardado os meus pés de toda vereda má. Ele notifica que proclamara guerra contra todo erro, para que fosse totalmente dedicado a Deus. Com base neste fato, aprendemos esta proveitosa lição: para guardarmos a lei de Deus, devemos, desde o início, cuidar bem que nossos pés não andem por veredas sinuosas. Pois, em meio a tantas fascinações, tendo uma natureza tão corrupta como a nossa e uma mente tão leviana, corremos o risco de nos desviarmos; sim, um raro milagre é alguém manter sua vida em um curso reto, sem desviar-se para um lado ou para outro, para uma direção ou para outra. Os fiéis têm necessidade de exercitar a maior circunspeção, para que guarde seus pés de se desviarem.

No versículo seguinte, Davi recomenda sua própria constância na observância à lei. Ele declara que, sempre que aprendera de Deus a maneira correta de viver, passara a seguir o curso certo. Como o caminho é sobremodo escorregadio, e nossos pés, tão vacilantes, e toda nossa disposição, tão inclinada a desviar-se seguindo inúmeros erros, são exigidos de nossa parte não poucos esforços para evitar o afastar-nos dos juízos de Deus. Mas devemos atentar bem ao método do ensino a que o salmista se refere, pois, ainda que são ensinados todos a quem a palavra de Deus é proclamada, raramente um em dez prova essa saboreia. Sim, raramente um em cem tira proveito na proporção de sua capacidade, avançando, assim, no caminho reto até ao fim. Aqui, realça-se um método peculiar de ensinar: aquele que consiste em Deus atrair a Si mesmo seu povo escolhido. É como se o salmista dissesse: Tenho sido trazido ao caminho da salvação e perseverado nele pela influência secreta do Espírito Santo.

103. Oh! Quão doce têm sido as tuas palavras ao meu paladar! Ele repete, uma vez mais, o que declarara antes com palavras diferentes, que fora tão poderosamente atraído pela doçura da lei divina, que não desejava mais nenhum outro deleite. É possível que uma pessoa seja afetada com reverência para com a lei de Deus, mas ninguém a seguirá alegremente, senão aquele que tem provado esta doçura. Deus não quer de nós um culto servil, e sim que nos acheguemos a Ele alegremente. Essa é a razão por que o profeta elogia a doçura da palavra de Deus repetidas vezes neste Salmo. Se nos perguntam em que sentido ele declara que tivera esse agradável deleite na lei de Deus, o deleite que, segundo o testemunho de Paulo [1Co 3.9], introduz temor nos homens, a resposta é fácil: o profeta não fala sobre a letra que mata os que a lêem, mas inclui em seu escopo toda a doutrina da lei, cuja parte principal é a soberana aliança da salvação. Quando Paulo contrasta a lei com o evangelho, ele fala somente dos mandamentos e ameaças. Ora, se Deus fosse apenas ordenar e anunciar maldição, a totalidade de sua comunicação seria, indubitavelmente, letal. Aqui, o profeta não está opondo a lei ao evangelho; portanto, ele podia afirmar que a graça da adoção, que é oferecida na lei, lhe era mais doce que o mel, ou seja, que nenhum deleite lhe era igual a este. O que disse antes deve ser relembrado: a lei de Deus nos será insípida ou, pelo menos, nunca nos será tão doce, a ponto de nos privar dos prazeres da carne, se não tivermos lutado corajosamente contra nossa própria natureza, a fim de subjugar as afeições carnais que prevalecem dentro de nós.

104. Por meio dos teus estatutos tenho adquirido entendimento. Aqui, o profeta parece inverter a ordem que acabara de estabelecer. Ele observou que havia guardado seus pés de desviarem-se, para que pudesse observar a lei de Deus. Agora, ele institui uma ordem contrária, começando com a observância da lei, pois ele declara que fora instruído pela Palavra de Deus, antes de corrigir suas faltas. No entanto, estas duas coisas não são incoerentes – que os fiéis devem corrigir-se de suas vacilações, a fim de estruturarem sua vida segundo a norma da Palavra de Deus, e que, ao haverem avançado bem na vida de santidade e sendo o temor de Deus mais vigoroso neles, devem julgar todos os pecados com aversão muito mais intensa. Uma vida feliz se inicia, inquestionavelmente, quando um homem se esforça por livrar-se dos pecados. E, quanto mais progresso ele fizer numa vida boa, tanto mais ele arderá em zelo contra os pecados e tanto mais se afastará deles. Além disso, somos instruídos pelas palavras do profeta que a razão por que os homens se envolvem em falsidades e se embaraçam em erros perversos é o fato de que não absorvem a sabedoria da palavra de Deus. Como o mundo inteiro é dado à estultícia, aqueles que perdem seu tempo defendendo a si mesmo dizem que lhes é difícil guardarem-se das fascinações do pecado. Mas o remédio estará bem perto, se seguirmos o conselho do profeta, ou seja, em vez de dependermos de nossa própria sabedoria, devemos buscar compreensão na palavra de Deus, por meio da qual Ele não só mostra o que é certo, mas também fortifica nossa mente e nos põe em guarda contra todos os enganos de Satanás e todas as imposturas do mundo. Permita Deus que, nos dias atuais, isso seja totalmente impresso na mente de todos os que se vangloriam de ser cristãos, pois assim eles não seriam continuamente desviados, como ocorre com a maioria deles, devido a tanta inconstância, segundo os impulsos conflitantes das opiniões prevalecentes. Como Satanás está diligenciando de tal modo sedutoramente para difundir uma infinidade de erros, apliquemo-nos com o mais profundo ardor na aquisição desta sabedoria.

[vv. 105-112]
ו Tua palavra é lâmpada para meus pés e uma luz para minha vereda. ו Tenho jurado, e o cumprirei, que guardaria teus justos juízos. ו Estou muitíssimo aflito, ó Jehovah; vivifica-me segundo a tua palavra. ו Eu te rogo, ó Jehovah, que as oferendas voluntárias de minha boca te sejam aceitáveis; ensina-me os teus juízos. ו Minha alma está continuamente em minha mão, e não me tenho esquecido da tua lei. ו Os perversos me armaram uma rede; eu não me tenho desviado dos teus estatutos. ו Tenho os teus testemunhos como uma herança para sempre, pois eles são a alegria do meu coração. ו Tenho inclinado o meu coração a observar os teus estatutos para sempre, até ao fim.

105. Tua palavra é lâmpada para meus pés. Neste versículo, o salmista testifica que a lei de Deus era seu mestre e guia em conduzir uma vida santa. Assim, ele prescreve, por meio de seu próprio exemplo, a mesma regra para todos nós. É muitíssimo necessário que observemos esta regra, pois, enquanto cada um de nós segue o que parece ser bom a seus próprios olhos, nos tornamos enredados em labirintos inextricáveis e medonhos. Para entendermos mais distintamente a intenção do salmista, precisamos notar que a palavra de Deus é posta em oposição a todos os conselhos humanos. O que o mundo julga certo é amiúde tido como incorreto e perverso no critério de Deus, o qual não aprova nenhum outro modo de viver, senão aquele que é ordenado em conformidade com a norma de sua lei. Precisamos observar também o seguinte: Davi não poderia ter sido guiado pela Palavra de Deus, a menos que renunciasse, antes, a sabedoria da carne, pois somente quando somos levados a fazer isso é que começamos a possuir uma disposição passível de instrução. Mas a metáfora que ele usa implica algo mais, ou seja, a menos que a Palavra de Deus ilumine a vereda dos homens, toda a vida deles é envolvida em trevas e obscuridade, de modo que nada podem fazer, senão desviar-se miseravelmente do caminho certo. E, além do mais, quando nos submetemos com docilidade ao ensino da lei de Deus, não corremos o risco de nos desviarmos. Se houvesse obscuridade na palavra de Deus, como os papistas declaram insensatamente, a recomendação com a qual o profeta honra a lei, neste versículo, seria totalmente imerecida. Estejamos certos de que aqui há uma luz infalível, se tivermos nossos olhos abertos para contemplá-la. O apóstolo Pedro [2Pe 1.19] expressou o mesmo pensamento com mais clareza, quando recomendou aos fiéis que atendessem à palavra da profecia, "como a uma candeia que brilha em lugar tenebroso".

106. Tenho jurado, e o cumprirei. Aqui, o salmista fala de sua constância pessoal. Ele declarara, um pouco antes, que durante todo o curso de sua vida não se afastara da lei de Deus; agora ele fala do propósito de sua mente. Pelo termo *jurar*, ele sugere que se comprometera solenemente, diante de Deus, a não alterar sua determinação. O verdadeiro método de guardar a lei de Deus é receber e abraçar, de coração, o que Ele ordena e, ao mesmo tempo, não permitir que nosso ardor diminua em seguida, como acontece freqüentemente. Esta é também a regra própria de fazermos juramento, para que nos ofereçamos a Deus e Lhe dediquemos nossa vida.

No entanto, se alguém perguntar se o juramento do profeta não é condenado como temerário, visto que ele imaginava engajar-se em fazer muito mais do que a capacidade humana permite; pois, quem é capaz de guardar a lei de Deus? É possível alguém alegar que o homem jura temerariamente, prometendo a Deus algo que está além de seu poder de cumprir. A resposta é óbvia: sempre que os fiéis juram a Deus, eles não levam em conta o que são capazes de fazer por sua própria força; antes, dependem da graça de Deus, a quem pertence o realizar o que Eles mesmo requer deles, a fim de supri-lhes poder por meio do seu Espírito Santo; pois, como Paulo afirma em 2Coríntios 3.5: "Não que, por nós mesmos, sejamos capazes de pensar alguma coisa". Mas, quando Deus nos estende sua mão, Ele nos convida a nutrir bom ânimo e promete que nunca nos deixará fracassar. Esta é a fonte da qual procede a ousadia de jurar, aqui mencionada.

Não somos precipitados, quando, confiantes nas promessas de Deus, pelas quais Ele nos antecipa, nós Lhe oferecemos nossos serviços. No obstante, a questão permanece sem solução, pois, embora os filhos de Deus sejam, afinal, vitoriosos sobre todas as tentações, pela graça do Espírito Santo, há sempre neles alguma debilidade. Mas precisamos observar que os fiéis, ao fazerem seus juramentos e promessas, nutrem respeito não só por aquele artigo da aliança no qual Deus prometeu que faria andássemos em seus mandamentos, mas também aquele outro artigo que é, ao mesmo tempo, adicionado acerca do perdão gratuito de seus pecados [Ez 11.20; 36.27; Sl 103.13]. Davi, segundo a medida da graça que lhe foi dada, se obrigou por juramento a guardar a lei de Deus, encorajado por estas palavras do profeta: "Poupá-los-ei como um homem poupa a seu filho que o serve" [Ml 3.17].

107. Estou muitíssimo aflito, ó Jehovah. Este versículo ensina que Deus, na época da lei, não tratava os pais com tanta delicadeza, que não os exercitava com tentações severas; pois o salmista declara que não era afligido levemente ou em um grau ordinário, e sim acima da medida. Sua oração para *ser vivificado* implica que ele se achava diante da morte. No entanto, ao mesmo tempo, ele mostra que, embora se achasse sitiado pela morte, não esmorecia, porque se apoiava em Deus. Este é um ponto digno de nota, pois, embora, a princípio, possamos invocar a Deus com muita alegria, quando as provações crescem em severidade, nosso coração se acovarda e, no temor extremo, nossa confiança se exaure. Contudo, o profeta implora que Deus lhe dê sua graça, não para que sua vida seja preservada em segurança, e sim que sua vida seja recuperada, depois de havê-la perdido; isso indica tanto a baixa condição a que fora reduzido como a contínua confiança em Deus. É preciso observar ainda, atentamente, a última parte da sentença: *segundo a tua palavra*. Oraremos friamente, ou não oraremos de modo algum, se a promessa de Deus não nos inspirar com coragem em nosso sofrimento e angústia. Em suma, como já dissemos em outro lugar, é indispensável que tenhamos esta chave em mãos, a fim de desfrutemos de livre acesso ao trono da graça.

108. Eu te rogo-te, ó Jehovah, que as oferendas voluntárias de minha boca. Este versículo pode ser lido numa só sentença conectada, bem como dividido em duas partes. Segundo o primeiro ponto de vista, o sentido seria: Recebe, ó Senhor, meus sacrifícios para este fim: ensinar-me os teus mandamentos. Se preferirmos dividir o versículo em duas sentenças, ele consistirá de duas orações separadas: primeira, uma oração para que Deus aceite os sacrifícios do profeta; segunda, uma oração para que Ele o instrua na doutrina da lei. Sinto-me mais inclinado a seguir a primeira opinião. O profeta afirma, como já vimos em outra passagem, que nada lhe era mais precioso do que entender a doutrina da lei. É como se ele dissesse: Senhor, aceita, em conformidade com teu beneplácito, os sacrifícios que te ofereço; e, como meu principal desejo é ser instruído corretamente em tua lei, permite que eu seja participante desta bênção, que anelo receber. Precisamos destacar bem todas as passagens em que o conhecimento da verdade divina é referida como preferível a todos os demais benefícios outorgados à raça humana. E, indubitavelmente, visto que esse conhecimento contém a garantia da salvação eterna, há boa razão para que ele seja considerado um tesouro inestimável. No entanto, o profeta começa em um ponto remoto, pedindo que Deus se digne de aprovar e aceitar seus serviços.

Quanto à palavra נדבות (*nidboth*), não tenho dúvida de que ela denota os sacrifícios que eram chamados de *oferendas voluntárias*. Admito que ele fala propriamente de votos e orações. Todavia, como o povo escolhido, para propiciar a Deus, costumava oferecer sacrifícios segundo a capacidade de cada pessoa, o salmista alude àquele costume que prevalecia sob a lei, embora Oséias [14.2] chame as orações a Deus de "os novilhos dos lábios". O desígnio de Deus, por esta cerimônia, era testificar aos pais que nenhuma oração era aceitável a ele, senão aquelas que se associassem com o sacrifício, para que sempre volvessem suas mentes ao Mediador. Em primeiro lugar, ele reconhece que era indigno de obter qualquer coisa por meio de suas orações, e que, se Deus o ouvisse, isso viria de sua graça, livre e imerecida. Em segundo lugar, ele deseja que Deus lhe seja favorável, capacitando-o a extrair proveito certo da doutrina da lei. O verbo רצה (*ratsah*) que ele usa significa *favorecer por mera boa vontade*. Disso, concluímos que nada é meritório em nossas orações e, sempre que Deus as ouve, isso se deve ao exercício de sua livre bondade.

109. Minha alma está continuamente em minha mão. Ele declara que nenhuma calamidade, aflição ou perigo que experimentasse o afastaria do serviço de Deus e da observância à sua lei. *Estar sua alma em sua mão* equivale a estar enfrentando risco de vida, de modo que a alma era, por assim dizer, abandonada ao léu. Assim, quando Jó [13.14] mergulha em suas misérias, encara a morte a todo instante e teme-a, ele se queixa de que sua alma estava em sua mão, como se quisesses dizer: Minha alma foi é arrancada de sua própria habitação e se acha sob o domínio da morte.³⁷ Infelizmente, esta forma de expressão é deturpada em um significado absurdo pelas pessoas ignorantes, as quais entendem o profeta como que a notificar que estava em seu poder o governar sua vida a seu bel-prazer. Em vez de pretender comunicar essa idéia, por meio desta circunstância ele recomenda sua própria piedade, declarando que, embora estivesse os destroços, e a morte pairasse, de múltiplas formas, ante seus olhos, de modo que ele não podia descansar em segurança por um momento sequer, o amor e o estudo da lei divina não o haviam abandonado. Aqui, uma vez mais, notamos bem os conflitos severos e árduos pelos quais os pais, na época da lei, eram tentados, para que os perigos e os temores não nos espantem ou, pelo desânimo exaustão que produzem, nos privem de coragem e, assim, impeçam que a lembrança da lei divina permaneça em nosso coração.

110. Os perversos me armaram uma rede. O significado deste versículo se assemelha ao do anterior. O profeta mostra, de modo bem definido, em que aspecto ele tinha a sua alma na mão; ou seja, achando-se cercado, de todos os lados, pelas redes dos perversos,

---

37 Esta expressão proverbial ocorre em várias outras passagens da Escritura. Em todas essas passagens, significa que a vida da pessoa que a emprega está em perigo, como em Juízes 12.3: "E, quando vi que vós não me livrastes, *pus minha vida em minhas mãos* e passei contra os filhos de Amom". Em, 1 Samuel 19.5: "*Ele pôs sua vida em sua mão* e destroçou os filisteus". Em 1 Samuel 28.21: "E a mulher veio a Saul e disse: *Eu pus minha vida em minha mão*". Phillips explica assim a figura: "Costumamos dizer que uma tarefa está nas mãos de uma pessoa, quando a administração e o resultado da tarefa se acha inteiramente com a pessoa; e falamos assim quando a tarefa é a vida ou a morte de um indivíduo. Semelhantemente, quando os hebreus falavam que a vida de uma pessoa estava em suas próprias mãos, poderiam significar que a preservação da vida estava inteiramente com a pessoa, que ela estava destituída de toda ajuda externa, e, conseqüentemente, sua vida corria perigo. Isto é particularmente verdadeiro no que se refere aos militares, que, ao lutarem bravamente, ou podiam preservar, ou podiam perder sua vida. Isso foi o que aconteceu com Jefté, como transparece de uma das passagens já citadas". Contudo, a figura talvez seja extraída da circunstância de que aquilo que um homem leva abertamente em sua mão corre o risco de cair ou de ser tomado com violência. "A Septuaginta mudou a pessoa do pronome: ἐν ταῖς χερσί σου (*em tuas mãos*); bem como, a versão Siríaca. É provável que estes antigos intérpretes não entendessem a frase e, assim, expressaram-na de acordo com o que imaginavam ser a redação original, propiciando um sentido mui óbvio. Agostinho diz que o texto de muitos manuscritos, em seu tempo, continha a segunda pessoa. Entretanto, esses manuscritos não são conhecidos hoje e não há dúvida quanto à exatidão do texto. O salmista declara que, embora sua vida estivesse em perigo, ele não esquecia a lei de Deus" – *Ibid*.

ele raramente divisava alguma esperança de vida. Já observamos antes quão difícil é evitar os desvios dos caminhos do Senhor, quando nossos inimigos, por suas artes sutis, fazem tudo para causar a nossa destruição. O desejo depravado de nossa natureza caída nos incita à retaliação, pois não vemos maneira alguma de preservar a vida, se não empregarmos os mesmos artifícios com os quais eles nos atacam; e nos persuadimos de que é lícito que uivamos entre os lobos. Sendo este o caso, devemos, com a máxima atenção, meditar sobre esta doutrina: quando os perversos nos cercam e sitiam com seus artifícios, o melhor que podemos fazer é seguir para onde Deus nos chamar e nada tentar, senão o que é compatível com a vontade dEle.

111. Tenho os teus testemunhos como uma herança para sempre. Ele confirma, uma vez mais, o sentimento que não pode ser reiterado com muita freqüência: a lei de Deus lhe era mais preciosa que todos os prazeres, riquezas e possessões do mundo. Eu disse não ser inútil que essas coisas sejam reiteradas com tanta freqüência, pois vemos quão violentamente os homens do mundo se agitam para satisfazer suas concupiscências imoderadas, que lhes causam múltiplas ansiedades, enquanto ambicionam incessantemente inumeráveis objetos. Nesse ínterim, raramente um em cem almeja aplicar, em um grau moderado, sua mente ao estudo da lei divina. Para despertar-nos por meio de seu exemplo, o profeta assevera que nutria todo prazer nos testemunhos de Deus, a ponto de nada estimar como mais precioso. Somente o amor nos leva a depositar valor em algum objeto. Por isso, para que haja a devida reverência à observação da lei de Deus, é necessário que comecemos com este prazer nela. Não é surpreendente que os testemunhos de Deus comuniquem alegria à nossa mente, os quais, nos levando a rejeitar e desprezar todas as demais coisas, nutrem nossas afeições neles. O que pode ser mais doce do que o céu aberto para nós, a fim de que cheguemos livremente à presença de Deus, quando, adotando-nos como seus filhos, Ele perdoa os nossos pecados? O que pode ser mais desejável do que ouvir que Ele está tão pacificado em relação a nós, que assume o cuidado de nossa vida? Tenho chagado à conclusão de que é aconselhável que isto seja observado de modo sucinto, para que não pensemos ser algo estranho encontrar Davi regozijando-se, de forma tão profunda, na lei de Deus.

A analogia de *herança* ocorre com freqüência nas Escrituras. E aplicamos a designação *herança* àquilo que temos na mais elevada estima, a ponto de vivermos contentes, se formos privados de todas as demais coisas, contanto que retenhamos a segura e plena possessão dessa única coisa. De acordo com isso, o profeta sugere que todas as coisas boas que obtivera ele considerava como inesperadas, e somente as verdades reveladas na palavra de Deus eram a sua única herança. Sem a palavra de Deus, todas as demais coisas eram, em sua estima, como nada. Assim, ele podia, de bom grado, deixar outras riquezas, honras, confortos e prazeres, se possuísse este incomparável tesouro. Isso não significa que ele desprezava totalmente os benefícios temporais que Deus outorga; mas sua mente não estava presa a eles.

112. Tenho inclinado o meu coração a observar os teus estatutos.
Neste versículo, o salmista descreve a observância correta da lei, que consiste em nos prepararmos alegre e sinceramente para fazer o que a lei manda. Obediência servil e obrigatória difere pouco da rebelião. O profeta, para definir sucintamente o que é servir a Deus, assevera que aplicava não só as mãos, os olhos ou os pés à observância da lei, e sim que começava com a afeição do coração. Em vez do verbo *inclinar*, pode-se, com muita propriedade, empregar o verbo *estender*. Todavia, sinto-me propenso a descansar na interpretação mais geralmente aceita, que consiste no fato de que o salmista se dedicava com sincera afeição de coração, à observância da lei. Esta propensão do coração é oposta às concupiscências errantes que nascem contra Deus e nos arrasta sem rumo, em vez de inclinar-nos a uma vida virtuosa. A tentativa dos papistas de defender, com esta passagem, a sua doutrina do livre-arbítrio é frivolidade. Inferem das palavras do profeta que o homem tem o poder de inclinar seu próprio coração para onde queira o seu arbítrio. Mas a resposta é fácil. Aqui, o profeta não se vangloria do que fizera por seu próprio esforço, pois repete a mesma palavra que empregara antes, quando disse: *Inclina*

meu coração aos teus testemunhos. Se essa oração não era fingida, sem dúvida ele reconhecia por meio dela que a obra peculiar do Espírito Santo era inclinar e dispor nossos corações para com Deus. Mas atribuir a nós aquilo que Deus opera em nós não é algo novo; a afirmação de Paulo a este respeito é muito clara: "Porque Deus é quem efetua em vós tanto o querer como o realizar, segundo a sua boa vontade" [Fp 2.13]. Quando o profeta diz a respeito de si mesmo que *inclinava o seu coração*, ele não separa seu próprio empenho da graça do Espírito Santo, por cuja inspiração ele declarou antes que tudo foi feito. Ao mesmo tempo, ele distingue a constância de sua afeição piedosa do fervor transitório de outros. Assim, para que não falhe em meio ao seu curso, ou retroceda, ele afirma que tinha resolvido continuar no mesmo curso ao longo de toda a sua vida. A palavra עקב *(ekeb)*, *terminar*, em minha opinião, é adicionada à palavra לעולם *(leloam)*, *para sempre*, à guisa de exposição, para mostrar-nos que ele lutava varonilmente contra todos os obstáculos e dificuldades, a fim de não fraquejar em sua constância, pois ninguém persevera no serviço de Deus sem exercícios árduos. Há quem tome a palavra como que denotando *uma recompensa*,[38] mas isso parece estranho demais ao desígnio da passagem.

[vv. 113-120]
ס Tenho odiado os pensamentos tortuosos e amado a tua lei. ס Tu és o meu refúgio e o meu escudo; tenho confiado em tua palavra. ס Apartai-vos de mim, perversos, e guardarei os mandamentos do meu Deus. ס Sustenta-me por tua palavra, e viverei; não me deixes envergonhado de minha expectativa. ס Estabelece-me, e serei salvo, e considerarei os teus estatutos continuamente. ס Tu tens pisado aos pés todos quantos se desviam dos teus estatutos, pois o engano deles é falsidade. ס Tu tiraste de sobre a terra todos os perversos, como escória; por isso, tenho amado os teus testemunhos. ס Minha carne tremeu de temor por ti, e fiquei temeroso de teus juízos.

---

38 Assim, na versão Arábica, temos "por conta de um galardão eterno", isto é, o galardão da graça prometido a todos os fiéis. Segundo esse ponto de vista, o salmista teria respeito ao fim e à recompensa da fé e da obediência santa. Ver Hebreus 11.26, 1 Pedro 1.8-9. Entretanto, como o salmista, igualmente com todos os crentes, não abraçou e obedeceu à lei de Deus tão-somente ou principalmente com a esperança de um galardão, mas foi principalmente atraído à obediência por amor a Deus e pela excelência intrínseca da lei, outros preferem a redação: "O galardão é eterno".

113. Tenho odiado os pensamentos tortuosos. Aqueles que acham que a palavra סעפים (*seaphim*), a primeira no versículo, traduzida por *pensamentos tortuosos*, é um substantivo apelativo traduzem-na por *aqueles que pensam mal*.[39] porém, é mais correto entendê-la como se referindo aos próprios pensamentos,[40] e esta é a interpretação mais geralmente adotada. O substantivo סעף (*saeph*) significa propriamente *um ramo*, porém é aplicado metaforicamente aos *pensamentos*, os quais, brotando do coração, como os ramos brotam do tronco de uma árvore, se expandem em toda direção. E não há dúvida de que nesta passagem o termo é tomado num sentido ruim; e adicionei o epíteto *tortuoso*, que é exigido pela etimologia da palavra.[41] Como os ramos de uma árvore brotam transversalmente, se emaranhando e se entretecendo, assim também os pensamentos da mente humana são confusamente entrelaçados, voltando-se e enroscando-se em todas as direções. Alguns intérpretes judeus o entendem como uma referência às leis dos pagãos, as quais, dizem, foram retiradas da lei de Deus, como os ramos de uma árvore. Embora essa idéia seja engenhosa, não possui coerência. Portanto, optarei pela explanação mais simples: as invenções tortuosas do coração humano e tudo que os perversos inventam, segundo seus próprios entendimentos perversos, são opostos à lei de Deus, que é a única norma correta. E, com

---

39 Na versão Caldaica temos "pensadores vãos"; assim, o significaria seria: "Eu odeio os homens que pensam mal, tramam projetos perversos, ou fomentam opiniões falsas e más, opostas à lei de Deus, ou pendem para os homens que afastam dela".

40 Em Jó 4.14 e 20.2, essa palavra significa *pensamentos*; em 1 Reis 18.21, *opiniões*; e estas podem ser ou boas ou más, sendo o seu caráter determinado pelo contexto da passagem em que a palavra ocorre.

41 O sentido do texto requer também que a palavra traduzida por *pensamentos*, aqui, seja interpretada em um sentido negativo, pois o salmista afirma que os odeia e põe a lei de Deus em oposição a eles. Vários epítetos têm sido supridos para descrever o caráter desses *pensamentos*, tais como "tortuosos", por Calvino; "vãos", pela versão inglesa; e "arrogantes", por Lutero. Ainsworth supre *inconstantes*, observando que o termo original denota os ramos altos das árvores, que são aplicados, figuradamente, aos pensamentos ou opiniões da mente, para denotar que são inconstantes e incertos, como em 1 Reis 18.21, ou a pessoas distraídas em suas próprias cogitações. Poole observa, em harmonia com a interpretação de Calvino, que pensamentos, ou opiniões, ou tramas de homens que diferem de ou se opõem à lei de Deus podem estar em foco, visto que, na próxima sentença, a lei de Deus é oposta a eles e que alguns expositores, judeus e cristãos, entendem assim a palavra hebraica.

toda certeza, quem realmente abraçar a lei de Deus deverá, necessariamente, como sua primeira atividade, despir-se de todos os pensamentos profanos e pecaminosos, ou melhor, sair de sua própria natureza. Esse é o significado, a menos que, talvez, preferindo outra metáfora, entendamos סעפים (seaphim) no sentido de pensamentos elevados, visto que o verbo סעף (saaph) é entendido no sentido de *levantar-se*. Ora, sabemos que nenhum sacrifício é mais aceitável a Deus do que a obediência, quando nutrimos pensamentos inferiores a respeito de nós mesmos. Assim, a nossa docilidade começa com humildade. Mas, como esta exposição pode parecer também forçada, eu a deixo de lado. Que seja suficiente o que dissemos: visto que Deus só reconhece como discípulos de sua lei aqueles que são purificados de todas as imaginações contrárias, que corrompem nosso entendimento, o profeta aqui afirma com ousadia que é inimigo de todos os pensamentos tortuosos, que costumam lançar os homens de um lado para o outro.

114. Tu és o meu refúgio e o meu escudo. O significado é que o profeta, persuadido de que a única maneira pela qual poderia sentir-se seguro era ocultar-se sob as asas de Deus e confiante nas promessas de Deus, nada temia. E, com toda a certeza, o primeiro ponto é que os fiéis mantenham, como um princípio estabelecido, que em meio aos muitos perigos aos quais estão expostos, a preservação de sua vida se deve inteiramente à proteção divina; a fim de que fossem incitados a correr para Ele e, descansando confiantes em sua palavra, esperassem confiantemente o livramento que Ele prometera. Sem dúvida, esta confiança de *que Deus é o nosso refúgio e o nosso escudo* se deriva da Palavra, mas devemos lembrar que há aqui uma relação mútua – quando tivermos aprendido da palavra de Deus a verdade de que temos nEle um refúgio seguro, essa verdade deve ser nutrida e confirmada em nossos corações, sob uma consciência de nossa absoluta necessidade da proteção divina. Além disso, embora o poder de Deus seja muito suficiente para inspirar-nos com a esperança de salvação, devemos ter sempre a palavra diante de nós, para que nossa fé não desfaleça, quando o auxílio divino demora a chegar.

115. Apartai-vos de mim, perversos. Há quem explique este versículo como se Davi declarasse que se devotaria com mais alegria e maior ardor à observância da lei, quando os perversos houvessem desistido de atacá-lo. E, inquestionavelmente, quando sentimos que Deus nos libertou, somos mais que estúpidos, se esta experiência não incita nosso íntimo com sincero e ardente desejo de servir a Deus. Se a piedade não cresce em nós à proporção do senso e experiência que temos da graça de Deus, exibimos ingratidão vil. Esta é uma doutrina genuína e proveitosa, mas o profeta desejava comunicar neste versículo um sentimento diferente. Como ele percebera quão grande obstáculo os ímpios nos armam, ele os bane para bem longe de si; ou melhor, ele testifica que cuidará para que não se enleie na comunhão com eles. Ele não disse isso por causa de si mesmo, e sim para nos ensinar, por meio de seu exemplo, que, se nos mantivermos no caminho do Senhor sem tropeçarmos, nos esforçaremos, acima de todas as coisas, por manter a maior distância possível dos homens profanos e perversos, não com respeito a distância de lugar, e sim com respeito ao relacionamento e conversação. Uma vez tenhamos adquirido uma íntima familiaridade com eles, dificilmente nos será possível evitar sermos depressa corrompidos pelo contágio do exemplo deles. A influência danosa da amizade de homens perversos é muito evidente à nossa observação. É por essa razão que poucos permanecem em sua integridade até ao fim da vida, visto que o mundo está repleto de corrupções. Com base na extrema debilidade de nossa natureza, é fácil sermos infeccionados pelo mundo e contaminados ao mais leve contato.

Portanto, tendo boas razões, o profeta convida os homens perversos a se manterem bem longe dele, para que pudesse progredir no temor de Deus, sem impedimento. Todos quantos se envolvem no companheirismo de homens perversos chegarão, com o passar do tempo, ao ponto de entregarem-se ao desdém de Deus e de levarem uma vida dissoluta. Com esta afirmação concorda a admoestação de Paulo em 2 Coríntios 6.14: "Não vos ponhais em jugo desigual com os incrédulos". De fato, estava além do poder do profeta manter os perversos a longa distância de si; mas, com estas palavras, ele notifica que, doravante, não terá nenhum relacionamento com eles. Enfaticamente, ele designa Deus como *meu Deus*, para testificar que valoriza mais o estar sozinho com Deus do que a companhia do mundo inteiro. Percebendo a perversidade extrema que prevalecia em toda a terra, o salmista se separou dos homens, para unir-se totalmente a Deus. Na atualidade, para que os maus exemplos não nos arrastem para o caminho errado, devemos preocupar-nos profundamente em estar ao lado de Deus e permanecer constantemente com Ele, uma vez que Ele é nosso.

116. Sustenta-me por tua palavra, e viverei. Muitos traduzem: *De acordo com tua palavra*. Assim, a letra ב (*beth*), que significa *em*, é entendida em lugar da letra כ (*caph*), que significa *como*; e o sentido seria: Sustenta-me segundo a promessa que me fizeste ou como me prometeste. E, sem dúvida, sempre que Deus nos estende sua mão para soerguer-nos (estando nós caídos) ou sustentar-nos, Ele cumpre suas promessas. O profeta parece rogar que lhe fosse dada constância na fé, a fim de capacitá-lo a continuar resoluto na Palavra de Deus. Somos informados que nos afastamos da Palavra de Deus quando nos afastamos de confiar nela. De igual modo, enquanto descansarmos na veracidade e na certeza da Palavra de Deus, Ele é nosso sustentador. Como o profeta bem sabia que no homem não há força suficiente para isso, ele rogou a Deus que lhe desse capacidade de perseverança como um dom singular do Espírito Santo. Concluímos que a genuína estabilidade não se encontra em nenhum outro lugar, senão na Palavra de Deus; e ninguém pode apoiar-se firmemente nela, exceto aquele que é fortalecido pelo poder do Espírito Santo. Devemos rogar sempre a Deus, o único Autor e Consumador da fé, que nos sustente nesta graça. Além do mais, quando o salmista faz a vida depender da fé, ele ensina que tudo quanto os homens prometem a si mesmos, sem a Palavra, não passa de falsidade. Portanto, o Senhor é o único que nos fortalece por meio de sua palavra, conforme disse Habacuque [2.4]: "O justo viverá pela fé". Ambas as passagens têm o mesmo significado. Depois de haver menosprezado a tola confiança na carne, com a qual os homens geralmente se ensoberbecem e que eles manifestam em enaltecerem a si mesmos, para caírem com maior violência, Habacuque mostra que somente os fiéis, que são sustentados pela Palavra de Deus, se mantêm seguros, em solo firme.

Se a primeira interpretação for adotada, a segunda sentença *não me deixes envergonhado de minha expectativa* será adicionada à guisa de exposição; pois estas duas coisas – a súplica de que o profeta fosse preservado pela graça de Deus, segundo a Palavra dEle, e a súplica de que colhesse o fruto de sua esperança – devem equivaler quase a mesma coisa. Todavia, depois de haver rogado a Deus que lhe concedesse constância para perseverar, o salmista parece ir mais adiante, rogando a Deus que, em cada realização, exibisse aquilo que prometera. A própria debilidade de cada pessoa testifica as muitas dúvidas que penetram em nossa mente, quando, depois de longa e paciente espera, o resultado não condiz com a nossa expectativa, pois, nesse caso, Deus parece desapontar-nos.

O versículo contém o mesmo propósito, exceto que não faz menção expressa da Palavra; e *segurança* substitui *vida*. O profeta pretende dizer que, sempre que Deus retrai sua palavra, essa segurança fica comprometida; e que, se ele fosse estabelecido pelo poder de Deus, não haveria absolutamente nada que justificasse seu temor. O verbo שעה (*shaah*), que traduzimos por *eu considerarei*, muitos o traduzem por *eu me deleitarei*. E esse sentido não é impróprio, pois, embora Deus dê prova mui desejável de sua bondade, em sua Palavra, o sabor dela aumenta muito quando à Palavra adicionamos o efeito, se não separarmos, perversamente, dos benefícios de Deus as suas promessas. A verdadeira sabedoria da fé consiste em considerar todos os benefícios de Deus como resultado ou fruto de suas promessas. E, se não levarmos em conta essas promessas, o desfrute de todas as boas coisas dEle nos será de pouco proveito, ou melhor, nos será freqüentemente nocivo e letal. No entanto, a mim me parece preferível traduzir o verbo por *considerar*, pois, quanto mais experiência um homem possui do auxílio divino, tanto mais ele deve despertar a si mesmo para considerar a doutrina celestial. O salmista adiciona que perseveraria nesta meditação ao longo de toda sua vida.

118. Tu tens pisado aos pés todos quantos se desviam dos teus estatutos. Por *pisar aos pés* o salmista tem em mente o fato de que Deus subjuga todos os desprezadores de sua lei e os derruba daquela altitude que assumiram. A frase é dirigida contra os insensatos, ou melhor, os fanáticos. É com essa confiança que os perversos se ensoberbecem, quando desdenham irresponsavelmente os juízos de Deus e, o que é pior, não sentem qualquer escrúpulo em se exaltar contra Ele, como se não estivessem sujeitos ao poder dEle. É preciso notar particularmente a última sentença: *Pois o engano deles é falsidade*.[42] Com estas palavras, o profeta ensina que os perversos não lucram nada com suas vis sutilezas e são, antes, emaranhados nelas ou, por fim, descobrem que não passavam de meros truques. Prejudica o sentido da afirmação quem interpõe a partícula *e*, como se ele estivesse dizendo que *engano e falsidade estavam neles*. A palavra רמיה (*remyah*) significa um *artifício sutil e malicioso*. De fato, os intérpretes freqüentemente traduzem-na por *pensamento*; mas esse termo não expressa de modo suficiente a propriedade e a força da palavra hebraica. O profeta tem em mente que, por mais que os perversos se deleitem com suas próprias astúcias, nada fazem além de enganar a si mesmos com falsidade. Era necessário adicionar esta sentença, pois vemos como a maior parte da raça humana é fatalmente intoxicada com suas próprias imaginações vãs e como é difícil crer no que o salmista assevera aqui: quanto mais astutos se tornam em sua própria estima, mais enganam-se a si mesmos.

119. Tu tiraste de sobre a terra todos os perversos, como escória. O significado deste versículo é semelhante ao do anterior. A analogia empregada descreve uma mudança súbita e inesperada, quando a gló-

---

42 Dimock crê que, ao usar esta expressão, o salmista estava, provavelmente, fazendo alusão à *Lex Talionis* entre os judeus e que o apóstolo poderia estar se referindo a esta passagem em 2 Tessalonicenses 2.11, em que ele afirma: "Deus lhes enviará poderoso engano, para que creiam na *mentira*".

ria e a felicidade imaginária dos perversos se dissipam-se como fumaça. Devemos observar que a vingança de Deus contra os perversos não se manifestada de uma vez por todas, de modo que pereçam completamente ou sejam exterminados de sobre a terra. Todavia, como Deus, ao arrancá-los, um após outro, mostra por meio disso que é o Juiz do mundo e Aquele que purifica a terra, não é surpreendente acharmos o profeta falando, nesses termos, sobre a destruição dos perversos. Os verbos hebraicos denotam amiúde um ato contínuo. Como Deus executa seus juízos paulatinamente e, amiúde, susta o castigo, para ver até que ponto os perversos continuam abusando de sua longanimidade, cabe-nos continuar esperando pacientemente até que, como um escritor pagão observa, Ele compense a demora do castigo com a severidade, quando o castigo for aplicado. É sobremodo evidente que a partícula de comparação, *como*, deve ser suprida antes da palavra *escória*.[43] Tampouco rejeito a opinião dos que asseveram que os perversos são comparados à escória porque, enquanto vivem misturados com os fiéis, infectam-nos e contaminam-nos; mas, quando são removidos como escória, a pureza dos piedosos resplandece com brilho crescente. Em segundo lugar, o profeta acrescenta que os juízos de Deus não foram infrutíferos nele, visto que o levaram a amar ainda mais a doutrina da lei. Os que não se deixam induzir à confiança na proteção de Deus, mesmo quando Ele, ao erguer suas mãos, mostra que o mundo é governado por seu poder, esses se mostram ímpios em extremo. Todavia, quando, movido por seu prazer espontâneo, Deus se oferece a nós, por meio de sua palavra, aqueles que não se apressam em aceitar tão grande privilégio são estúpidos. Em contrapartida, quando, por longo tempo, Deus se mostra tolerante para com a perversidade dos homens, enfraquece-se a devoção amorosa, que deveria arrebatar-nos ao amor pela Palavra de Deus.

---

43 Antes do substantivo סגים, traduzido por "escória", a partícula כ, de similitude, é subentendida, de modo que o salmista diz: "Tu removeste completamente toda a impiedade da terra, como escória". Esta é removida dos metais por meio de fusão ou dos cereais por meio da peneira. A associação de homens é como uma massa de metal em que os ímpios são fuligem e escória. Os juízos de Deus, que são perscrutadores, causarão a separação entre a escória e o metal. Assim, Ele destruirá um e preservará o outro" – Phillips.

120. Minha carne tremeu por medo de ti.[44] À primeira vista, o profeta parece cair em contradição. Ele acabara de dizer que, pela severidade de Deus, fora atraído a amar os testemunhos divinos; agora, declara que se sentia apoderado pelo terror. Mas, ainda que estes dois efeitos sejam bastante diferentes entre si, se considerarmos por que tipo de disciplina Deus nos forma, para que reverenciemos sua lei, perceberemos que esses efeitos se harmonizam plenamente. Suplicamos que sejamos subjugados pelo temor, para que desejemos e busquemos o favor divino. Visto que o temor é o princípio do amor, o profeta testifica que fora despertado, por um sincero temor de Deus, para contemplar a Deus com firmeza. A mortificação da carne não é uma atitude fácil demais, para que alguém consinta assumi-la sem o constrangimento de meios vigorosos. Portanto, não surpreende o fato de que Deus fere seus servos com terror, para que, desse modo, eles inclinem sua mente a um santo temor por Ele. Uma evidência de sabedoria inusitada é tremermos diante de Deus, quando ele executa seus juízos, os quais a maior parte da raça humana nem sequer nota. Somos ensinados por estas palavras do profeta que devemos levar em conta atentamente os juízos de Deus, para que eles não só nos instruam com amor, mas também nos atinjam com tal terror, que nos leve ao verdadeiro arrependimento.

[vv. 121-128]
ע Tenho praticado juízo e justiça, não me entregues aos meus opressores. ע Fica por fiador de teu servo, para o bem, a fim de que os soberbos não me oprimam. ע Meus olhos têm desfalecido por tua salvação e por tua palavra justa.[45] ע Trata teu servo de acordo com a tua bondade e ensina-me teus estatutos. ע Eu sou teu servo, dá-me entendimento para que aprenda os

---

44 O verbo סמר (*samar*), traduzido por *tremeu*, denota ser assenhoreado pelo horror, a ponto de os cabelos ficarem em pé. Em Jó 4.15, ele ocorre no grau Piel. Esse estado de horror foi produzido na mente do salmista por uma contemplação dos juízos divinos, executados sobre os perversos, que são rejeitados como escórias. Foi assim que lhe sobreveio o temor de Deus.

45 Literalmente, "pela palavra de tua justiça". Calvino a entende em relação às promessas divinas. Phillips traduz: "Pela palavra de tua eqüidade, ou seja", diz ele, "a sentença de justiça sobre meus opressores, como a primeira parte do versículo ensina; pois o pronunciar esta sentença será equivalente a outorgar a salvação que o salmista desejava tão ardentemente".

teus testemunhos. ע Já é tempo, ó Jehovah, de fazeres, porque eles têm destruído a tua lei. ע E, por isso, tenho amado os teus estatutos acima do ouro,[46] sim, mesmo acima do ouro mais fino.[47] ע Portanto, tenho estimado todos os teus mandamentos como totalmente retos e tenho odiado todo tipo de mentira.

121. Tenho praticado juízo e justiça. O profeta implora o auxílio de Deus contra os perversos que o atribulam. Ele faz isso de um modo que, ao mesmo tempo, possa testificar que o tratamento hostil que recebera dos perversos era totalmente imerecido. Se quisermos que Deus venha socorrer-nos, precisamos assegurar-nos de que Ele nos encontre com o testemunho de uma boa consciência. Como, em outra passagem, Ele promete seu auxílio aos aflitos que são oprimidos injustamente, não é supérfluo o argumento que o profeta apresenta, ou seja, que ele não provocara seus inimigos e se restringira de toda injúria e malfeito, nem mesmo tentara pagar mal com mal. Ao asseverar que em todo o tempo ele *praticara juízo*, o que tinha em mente era isto: a despeito de tudo o que os perversos haviam feito, ele perseverou firmemente no propósito de seguir a integridade e nunca abrira mão do que era justo e reto em qualquer de suas transações públicas ou privadas.

122. Fica por fiador de teu servo, para o bem. Esta oração é quase a mesma do versículo anterior, pois prefiro tomar o verbo ערוב (*arob*), traduzido: *Fica por fiador de*, e vertê-lo como o fazem outros: *Deleita teu servo no bem*, ou: *Faze teu servo deleitar-se no bem*. De acordo com esta segunda versão, as palavras constituem uma oração para que Deus alegre seu servo com seus benefícios. Há uma terceira tradução em que as palavras originais se tornam uma oração para que Deus inspire coração do salmista com o amor e desejo de retidão, pois a verdadeira perfeição consiste em ter prazer na justiça e na retidão.

---

46 "*Acima do ouro*. מזהב (*mizahab*), mais que o *ouro resplendente*, ouro sem qualquer defeito ou ferrugem" – Dr. Adam Clarke.

47 "Ou, marguerites" — *fr. marg.* "Ou, pérolas." "ומפז, *acima do ouro líquido*, ouro separado da borra, perfeitamente refinado" – Dr. Adam Clarke.

Mas, como a última sentença do versículo deixa claro que Davi deseja ser socorrido contra seus inimigos, o verbo *Ficar por fiador* é a tradução mais apropriada.[48] Era como se ele dissesse: Senhor, visto que os soberbos se precipitam cruelmente contra mim, para me destruir, interpõe-te entre nós, como se fosses meu fiador. A letra ל (*lamed*), que significa *por*, não é realmente prefixada ao substantivo, mas esta objeção não é válida para a nossa tradução, como aquela letra é amiúde entendida. Esta é uma forma de expressão saturada de conforto, para representar Deus como que exercendo o ofício de fiador, a fim de realizar nosso livramento. Em relação a nós, Ele é, metaforicamente, um fiador, como se, ao encontrar-nos endividados por causa de grande soma em dinheiro, Ele nos livra da obrigação, pagando toda a dívida ao nosso credor. A oração tem este teor: Deus não permita que os perversos exerçam sua crueldade contra nós, a seu bel-prazer, e que Ele se interponha, como defensor, para nos salvar. Com estas palavras o profeta notifica que estava em perigo extremo e nada lhe fora deixado, senão a esperança no auxílio divino.

123. Meus olhos têm desfalecido por tua salvação.[49] Em primeiro lugar, o salmista testifica que fora afligido com tribulações severas, não por pouco tempo, mas por um período tão prolongado, que quase exauriu sua paciência e ocasionou-lhe desespero. Já explicamos *desfalecer pela salvação* como a denotar que, embora não houvesse qualquer perspectiva do fim de suas calamidades e o desespero se apresentasse de todos os lados, ele lutava contra a tentação, a ponto

---

48 "ערב. Este verbo significa *ser agradável, aceitável*. Por isso, Bucer traduziu assim a primeira parte do versículo: *oblecta servum tuum bono*; e a versão Caldaica deu ao verbo o mesmo sentido, pois o traduziu por בסים (*divertir-se, folgar*). Mas o outro significado que o termo tem, a saber, *tornar-se fiador*, evidentemente é o mais adequado, pois a expressão "Sê fiador de teu servo, para o bem", corresponde adequadamente às petições anteriores e posteriores, que se referem a livramento das mãos do inimigo" – *Phillips*.

49 Em momentos de grande sofrimento, quando o coração se enche de preocupação e o perigo ameaça de todos os lados, os olhos humanos expressam, com espantosa exatidão, as emoções estressantes e angustiadas da alma. A postura aqui descrita é a de um indivíduo que percebe estar cercado por inimigos terríveis, que sente sua própria fraqueza e insuficiência para enfrentar o conflito com esses inimigos, mas está esperando avidamente a chegada de um amigo dedicado e poderoso, que prometeu socorrê-lo no momento de sua calamidade" – *Dr. Morison*.

de desfalecer sua alma. Se entendêssemos o pretérito do verbo como um substituto do presente, em cujo sentido parece ser empregado, o profeta, nesse caso, nos diria que seus olhos lhe falhavam, não porque se tornaram fatigados, e sim porque, de tanto olhar fixamente, eles contraiam como que uma obscuridade; nos diria também que, apesar disso, não cessava de esperar continuamente a salvação de Deus. Em suma, o desfalecimento de seus olhos indica perseverança combinada com esforço austero e árduo, sendo o oposto ao fervor momentâneo dos que desfalecem imediatamente, se Deus não lhes responde os rogos. Esta expressão também denota uma preocupação dolorosa que quase consome todos os sentidos.

Quanto ao termo *salvação*, ele não se limita a um tipo de auxílio, mas abrange todo o curso da graça de Deus, até que Ele introduza seu povo crente na posse da salvação completa. O salmista expressa a maneira como aguardava pela salvação — pela dependência da Palavra de Deus. Quanto a isso, devemos atentar a duas coisas: primeira, só poderemos dizer que esperamos pela salvação de Deus se, confiando em suas promessas, recorremos a Ele em busca de proteção; segunda, só rendemos a Deus o louvor da salvação quando continuamos a manter nossa esperança firme em sua Palavra. Este é o modo como Ele deve ser buscado. E, embora possa ocultar de nossa vista as operações de sua mão, devemos repousar tão-somente em suas promessas. Esta é a razão por que Davi qualifica de *justa* a Palavra de Deus. E por isso ele confirma sua fé na veracidade das promessas de Deus, pois Ele, ao prometer liberalidade, não fomenta em seu povo expectativas ilusórias.

124. Trata o teu servo de acordo com a tua bondade. As duas sentenças deste versículo devem ser lidas de forma conectada, pois ele não deseja, primeiro, que Deus o trate bem e, segundo, que seja seu senhor e mestre. Antes, ele roga a Deus que, no exercício daquela bondade e misericórdia que costumava exibir em prol de todo seu povo, ele fosse instruído em sua lei. O objetivo do pedido do profeta é que Deus o instruísse em seus estatutos. Mas começa com a misericórdia divina, empregando-a como um instrumento para prevalecer diante de Deus e alcançar o que deseja. Esta oração deve ser entendida assim: Senhor, trata-me com amabilidade e manifesta tua bondade para comigo, instruindo-me em teus mandamentos. Indubitavelmente, toda a nossa felicidade consiste em possuirmos aquela genuína sabedoria que se deriva da Palavra de Deus. E nossa única esperança de obter esta sabedoria está em Deus se dignar em exibir-nos sua misericórdia e bondade. Portanto, o profeta exalta a grandeza e a excelência do benefício de ser instruído na lei de Deus, quando pede que isso lhe seja outorgado como um do gratuito.

125. Eu sou teu servo, dá-me entendimento. Aqui, repete-se a oração do versículo anterior. A repetição mostra quão ardentemente ele desejava a bênção mencionada na oração e quão ansioso e persistente era em sua súplica a Deus. Com estas palavras, ele expressa, com maior clareza, a maneira como Deus instrui seu povo – Ele faz isso por iluminar, com sólido conhecimento, o entendimento deles, que, de outro modo, seria cego. Ser-nos-ia pouco proveitoso ter a lei divina soando em nossos ouvidos ou exibida, de forma escrita, diante de nossos olhos e ecoada pela voz humana, se Deus não corrigisse nossa demora de apreensão, tornando-nos dóceis pela influência secreta de seu Espírito. Não devemos supor que Davi apresente aqui reivindicações meritórias diante de Deus, quando se gloria de ser seu servo. De fato, os homens imaginam comumente que, ao nos prepararmos bem previamente, Deus acrescenta nova graça, a qual denominam de *graça subseqüente*. Mas o profeta, longe de gabar-se de sua própria dignidade, declara quão profundas eram as obrigações que pesavam sobre si diante de Deus. Nenhum ser humano tem o poder de tornar-se servo do Altíssimo, nem de apresentar algo propriamente seu como pagamento que adquira tão grande honra. O profeta estava bem ciente Disto. Ele sabia que não há em toda a família humana uma pessoa que seja digna de ser arrolada nessa ordem; e, por isso, ele nada faz, senão mencionar a graça que obtivera, como um argumento de que Deus, segundo o seu procedimento habitual, aperfeiçoaria o que começara. De modo semelhante, ele fala em Salmos 116.16: "Eu sou teu servo, filho de tua serva". No contexto desse salmo, ele realça sobejamente que não se gaba, de modo algum, de seus serviços, mas apenas declara que não passava de um membro da Igreja.

126. Já é tempo, ó Jehovah, de fazeres. Sendo o objetivo do profeta imprecar sobre os ímpios e perversos a vingança que bem mereciam, ele diz que chegara o tempo oportuno para executá-la, visto que tinham conseguido uma grande extensão de sua insubordinação leviana contra Deus. O verbo geral *fazer* é mais enfático do que se fosse usado um verbo mais específico. A linguagem equivale a isto: Deus pareceria demorar por muito tempo, se não exercesse agora o ofício de juiz. Uma obra peculiar de Deus consiste em refrear os perversos e puni-los severamente, quando vê que o arrependimento deles é totalmente sem esperança. Caso alguém alegue que esta oração é inconsistente com a lei do amor, é possível replicar que neste versículo Davi fala sobre os réprobos, cuja arrependimento se torna sem esperança. Sem dúvida, o coração de Davi era governado pelo espírito de sabedoria. Além disso, precisamos ter em mente que ele não se queixa de seus erros pessoais. O que o move é um zelo puro e honesto, ao desejar a destruição dos ímpios desprezadores de Deus; pois ele não menciona qualquer outra razão para a oração, senão o fato de que os perversos *destruíam a lei de Deus*. Com isto ele propicia evidência de que nada lhe era mais precioso do que o serviço de Deus e nada lhe era tido em mais elevada estima do que a observância da lei. Já adverti reiteradamente ao leitor, em outros lugares, de que nosso zelo é radical e desordenado sempre que o seu princípio impulsionador é o senso de nossas injúrias pessoais. Portanto, é preciso observar cuidadosamente que a tristeza do profeta não procedia de nenhuma outra fonte, senão do fato de que ele não podia suportar ver a lei divina sendo violada.

Em suma, esta é uma oração para que Deus restaurasse à ordem o estado confuso e deteriorado das coisas no mundo. Resta-nos aprender do exemplo de Davi que, sempre que a terra é saturada e maculada com perversidade, em grau tão elevado que o temor dEle se torna quase extinto, invocá-Lo é um ato que O exibe como o mantenedor de sua própria glória. Esta doutrina é valiosa para sustentar nossa esperança e paciência, sempre que Deus suspende a execução de seus juízos por mais tempo do que merecemos. Antes de dirigir-se a Deus, o profeta adota isto como princípio: embora Deus pareça, por algum tempo, não notar o que suas criaturas fazem, nunca negligencia seu ofício, mas retarda a execução de seus juízos por razões sábias, a saber, para que, por fim, possa executá-los no tempo oportuno.

127. Por isso, tenho amado os teus estatutos acima do ouro. Este versículo, não tenho dúvida, está conectado com o anterior; pois, de outra forma, a partícula conclusiva *por isso* não teria sentido. Visto que nesta conexão entendo o salmista como a notificar a razão por que ele estimava a lei Deus como mais valiosa que o ouro e pedras preciosas: porque ele fixara em sua mente uma plena persuasão da verdade, ou seja, embora Deus, por algum tempo, parecesse tolerante para com a perversidade, quem faz dano a toda a retidão e a eqüidade nem sempre permanece impune. Sim, quanto mais ele via os perversos se irromperem em perversidade ultrajante, tanto mais estimulado ele se sentia, motivado por indignação santa e seu coração em chama, a amar a lei. Esta é uma passagem que merece especial atenção, pois é bastante conhecida a influência perniciosa do mau exemplo, quando cada pessoa imagina que pode praticar licitamente tudo que os outros fazem ao seu redor. Disso resulta que as más companhias nos arrastam como uma tempestade.

Devemos, pois, meditar com muito mais diligência sobre esta doutrina: quando os perversos reivindicam para si uma liberdade irrestrita, cumpre-nos contemplar, com os olhos da fé, os juízos de Deus, a fim de que sejamos vivificados para a observância da lei divina. Se, desde o princípio, tem sido necessário uma atenção especial a esta doutrina, na atualidade é necessário que a exercitemos, para que não sejamos envolvidos na transgressão da lei de Deus, bem como na perversa conspiração que quase o mundo inteiro se dispõe a violá-la. À medida que os perversos, de modo ultrajante, se vangloriam, deve aumentar, de modo proporcional, a nossa veneração e amor pela lei de Deus.

128. Portanto, tenho estimado todos os teus mandamentos como totalmente retos.[50] Este versículo e o anterior estão conectados com o versículo 26; e a conexão pode ser realçada pela observação de que o profeta, esperando pacientemente pelos juízos divinos e clamando ardentemente em favor de sua aflição, subscreveu a lei de Deus em cada artigo e a abraçou sem uma única exceção – e, além disso, pela observação de que odiava todo caminho falso. Literalmente, temos: *todos os mandamentos de todos*, mas as *palavras de todos* devem referir-se às coisas, e não às pessoas, como se ele quisesse dizer que aprovava todas as leis que Deus ordenara, tudo quanto elas prescreviam.[51] Uma forma semelhante de expressão ocorre em Ezequiel 44.30: "Todas as oblações de todas as coisas" – isso equivale a "todos os tipos de oblações que os homens oferecem". O profeta não expôs este pensamento em termos expressos, sem ter boas razões; pois não há nada a que somos naturalmente mais inclinados do que a desprezar ou rejeitar tudo que na lei de Deus não nos agrada. Todo ser humano, de acordo com este ou aquele pecado específico que o contamina, desejaria que o mandamento que proíbe tal pecado fosse retirado da lei. Mas não podemos fazer, licitamente, qualquer adição à lei ou remover algo dela. E, visto que Deus entreteceu seus mandamentos, por assim dizer, por um laço sagrado e inviolável, separar qualquer deles da totalidade é cabalmente injustificável. Assim, percebemos como o profeta, inspirado por santo zelo pela lei, contendia contra a rebelião perversa dos que a despre-

---

50 Durell traduz assim este versículo: "Visto que tenho estimado todos os teus preceitos, eu odeio...."

51 *"Todos os preceitos de tudo*, isto é, todos os preceitos de todas as coisas. Abraço a tua Palavra revelada sem quaisquer exceções. O salmista declara que aplicava com muita diligência a sua mente à consideração de todos os mandamentos de Deus, cujas circunstâncias e ocasiões foram dados; e observava que eles eram ricos em justiça e santidade. Visto que são todos igualmente justos e santos, ele considerava injusto, impuro, falso e detestável tudo que lhes era contrário. Hammond observa que 'a reduplicação da partícula universal כל é enfática, *todos, sim todos*'; assim, a seguinte tradução é mais corrente: eu aprovei *'todos os teus mandamentos, sim, todos'" – Phillips*.

zam. E, com toda certeza, quando percebemos que os ímpios motejam de Deus com tão grande afronta, se insurgindo audaciosamente contra Ele e pervertendo cada parte da lei, cabe-nos ser ainda mais inflamados de zelo e mais corajosos em manter a verdade de Deus. A extrema impiedade de nossa era demanda de todos os fiéis que se exercitem neste zelo santo. Os homens profanos se esforçam em sobrepujar uns aos outros no difamar, de modo ultrajante, a doutrina da salvação e fazem tudo para que a santa Palavra de Deus seja alvo de suas piadas. Outros transbordam continuamente suas blasfêmias. Não podemos evitar o sermos culpáveis de cometermos o erro de indiferença traidora, caso nosso coração não se aqueça com zelo e não ardamos de ciúme santo. O profeta não somente diz que aprovava a lei de Deus em sua totalidade e sem exceção, mas também adiciona *que odiava todo caminho de mentira* ou *todo caminho de falsidade*. E, indubitavelmente, ninguém subscreve resolutamente a lei de Deus, senão aquele que rejeita todas as injúrias pelas quais os perversos mancham ou obscurecem a pureza da sã doutrina. Por *caminho de mentira* o profeta, sem dúvida, tem em mente tudo que se opõe à pureza da lei, notificando que detestava todas as corrupções que são contrárias à Palavra de Deus.

[vv. 129-136]

ᵓ Os teus caminhos são maravilhosos; por isso, minha alma os tem guardado. ᵓ A entrada das tuas palavras é luz que dá entendimento aos pequeninos. ᵓ Abri minha boca e respirei fundo, porque amei os teus mandamentos. ᵓ Olha para mim e sê misericordioso para comigo, segundo o teu juízo para com aqueles que amam o teu nome. ᵓ Dirige-me os passos de acordo com a tua palavra, e que nenhuma iniquidade exerça[52] domínio sobre mim. ᵓ Livra-me da opressão dos homens, e guardarei os teus preceitos. ᵓ Faze resplandecer a tua face sobre o teu servo; ensina-me os teus estatutos. ᵓ Rios de águas fluem de meus olhos, porque eles não guardam a tua lei.

129. Os teus testemunhos são maravilhosos. Fiz essa tradução para evitar uma forma ambígua de expressão. O profeta diz que a dou-

---

[52] Na versão francesa temos: "Para que não haja iniquidade", etc.

trina da lei é maravilhosa e contém mistérios sublimes e ocultos. De acordo com isso, ele declara que a sabedoria sublime e admirável que achou abrangida na lei divina o levou a respeitá-la com reverência. Isso deve ser cuidadosamente frisado, pois a lei de Deus é soberbamente desprezada pela maior parte da raça humana, quando não provam devidamente sua doutrina, nem reconhecem que Deus fala de seu trono celestial, para que, uma vez aviltado o orgulho da carne, o homem se erga ao alto pela apreensão da fé. Também deduzimos desta passagem ser impossível que alguma pessoa consiga guardar a lei de Deus com perfeita sinceridade, se não a contempla com profundo senso de reverência, pois a reverência é o princípio da submissão pura e correta. Conseqüentemente, tenho dito que muitos desprezam a Palavra de Deus porque acreditam ser ela inferior à perspicácia de seus próprios raciocínios. Sim, muitos são levados a irromperem-se audaciosamente em desafios ao céu, com desdém, impulsionados pela vaidade de exibir sua própria esperteza. Mas, embora os homens profanos se vangloriem nesse soberbo desdém contra a lei divina, a recomendação que o profeta pronuncia sobre ela ainda se mantém verdadeira: ela compreende os mistérios que transcendem infinitamente todas as concepções da mente humana.

130. A entrada das tuas palavras é luz. Isso equivalente a dizer que a luz da verdade revelada na Palavra de Deus é de tal modo distinta, que mesmo a primeira compreensão dela ilumina a mente. A palavra פתח (*pethach*) significa propriamente *uma abertura*,[53] mas metaforicamente é tomada por *um portão*. Conseqüentemente, o antigo tradutor a verteu como *princípio*, o que não é impróprio, contanto que ela seja entendia dos rudimentos ou primeiros elementos da lei de Deus. É como se o profeta quisesse dizer: "Não somente os que têm atingido uma acurada familiaridade com toda a lei e têm feito dos seus

---

53 "פתח (*pethach*), 'a *abertura* de tuas palavras dá luz'. Quando abro minha Bíblia para ler, a luz jorra em minha mente" – Dr. Adam Clarke. A palavra correspondente, na versão Siríaca, significa *iluminar*, e na Arábica, *explicar*. Por isso, na opinião de alguns, פתח (*pethach*) é a exposição de tua palavra.

estudos a principal atividade de suas vidas discernem nela uma clara luz, mas também os que a têm estudado mesmo imperfeitamente e têm apenas, por assim dizer, adentrado o seu pórtico". Ora, é preciso raciocinar do menor para o maior. Se neófitos e aprendizes começam a ser iluminados em seu primeiro contato com a lei, o que acontece quando uma pessoa tem acesso a um conhecimento pleno e perfeito?

Na segunda sentença, o profeta revela seu significado mais plenamente. Por *pequeninos* ele denota não aqueles são bastante ingênuos ou não possuem sabedoria; antes, ele denota aqueles que não têm habilidade com as letras e são destituídos de educação refinada. Ele afirma que esses, tão logo tenham aprendido os primeiros princípios da lei de Deus, serão revestidos com discernimento. Devemos ser poderosamente influenciados a excitar-nos em um desejo mais ardente de nos tornarmos familiarizados com a lei de Deus, quando somos informados que até aqueles que, na estimativa do mundo, são tolos e simplórios desprezíveis, ao aplicarem sua mente à lei, adquirem dela sabedoria suficiente para guiá-los à salvação eterna. Embora não seja dada a todos os homens a bênção de alcançar o mais elevado grau desta sabedoria, é comum a todos os piedosos se beneficiarem até ao ponto de conhecerem a regra certa e infalível pela qual possam regular sua vida. Assim, ninguém que se dedica ao ensino de Deus perderá seu labor na escola dEle, porque, desde o início ele colherá frutos inestimáveis. Entrementes, somos advertidos que todos quantos seguem seu próprio entendimento perambulam nas trevas. Ao afirmar que os *pequeninos são iluminados* Davi sugere que, ao submeterem a Deus despidos de toda autoconfiança, com mente humilde e dócil, os homens, estando numa condição própria, se tornam alunos proficientes no estudo da lei divina. Que os papistas zombem, como costumam fazer, porquanto temos as Escrituras para serem lidas por todos os homens sem exceção. Contudo, não é mentira o que Deus declara pelos lábios de Davi, quando afirma que a luz de sua verdade é exibida aos tolos. Deus não frustra o desejo daqueles que reconhecem sua própria ignorância e se submetem humildemente ao ensino dEle.

131. Abri minha boca e respirei fundo.[54] Com estas palavras, o salmista queria que entendêssemos que ele estava inflamado com um amor e anelo tão profundos pela lei divina, que suspirava incessantemente por ela. Ao comparar a si mesmo com os que estão famintos ou com os que sentem o ardor da sede, ele usou uma metáfora muito apropriada. Como tais pessoas indicam a veemência de seu desejo por abrirem a boca e por ofegarem ansiosamente, como se fossem aspirar todo o ar, o profeta afirma que ele mesmo sentia-se oprimido por inquietude contínua. O abrir a boca e a respiração forte são postas em oposição a um assentimento frio da palavra de Deus. Aqui, o Espírito Santo ensina com que ansiedade de alma devemos buscar o conhecimento da verdade divina. Disso concluímos que os que fazem pouca ou nenhuma proficiência na lei de Deus são punidos por sua própria indolência ou displicência. Quando Davi afirma que respirava fundo e continuamente, ele realça não só seu fervor, mas também sua constância.

132. Olha para mim e sê misericordioso para comigo. Neste versículo, ele roga a Deus tenha consideração para com ele, como costuma olhar sempre para aqueles que constituem o seu povo. A palavra hebraica משפט (*mishpat*), traduzida por *juízo*, significa, nesta passagem, como em muitas outras, *uma regra comum* ou *uso ordinário*.[55] Em seguida, o salmista acrescenta o propósito para o qual deseja que Deus olhe para ele, isto é, que seja livre de suas misérias. Esta é a oração de uma pessoa aflita que, estando aparentemente destituída de todo amparo e incapaz de chegar a qualquer outra conclusão, senão a de que negligenciou e esqueceu a Deus, pondera consigo mesma que

---

54 A alusão, segundo alguns, é a um viajante exausto e sedento, em países quentes, que ofega e resfolega pela brisa fresca ou por uma corrente revigorante. Segundo outros, esta é uma metáfora tomada de um animal exausto em sua fuga, que corre com a boca aberta para receber o ar refrescante, com seu coração acelerado e a força muscular quase se esvaindo pela fadiga. Em ambos os pontos de vista, a linguagem é extremamente expressiva, mostrando quão intensamente o salmista suspirava por refrigério e deleite propiciados pela familiaridade com a palavra de Deus. E, se a "abertura das palavras de Deus", mencionada no versículo anterior, significa a exposição delas, Davi salienta, aqui, seu ardente desejo de ouvir a exposição da palavra de Deus.

55 "*Segundo o costume ou modo habitual de agir*. Lutero traduz assim: *Como tu costumas fazer*, etc. Em Gênesis 40.13 - 'Tu darás o copo (כמשפט) *segundo o costume*'" – Phillips.

tal coisa era muito estranha à natureza de Deus e à sua maneira de proceder. É como se ele quisesse dizer: Ainda que eu não perceba nenhum sinal de teu favor, sim, embora minha condição seja tão miserável e desesperadora que, julgando conforme o senso da razão, creio que te afastaste de mim. No entanto, como desde o princípio do mundo até os dias atuais tu tens testificado, por inúmeras provas, que és misericordioso para com teus servos, rogo-te que, agindo em conformidade com esta regra, exerças agora a mesma benignidade para comigo. É preciso observar particularmente, para que aqueles a quem Deus não responde imediatamente não venham a sentir-se desencorajados, que o profeta fora oprimido por infelicidades durante muito tempo, sem qualquer perspectiva de alívio. No entanto, devemos observar, ao mesmo tempo, que o único motivo por que o profeta nutria confiança para pedir isso a Deus era a graciosa bondade dEle. Disso, concluímos que, embora ele fosse um homem de eminente santidade, seu único refúgio era a graça imerecida de Deus.

Com respeito à palavra *juízo*, aprendamos do exemplo do profeta a nos familiarizarmos com a natureza de Deus, com base nas várias experiências que já temos dela, para que desfrutemos de evidências indubitáveis de que Ele é misericordioso. E, de fato, se não conhecêssemos a graça de Deus por meio da experiência diária que temos dela, qual de nós ousaria aproximar-se dEle? Mas, se nossos olhos não estão cegos, devemos atentar aos claros testemunhos com os quais Ele fortalece nossa fé, para que não precisemos duvidar que todos os piedosos são objetos de sua atenção. O que nos cumpre é envidar todo esforço para pertencermos ao número *dos que amam o nome dEle*. Com essa designação, o salmista se referia aos crentes genuínos, pois aqueles que apenas temem a Deus servilmente não são dignos de ser contados entre os seus servos. Ele requer de nós uma obediência voluntária, de modo que nada nos seja mais deleitoso do que o seguirmos aonde quer que Ele nos chame. No entanto, deve-se observar, ao mesmo tempo, que este amor procede da fé. Sim, aqui o profeta enaltece o grande efeito da fé, ao separar os piedosos que descansam na graça de Deus dos homens profanos que, dedicando seus corações às fascinações do mundo, nunca elevam suas mentes em direção ao céu.

133. Dirige-me os passos de acordo com a tua palavra. Com estas palavras, o salmista mostra, como o tem feito amiúde em outras passagens, que a única regra do bom viver é que os homens regulem sua vida em plena concordância com a lei de Deus. Já vimos reiteradamente neste Salmo que, enquanto os homens se permitem perambular conforme suas próprias maquinações, Deus rejeita tudo que fazem, por mais laboriosos sejam seus esforços. Mas, como o profeta declara que a vida do ser humano só é norteada corretamente, quando eles se rendem plenamente à obediência de Deus, assim, por um lado, ele confessa que agir deste modo não está em sua própria vontade e poder. Evidentemente, a lei de Deus não nos tornará melhores apenas por nos prescrever o que é reto. Essa é razão por que a pregação externa é comparada a letra morta. Davi, bem instruído na lei, ora para que lhe seja dado um coração obediente, a fim de que ande na vereda posta diante dele. Aqui, dois pontos são particularmente merecedores de nossa atenção – primeiro: Deus trata os homens com liberalidade, quando os convida a Si por meio de sua palavra e doutrina; segundo: tudo isso é sem vida e qualquer proveito, se Ele não governa, por intermédio de seu Espírito, aqueles a quem já havia ensinado por intermédio de sua Palavra.

Como o salmista deseja, não simplesmente, ter seus passos dirigidos, mas tê-los dirigidos à palavra de Deus, podemos aprender que ele não corria em busca de revelações secretas e não tinha a Palavra de Deus por nulidade, como fazem muitos fanáticos, mas conectava a doutrina externa com a graça interna do Espírito Santo. Nisto consiste a plenitude dos fiéis: Deus grava em seus corações o que exibe como certo por meio de sua Palavra.

Nada é mais estulto do que a ilusão daqueles que dizem que, ao prescrever aos homens o que teriam de fazer, Deus subentende a capacidade que eles têm de fazê-lo. Em vão, a Palavra de Deus ressoará em nossos ouvidos, se o Espírito de Deus não penetrar eficazmente em nosso coração. O profeta confessa que não lhe traria nenhum proveito ler ou ouvir a lei de Deus, se a sua vida não fosse regulada pela influência secreta do Espírito Santo, para que, assim, fosse capacitado a andar naquela justiça que a lei prescreve.

Na segunda sentença, o salmista nos lembra quão necessário é que apresentemos continuamente esta oração junto ao trono da graça, reconhecendo-se ele escravo do pecado, até que Deus estenda sua mão e o liberte. Ele disse: [56] Enquanto somos entregues a nós mesmos, Satanás exerce sobre nós seu domínio despótico, de tal modo que não temos poder para desvencilhar-nos da iniqüidade. A liberdade dos piedosos consiste unicamente nisto: eles são governados pelo Espírito de Deus e, assim, impedidos de sucumbir à iniqüidade, embora assolados por conflitos profundos e dolorosos.

134. Livra-me da opressão dos homens. Ao recordar o que lhe sobreviera, o profeta mostra, por seu próprio exemplo, que todos os piedosos estão expostos a ataques inimigos e à opressão; e que, como a ovelha na boca dos lobos, serão inevitavelmente destruídos, se Deus não defendê-los. Como bem poucos se deixam governar pelo Espírito de Deus, não nos surpreende o fato de que todo o amor pela eqüidade esteja banido do mundo e todos os homens, em toda parte, esteja se entregando a todo tipo de perversidade, alguns impelidos por crueldade[57] e outros devotados à fraude e ao engano. Quando o profeta disse que se via assaltado de todos os lados por injúrias, recorreu a Deus como seu libertador. Ao usar o verbo *libertar* ele pretendia dizer que, se não fosse preservado de uma forma prodigiosa, estaria tudo acabado para ele.

Na segunda sentença, ele promete provar que não será ingrato por seu livramento: *E guardarei os teus preceitos*. Nada nos fortalece mais eficazmente, no desejo e esforço diligente para seguir a integridade e a justiça, do que descobrirmos, por experiência pessoal, que a defesa de Deus é-nos mais valiosa do que todos os auxílios ilícitos a

---

56 בי (*bi*), EM *mim*. Que eu não tenha nenhum outro governante, senão Deus; que o trono de meu coração esteja repleto dEle, e de nenhum outro" – *Dr. Adam Clarke.*

57 Na versão francesa, temos "avareza".

que os homens profanos geralmente recorrem. Nesta passagem somos ensinados que, ao nos engajarmos em contenda com os perversos, não devemos permitir que nossa mente aja com malícia; contudo, ainda que nos ataquem de modo violento e injusto, devemos descansar contentes no livramento que Deus nos outorga, e tão-somente nesse livramento. E, novamente, a cada ocasião em que experimentamos a graça de Deus em nos livrar, isso deve incitar-nos a seguir a integridade. Ele nos liberta visando tão-somente que os frutos de nosso livramento se manifestem em nossa vida. E seríamos perversos se tal experiência não for suficiente para convencer-nos de que todos quantos perseveram no temor sincero de Deus habitarão sempre em segurança, com o auxílio dEle, embora o mundo inteiro esteja contra eles.

135. Faze resplandecer a tua face sobre o teu servo. Aqui, há a repetição de uma oração que encontramos várias vezes neste Salmo. O profeta notifica que não considerava nada como mais importante do que entender corretamente a lei divina. Quando roga a Deus, *faze resplandecer a tua face sobre o teu servo*, ele busca, em primeiro lugar, conquistar o favor paterno de Deus – pois nada deve ser esperado dEle, se não demonstramos interesse em seu favor –, mas, ao mesmo tempo, o salmista mostra a grandeza da bênção. É como se ele dissesse que não haveria testemunho do amor de Deus (o que ele mais desejava), se não fosse capacitado progredir em sua lei. Disso concluímos, como há pouco observei, que ele preferia a verdade divina a todas as possessões deste mundo. Oh! aprouvesse a Deus que esta afeição fosse vigorosa em nosso coração! Mas aquilo que o profeta exalta tão sublimemente é negligenciado pela maioria da humanidade. Se temos de achar indivíduos estimulados por esse desejo, nós os vemos atualmente retrocedendo às fascinações do mundo, de modo que, de fato, há poucos que, renunciando todos os demais desejos, buscam ardentemente, com Davi, tornar-se familiarizados com a doutrina da lei. Além disso, como Deus concede este privilégio somente àqueles a quem recebeu em seu paterno amor, é oportuno que comecemos com esta oração: que ele faça seu rosto resplandecer sobre nós. Esta forma de expressão comunica algo mais: somente quando Deus ilumina a mente de seu povo crente com o verdadeiro conhecimento da lei, Ele os deleita com os raios de seu favor. Amiúde sucede que, mesmo no que concerne a eles, o semblante de Deus é coberto com nuvens neste aspecto, ou seja, Ele os priva de provar a doçura de sua palavra.

136. Rios de águas fluem de meus olhos. Aqui Davi afirma que estava inflamado com um zelo incomum pela glória de Deus, porque ele se [58]dissolvia totalmente em lágrimas, por causa do desprezo para com a lei divina. Ele fala usando uma hipérbole, mas expressa de modo real e claro a disposição da mente com que fora dotado; e corresponde com o que ele diz em outro lugar: "O zelo de tua casa me tem consumido" [Sl 69.9]. Onde quer que o Espírito de Deus reine, Ele desperta esse zelo intenso, que arde no coração dos piedosos quando percebem que o mandamento do Altíssimo é considerado como algo de nenhum valor. Não basta que cada um de nós seja diligente em agradar a Deus; temos, igualmente, de desejar que sua lei seja tida em estima por todos os homens. Por isso, o justo Ló, como testifica o apóstolo Pedro, afligia sua alma quando via Sodoma mergulhada em todo gênero de perversidade [2Pe 2.8].

Se nos tempos primitivos a impiedade do mundo arrancava dos filhos de Deus tais brados amargos, tão profunda é a corrupção em que estamos imersos hoje, que aqueles que podem contemplar o presente estado de coisas despreocupadamente, sem verter sequer uma lágrima, são duas vezes, não, quatro vezes insensíveis. Quão imenso em nossos dias é o frenesi do mundo em desprezar a Deus e negligenciar sua doutrina! É possível encontrar uns poucos, sem dúvida, que com a boca professam sua disposição em recebê-la, porém raramente um em dez prova com a vida a sinceridade de sua profissão de fé. Entrementes, incontáveis multidões se precipitam nas imposturas de

---

58 *Rios de água* – isto é, uma grande profusão de lágrimas. "Os orientais são em geral pranteadores copiosos; esta forte hipérbole ainda é muito empregada entre eles para expressar o mais elevado grau de tristeza plangente" – *Illustrated Commentary upon the Bible*.

Satanás e do papa. Outros são insensíveis e indiferentes quanto à sua salvação, como os animais;⁵⁹ e muitos epicureus zombam publicamente de toda religião. Se houver uma mínima porção de piedade em nós, rios caudalosos de lágrimas, e não meramente poucas gotas, fluirão de nossos olhos. Mas, se devemos evidenciar o puro e incorruptível zelo, a nossa tristeza deve começar em nós mesmos – em percebermos que ainda estamos longe de atingir aquela observância perfeita da lei; sim, as concupiscências depravadas de nossa natureza carnal ainda se insurgem com freqüência contra a retidão de Deus.

[vv. 137-144]
צ Ó Jehovah, tu és justo, e teus juízos são retos. צ Tu ordenaste justiça em teus testemunhos e verdade, grandemente. צ Meu zelo me consumiu, porque meus adversários esqueceram as tuas palavras. צ A tua palavra é excessivamente refinada, e teu servo a tem amado. צ Eu sou insignificante e desprezado; não esqueci os teus mandamentos. צ A tua justiça é uma justiça eterna; e a tua lei é a verdade. צ Tribulação e angústia me sobrevieram, mas teus mandamentos são o meu deleite. צ A justiça de teus testemunhos dura para sempre; dá-me entendimento e viverei.

137. Ó Jehovah, tu és justo. O profeta rende a Deus o louvor da justiça e reconhece que ela deve ser encontrada em sua lei. Há quem entenda *juízos* como uma referência àquelas aflições pelas quais Deus castiga os pecados dos homens; mas isso não parece adequar-se bem com o escopo da passagem. Além disso, como o adjetivo ישר (*vashar*), traduzido por *retos*, é grafado no singular, concordando com a palavra *juízos*, a sentença deve ser explicada assim: não há sequer um dos juízos de Deus que não seja certo. Somos inclinados a tomar ישר como um substantivo, e o significado permanece quase o mesmo. Todos os homens admitem que Deus é justo; o profeta, porém, expressou muito mais do que a sorte comum dos homens, sim, mais do que o mundo inteiro percebe em referência a este tema; pois, ao designar Deus como justo, ele tem

---

59 "Les autres s'endorment sans grand soin de leur salut comme bestes brutes" — *fr.*

em mente que, tão logo nos afastemos dEle, não acharemos nem mesmo uma partícula de justiça em qualquer outro lugar.

Ao adicionar que a evidência e o testemunho desta justiça devem ser vistos na lei, ele nos ensina que Deus perde o seu louvor, se não subscrevermos todos os seus mandamentos. O mesmo propósito está contido no versículo seguinte, o qual declara que Deus tem ensinado em sua lei a plena e perfeita justiça e verdade. O advérbio מאד (*meod*), que significa *grandemente*, é mais apropriadamente conectado aos substantivos do que ao verbo ordenou, porque o desígnio de Deus era exibir na lei uma regra perfeita de justiça. A doutrina da lei é honrada com estes elogios, para que todos aprendamos a extrair dela sabedoria e para que ninguém invente para si outro padrão de retidão ou justiça, além do que é exibido na lei. Esta é uma lição muito necessária, visto que todo homem se deleita em formular para si um novo padrão ou símbolo de justiça.

139. Meu zelo me consumiu.[60] O salmista fala de seus perseguidores, pelos quais, indubitavelmente, estivera sujeito a muita tribulação. Mas, embora lhe fossem malignos e cruéis, ele confessa que não foram seus próprios erros que o ofenderam, e sim a transgressão da lei de Deus. Ou melhor, diz que, devido a essa transgressão da lei, ele era extremamente consumido pela tristeza, a ponto de não ser afetado por seus problemas pessoais. Este é um exemplo do qual podemos extrair muito proveito. Somos também delicados e melindrosos em suportar erros. Por isso, como que tocados por uma faíscas, imediatamente nos inflamamos com ira, enquanto, ao mesmo tempo, as mais graves ofensas que cometemos contra Deus nos afetam superficialmente. Mas, se somos animados com o zelo que inspirou o profeta, seremos guiados a outro tipo de aflição, que tomará posse completa de nossas almas.

140. A tua palavra é excessivamente refinada. Neste versículo, ele notifica que a causa de seu zelo era o amor que nutria pela doutrina

---

[60] "*Me consumiu*. O termo forte usado aqui corresponde muito bem com a linguagem enérgica do versículo anterior. Meu zelo por tua palavra é tão grande que, ao ver como meus inimigos a desrespeitam, sou dominado por sentimentos de vergonha ante à negligência deles" – *Phillips*.

celestial. Pois é pura hipocrisia demonstrar desgosto ou condenar severamente o menosprezo pela verdade divina, se não estamos unidos a ela pelos laços do amor. Ele afirma que seu amor pela palavra de Deus não era uma afeição temerária, ou cega e irrefletida. Ele diz que a amava porque, como o ouro ou a prata são refinados, assim ela era pura e isenta de todas as escórias e impurezas. Esta é a idéia contida no termo metafórico צרופה (tseruphah), traduzido por *refinado*.[61] E, ainda que este seja um termo comum que vindica a Palavra de Deus de todos os juízos perversos e maliciosos, ele expressa figuradamente a verdadeira obediência da fé. Muitos se tornam culpados, ou por desconfiança, ou por obstinação, ou por orgulho, ou licenciosidade, de trazer mancha ou corrupção à Palavra de Deus! Visto que a carne é extremamente rebelde, o profeta não faz um enaltecimento insignificante da Palavra revelada, quando a compara ao ouro bem refinado, que brilha purificado de toda contaminação. Além do mais, o fato de que o profeta confirma-a com sua própria experiência serve para mostrar a veracidade deste testemunho. Para expressar mais eficazmente a temeridade insensata de que somos culpados, sempre que imaginamos haver algum erro na Palavra de Deus, ele declara que, ao enaltecê-la, expressa o sentimento sincero de seu coração, havendo experimentado um prazer celeste na pureza de que fala.

141. Eu sou insignificante e desprezado. O significado consiste em que, embora fosse provado com pobreza e muitas outras dificuldades, ele perseverava de bom grado no exercício da verdadeira piedade e na observância da lei. Por isso, como declara, ele era desprezado pelos homens perversos. Cada pessoa rende louvor a Deus apenas à proporção que se farta de seus benefícios; e bem poucos serão achados aplicando sua mente ao serviço de Deus, se não tiverem todos

---

61 O Dr. Adam Clarke traduz צרופה (*tseruphah*) por *purificação*. Esta tradução comunica uma bela idéia. A palavra de Deus é não somente *algo purificado*, mas também *algo que purifica*. Ela purifica do pecado cada coração com o qual entra em contato. "Já estais limpos", disse Cristo, "pela palavra que eu vos tenho falado" [Jo 15.3]. Essa tendência da palavra, de comunicar uma medida de sua própria pureza, a ponto de produzir sua influência, torna-a querida a todo o povo de Deus. Por essa razão, eles fazem dela o tema de sua constante meditação.

seus desejos satisfeitos. Disso sucede que os hipócritas, enquanto são mimados ao máximo, acumulam riquezas e crescem em poder, são mui profusos em louvar a Deus. Mas, quando são tratados com aspereza, em qualquer grau, imediatamente o bendito nome de Deus já não mais é ouvido. Visto que os homens são mercenários em servir a Deus, aprendamos do exemplo do profeta que a verdadeira piedade é desinteressada, de modo que, quando estamos sob sua influência, não cessamos de louvar a Deus, embora Ele nos aflija com adversidade e nos deixe desesperados aos olhos do mundo. Estas palavras de censura, emitidas por Cristo em João 6.26, devem receber atenção cuidadosa: "Vós me buscais, não porque vistes milagres, mas porque comestes dos pães e vos fartastes". As pessoas que servem a Deus com simplicidade e sinceridade agem de tal modo que continuam firmes em seu temor, mesmo quando sua condição neste mundo é humilde e desesperadora. Em suma, agem de tal modo que não buscam seu galardão na terra, mas, em meio ao calor e frio, pobreza e perigo, calúnias e zombaria, perseveram com passos incansáveis no decorrer de seu conflito.

142. A tua justiça é uma justiça eterna. Aqui a lei de Deus é honrada pelo louvor adicional de que eternas são a justiça e a verdade; como se ele quisesse dizer que todas as demais normas de vida, não importa com que atrações pareçam enaltecidas, não passam de sombra que depressa se desvanece. Sem dúvida, o salmista contrasta indiretamente a doutrina da lei com todos os preceitos humanos que já foram promulgados, a fim de trazer todos os fiéis em sujeição a ela, visto que ela é a escola da perfeita sabedoria. Pode haver bastante probabilidade nas investigações refinadas e sutis dos homens, mas não há nelas nada seguro ou firme, como existe na lei de Deus. O salmista prova esta firmeza da lei de Deus no versículo seguinte, citando um só exemplo – o conforto permanente que ele achou na lei, quando se viu assaltado gravemente pelas tentações. E o verdadeiro teste do proveito que temos colhido dela é a consolação que obtemos da Palavra de Deus, quando nos opomos a todo tipo de tristeza que nos sitia, para que por meio dessa consolação toda tristeza seja eliminada de nossa mente. Aqui, Davi expressa algo mais do que aquilo que expressou no versículo anterior, pois ali ele apenas disse que servia a Deus de modo reverente, embora, considerando o seu rude e duro tratamento ele parecesse ter perdido seu labor. Agora, quando angustiado e atormentado, ele afirma que encontra na lei de Deus o mais agradável prezar, que alivia todas as tristezas, e não somente modera a amargura dessas tristezas, mas também outorga-lhes doçura Inefável. Com toda a certeza, quando este gosto pela Palavra não existe para propiciar-nos deleite, nada é mais natural do que sermos dominados pelo sofrimento. Tampouco devemos deixar de notar a forma de expressão que o profeta emprega, pela qual ele ensina que, embora se visse cercado e sitiado de todos os lados, achara um remédio suficientemente poderoso para intensificar a consolação que lhe fora proporcionada na Palavra de Deus. Como isto não poderia proceder dos meros mandamentos, os quais, em vez de remediarem nossas angústias, nos enchem de ansiedade, não há dúvida de que, a palavra *mandamentos* significa, mediante a figura de sinédoque, toda a doutrina da lei, na qual Deus não só requer o que é direito, mas também, chamando os seus eleitos à esperança da salvação eterna, Ele abre o portão da perfeita felicidade. Sim, sob o termo estão compreendidas tanto a adoção graciosa como as promessas que fluem dela.

144. A justiça de teus testemunhos dura para sempre. O salmista repete o que já havia declarado, ou seja, que há certa diferença entre a justiça dos testemunhos de Deus e as invenções dos homens. O esplendor destas logo se desvanece, enquanto aquela continua firme para sempre. Ele reitera isso duas vezes, pois, ainda que o mundo seja forçado a atribuir o louvor da justiça à lei de Deus, a maior parte da raça humana é guiada por suas próprias especulações, de modo que não existe nada mais difícil do que manter-nos firmes em nossa obediência a Deus. O propósito de Davi é mostrar que a justiça eterna não está compreendida em outro lugar, exceto na lei de Deus, e que é fútil buscá-la em outra parte. E, de acordo com isso, aqui se apresenta a mais clara definição de justiça, ou seja, a justiça consiste em nos mantermos dentro dos limites da lei.

Quanto à última sentença do versículo, *dá-me entendimento e viverei*, eu a leio em conexão com a sentença anterior; pois, ainda que Davi desejasse ter sua mente iluminada por Deus, não imaginava nenhuma outra maneira pela qual poderia obter um entendimento iluminado, senão por meio da sua proficiência no estudo da lei. Além do mais, ele ensina que não se pode dizer a respeito dos homens que eles vivem, quando se acham destituídos da luz da sabedoria celestial. E o fim para o qual os homens foram criados não é que, como suínos e asnos, eles se empanturrem, e sim que se exercitem no conhecimento e serviço de Deus. Todavia, quando se afastam dessa ocupação, a vida deles é pior que mil mortes. Davi argumenta que, para ele viver, tinha de alimentar-se não meramente de comida e bebida e desfrutar de confortos terrenos, mas também de aspirar uma vida melhor, que ele não poderia obter senão sob a orientação da fé.

Esta é uma advertência mui necessária; pois embora se reconheça universalmente que o homem é nascido com esta distinção: ele é mais excelente do que os animais em inteligência, a maior parte da humanidade reprime, como que deliberadamente, toda luz que Deus derrama em seu entendimento. Admito que todos os homens desejam ser perspicazes, mas quão poucos aspiram o céu e consideram que o temor de Deus é o princípio da sabedoria. Visto que a meditação sobre a vida celestial está sufocada pelos cuidados terrenos, os homens não fazem nada além de precipitarem-se na morte, de modo que, enquanto vivem para o mundo, morrem para Deus. Sob o termo *vida*, como eu já disse em outro lugar, o profeta denota o máximo que poderia desejar. Era como se dissesse: Senhor, ainda que eu já esteja morto, se for de teu agrado iluminar minha mente com o conhecimento da verdade celestial, só esta graça será suficiente para vivificar-me.

[vv. 145-152]

ק Bradei de todo o meu coração: Responde-me, ó Jehovah, e guardarei os teus estatutos. ק A ti eu invoquei: Salva-me, e eu guardarei os teus testemunhos.

ק Eu antecipei o cair da noite⁶² e clamei: Eu consultei a tua palavra. ק Meus olhos anteciparam as vigílias para meditar em tua palavra. ק Ouve a minha voz, ó Jehovah, segundo a tua misericórdia; vivifica-me segundo o teu juízo. ק Os perseguidores da malícia têm se aproximado; eles se separaram da tua lei. ק Tu estás perto, ó Jehovah; e todos os teus mandamentos são verdade. ק Aprendi dos teus testemunhos, desde o princípio, que os estabeleceste para sempre.

145. Bradei de todo o meu coração: Responde-me. Este versículo deve ser lido e conectado de tal modo, que no final dele o salmista mostre o que desejava ao clamar.⁶³ Assim, o significado poderia ser que, como se encontrava inflamado por intenso desejo de guardar a lei, ele fazia súplicas contínuas a Deus sobre esse assunto. Mas o versículo subseqüente nos compele a assumir um ponto de vista diferente, pois ali se reitera, sem dúvida, a mesma coisa. O profeta pede que Deus o ouça. E, ao falar de sua gratidão, ele promete guardar os mandamentos de Deus. Ele usa apenas o termo indefinido *clamar*; assim, ele não expressa o que as orações continham, quando as oferecia a Deus. Ele mostra somente que, enquanto os filhos deste mundo se deixam distrair por uma multiplicidade de objetos, ele dirigia todas as afeições de seu coração exclusivamente a Deus, porquanto dependia unicamente dEle. Como o mundo é compelido a reconhecer que Deus é o autor de todas as coisas boas, muitas orações formais procedem desse princípio. Foi a consideração disso que levou Davi a afirmar que orava de todo o seu coração. Quando ele tivesse obtido seus rogos, então proporia a si mesmo a glória de Deus como sua finalidade última, resolvendo dedicar-se com mais ardente afeição à obra de servi-Lo. Embora Deus declare que é servido corretamente pelo sacrifício do louvor, Davi, para distinguir-se dos hipócritas que profanavam o nome de Deus por meio de seus louvores fingidos e mecânicos, declara com boas razões que ele dará graças por sua vida e obra.

---

62 A palavra que Calvino usa para "o cair da noite" é "crepusculum".
63 Segundo este ponto de vista, a última sentença deve ser lida: "Para que eu guarde os teus estatutos".

No versículo seguinte, ele não faz nenhuma afirmação nova, porém fala de maneira mais clara. Em primeiro lugar, ele diz que clamava a Deus; em seguida, adiciona que Lhe encomendava seu bem-estar mediante a oração. Com isso, ele dava a entender que, estivesse em segurança ou ameaçado de morte por algum perigo iminente, ele descansava invariavelmente em Deus, sendo plenamente persuadido de que o único caminho no qual poderia continuar seguro era o de ter a Deus como guardião e protetor de seu bem-estar.

147. Eu antecipei o cair da noite. O substantivo hebraico נשף (*nesheph*) é, neste lugar, impropriamente traduzido por *crespusculum* (*cair da noite*); pois o salmista, em vez disso, tinha em mente a aurora. Mas, como o latim derivam a palavra *crespusculum* de *creperus*, que significa *duvidoso* ou *incerto*, podendo significar o tempo duvidoso e intermédio entre a luz e as trevas, não fui rigoroso na seleção do termo. Todavia, os meus leitores devem entender que aqui não está implícito o crepúsculo que começa com o pôr-do-sol, e sim a luz imperfeita que precede o despontar do sol. Davi expressa pressa ansiosa quando diz que antecipava a aurora para suas orações. O verbo *clamar* sempre comunica a idéia de ansiedade, referindo-se, como o faz, não tanto à altura da voz, e sim à veemência e fervor da mente. Ao mencionar sua pressa, seu objetivo era exibir melhor sua perseverança, pois ele nos diz que, embora recorresse à oração com tal prontidão, não se cansava desse exercício, como ocorre com os descrentes, ao quais, se Deus não lhes atende depressa as solicitações, murmuram e se queixam dEle. Assim, associando a paciência da esperança com o fervor do desejo, o salmista mostra qual é o modo genuíno de orar, assim como o faz Paulo, em Filipenses 4.6, ao exorta-nos que façamos conhecidas diante de Deus nossas ações de graças. O salmista também nos admoesta que, enquanto estivermos engajados no exercício da oração, refreemos nossos afetos turbulentos, porque um dos fins da oração é nutrir nossa esperança. Tampouco é supérflua a menção de *a palavra* no final do versículo; pois, somente quando temos a Palavra de Deus continuamente diante dos olhos, é que podemos refrear a impetuosidade devassa de nossa natureza corrupta.

148. Meus olhos anteciparam as vigílias.[64] Aqui, o salmista notifica que, no meditar a lei de Deus, ele era mais diligentemente atento do que os vigias noturnos o eram em manter vigilância. Outros acham que o verbo שׂיח (*suach*) foi usado em lugar de *discursar*. Se esta opinião for admitida, o sentido será que o profeta, não com base em ostentação, e sim no bem-estar de seus irmãos, estava tão empenhado em ministrar instrução, que não permitia a si mesmo nenhum descanso. A palavra *meditar* é mais apropriada neste lugar, pois a noite é um tempo impróprio para se discursar sobre a lei de Deus; mas naquele momento, quando sozinho, o salmista evocava silenciosamente à sua memória o que aprendera antes, de modo que não passava nenhuma parte da noite sem meditar na lei.

149. Ouve a minha voz, ó Jehovah, segundo a tua misericórdia. Em primeiro lugar, o salmista declara que a bondade de Deus era a única base de sua esperança de ser ouvido por Ele. Quaisquer que sejam

---

64 Os hebreus dividiam o dia em três partes – manhã, meio-dia, tarde –, as quais Davi menciona como ocasiões em que ele se engajava em oração [Sl 55.17]. Dividiam ainda a noite em três partes, chamadas "vigílias", de quatro horas cada uma, começando às dezoito horas. Em Lamentações 2.19, lemos sobre a primeira vigília, ou, como ali se designa, "o princípio das vigílias"; em Juízes 7.19, sobre a "vigília média"; em Êxodo 14.24, sobre "a vigília matutina". Uma divisão semelhante da noite parece ter sido feita por outras nações antigas, como transparece das referências feitas a ela por Homero e os primeiros escritores gregos. Os gregos e os romanos, ao aprimorarem a disciplina militar, dividiram posteriormente a noite em quatro vigílias, cada uma consistindo de três horas. E, quando os judeus caíram sob o domínio dos romanos, adotaram deles esta divisão da noite. Por isso, lemos sobre "a quarta vigília da noite", em Mateus 14.25. E as quatro vigílias são mencionadas juntas em Marcos 13.35: "Vigiai, pois, porque não sabeis quando virá o dono da casa: se à tarde, se à meia-noite, se ao cantar do galo, se pela manhã." O tempo em que cada uma dessas quatro vigílias começava e terminava é determinado assim pelo Dr. Hales, que escreveu com erudição sobre o tema: "1. Οψε□ (a noitinha) começava ao pôr-do-sol e terminava com a terceira hora da noite, incluindo o crepúsculo. Era também chamada οψια ώρα (*entardecer*), em Marcos 11.11, ou simplesmente οψια, (*cair da tarde*), em João 20.19, etc. 2. Μεσονυκτιον (*a meia-noite*), durava da terceira hora até meia-noite. 3. Αλεκτοροφωνια (*o cantar do galo*), da meia-noite até à terceira hora após ou a nona hora da noite. Incluía os dois cantos do galo e terminava com o segundo ou o principal desses cantos. 4. Πρωι (*as primeiras horas*), durava da nona à décima segunda hora da noite; era o nascer do sol, incluindo a aurora ou o raiar da luz. Também era chamada de πρωια (*manhã*) ou *amanhecer* (ώρα, subentendido), João 18.28, etc."

"Aqui, quando o salmista declara que seus olhos antecipavam as vigílias da noite, devemos entendê-lo principalmente como que se referindo às vigílias média e do amanhecer, as quais, envolvendo aquele período da noite em que os homens se devotam ao repouso, evidenciam a vigor, o fervor e o caráter auto-sacrificial de suas devoções" – *Dr. Morison*.

as bênçãos que os santos roguem em oração, seu argumento sincero deve ser a graça soberana e imerecida de Deus. Tampouco o termo *juízos*⁶⁵ na segunda sentença deve ser tomado num sentido diferente. Como Deus tem revelado sua bondade em sua palavra, ela é a fonte da qual devemos extrair nossa certeza de sua bondade. O profeta, ciente de que tinha necessidade da misericórdia divina, recorreu diretamente à Palavra, por meio da qual Deus atrai docemente os homens a Si, promete que sua graça estará pronta e acessível a todos. Portanto, para que cada um esteja confiantemente persuadido de que Deus será misericordioso para com ele em particular, deve aprender do exemplo do profeta a rogar a Deus que se mostre tal como prometera ser. Há quem interprete a palavra *juízo* como a *maneira* ou o *costume*;⁶⁶ visto ser esta a maneira usual de Deus tratar graciosamente todos os seus. Não rejeito totalmente esta exposição, porém creio que ela é muito abrupta e estranha ao escopo do texto, enquanto o significado que tenho proposto flui mais naturalmente. Além disso, o salmista deseja *ser vivificado*, para testificar que mesmo em meio à vida ele está morto, a menos que, no ínterim, ele seja sustentado pelo poder de Deus. E, com certeza, todos os que estão devidamente familiarizados com sua própria debilidade e estimam sua vida como nada aspirarão ser vivificados a cada momento. Devemos acrescentar ainda que Deus exercita tão amiúde seu servo, que este podia, com boas razões, apresentar suas orações, como se estivesse no túmulo, para que fosse restaurado da morte à vida.

150. Os perseguidores da malícia têm-se aproximado. Como a palavra hebraica רודפי (*rodphee*), traduzida por *os perseguidores de*, é expressa no estado construto, equivale dizer, como se acha tão relacionada com a palavra זמה (*zimmah*), traduzida por *iniqüidade* (que, no latim, deve ser expressa no caso genitivo), exponho a sentença como que denotando que se aproximavam para fazer o mal. Pergunto-me o

---

65 Por "juízo" Calvino tem em mente "a Palavra de Deus", como o leitor observará do que le diz em seguida.
66 Walford traduz: "Vivifica-me, ó Jehovah, segundo o teu modo costumeiro".

que poderia ter movido mover os intérpretes a traduzir: *Os perseguidores se aproximavam ou chegavam perto da iniqüidade*, pois o idioma não o admitirá; e isso sem levar em conta o fato de que זמה (*zimmah*) significa *perversidade* ou *malícia*, e não *iniqüidade*. Davi disse que aqueles que eram veementemente inclinados à malícia o perseguiam bem de perto e se precipitavam sobre ele com tal violência, para lhe fazer mal, que indicavam claramente encontrarem-se distantes da lei de Deus; visto que se achava longe deles todo respeito pela retidão e eqüidade. Esta era uma condição muito infeliz para Davi: estar diante de e contemplar seus inimigos, que baniram de si todo e qualquer temor a Deus e reverência para com sua lei, prontos a erguer sua mão para feri-lo de morte, se Deus não estivesse bem perto para defendê-lo, como diz o versículo seguinte.

151. Tu estás perto, ó Jehovah. Ele se anima com a revigorante consideração de que Deus, quando vê seu povo sendo dolorosamente perseguido, se manifesta oportunamente a propiciar-lhes socorro. Paulo, falando sobre este tema, afirmou: "Seja a vossa moderação conhecida de todos os homens. Perto está o Senhor" [Fp 4.5]. A sentença conclusiva do versículo tem este sentido: Deus nunca abandona nem desaponta seu povo em suas necessidades, porque Ele é fiel em suas promessas e, por meio delas, Ele nos assegura que o bem-estar de seu povo será sempre o objeto de seu cuidado. Portanto, para que sejamos plenamente persuadidos de que a mão divina está sempre pronta a repelir os ataques de nossos inimigos, retenhamos a firme convicção da verdade de que, em sua palavra, Ele não promete em vão ser o guardião de nosso bem-estar.

152. Aprendi dos teus testemunhos,[67] desde o princípio.[68] Aqui, outros fazem esta tradução: *Há muito tenho conhecido os*

---

67 "De testimoniis tuis" – *lat.*
68 A tradução de Walford é: "Eu tenho conhecido os teus testemunhos há muito tempo". A tradução de Phillips é: "De outrora"; e ele explica: "Tenho me familiarizado com os teus testemunhos desde que adquiri algum conhecimento, isto é, tão logo eu cheguei aos anos de reflexão. 'Desde a infância tu sabes as Sagradas Letras.' [2Tm 3.15]."

teus testemunhos. Não rejeito diretamente essa tradução, porém sinto-me mais inclinado a reter o sentido que tenho dado, isto é: o profeta não só conhecia a firmeza permanente que caracteriza os testemunhos de Deus, mas também obtivera este conhecimento dos próprios testemunhos. Quando os hebreus expressam o significado comunicado pela preposição latina *de*, amiúde usam a partícula מִן (*min*) ou a letra ב (*beth*). Ele diz que aprendera dos testemunhos de Deus (ou por eles fora ensinado) que *estão estabelecidos para sempre*.[69] Deveras, este é um ponto primordial da fé: a Palavra de Deus não somente é distinta por sua fidelidade e solidez para um tempo, mas também continua imutável para todo o sempre. Se não fosse assim, ela não poderia incluir em si mesma a esperança da salvação eterna. Para que a certeza desta imutabilidade da Palavra de Deus esteja radicada em nossa mente, é necessária a revelação interior do Espírito Santo, pois, enquanto Deus não selar em nosso íntimo a certeza de sua Palavra, nossa convicção de sua infalibilidade será continuamente oscilante. No entanto, o profeta, não sem razão, afirma que aprendera esta verdade da Palavra, pois, quando Deus resplandece em nós mediante seu Espírito, faz com que, ao mesmo tempo, a santa verdade, que dura para sempre, resplandeça no espelho de sua palavra.

> [vv. 153-160]
> ר Contempla a minha aflição e resgata-me, pois não esqueci a tua lei. ר Considera a minha causa e me redime; vivifica-me de acordo com a tua palavra. ר A segurança está longe dos perversos, porque não têm buscado os teus estatutos. ר Muitas são, ó Jehovah, as tuas ternas misericórdias; vivifica-me de acordo com os teus juízos. ר Meus perseguidores e opressores são muitos;[70] não tenho me desviado dos teus testemunhos. ר Eu vi os pérfidos e os repreendi, porque eles não têm guardado a tua palavra. ר Considera, ó Jehovah, como tenho amado os teus mandamentos; vivifica-me de acordo com a tua benignidade. ר O

---

69 "*Tu os estabeleceste para sempre*. Isto é, as tuas revelações são inalteráveis e eternas, como os atributos de seu grande Autor e nunca podem frustrar os que descansam nelas, no tempo e na eternidade" – Warner, *on the Psalter*.

70 "Ou, forts robustes " — *fr.* "Ou, muito forte."

princípio [lit. a cabeça71] de tua palavra é a verdade; e todo o juízo de tua justiça é eterno.

153. Contempla a minha aflição e resgata-me. O salmista ensina, por seu próprio exemplo, que aqueles que se devotam ao serviço e temor de Deus não devem sentir-se desencorajados, ainda que não sejam recompensados neste mundo. Sua condição na terra é a de conflito. Por isso, não devem desmaiar ante à adversidade; antes, devem descansar satisfeitos com a consoladora consideração de que a porta da oração lhes está aberta. No entanto, o profeta não se gaba de sua diligência em guardar a lei, como se Deus tivesse de pagar-lhe salário por seus serviços. Ele mostra simplesmente que era servo de Deus, assim como falara de sua esperança de que era assim em outros lugares. Esta razão — **pois não esqueci a tua lei** —, em virtude da qual roga a Deus que considere sua aflição e o resgate, é peculiarmente convincente no presente caso. Pois evidenciamos coragem incomum, quando, em vez de nos desviarmos do temor a Deus, por causa da adversidade, lutamos contra as tentações e O buscamos, mesmo quando Ele parece desviar-nos intencionalmente de Si mesmo.

154. Considera a minha causa e me redime. Neste versículo, Davi especifica o tipo de aflição: era o tratamento injusto e hostil que experimentara às mãos de homens vis e sem princípios. Literalmente, a redação é: *Pleiteia minha causa*; e isso é o mesmo que assumir uma causa, ou tomar a responsabilidade de defender alguém em juízo, ou manter o direito do oprimido. Em primeiro lugar, o profeta, ao invocar a Deus para que defendesse sua causa, mostra que é oprimido injustamente, por violência, calúnias ou diplomacias astutas. E, ao buscar *ser redimido*, ele sugere que era incapaz de fazer qualquer resistência

---

71 A palavra no texto hebraico é ראש (*rash*). O Dr. Adam Clarke sugere uma explicação no mínimo engenhosa. A primeira palavra no livro do Gênesis é בראשית (*bereshith*) — "no princípio", que se deriva de ראש (*rash* ou *raash*). Ele indaga se neste versículo Davi, ao chamar da palavra de Deus de ראש (verdade), não se referia a בראשית, a primeira palavra no livro do Gênesis. Se for este o caso, o significado é: cada palavra que tens falado desde o בראשית (a primeira palavra no Gênesis) até ao fim da lei e dos profetas, e tudo que ainda falarás, é genuíno e no devido tempo terá seu cumprimento.

ou se encontrava tão emaranhado em suas redes, que não restara nenhuma esperança, a não ser o livramento divino. Na segunda sentença, a letra ל (*lamed*) parece ser entendida em lugar de כ (*caph*), sinal de semelhança,⁷² como transparece do fato de que ele usou um pouco antes (v. 149) uma forma semelhante de oração. Além disso, como Davi aqui se queixa de ser mantido por seus inimigos como que preso em grilhões, se não fosse libertado pela mão de seu Redentor, com boas razões ele roga a Deus que o restaure à vida; pois aquele que é aviltado desse modo é como se fosse uma pessoa morta.

Ele acrescenta, oportunamente, *de acordo com tua palavra*; pois a esperança da vida resplandece em nós com base na promessa que Deus faz em sua palavra, a promessa de se tornar o nosso Libertador. Por isso, o profeta, ao desejar ardentemente ser trazido das trevas para a luz, sustenta a si mesmo e se encoraja mediante a palavra. Caso alguém prefira um sentido diferente, Davi não deve ser entendido como que pedindo simplesmente que a vida lhe fosse dada, e sim como que orando pela vida espiritual, para que seja encorajado a exercer fé, a cultivar o temor de Deus e a nutrir o desejo de viver uma vida santa.

155. A segurança está longe dos perversos. Plenamente convencido de que o mundo é governado pela providência secreta de Deus, que é Juiz justo, o profeta extrai dessa fonte a doutrina de que os ímpios são removidos para longe da segurança e que a segurança está longe deles. Disso procede a confiança da oração; pois, como Deus se afasta dos desprezadores de sua palavra, Ele está pronto a socorrer seus servos. É preciso notar que o profeta, ao perceber que seus inimigos eram exaltados por sua prosperidade, elevou seu coração pela fé, a fim de que pudesse chegar à firme persuasão de que todos os deleites deles eram amaldiçoados e tendiam à destruição. Portanto, sempre que os ímpios prosperam no mundo, de acordo com suas aspirações, de modo que, sendo bajulados ao máximo, exultam em sua própria opulência, aprendamos, a fim de nos defendermos, a nos es-

---

72 "La letre כ, qui signifie Sclon" — *fr.* "A letra כ, que significa "segundo o(a)."

condermos neste escudo que o Espírito Santo nos apresenta, ou seja, que, por fim, os ímpios perecerão miseravelmente, pois não buscam os mandamentos de Deus. Deste fato, extraímos uma doutrina contrária: embora os crentes genuínos, enquanto andam sinceramente no temor de Deus, sejam comparem a ovelhas destinadas ao matadouro, a salvação deles, que está sob o cuidado especial e a proteção da providência secreta de Deus, está sempre à mão. Neste sentido, o profeta diz no versículo seguinte:

156. Muitas são, ó Jehovah, as tuas ternas misericórdias. Era como se ele quisesse dizer que só estão realmente seguros aqueles que recorrem à misericórdia divina. Além do mais, para animar-se a aproximar-se de Deus com uma confiança mais profunda, ele diz não somente que Deus é misericordioso, mas também que magnifica e exalta poderosamente suas compaixões. Deste fato deduzimos que o salmista vivia tão contente com essas compaixões, que não buscava nenhum auxílio em seus méritos pessoais. No entanto, devemos notar, ao mesmo tempo, que o profeta se sentia perturbado com tantas tentações, pois se via forçado a colocar em oposição a elas esta vasta riqueza de misericórdia. Faz pouca diferença se lemos *grandes* ou *muitas*. A oração seguinte, *vivifica-me de acordo com os teus juízos* eu a explico como uma referência às promessas. A palavra original que significa *juízo* é traduzida por alguns como *maneira* ou *costume*. Todavia, já demonstrei que essa tradução é menos apropriada que a outra. O profeta confirma, uma vez mais, esta verdade: não podemos esperar a vida ou pedi-la a Deus, a menos que a esperança seja produzida por sua palavra. Ele repete amiúde esta verdade, porque é uma daquelas que esquecemos surpreendentemente. Mas, para que nos apropriemos, com ousadia, de toda a graça que Deus promete a seus servos, a doutrina das grandes e multiformes misericórdias de Deus deve estar sempre em nossos pensamentos. Se imaginarmos que Deus faz suas promessas somente porque se vê obrigado a isso, ou porque o mereçamos, dúvida e desconfiança se introduzirão em nossa mente; e isso, por certo, fechará as portas às nossas orações. Mas, se estivermos totalmente persuadidos de que a misericórdia inerente em sua própria natureza é a única causa pela qual Deus é movido a prometer-nos a salvação, nos aproximaremos dEle sem hesitação ou dúvida, porque se obrigou a nosso respeito movido por seu beneplácito e vontade.

157. Meus perseguidores e opressores são muitos. Como em outras passagens, o salmista testifica que, embora provocado por muitas injúrias, nunca se afastou do caminho direito. Isso, como observamos em outra passagem, era evidência de constância grande e singular. Uma questão fácil é agir bem quando estamos entre os bons. Todavia, se os perversos nos afligem: se um homem nos ataca publicamente pela força, se outro nos rouba nossa propriedade, se um terceiro nos envolve com vilezas e um quarto nos ataca com calúnias, é difícil perseverarmos em nossa integridade; e passamos a vociferar como que entre lobos. Além disso, a permissão que ele têm para fazer o que lhes agrada, sem o temor de serem punidos, é um instrumento poderoso para abalar nossa fé; porque, quando Deus fecha os olhos para os perversos, é como se Ele nos abandonasse como presas.

Ao usar a expressão *testemunhos de Deus* o profeta se refere não somente à norma do viver santo e justo, mas também às promessas. É como se ele dissesse: Senhor, não tenho me desviado das veredas da integridade, embora a conduta dos perversos tenha me pressionado, com tentação, a que eu faça isso; a minha confiança em tua graça também não foi abalada. Tenho esperado pacientemente por teu socorro. Ambas as alternativas são necessárias. Pois, embora aquele que sofreu injustiças possa contender, por meio de seus bons atos, contra a malícia de seus inimigos e possa frustrar toda retaliação, se ele não depender totalmente de Deus, essa retidão não será suficiente para salvá-lo. Não há ninguém que se porte de maneira tão controlada, exceto aquele que se incline para Deus e espere nEle como seu libertador. Mas, admitindo que isso poderia acontecer, não haveria nesta meia virtude poder suficiente para salvá-lo. A salvação divina é reservada para os fiéis que a buscam no exercício da fé viva. E todo aquele que se persuade de que Deus é o seu libertador, que apóia e firma sua mente nas divinas promessas também se esforçará para vencer o mal com o bem.

158. Eu vi os pérfidos e os repreendi. Neste versículo, o salmista vai mais além, declarando que se sentia inflamado de santo zelo, quando via a lei de Deus ser desprezada pelos ímpios. Entretanto, os expositores não estão concordes quanto a uma palavra no texto, a saber, o verbo אתקוטטה (*ethkotatah*), que traduzimos por *repreender*, derivando-a alguns de קוט (*kut*), que, às vezes, significa *debater* ou *contender com*, estando na conjugação *hithpael*; enquanto outros a derivam de קטט (*karat*), que significa *matar* ou *destruir*. Adoto a primeira interpretação, porque é mais geralmente aceita entre os eruditos e mais apropriada. O profeta ensina que se sentia inflamado de tal zelo pela lei de Deus, que já não podia suportar os motejos ímpios dirigidos contra ela.

O verbo *debater* pode muito ser entendido tanto a respeito da aborrecimento ou ira que ele sentia no íntimo como a respeito da repreensão que ministrava abertamente aos desprezadores de Deus. Por isso, há quem o traduza: *eu estremecia* ou *eu ficava angustiado*.[73] Com certeza, ninguém debaterá com outros para manter a glória de Deus, senão aquele que primeiramente aborrecer-se em seu íntimo e sentir seu coração angustiado; assim como, por outro lado, após essa santa indignação, quase sempre haverá uma transição, ou seja, passar do pensamento ao fato concreto.[74] Em suma, somos admoestados pelo exemplo do profeta que devemos sentir, ante o desprezo pela Palavra de Deus, um desprazer tão forte, que nosso coração arda até ao ponto de repreender tal desprezo. Em primeiro lugar, deixemos que a tristeza nos afete interiormente; em seguida, sempre que houver oportunidade, envidemos esforços para repreender a obstinação e soberba dos perversos; e não deixemos de fazer isso, por temermos provocar o ressentimento deles contra nós.

---

73 "Invasit me horror" — *Piscator*.
74 "C'est a dire, on vient de la pensee a l'effect" — *fr*.

159. Considera, ó Jehovah, como tenho amado os teus mandamentos. É preciso recordar o que já declarei, a saber, que os santos, ao falarem de sua piedade pessoal diante de Deus, não devem ser acusados de apresentar seus próprios méritos como fundamento de sua confiança em Deus. Mas eles consideram isto um princípio bem estabelecido: Deus, que distingue seus servos dos profanos e iníquos, será misericordioso para com eles, porque O buscam de todo o seu coração. Além disso, um amor não fingido pela lei de Deus é uma evidência indubitável da adoção, visto que esse amor é a obra do Espírito Santo. O profeta, embora nada arrogue para si, mui propriamente faz alusão à sua piedade pessoal a fim de encorajar-se a nutrir a mais firme esperança de ver sua súplica atendida por meio da graça de Deus que ele já experimentara. Ao mesmo tempo, somos ensinados que não pode haver verdadeira observância da lei, senão aquela que emana do amor livre e espontâneo. Deus requer sacrifícios voluntários, e o começo de uma vida feliz consiste em amá-Lo, como Moisés declarou: "Agora, ó Israel, que é que o Senhor requer de ti? Não é que... o ames?" [Dt 10.12] A mesma coisa é reiterada no resumo da lei "Amarás, pois, o Senhor, teu Deus" [Dt 6.5]. Por essa razão, Davi já havia afirmado que a lei de Deus lhe era não somente preciosa, mas também prazerosa.

Ora, visto que, ao observarmos a lei, cumpre-nos começar com obediência voluntária, para que nada nos causa tanto deleite como a justiça de Deus. Assim, em contrapartida, não devemos esquecer que o senso da soberana bondade de Deus e seu paternal amor é indispensavelmente necessário para que nosso coração se incline a esta afeição. Assim, os meros mandamentos estão muito longe de conquistar os homens a prestar-lhes obediência e, em vez disso, põem os homens a fugir deles. Logo, é evidente que, se uma pessoa experimenta, com a alma, a bondade de Deus, a partir do ensino da lei, essa pessoa aplicará o coração a amar a lei. A freqüência com que o profeta reitera a oração *Senhor, vivifica-me* nos ensina que ele conhecia bem a fragilidade de sua própria vida; assim, em sua estimativa, os homens vivem somente enquanto Deus, a cada instante, sopra vida no íntimo deles. Além disso, é provável que ele vivesse continuamente cercado de aflições e que, por fim, ele podia com mais solicitude recorrer à fonte de vida. Uma vez mais, ele reitera sua fé na bondade de Deus como seu fundamento – *vivifica-me de acordo com a tua benignidade*. Disso percebemos quão longe ele estava de gabar-se de seus méritos pessoais, quando disse, na sentença anterior, que amava a lei de Deus.

160. O princípio de tua palavra é a verdade. Não é difícil percebermos o desígnio do profeta, mas as palavras admitem uma dupla perspectiva. Há quem interprete o substantivo *princípio* denotando que a verdade de Deus resplandece nitidamente em sua palavra. Esta sentença contém a proveitosa doutrina de que, se temos os olhos do entendimento, no instante em que volvermos nossos olhos para a doutrina celestial, a sua verdade virá ao nosso encontro. Outros apresentam uma explicação diferente e, talvez, menos apropriada, chegando a este sentido: a Palavra de Deus tem sido desde o princípio uma verdade certa e infalível e continuará assim até ao fim. Estas duas sentenças se enfeixam muito bem –Deus tem sido veraz à sua Palavra desde o princípio e continuará assim, para sempre e imutavelmente. Não condeno inteiramente a interpretação que aplica a palavra *juízo* às obras de Deus, e não à sua doutrina. No entanto, ela não se coaduna bem com o contexto. Retenhamos este sentido: desde o tempo em que Deus começou a falar, ele tem sido sempre fiel às suas promessas e nunca frustrou a esperança de seu povo; e o curso desta fidelidade tem sido tão invariável que, desde o princípio até ao fim, sua palavra é veraz e fiel.

[vv. 161-168]
ש Príncipes me têm perseguido sem motivo; contudo, o meu coração tem estado temeroso ante a tua palavra. ש Tenho me regozijado em tua palavra, como alguém que achou grande despojo. ש Tenho odiado e abominado o engano, porém tenho amado tua lei. ש Sete vezes ao dia eu te louvo, por causa de teus justos juízos.[75] ש Grande paz têm aqueles que amam a

---

75 Literalmente: "Por causa dos juízos de tua justiça".

tua lei e para eles não haverá tropeço.⁷⁶ ט Tenho aguardado, ó Jehovah, a tua salvação e tenho cumprido os teus mandamentos. ט Minha alma tem guardado os teus testemunhos, e os tenho amado excessivamente. ט Tenho guardado os teus mandamentos e os teus testemunhos, pois todos os meus caminhos estão diante de ti.

161. Príncipes me têm perseguido sem motivo.⁷⁷ Aqui, o salmista nos informa que, embora suas tentações tenham sido árduas e graves, ele foi refreado, pelo temor a Deus, de tentar algo indigno do caráter de um homem piedoso. Somos inclinados a cair em desespero quando os príncipes que se acham investidos de poder para nos subjugar nos são hostis e nos molestam. O mal também é agravado pela consideração de que as mesmas pessoas que deveriam ser escudos em nossa defesa empregam sua força para ferir-nos. Sim, quando os aflitos são golpeados por esses perversos, que ocupam posições elevadas, acreditam que, de certo modo, a mão de Deus está contra eles. Havia também esta particularidade no caso do profeta: ele tinha de enfrentar os ilustres do povo eleito – homens a quem Deus colocara em posição tão honrosa, para que, acima de tudo, fossem colunas da Igreja. Há alguns que apresentam uma exposição mais restrita, ou seja, que Davi seguiu a exortação de Cristo: "Não temais os que matam o corpo e não podem matar a alma; temei, antes, aquele que pode fazer perecer no inferno tanto a alma como o corpo" [Mt 10.28]. Este sentimento, embora ainda não houvesse sido pronunciado pelos lábios de Cristo, deve ter se fixado no coração de todos os piedosos. O sentido na opinião destes é que o profeta não havia se desviado do temor de Deus por causa de nenhuma das ameaças ou erros de seus inimigos. Mas o enaltecimento de sua própria constância deve ser entendido num sentido mais extenso do que este. A exortação de Isaías [8.12-13] é bem

---

76 "*Eles não têm qualquer ofensa*, isto é, nenhuma ocasião de acusá-los de pecado, mas, com o Espírito de Deus a assisti-los, são capacitados a vencer. O amor da lei é para eles uma segurança contra as seduções dos perversos, pelas quais outros são desviados da vereda da retidão e conduzidos à ruína" – *Phillips*.
77 "Davi era perseguido por Saul e seus associados, 'sem causa'" – *Warner, on the Psalter*.

conhecida: "Não chameis conjuração a tudo quanto este povo chama conjuração; não temais o que ele teme, nem tomeis isso por temível. Ao Senhor dos Exércitos, a ele santificai; seja ele o vosso temor, seja ele o vosso espanto".

O profeta, neste versículo, mostra as armas com as quais os fiéis, se as usarem, podem vencer todos os ataques do mundo. O salmista mostra que eles farão isso, contanto que, não só permaneçam no temor de Deus, mas também descansem certos de que Ele será sempre o guardião do bem-estar deles, para que lancem sobre Ele todos os seus cuidados. Assim, descansando contentes na proteção de Deus, os fiéis se livrarão da prática de tudo que é pecaminoso e ponha em risco a sua segurança. Deste modo, o profeta afirma nesta passagem que, embora estivesse sendo oprimido pela violência injusta dos príncipes, ele representava um espetáculo doloroso, mas não sucumbia; antes, considerava o que lhe era lícito fazer e não tentava rivalizar com as práticas perversas deles, retribuindo astúcia com astúcia e violência com violência.

Neste texto, como é evidente à luz da conexão, *sentir-se temeroso ante a palavra de Deus* equivale a restringir o próprio ego e não fazer nada ilícito. Eu já disse que o advérbio חנם (*hinnam*), *sem motivo*, é adicionado à guisa de ampliação, pois a tentação era mais árdua devido ao fato de que os tiranos, sem causa e meramente para satisfazer sua própria inclinação perversa, atacavam um indivíduo inocente. Sabemos bem que os homens de boa disposição e mente nobre são mais facilmente incitados à ira, quando a pessoa atacada é alguém que não fez nada errado contra outrem. Para o profeta, uma prova magistral de domínio próprio seria o deixar-se impedir pela palavra de Deus, para não rivalizar com outros na prática do mal ou, vencido pela tentação, viesse a sair do lugar que lhe fora designado na corporação social. Aprendamos a permanecer tranqüilos, mesmo quando os príncipes abusam tiranicamente do poder que Deus lhes confere, para que, evitando criar insurreição, não interrompamos a paz e a ordem da sociedade.

162. Tenho me regozijado em tua palavra, como alguém que achou grande despojo. Sabemos muito bem que nenhuma riqueza traz maior alegria do que aquele que os conquistadores obtêm do despojamento de seus inimigos. Pois à riqueza acrescenta-se a glória do triunfo; e, quando a riqueza vem de repente, o deleite experimentado é, à luz dessa circunstância, ainda maior. Esta é a razão por que Davi compara o conhecimento que obtivera da doutrina celestial com despojos, mais do que com outras riquezas, pois com estas palavras ele notifica que sua maior alegria era derivada da Palavra de Deus, com a qual nenhuma riqueza, por mais desejável seja, é comparável. Deste fato aprendemos que o salmista vivia contente com a Palavra de Deus, como algo que era todo o seu deleite e no qual achara felicidade duradoura. E tal felicidade só poderia existir se ele tivesse, primeiramente, esquivado o seu coração de todos os desejos depravados. Não é surpreendente acharmos Davi fundamentando uma vida totalmente feliz na Palavra de Deus, na qual, ele bem sabia, estava o tesouro da vida eterna, que lhe era oferecido por meio da adoção soberana.

163. Tenho odiado e abominado o engano. Neste versículo, ele declara mais distintamente aquilo sobre o que adverti um pouco antes, ou seja, que ele fora purificado das afeições corruptas, para que desse à lei de Deus a honra e a estima que ela merecia. Visto que em outra passagem abordamos quase a mesma sentença, falarei de modo sucinto sobre a razão por que o profeta afirma que *odiava o engano* antes de falar sobre o seu amor e devoção à lei. Como a hipocrisia é, por natureza, inerente ao coração de todos os homens e como somos naturalmente inclinados à vaidade e ao fingimento, precisamos labutar diligentemente por purificar nossos corações, para que reine neles o amor pela lei. Ora, se o princípio de uma vida boa e o primeiro ponto da justiça é odiar e aborrecer o engano, segue-se que nada é mais excelente do que a integridade; pois, a menos que a virtude mantenha o lugar principal, todas as demais virtudes desaparecerão bem depressa. Tampouco *abominar* é adicionado a *odiar* de modo supérfluo, pois o propósito é ensinar-nos que não basta odiar a falsidade com um ódio comum e que os filhos de

Deus devem odiá-la com um ódio mortal. Ora, se o amor à lei e o ódio pela falsidade estão inseparavelmente conectados, isso é uma inferência clara de que todos os que não aprendem na escola de Deus se acham infectados pelo o engano e a hipocrisia.

164. Sete vezes no dia eu te louvo. Com a expressão adverbial *sete vezes*, o profeta quer dizer que estava continuamente ou com muita freqüência engajado na celebração dos louvores de Deus, assim como se afirma em Provérbios 24.16: "O justo cai sete vezes", quando ele caía em diversas tentações.[78] A expressão *os juízos de Deus*, visto que em muitos lugares é entendida como os castigos que Deus inflige sobre os pecadores e se aplica, às vezes, à providência pela qual Ele governa o mundo, há quem entenda o profeta como que louvando a Deus por proporcionar provas tão manifestas de sua justiça, tanto em punir os perversos como em todo o governo do mundo. No entanto, concordo mais com outros que aplicam a expressão à lei divina, não porque a primeira interpretação me desagrada, e sim porque neste Salmo o grande tema sobre o qual o salmista primordialmente insiste é o enaltecimento da lei de Deus. O significado é que Davi, quando se via assiduamente ocupado em meditar na lei de Deus, achava-a distinguida por tão grande perfeição de justiça e sabedoria, que, ocasionalmente, irrompia em louvor e ação de graças. Esta diligência em louvar a Deus mostra que Davi falava de modo reverente e honroso a respeito da lei de Deus e considerava-a uma dádiva inestimável conferida à raça humana. Não era somente a admiração que o constrangia a esse enaltecimento, mas também um princípio de gratidão, pois ele percebia que nada mais excelente podia ser outorgado aos homens do que serem eles renovados para uma vida abençoada e infindável pela semente incorruptível da verdade celestial.

---

[78] Entre muitos outros textos da Escritura que podem ser citados para mostrar que o número sete é usado com freqüência, por muitos, como um número indefinido, podemos referir-nos a Gênesis 4.15 e Levítico 24.18. Alguns dentre os rabinos hebreus afirmam que, neste versículo, Davi deve ser entendido literalmente, observando que os hebreus devotos costumavam louvar a Deus uma vez na manhã, antes da leitura dos Dez Mandamentos, e uma vez depois; duas vezes à tarde, antes da leitura da mesma porção de inspiração, e duas vezes depois; isso perfazia o total de sete vezes ao dia.

Contudo, raramente um em cem daqueles a quem Deus oferece esse tesouro se dá ao trabalho de render graças a Deus por esse tesouro, mesmo de maneira ordinária. Ao contrário, em toda parte do mundo, reina uma ingratidão tão vil, que alguns rejeitam desdenhosamente a verdade divina, e outros desprezam-na ou escarnecem dela, enquanto outros se enraivecem e rangem seus dentes contra ela, se vêem nela algo que não lhes agrade.

165. Grande paz têm aqueles que amam a tua lei. Se entendermos a palavra *paz* no sentido de uma condição de vida próspera e feliz – sentido com o qual os hebreus empregam-na amiúde –, a palavra traduzida por *tropeço* tomada como correspondente de *paz*, será equivalente a *adversidade*. Era como se ele estivesse dizendo que aqueles que amam a lei de Deus prosperarão continuamente e manterão sua posição, embora o mundo inteiro se precipite em ruínas. Mas uma interpretação diferente também será apropriada, ou seja, que sentem grande paz porque, sendo persuadidos de que tanto sua pessoa como sua vida são aceitáveis diante de Deus, descansam calmamente em sã consciência. Esse estado tranqüilo de consciência e essa serenidade mental são considerados o ponto primordial de uma vida feliz e equivalem a dizer que esse estado existe quando procede do fato de que Deus está reconciliado conosco e de seu favor paterno que resplandece em nossos corações. O profeta ensina com razão que obtemos esta paz do amor à lei, pois quem a fizer depender de qualquer outra coisa tremerá de pavor, de tempo em tempo, ante à menor aflição. Se este sentido for adotado, a palavra *tropeço*, na segunda sentença, significará todas as dificuldades e inquietudes mentais com as quais todos os que não se inclinam à Palavra de Deus infelizmente se angustiam e se atormentam e pelas quais são impelidos para lá e para cá, devido às suas paixões depravadas ou ao capricho de outras pessoas. No entanto, seja qual for a maneira como entendemos essas duas palavras: *paz* e *tropeço*, o desígnio do profeta permanecerá o mesmo, ou seja, mostrar que aqueles que não se devotam a Deus são infelizes, pois, embora aprovem-se a si mesmos por algum tempo, se depararão com muitas pedras de tropeço a desviá-los subitamente de seu curso. Do termo *amor* deduzimos que esta paz não é adquirida por uma observância servil da lei, e sim que procede da fé, pois a lei não possui doçura para atrair-nos a si, a menos que nos mostre a Deus no caráter de Pai e tranqüilize nossa mente com a segurança da salvação eterna. Em vez de desfrutarem paz, todos os profanos e os que desprezam a Deus são punidos com justiça por sua própria depravação e rebelião obstinada, pois cada um deles é seu próprio executor. E, quanto mais furiosamente agem contra a Palavra de Deus, tanto mais dolorosamente são atormentados, até que se precipitem na destruição total. É verdade que os piedosos também são atormentados ou angustiados, mas esta consolação interior remove-lhes toda a tristeza, ou capacita-os, por elevá-los, a superar todos os tropeço, ou acalenta-os de modo que não desfaleçam.

166. Tenho aguardado, ó Jehovah, a tua salvação. Não é sem motivo que o profeta reitera amiúde esta sentença, que está nos lábios de todos os homens, não havendo nada mais fácil do que atribuir a Deus o louvor e o ofício de salvar. Mas dificilmente encontraremos no mundo um único exemplo de esperança firme, quando os homens se vêem envolvidos em tentações por algum tempo. Da ordem das palavras aprendemos que, se uma pessoa quer se manter no temor de Deus e no amor à lei, é indispensável que, acima de todas as coisas,[79] busque a salvação em Deus. Se a fé na graça de Deus for removida de nossa mente, ou a paciência for abalada, seremos arrojados de um lado a outro e não nos sobrará ânimo para o cultivo da piedade. A principal virtude dos fiéis é um suportar paciente da cruz e a mortificação pela qual se submetem calmamente a Deus; pois, enquanto nenhuma adversidade sobrevém aos hipócritas, eles também parecem estar afeiçoados à obra de servir a Deus. Há outras razões por que nos cumpre conservar nossa mente atenta à salvação divina, se queremos regular nossa vida de modo correto, pois, se as atrações do mundo

---

79 "Primum", *lat* — "Devant toutes choses", *fr.*

nos armarem suas redes, imediatamente nos tornaremos desanimados. Como já vimos com clareza, a razão por que o coração da maioria da pessoas desanima é o fato de que é difícil demais crer, com toda a certeza, que a salvação deve ser esperada somente da graça de Deus. Portanto, para que perseveremos no serviço de Deus, é indispensável que a fé aponte o futuro adiante de nós e, em seguida, que a paciência nos acompanhe, para nutrirmos em nosso íntimo o amor à justiça. Pois, como já dissemos, nossa entusiasmo na perseverança procede disto: com um espírito paciente, aceitamos que nossa salvação permaneça oculta no seio de Deus e não duvidamos que Ele, no final, será um fiel galardoador de quantos O buscam, ainda que oculte o seu favor de nossa percepção.

No versículo seguinte, o salmista confirma esta doutrina com outras palavras, dizendo *que guardava o testemunho de Deus com sua alma*. Com a palavra *alma*, ele expressa, com maior intensidade do que antes, que tinha a doutrina da lei guardada nos recessos mais profundos de seu coração. A causa desta peculiaridade — guardar diligentemente a lei — era o amor singular que ele sentia por ela, como afirma na sentença conclusiva do versículo. Aquele que se sente constrangido e obedece à lei de uma maneira servil está tão longe de recebê-la na habitação secreta de seu coração e de mantê-la ali, que, na realidade, gostaria de tê-la bem distante de si.

168. Tenho guardado os teus mandamentos e os teus testemunhos. O que o salmista expressara com vigor agora ele repete com simplicidade, adicionando uma razão. Ele abrevia a declaração feita no versículo anterior, mas aqui ele omite a palavra *alma*, usada ali, embora à palavra *mandamentos* ele junte *testemunhos*, para mostrar mais distintamente que não falava exclusivamente a respeito da regra de uma vida íntegra e santa, mas também incluía toda a aliança da salvação. E, com certeza, a doutrina da lei não poderia ser tão doce e atrativa por ordenar o que é direito, se não exibisse, ao mesmo tempo, o favor soberano de Deus. A razão que o profeta assinala para guardar os mandamentos e os testemunhos de Deus – *todos* *os meus caminhos estão diante de ti*[80] – é com esta: a verdade, bem notória, de que nada fica escondido de Deus deveria servir como um freio a mantê-lo devotado ao cultivo da piedade. Pois, se não quisermos viver sob a onisciente supervisão divina, a insaciável luxúria da carne nos arrebatará rapidamente, ora de uma maneira, ora de outra. O significado pode também ser este: ele tomou a Deus como o árbitro e o juiz de sua vida, pois a linguagem bíblica nos diz que *andam diante de Deus* aqueles que Lhe atribuem todas as suas ações e, por assim dizer, se esquivam da vista humana, para se apresentarem ante o tribunal de Deus. Deste modo, ele nos dá a entender que se esforçava não só para viver isento de todo erro e culpa diante dos homens, mas também para oferecer a Deus um coração íntegro e sincero. Em qualquer dos sentidos que adotarmos, ele testifica que observamos a lei de Deus com seriedade, somente quando consideramos que temos de enfrentar o Deus que sonda o coração e de cujos olhos nada se oculta. Esta sentença conclusiva também pode ser uma forma de argumentação, como se o profeta dissesse: Senhor, Tu és a melhor testemunha da fidelidade com que tenho guardado a tua lei, pois nada está oculto de Ti. Mas tudo indica que ele pretendia notificar que o princípio de seu santo viver consistia em haver mantido sua vida consagrada a Deus e seus pensamentos fixos na presença dEle.

[vv. 169-176]
ת Chegue o meu clamor à tua presença, ó Jehovah! Dá-me entendimento de acordo com a tua palavra. ת Chegue a minha oração à tua presença; livra-me em consonância com a tua palavra. ת Meus lábios expressarão louvor, quando me tiveres ensinado os teus estatutos. ת Minha língua falará sobre a tua palavra, pois todos os teus mandamentos são justiça. ת Socorra-me a tua mão, pois tenho escolhido os teus mandamentos. ת Tenho suspirado

---

80 "Todos os meus caminhos estão diante de ti." O significado desta expressão pode ser deduzido de outras frases bíblicas, tais como 'andando diante de Deus' ou 'aos seus olhos'. Isso significa meramente viver em santidade e retidão, para ser aceitável aos olhos de Deus. Deus é onisciente, e, portanto, 'todos os caminhos' ou ações humanas estão 'diante dele' ou abertos ao seu conhecimento e percepção" – *Warner*.

por tua salvação, ó Jehovah, e tua lei tem sido o meu deleite. ת Viva a minha alma e cante o teu louvor; e os teus juízos me socorram. ת Tenho perambulado como ovelha perdida; busca o teu servo, porque não esqueci os teus estatutos.

169. Chegue o meu clamor⁸¹ à tua presença.

O salmista reitera o mesmo sentimento já enfatizado em nossas considerações: seu maior desejo e aquilo sobre o que ele mais insistia, considerando todas as outras coisas como secundárias, era fazer progresso no estudo da lei de Deus. Com o verbo *clamar*, ele denota ansiedade. É como se ele quisesse dizer: Estou ansioso, acima de todas as coisas, e me sinto inflamado por este desejo (justo e razoável): que a luz do entendimento, pela qual excedemos aos animais inferiores e temos acesso a Deus, me seja preferível a todas as vantagens terrenas.

A expressão *de acordo com a tua palavra* pode ser entendida de duas maneiras. Pode denotar que Davi rogava a Deus que lhe transmitisse entendimento segundo a promessa dEle mesmo; ou, como alguns o explicam, sugere que ele desejava ter sua mente formada em harmonia com a norma da Palavra de Deus, de modo que fosse sábio, não de outro modo, mas de conformidade com a doutrina da lei. Este último sentido não seria inapropriado, se estas palavras no versículo seguinte: *Livra-me em consonância com a tua palavra*, não criassem objeção a tal interpretação. Não tendo dúvida de que estas duas sentenças têm um significado correspondente – ainda que, à primeira vista, seja mais próprio entender Davi orando para que fosse sábio de conformidade com a norma da lei. Prefiro inclinar-me ao outro sentido: ele roga a Deus que lhe dê entendimento, em cumprimento de sua promessa. Embora Deus prometa liberalmente a seu povo todas as bênçãos, iluminá-los com seu Espírito, para que excedam em sabedoria genuína e íntegra, é com razão uma bênção digna de ser classificada entre as principais de suas promessas.

---

81 Como alguns críticos já observaram, o *clamor* do salmista por livramento é aqui personificado. Ele o representa como um ser inteligente, enviado por ele ao céu, para ali defender sua causa na presença de Deus. Essa mesma figura poética é usada no versículo seguinte e ocorre freqüentemente no Livro dos Salmos.

Esta doutrina é-nos proveitosa de muitas maneiras. Em primeiro lugar, somos ensinados que nada deve ser mais desejável do que ter a Deus nos guiando mediante a sua luz, para que não sejamos como brutos irracionais. Em segundo lugar, somos ensinados que este é o dom peculiar do Espírito Santo, pois teria sido inútil Davi suplicar a Deus que lhe desse aquilo que naturalmente já era seu ou que ele o obtivesse por seu próprio empenho. Em terceiro lugar, o que eu disse acerca da promessa deve merecer nossa atenção, ou seja, os fiéis não hesitam em oferecer-se a Deus, para serem iluminados por Aquele que declara será o guia do cego e não recusa ser Senhor e Mestre dos pequeninos e humildes.

170. Chegue a minha oração à tua presença. Depois de haver suplicado que o dom do entendimento correto lhe fosse comunicado, o salmista implora a Deus livramento e reconhece que se envolvera continuamente em múltiplos perigos, dos quais ele cria ser impossível escapar, a menos que Deus estendesse a mão, desde o céu, em seu auxílio. Sabemos que, ao ser pressionado por qualquer angústia, o salmista invocava a Deus por socorro. Mas, como aqui ele não cita nenhuma angústia específica, não tenho dúvida de que, ao recomendar sua vida, em termos gerais, à proteção divina, ele imaginava, freqüentemente, como se achava cercado de todos os lados por inumeráveis sofrimentos, dos quais não podia escapar, se Deus não provasse ser o contínuo libertador dele. Mas isto é um inestimável conforto, ou seja: Deus nos garante que em todos os perigos estará sempre pronto e preparado a socorrer-nos.

171. Meus lábios expressarão louvor. Davi mostra, da mesma maneira como no versículo anterior, quão sublime era o privilégio de ser admitido por Deus como um de seus discípulo e beneficiar-se de sua instrução, declarando que, se era tão privilegiado, apressava--se a render-Lhe graças com língua fluente. A palavra עבנ (*naba*), que ele emprega, é uma metáfora tomada do borbulhar das fontes e, conseqüentemente, significa não simplesmente *falar*, e sim transbordar copiosamente o discurso. Como ele mostrara um pouco antes a veemência de seu desejo em oração, agora ele afirma que seu júbilo será sua testemunha de que não deseja nada mais do que ser totalmente permeado com a verdade celestial. Uma vez mais, ele confirma a doutrina de que a maneira pela qual nos tornamos realmente sábios é, em primeiro lugar, submeter-nos à Palavra de Deus e não seguir nossas próprias imaginações; e, em segundo lugar, o abrir Deus o nosso entendimento e submetê-lo à obediência da vontade dEle. Aqui, o salmista une ambas as verdades, a saber: quando Deus põe diante de nós a sua lei, pela qual devemos aprender tudo que é proveitoso ao nosso bem-estar, ao mesmo tempo Ele nos ensina interiormente. Não bastava ter nossos ouvidos atingidos pelo som exterior, por isso Deus nos iluminou a mente pelo Espírito de entendimento e corrigiu nossa obstinação pelo Espírito de docilidade. Como o labor dos mestres não cumpre nenhum propósito, se Deus não o torna poderoso e eficaz, assim também deve ser notado que as pessoas realmente instruídas por Deus não se desviam da lei e das Escrituras por causa de revelações secretas, tais como alguns fanáticos que correm atrás de suas próprias fantasias insensatas, acreditando estarem ainda no ABC aqueles que não menosprezam a Palavra de Deus.

172. Minha língua falará sobre a tua palavra. Aqui o salmista diz que, ao tirar proveito da lei de Deus, também a ensinará a outros. Indubitavelmente, é preciso observar esta ordem: primeiramente, a verdade divina lança raízes em nossa mente, antes de nos engajarmos na tarefa de ensiná-la a outros. No entanto, cada um, segundo a medida de sua fé, deve comunicar a seus irmãos o que já recebeu. Não seja sepultada a doutrina por meio da qual Deus deve ser manifestado para a edificação comum da Igreja. Em seguida, ele acrescenta a razão que deve incitar todos os piedosos a declararem a lei de Deus, a saber, por este meio a justiça é difundida pelo mundo afora. Quando o profeta honra os mandamentos de Deus com o título de *justiça*, ele não somente diz que os aprova, mas também mostra indiretamente que, até que esta norma exerça controle em governar a humanidade, todo o mundo não passa de uma cena de triste e horrível confusão. No entanto, os meus leitores devem julgar se, neste lugar, a palavra *responder* ou *testemunhar*, que é o significado correto do verbo hebraico ענה (*anah*) é ou não mais adequada do que *falar* e introduz este sentido – "Minha língua dará testemunho de ou responderá à tua palavra, porque o verdadeiro conhecimento da justiça deve ser buscado somente na palavra"; mas, nesse caso, será necessário suprir a letra ל (*lamed*) à palavra אמרתך (*imrathecha*), para que diga: *a tua palavra*.

173. Socorra-me a tua mão. Visto que se devotara à doutrina da lei, Davi roga que a mão de Deus fosse estendida em seu auxílio. Além do mais, com estas palavras ele declara que, aqueles que se rendem a Deus, para serem governados por sua palavra, necessitam continuamente de seu socorro. Quanto mais sinceramente alguém se esforça por ser bom, tanto mais numerosos são os meios que Satanás emprega para atribulá-lo e tanto maior o número dos que o afligem de todos os lados. Mas, quando Deus vê aqueles que abraçaram a verdade de sua palavra permanecendo firmes em sua resolução, tanto mais Ele se inclina a ajudá-los. Com o verbo *escolher*, na segunda sentença, o salmista expressa que nada o impedirá de devotar-se à lei de Deus. Ninguém aplicará sua mente ao amor à lei sem grande esforço, visto que os pensamentos de cada pessoa são desviados para uma variedade de objetos, pelos depravados apetites da carne. Este escolher mostra que não é por meio de ignorância e zelo irrefletido que os filhos de Deus desejam, acima de todas as coisas, a doutrina celestial; mas, como participam da flexibilidade e adaptabilidade de mente comum aos homens e sentem os vários impulsos da carne, subjugam intencionalmente a sua mente à obediência de Deus.

174. Tenho suspirado por tua salvação, ó Jehovah! Embora todos os homens desejem viver em circunstâncias felizes, e ninguém rejeite abertamente o favor divino, as idéias que eles entretêm a respeito do que é uma vida feliz ou correta são tão confusas e incertas, que bem poucos dentre eles dirigem suas aspirações para Deus. Alguns se deixam arrebatar por sua própria ambição; outros são totalmente possuídos de avareza; e outros se abrasam com luxúria. E todos imaginam que, por mais que se afastem de Deus, tudo prosperará muito bem para eles. Em suma, à proporção que cada pessoa deseja estar em segurança, na mesma proporção ela provoca a ira de Deus, buscando meios de segurança em todas as direções. A construção no texto hebraico denota firmeza ou constância do desejo, pois, literalmente, temos: ELE SUSPIRAVA pela salvação de Deus; e não diz que apenas naquele momento ele começou a anelar por ela. Em seguida, o salmista expressa a maneira como anelamos pacientemente pela salvação, ou seja, buscando na Palavra de Deus consolação e alívio em todas nossas calamidades, pois todos que não se consolam no alívio trazido pela graça prometida na Palavra estremecerão ante o mais sutil ataque que lhes sobrevenha. O profeta conservava sabiamente os seus pensamentos apegados à Palavra de Deus, para que não se afastasse da esperança da salvação de Deus.

175. Viva a minha alma viva e cante o teu louvor. Como os verbos estão no tempo futuro — *viverá, louvará* —, esta sentença pode ser expandida assim: Senhor, quando me houveres outorgado vida, me esforçarei por celebrar os teus louvores, a fim de mostrar que não sou ingrato. Caso este sentido seja aprovado, a sentença será um tipo de alegria, em que o profeta, dependendo das promessas divinas, proclama confiantemente que sua vida continuará em segurança. E, com certeza, embora a nossa vida esteja oculta sob a sombra da morte, podemos gloriar-nos de que está segura, visto que Deus é seu fiel guardião. Esta firme confiança procede de sua graça vivificante, oferecida em sua palavra. No entanto, como a maioria dos comentaristas traduz estas palavras no modo optativo, sigamos a interpretação mais geralmente aceita, ou seja, que Davi, ao pedir que tivesse sua vida prolongada, mostrou, ao mesmo tempo, que o fim pelo qual desejava viver era que se exercitasse em entoar os louvores de Deus, mesmo porque lemos no Salmo 115.18: "Nós, que permanecermos em vida, louvaremos a Jehovah".

Na segunda sentença, seria dissonante entender a palavra *juízos* como equivalente a mandamentos, os quais não devemos renunciar. É como se o profeta, percebendo estar vulnerável a inúmeras calamidades –pois os fiéis, devido à licenciosidade dos perversos, habitam este mundo como ovelhas entre lobos –, invoca a Deus para protegê-lo na maneira de restringir, por sua secreta providência, os perversos de lhe fazerem dano. É mui proveitosa a doutrina de que, ao encontrarem-se as coisas no mundo num estado de grande confusão e nossa segurança estar em perigo em meio a tantas e variadas tormentas, podemos erguer nossos olhos aos juízos divinos e buscar neles um antídoto. No entanto, como neste Salmo a palavra *juízos* se refere comumente aos mandamentos de Deus, também podemos interpretá-la adequadamente, neste versículo, em referência a eles, de modo que o profeta atribui à Palavra de Deus a função e a responsabilidade de prestar socorro, pois Deus não nos alimenta com promessas ilusórias; mas, sempre que surge uma emergência, Ele confirma e ratifica sua palavra, fornecendo alguma manifestação palpável da atividade de suas mãos. Assim, quando o profeta chama a lei de Deus em seu socorro, ele pronuncia um singular elogio sobre a eficácia da Palavra de Deus. Se alguém prefere explicar a sentença como uma referência a guardar a lei, não faço nenhuma objeção. Neste sentido, é como se o profeta quisesse dizer: Ó Senhor, que a justiça que tenho praticado e o zelo com que tenho me empenhado em guardar teus mandamentos sejam a minha defesa.

176. Tenho perambulado como ovelha perdida. Aqui, ele não deve ser entendido como a confessar seus pecados – uma opinião erroneamente mantida por muitos –, como se tivesse sido atraído às ciladas de Satanás, pois isto é inconsistente com a segunda sentença, na qual ele nega haver esquecido a lei de Deus. É uma paupérrima solução para esta dificuldade dizer que, antes do tempo de sua chamada, ele era uma ovelha desgarrada, e que, depois de sua chamada, se devotara à piedade – ou afirmar que, ao desviar-se, ele foi impedido, por alguma afeição piedosa, de desligar-se ver completamente do temor de Deus; pois o mesmo tempo verbal é referido em ambas as sentenças. Além disso, é fácil deduzir que as duas sentenças deste versículo devem ser conectadas por *embora*, ou *apesar disso*, ou alguma outra partícula desse tipo, que o latim denomina de adversativa,[82] como se o profeta quisesse dizer: Embora eu tenha perambulado como uma ovelha perdida, não tenho esquecido a lei de Deus. Imagino que ele pretendia dizer que a perambulava porque, sendo perseguido pela força e violência de seus inimigos, movia-se de um lugar para outro em grande temor, buscando refúgios em que pudesse ocultar-se. Por certo, sabemos que Davi era perseguido de tal modo, que em seu exílio não achava nenhum lugar seguro. Esta comparação se lhe aplica mui apropriadamente, porque, embora fugisse e fosse procurado por seus perseguidores, nunca se desviava da lei de Deus. Além do mais, como lobos o perseguiam por toda parte, ele orava para que Deus o trouxesse de volta e lhe desse um lugar de segurança e tranqüilidade, a fim de que, por fim, cessasse de perambular daqui para ali, como se fosse um vagabundo. Ele tinha muito motivos para crer que seria ouvido quanto a isso, pois, embora fosse provocado por injustiças, nunca se desligara do temor de Deus. Essa declaração deve ser aplicada ao curso geral de sua vida, e não a atos específicos. Embora, quando caiu em adultério, ele tenha permanecido por algum tempo num estado de insensibilidade, não podemos negar que, em suas adversidades, ele foi restringido por uma paciência santa, para que perseverasse em seguir a justiça.[83]

---

82 "En apres, il est facile de recueillir, que les deux membres de ce propos se doyvent lier ensemble par Combien, ou Ja soit, ou quelque autre telle particule que les Latins appellent adversative" — *fr.*

83 Antes de deixar este poema divino, ao término do qual chegamos, há algumas observações que podemos sugerir como uma revisão de todo o Salmo. Em primeiro lugar, é digno de observação que sua estrutura alfabética foi tão completamente preservada, que nenhuma de suas letras iniciais se perdeu, apesar de sua extensão e grande antigüidade, sendo mais antigo, em vários séculos, do que qualquer dos célebres escritos da Grécia e de Roma. Em segundo lugar, a maravilhosa perfeição e ainda conexão de suas várias partes é também digna de atenção. Onde quer que comecemos, é como se estivéssemos no início; e, onde quer que paremos, o sentido é completo. No entanto, o poema não consiste de sentenças isoladas; é um todo que consiste de muitas partes; e todas elas parecem necessárias à perfeição do poema. Em terceiro lugar, as numerosas repetições aparentes, que ocorrem nele, não devem fomentar o preconceito do leitor. Embora a freqüente recorrência das mesmas palavras não exerça um efeito totalmente agradável aos ouvidos fastidiosos, estas palavras estão tão conectadas umas às outras, que salientam novos significados e sugerem novas séries de pensamento. Por isso, o estudante inteligente e piedoso,

em vez de achar as sentenças redundantes, descobrirá novos sentimentos, levando-o a preservar sua atenção e manter viva a chama da devoção. Walford, depois de observar que alguns leitores poderiam concluir que este poema é caracterizado singularmente por freqüentes repetições, adiciona: "Não é minha intenção escrever um ensaio sobre este tema. Por isso, direi sucintamente que a simplicidade dos escritos antigos é um dos maiores encantos. Se as repetições do Salmo 119 criam nele um erro, é um erro que o autor real deste salmo partilha em comum com o mais ilustre poeta da antigüidade pagã; e, se a simplicidade e a reiteração devem ser objetadas contra o poema de Davi, o autor da Ilíada e da Odisséia dificilmente escapará da mesma condenação". Por fim, o leitor atento deve ter observado a notável maneira como este poema exibe as obras da piedade genuína na alma regenerada. "Não conheço nenhuma parte das Sagradas Escrituras", observa o eminente Jonathan Edwards, "em que a natureza e as evidências da verdadeira e sincera piedade são tão plena e amplamente insistidas e delineadas como no Salmo 119. O salmista declara seu desígnio nos primeiros versículos do Salmo, mantém seus olhos nesse desígnio em todo o Salmo e o persegue até ao fim. A excelência da santidade é representada como o objeto imediato do gosto e do deleite espiritual. A lei de Deus – a grande expressão e emanação da santidade da natureza de Deus e da prescrição de santidade para a criatura – é representada em todo o Salmo como o grande objeto do amor, da complacência e do regozijo da natureza graciosa, que valoriza os mandamentos de Deus 'acima do ouro, sim, do ouro refinado' e para a qual eles são 'mais doces que o mel e o destilar dos favos'" – *Edwards, on the Religious Affections*, parte 3, seção 3.

Salmos 120

Cântico dos Degraus

Se admitimos que Davi foi o autor deste Salmo, como é bem provável, ele declara quão diligentemente se engajava na prática da oração, quando, para escapar da crueldade de Saul, peregrinava como exilado de um lugar para outro. Ele se queixa especialmente dos perversos informantes, que injusta e caluniosamente o acusavam de crimes dos quais era totalmente inocente. Se alguém prefere uma suposição diferente, a linguagem será de uma queixa simples e geral contra os falsos relatos. Este salmo e os quatorze subseqüentes são chamados de *Salmos dos Degraus*. Todavia, não existe nem mesmo entre os eruditos hebreus concordância quanto à razões por que são assim chamados. Alguns acham que havia quinze degraus que davam acesso à parte do templo designada aos homens, enquanto as mulheres permaneciam embaixo.[1] Esta, porém, é uma conjectura absurda, para a qual não há

---

1 Esta opinião foi mantida pelo rabino Davi Kimchi. Ele assevera que os Salmos, intitulados Cânticos de Ascensão ou Degraus, foram assim intitulados porque os levitas cantavam um deles em cada um dos quinze degraus que, diz ele, separavam o átrio das mulheres do átrio dos homens, no templo de Salomão. Calvino, com razão, caracteriza isso como uma "conjetura absurda"; e essa explanação é hoje rejeitada de um modo geral. Jebb, depois de expor várias das soluções imaginadas para o título destes Salmos, observa: "Já não é mais necessário insistir sobre estas noções e menos sobre aquela fábula judaica mencionada pelo rabino Davi, a fábula de que estes Salmos eram cantados na subida dos quinze degraus, os quais se imaginava conduziam de um dos átrios exteriores do templo para o dos levitas. Na história, ou na tradição autêntica, não se encontra sequer um traço desses degraus, os quais devem sua construção unicamente à fantasia acomodatícia dos rabinos, que, conforme seu costume, imaginavam fatos para endossar suas teorias preconcebidas" – *Jebb's Literal Translation of the Psalms, with Dissertations*, volume 2. Uma objeção

fundamento. E conhecemos a liberdade que os judeus, em questões obscuras e incertas como esta, usavam para apresentar como explicação tudo que lhes vinha à mente.

Alguns traduzem o título por *Salmos de Ascensão*. E, por *ascensão*, entendem o regresso dos judeus do cativeiro babilônico[2] – esta interpretação é totalmente forçada, pois é manifesto que a maior parte desses salmos foi composta por Davi ou por Salomão. É fácil deduzir de seu conteúdo que aqueles que foram escritos por Davi eram entoados no templo, enquanto ele ainda vivia e reinava. Outros pensam que a palavra *ascensão* se refere às notas musicais.[3] Alguns também afirmam que o termo se refere ao início de um cântico. Sendo esta questão de pouca importância, não me disponho a fazer dela um tema de laboriosa investigação. Todavia, a conjetura provável é que esse título foi dado a esses salmos em razão de serem eles entoados numa clave mais alta que a dos demais. A palavra hebraica que foi traduzida por *degraus* é derivada do verbo צלה (*tsalah*), *ascender* ou *subir*, por isso, concordo com aqueles que têm a opinião de que ela denota as diferentes notas musicais crescendo em sucessão.[4]

---

adicional deste conceito rabínico é que Davi, cujo nome figura em vários destes Salmos, e outros dos quais há referência evidente a seu tempo e circunstâncias – viveu no tempo do tabernáculo, que não tinha nenhum degrau.

2 A versão Siríaca os denomina "Cânticos de Ascensão da Babilônia". Essa é a interpretação de diversos críticos modernos, entre os quais figura Calmet, que tem feito uma análise habilidosa do que foi escrito sobre esse título, em sua obra *Dissertation sur les quinze Psaumes Gradue*. Depois de apresentar numerosas explanações e caracterizar muitas delas como "conjeturas vãs e frívolas", ele adota como a mais provável suposição a de que eram cantados durante a viagem dos cativos que regressavam de Babilônia para Jerusalém.

3 Esta é a opinião de Aben Ezra.

4 Embora Calvino se inclinasse a esta explanação como sendo a mais provável, antes ele admitira que ela era apenas uma conjetura. E, e depois de tudo o que foi dito sobre o tema, desde seu tempo, ele ainda continua envolto em obscuridade. E talvez agora seja impossível se chegar a uma conclusão satisfatória. No entanto, os Salmos que portam esse título contêm uma notável semelhança entre si e são diferentes, em estilo, dos outros poemas divinos neste livro. Todos eles são muito breves, e em vários deles há uma gradação de significado e um grau de argumento em direção ao final, e isso pode ser chamado epigramático. Por isso, Gesenius sugeriu que o título poderia marcar um espécie peculiar de composição hebraica. "A construção dos cânticos" [dos degraus], diz Jebb, "é tal que os reduz, evidentemente, a uma classe. Todos eles são composições breves, aforísticas, eminentemente adaptadas para o uso lírico, no mais elevado grau poético, e, como Calmet observa criteriosamente, epigramáticas, usando esse termo em seu sentido mais elevado,

[vv. 1-4]
Em minha angústia, clamei[5] a Jehovah, e ele me respondeu. Ó Jehovah, livra minha alma do lábio[6] de falsidade e da língua de engano.[7] O que a língua de engano[8] te dará, e em que ela te será proveitosa? As flechas afiadas de um homem forte, com brasas de zimbro.

1. Em minha angústia clamei, a Jehovah. O nome do autor do Salmo não é expresso, mas o seu estilo coloca Davi diante de nossos olhos. Portanto, ainda que eu não possa afirmar positivamente, sinto-me mais inclinado a pensar que Davi foi o seu autor. Nem será impróprio, em meu juízo, explicá-lo como se o nome e Davi estivesse mencionado na inscrição. Admitindo isso, eu observaria que, embora Davi, ao afirmar, neste versículo, que o Senhor o ouvira, lhe renda graças, seu propósito primordial era apresentar, na forma de lamento, quão perversa e cruelmente os bajuladores de Saul empregaram todo seu engenho e poder para realizar a destruição de Davi. No entanto, ele começa com uma expressão de gratidão a Deus, informando-nos que não O invocara em vão; e diz isso para que seu próprio exemplo encorajasse outros, especialmente os oprimidos pela adversidade, a

---

qual seja, elegante, conciso e rico em alternações expressadas com a mais inusitada brevidade. Eles possuem duas características notáveis, que, embora encontradas ocasionalmente em outros Salmos, parecem penetrar a própria textura destes – quero dizer, a freqüente recorrência de uma palavra característica e aquela figura que os retóricos denominam *Epanafora*, ou seja, a repetição da mesma idéia ou expressão. Quanto às palavras características: no Salmo 121, é a palavra *guardar* (שמר); no Salmo 122, a palavra *Salem* e outras do mesmo som; no Salmo 123, a palavra *olhos* (עיני); no Salmo 126, as palavras *retornar* e *cativeiro*, que no hebraico são quase idênticas: שוב e שיבה; no Salmo 127, *vão* (שרא); no Salmo 133, a palavra *descer* (ירד); e no Salmo 134, *abençoar* (ברך)." — *Jebb's Literal Translation of the Psalms, with Dissertations*, volume 2.

5 "קראתי — *tenho clamado* constante, atenta e ansiosamente, não com gesto externo e violento ou elevação da voz, e sim com emoção interior forte" – *Phillips*.

6 "Des leures" — *fr.* "Dos lábios." No texto hebraico, está no singular: "de um lábio de falsidade", isto é, "de um lábio falso".

7 "לשון רמיה — a língua *enganosa*. Temos aqui dois substantivos, ambos no estado absoluto, de modo que devemos supor que o segundo está enfaticamente na posição de um adjetivo; e a força da expressão é mesma de לשון רמיה (*língua de engano*), isto é, *língua enganosa*, uma construção mais freqüente. Assim, também temos שפת שקר — *lábio de falsidade*, em lugar de *lábio falso*, na primeira parte do termo. A tradução literal das palavras לשון רמיה é *língua, engano*, ou seja, *língua (que) engana a si mesma*" – Phillips.

8 "La langue pleine de fraude" — *fr.* "A língua cheia de engano."

nutrirem confiança em oração. É verdade que os homens sentem necessidade do socorro de Deus a todo instante; todavia, não há razão mais oportuna para O buscarmos do que o sermos ameaçados por um grande perigo. Portanto, é digno de nota que Davi foi ouvido quando, constrangido e cercado por tribulação, recorreu à proteção de Deus.

2. Ó Jehovah, livra a minha alma do lábio de falsidade. Davi agora realça o tipo de aflição, declarando que se achava sobrecarregado com falsas acusações. Ao acusar seus inimigos de mentira e falsidade, ele declara sua própria inocência dos crimes que lhe imputavam caluniosamente. Sua queixa equivale a isto: como ele estava cônscio de não haver cometido nenhuma falta, era assaltado pelos perversos que eram contrários a toda a lei, quer humana ou divina, e nutriam ódio por ele, sem lhes haver dado ocasião para um tratamento tão injurioso. As línguas fraudulentas atacam as pessoas simples e boas de duas maneiras: ou cercam-nas com vilezas e armadilhas, ou ferem a reputação delas com calúnias. É desta segunda maneira que o profeta se queixa.

Ora, se Davi, possuidor de tão eminente virtude, isento de toda e qualquer marca de desgraça e tão distante de toda ação perversa, era assaltado com afrontas, não é surpresa que os filhos de Deus nestes dias, ao labutarem sob falsas acusações, quando se esforçam para viver de modo correto, sofram calúnias ainda mais graves. Como têm o diabo como inimigo deles, é impossível que escapem de serem sobrecarregados com as mentiras dele. Sim, vemos que as línguas caluniosas não pouparam nem mesmo o Filho de Deus. Esta consideração deve induzir-nos a suportar com mais paciência a nossa condição, quando os perversos nos difamarem injustamente, se é certo que a circunstância aqui descrita é a sorte comum de toda a Igreja.

3. O que a língua de engano te dará?[9] O profeta agrava a malícia de seus inimigos asseverando que eram tão perversamente inclinados, que se deixavam levar pela maledicência, quando não viam nenhum perspectiva de derivar alguma vantagem de outro pro-

---

9 Aqui, o salmista se dirige particularmente aos seus difamadores.

cedimento. No entanto, ele parece expressar mais que isto – parece sugerir que, depois de haverem os inimigos derramado todo o veneno de suas calúnias, as suas tentativas foram vãs e ineficazes. Visto que Deus é o mantenedor da inocência de seus servos, Davi, inspirado com esperança proveniente desta verdade, se ergue novamente com coragem heróica, como que para triunfar sobre toda a multidão de seus caluniadores,[10] reprovando-os por fazerem nada mais do que trair uma impotente paixão pela maledicência, que Deus fará recair extensivamente sobre a cabeça deles. Uma consideração bem apropriada para amenizar a tristeza de todos os piedosos, quando o bom nome deles é maculado injustamente pelos caluniadores, é a de que esses caluniadores nada lucrarão no final de tudo, porque Deus frustrará a expectativa deles.

4. As flechas afiadas de um homem forte, com brasas de zimbro. Aqui, o salmista amplia de outra maneira a malícia dos que angustiam os simples e inocentes com suas calúnias. Ele afirma que tais angustiadores lançam suas notícias injuriosas como o faz aquele que arremete uma flecha e com ela traspassa o corpo de seu próximo. Diz também que as calúnias desses ímpios se assemelhavam a *brasas de zimbro*,[11] que penetram com mais eficácia e queimam com

---

10 "Comme s'il avoit desia le triomphe contre toute la bande de ses ennemis" — *fr.* "Como se ele já tivesse triunfado sobre todas as hostes de seus inimigos."

11 A palavra hebraica רתם (*rothem*), traduzida aqui por "zimbro", ocorre também em 1 Reis 19.4-5 e Jó 30.4, sendo em ambos os lugares traduzida, em nosso idioma, por "zimbro". Parece que esse arbusto era notável pela intensa chama com que se queimava e pelo extenso tempo durante o qual suas brasas retinham seu calor. Entretanto, vários críticos pensam que o *rothem* hebraico significa a genista ou a vassoura espanhola. Em apoio desta opinião, diz-se que a genista é muito usada pelos árabes como combustível, entre os quais o salmista se descreve como que vivendo naquela ocasião; e que, como afirma Geierus, "ela faísca, queima e crepita com mais veemência do que qualquer outra madeira" (veja-se Parkhurst, sobre רתם). É bastante difícil resolver esta questão. Como mais de trinta árvores diferentes são mencionadas na Bíblia e somos pouco familiarizados com a história natural destes países remotos, não devemos ficar surpresos, se acharmos ser impossível identificar todas essas árvores. Pode-se observar que Calvino, em sua tradução, salienta essa bela gradação de sentido, terminando em um ponto de severidade, para o qual o texto hebraico é extraordinário, mas que não transparece em nossa versão. As palavras caluniosas são primeiramente comparadas a "flechas"; em segundo lugar, "flechas disparadas do arco de um homem forte" (e, em proporção à força de um homem, será a força com que sua arma atira); em seguida, a "flechas afiadas"; e, finalmente, a "brasas de zimbro", ou alguma madeira

mais intensidade as substâncias com as quais entram em contato, mais do que as brasas de qualquer outro tipo de madeira. Isso significa que as línguas desses caluniadores eram inflamadas com o calor do fogo e, por assim dizer, imersas em veneno letal. Significa também que tais pessoas eram as menos escusáveis, devido ao fato de que, sem obterem qualquer vantagem, eram impelidas por uma paixão desenfreada a infligir males letais sobre os outros. Visto que o profeta não registra aqui nada que não experimentava em sua própria pessoa, podemos inferir que, se era conveniente que ele e homens de caráter semelhante fossem assaltados por seus inimigos com mentiras, que lhes eram como flechas a traspassá-los ou brasas a queimá-los, não devemos ficar surpresos quando vemos os mais eminentes servos de Deus sendo exercitados por ataques semelhantes.

[vv. 5-7]
Ai de mim! Tenho sido um peregrino[12] em Meseque e habitado entre as tendas de Quedar. Por muito tempo, a minha alma tem habitado com aquele que odeia a paz. Eu sou pela paz, e, quando falo, eles são a favor da guerra.[13]

---

usada naqueles célebres dias que queimava de modo ardente e longo (pois a partícula עִם (*im*), traduzida por *com*, às vezes é uma partícula de comparação, como em Salmos 106.6, "temos pecado *à semelhança* de nossos pais"), dando a entender não somente que as calúnias malignas penetram profundamente, mas também que inflamam e queimam por longo tempo. Por isso, o apóstolo Tiago [Tg 3.5-6] compara a língua do caluniador a um fogo inflamado do inferno, que incendeia o curso da natureza. Alguns intérpretes pensam que este versículo não deve ser entendido como uma descrição da calúnia, mas como a punição que Deus infligirá sobre o caluniador. Portanto, o consideram como uma resposta à inquirição no versículo precedente: "O que te será dado...?" etc., observando que a calúnia e a falsidade, sendo amiúde representadas pelas imagens de flecha e fogo, essas mesmas imagens expressam adequadamente a paga que os aguarda às mãos de Deus – a rápida e terrível vingança retributiva do Altíssimo, que sobrevirá a todos que praticam falsidade e mentira. Ver Salmos 57.4, 64.3, 7, 9; Jó 20.6. "Setas afiadas do Onipotente, com brasas de zimbro" os aguardam — esta opinião é adotada por Street, Mant, Morison, Paxton, Fry, French e Skinner. A exposição de Calvino é adotada por Walford e Phillips. Aqueles, para enfatizar mais claramente este significado, usam um suplemento: *"Tu te assemelhas a setas agudas do guerreiro e brasas vivas de zimbro"*. Entretanto, Calvino, numa nota de rodapé, roga ao leitor que "observe que esta redação é apresentada como a que parece ser a interpretação mais provável da passagem, embora não possa ser considerada absolutamente certa".

12 "C'est, en exile" — " Isto é, no exilo" — *fr. Marg.*
13 Literalmente, temos: "Eu, paz; e, quando falo, eles, guerra".

5. Ai de mim! Tenho sido um peregrino em Meseque. Davi se queixa de que estava condenado a viver por longo tempo entre um povo perverso. Sua condição se assemelhava a de um indivíduo infeliz que se vê obrigado a viver, até que envelheça, em exílio doloroso. Os habitantes de Meseque e de Quedar, como bem sabemos, eram tribos orientais; aqueles tinham sua origem em Jafé, como Moisés nos diz em Gênesis 10.2; e estes, em um filho de Ismael [Gn 25.13]. Entender estes como um povo da Itália, que antigamente eram chamados etruscos, é totalmente absurdo e sem a menor probabilidade. Alguns entendem a palavra Meseque como um substantivo apelativo. E, visto que משך (*mashak*) significa *estender, prolongar*, pensam que o profeta lamenta seu banimento prolongado, de cujo término não via qualquer perspectiva.[14] Mas, como em seguida ele acrescenta *Quedar*, termo esse que se refere inquestionavelmente aos ismaelitas, não tenho dúvida de que *Meseque* deve ser entendido como que se referindo aos árabes, que eram vizinhos dos ismaelitas. Se alguém for de opinião que os habitantes de Meseque obtiveram este nome de sua destreza em atirar com o arco, não farei objeções, contanto que admitam que o profeta – como se estivesse confinado em um país de ladrões – expressa o descontentamento de um local de residência desconfortável e enfadonho. Embora ele mencione os árabes, com os termos empregados ele fala

---

14 Este é o sentido no qual a palavra é traduzida em muitas das versões antigas. Assim, a Septuaginta tem ἡ παροικία μου ἐμακρύνθη ("minha peregrinação é prolongada"); é seguida pelas versões Siríaca, Vulgata e Arábica. Áquila tem: προσηλύτευσα ἐν μακυσμῷ ("Eu fui um estranho por muito tempo"); e Symmachus: παροικῶν παρίλκυσα ("Eu tenho prolongado a peregrinação"). O bispo Patrick e o Dr. Hammond, seguindo estas teorias, traduzem משך (*mesech*) como advérbio. Mas, ainda que este seja o significado que a palavra contém, como Calvino observa, não há dúvida de que, aqui, ela é um nome próprio. O paralelismo que nos capacita, em muitos casos, a determinar a interpretação acurada de uma palavra na poesia hebraica, quando outros auxílios falham totalmente, favorece essa interpretação. O termo correspondente a משך (*mesech*), no próximo hemistíquio, é קדר (*kedar*); e, como se admite universalmente que este é o nome de um lugar, não podemos questionar criteriosamente que משך (*mesech*) também é nome próprio. Traduzi-la de outro modo é destruir a estrutura poética da passagem. "Se", diz Phillips, "o sentido adverbial for mantido, a expressão não teria sido גרתי משך, e sim algo análogo a רבת הנכש, no versículo seguinte. Têm-se mencionado muitas localidades para a identificação geográfica de Meseque, como Toscana, Capadócia, Armênia, entre outras; isso comprova que a região específica chamada por este nome é incerta". No entanto, é óbvio que algumas tribos bárbaras e brutais estão em pauta.

metaforicamente de seus próprios concidadãos, assim como em outra passagem ele aplica a designação *gentios* aos judeus corruptos e degenerados.[15] Aqui, visando impor ainda mais desonra a seus inimigos, ele escolhe intencionalmente o nome pelo qual os designa com base em algumas das nações cruéis e bárbaras, cuja horrível crueldade era notória entre os judeus. Destas palavras, somos informados que dificilmente pode recair sobre o povo de Deus um mal tão estressante como o serem eles postos em circunstâncias em que, apesar de viverem uma vida santa e inofensiva, não podem escapar às calúnias de línguas peçonhentas. Devemos observar que, embora Davi estivesse vivendo em seu próprio país, não passava de um estranho nele, nada lhe sendo mais grave do que estar na companhia de homens perversos. Disso aprendermos que nenhum pecado é mais detestável aos olhos de Deus, por cujo Espírito falava Davi, do que as falsas acusações que desfiguram vergonhosamente a beleza da Igreja de Deus e lançam-na no descrédito, fazendo-a diferir pouco dos covis de ladrões ou outros lugares que se tornam infames devido à bárbara crueldade que neles se pratica.

Ora, se o lugar em que a retidão dos homens bons é dominado pelas injúrias de lábios mentirosos e se converte, para os filhos de Deus, em um local de exílio miserável, como poderiam ter prazer, ou melhor, como poderiam deixar de sentir a mais amarga tristeza em habitar numa parte do mundo onde o sagrado nome de Deus era profanado por horríveis blasfêmias e sua verdade, obscurecida por detestáveis mentiras? Davi exclama: *Ai de mim!* Porque, habitando entre falsos irmãos e uma raça bastarda de Abraão, ele era molestado injustamente e atormentado por eles, ainda que vivesse entre eles com sã consciência.[16] Visto que nos dias atuais, na igreja de Roma, o cristianismo é desonrado por todas as formas de imputações indignas, a fé,

---

15 Um modo semelhante de falar não é incomum em nossos dias. Assim, estamos acostumados a chamar as pessoas grosseiras e ignorantes de turcos e hotentotes. (Sugestão: excluir esta nota.)

16 "D'autant que demeurant entre des faux freres et une race bastardc d'Abraham, a tort il est par eux molesté et tourmenté comme ainsi soit qu'envers eux il se porte en bonne conscience" — *fr.*

despedaçada, a luz, convertida em trevas, e a majestade de Deus, exposta às mais grosseiras zombarias, será impossível àqueles que têm algum senso da verdadeira piedade em seu íntimo permanecerem no meio de tais corrupções e não sentirem grande angústia de espírito.

6. Por muito tempo, a minha alma[17] **tem habitado com aquele que odeia a paz.** Agora, o salmista mostra, sem figuras, e, por assim dizer, aponta o dedo àqueles[18] que pouco antes ele havia caracterizado indiretamente com os termos *Meseque* e *Quedar*, ou seja, os israelitas pérfidos que tinham se degenerado dos santos pais e usavam a disfarce de israelitas, mas não eram a verdadeira semente de Israel.[19] Ele os qualifica de *os que odeiam a paz*,[20] pois, de modo espontâneo e com malícia deliberada, faziam guerra contra os bons e inofensivos. Com o mesmo propósito, o salmista acrescenta, em seguida, que seu coração era fortemente inclinado a buscar a paz, ou melhor, que ele era totalmente devotado à paz e tudo fizera para conquistar o favor deles; todavia, a implacável crueldade da disposição deles os impelia invariavelmente a fazer-lhe mal.

Quando ele diz: *Eu sou pela paz*, essa é uma expressão abrupta, mas não obscura, implicando que ele não lhes fizera qualquer injúria ou injustiça que pudesse ocasionar o ódio deles. De sua parte, sem-

---

17 *Minha alma*, em lugar de *eu*.
18 "Et (par maniere de dire) monstre au doigt ceux", etc. — *fr.*
19 "Asçavoir les Israelites desloyaux qui avoyent forligné des saincts Peres, et qui estoyent plustost des masques d'Israelites, que non pas une vraye semence d'Israel" — *fr.*
20 Ao descrever como "inimigos da paz" aqueles entre os quais ele vivia e, no versículo seguinte, como pessoas inclinadas à guerra, o escritor inspirado provavelmente ainda se referia às tribos árabes que havia especificado no versículo 5, as quais têm sido, desde sua origem até ao presente, caracterizadas eminentemente por seu ódio à paz e propensão à guerra. O Dr. Shaw escreve acerca dessas tribos bárbaras como elas podem ser achadas em nosso próprio tempo e acerca de seu caráter e hábitos, que eram os mesmos no tempo em que este Salmo foi escrito: "Os árabes são naturalmente usurpadores e traiçoeiros; e, às vezes, acontece que as mesmas pessoas que durante a noite foram entretidas, com todos os exemplos de amizade e hospitalidade, são surpreendidas e saqueadas na manhã seguinte. Eles também não devem ser acusados apenas de saquearem os estranhos e de atacarem quase todas as pessoas que eles acham desarmadas e indefesas, mas também daquelas muitas animosidades implacáveis e hereditárias que existem continuamente entre eles, cumprindo-se literalmente a profecia dada a Agar: Ismael seria um homem selvagem; sua mão seria contra todos; e a mão de todos, contra ele".

pre houve paz. E vai mais além e assevera que, ao vê-los inflamados de ressentimento contra ele, fazia tudo para pacificá-los e trazê-los de volta à boa compreensão. Pois, nesta passagem, *falar* é equivalente a propiciar condições de paz num espírito amigável ou tentar a reconciliação. Deste fato, torna-se mais evidente quão selvagem e brutal era a soberba dos inimigos de Davi, visto que desdenhavam até de falar com ele – falar com um homem que merecera o bem de suas mãos e nunca, em qualquer aspecto, os prejudicara. Somos instruídos, por esse exemplo, que não basta os fiéis absterem-se de prejudicar os outros; devem, além disso, fazer tudo para atraí-los com mansidão e inclina-los à boa vontade. Uma vez rejeitadas a moderação e a bondade, eles devem esperar pacientemente, até que Deus se manifeste desde o céu como Protetor deles. No entanto, lembremos que, se Deus não estender imediatamente sua mão em nosso favor, nosso dever é suportar a fadiga ocasionada pela demora, como Davi, que encontramos neste Salmo dando graças a Deus por seu livramento, enquanto, ao mesmo tempo, como que extenuado de cansaço em aguardá-lo, lamenta a longa opressão à qual seus inimigos lhe sujeitaram.

Salmos 121

O salmista, para encorajar os verdadeiros crentes a esperarem confiantemente no auxílio de Deus e ensinar-lhes a recorrer à proteção dEle, afirma, primeiro, que, a qualquer direção que volvesse os olhos, seria impossível achar salvação em qualquer outra fonte; e, segundo, enaltece em termos sublimes o cuidado paternal de Deus em defender seus fiéis.

Cântico dos Degraus
[vv. 1, 2]
Erguerei os meus olhos para os montes, de onde virá o meu socorro.[1] Meu socorro vem de Jehovah, que fez o céu e a terra.

1. Erguerei os meus olhos para os montes. O escritor inspirado, não importa quem ele era, parece, no início do Salmo, falar na pessoa de um homem incrédulo. Uma vez que Deus previne seu povo crente com suas bênçãos e o satisfaz por sua espontânea vontade; por isso, eles, de sua parte, volvem imediatamente seus olhos diretamente para

---

1 Phillips, que pensa ser "provável que esse Salmo tenha sido escrito quando os israelitas estavam para começar sua jornada em direção à sua terra natal", faz esta interpretação do versículo: "Eu erguerei os olhos para os montes, isto é, para Sião, o Tabor, o Carmelo, entre outros; mas especialmente para o primeiro, como sendo o abrigo da arca e, conseqüentemente, o lugar para o qual os israelitas dirigiam seus olhos, como que olhando para a fonte de todo bem. Ali buscavam socorro, sempre que as circunstâncias demandavam o auxílio necessário, como aprendemos de várias passagens nos salmos. Ver Salmos 14.7, 20.3". "Ao regressarem de Babilônia, quão saudosos e ansiosos os judeus olhavam para as colinas orientais da Palestina, e quantas emoções santas e estimulantes tal contemplação instilava na mente deles como resultado da contemplação!"

Ele. Qual é o significado desse olhar vago do profeta, que estende seus olhos ora para um lado, ora para outro, como se a fé não o dirigisse a Deus? Minha resposta é que os pensamentos dos piedosos nunca estão suficientemente fixos na Palavra de Deus; assim, eles vacilam no primeiro impulso e miram alguns encantos. E, especialmente quando os perigos nos inquietam ou somos assaltados por dolorosas tentações, freqüentemente é possível, por sermos de tal modo inclinados para a terra, nos sentirmos movidos pelos encantos que nos são apresentados, até que nossa mente nos ponha um freio e volvamos os olhos para Deus. A sentença pode ser explicada como que expressa numa forma condicional. Seja qual for a nossa conclusão, o profeta diz que todas as esperanças que nutrimos sem Deus são fúteis e ilusórias. Se tomarmos a expressão neste sentido, ele não deve ser entendido como que relatando como argumentara consigo mesmo ou o que pretendia fazer, mas apenas declarando que os que de se libertam de seus sofrimento, ignorando a Deus, contemplam grandes distâncias ao seu redor e percorrem longos e tortuosos caminhos em busca de remédios para suas tribulações.

De fato, é verdade que, ao falar de si mesmo nestes termos, o salmista nos exibe uma enfermidade que aflige toda a humanidade. No entanto, não será impróprio imaginar que ele se inclinava a falar deste modo com base em sua experiência pessoal. Tal é a nossa inconstância natural, que, tão logo somos atingidos por algum temor, volvemos os olhos a todas as direções, até que a fé, atraindo-nos de todos os desvios errados, nos dirige, uma vez mais, exclusivamente para Deus. No que diz respeito a este aspecto, toda a diferença entre os crentes e os incrédulos é que, embora todos sejamos inclinados a deixar-nos enganar e sejamos facilmente induzidos pelas imposturas, Satanás enfeitiça os incrédulos com seus encantos, enquanto que, no caso dos crentes, Deus corrige os erros, bem como sua natureza, não permitindo que perseverem em seus desvios.

A intenção do profeta é bastante óbvia, ou seja: embora todos os auxílios do mundo, mesmo os mais poderosos, nos sejam oferecidos, não devemos buscar segurança em outra fonte, senão em Deus. Sim, e mais ainda: quando os homens se fatigarem de procurar remédios, ora num lugar, ora noutro, descobrirão por experiência ela própria que não existe nenhum socorro seguro, senão unicamente em Deus. Ao usar o termo *os montes*, o profeta tem em mente tudo que é grande ou excelente no mundo; e a lição que ele nos ensina é que devemos considerar fútil todo esse tipo de favorecimento.

Além do mais, estes dois versículos devem ser lidos conjuntamente, ressaltando este sentido: Quando eu tiver erguido os olhos para os montes, descobrirei, por fim, que cometi um equívoco precipitado e sem proveito, até que os dirija somente para Deus e os mantenha bem fixos nEle. Ao mesmo tempo, devemos observar que, neste versículo, Deus é honrado propositadamente com o título de *Criador do céu e da terra*. E a intenção do profeta era repreender a ingratidão dos homens, quando não podem descansar, contentes, no poder divino. Se reconhecessem, de bom grado, a Deus como Criador, também se persuadiriam de que, como Ele sustenta todo o mundo em suas mãos e o governa como bem Lhe agrada, também possui poder infinito. Mas quando, pressionados pela cega impetuosidade de suas paixões, recorrem a outros objetos além dEle e O defraudam de seu direito e governo. Assim, devemos aplicar esse título de Deus a esta situação. O significado é que, sendo naturalmente mais ansiosos do que o necessário em buscarmos alívio e remédio para as nossas calamidades, especialmente quando um perigo iminente nos ameaça, agimos como loucos e equivocados, correndo de um lado para outro, através de labirintos tortuosos; e, por isso, devemos impor uma restrição ao nosso entendimento, para que não o apliquemos a nenhum outro, exceto a Deus. Também não é inadequada a opinião daqueles que pensam que a palavra hebraica אֶל (*el*), a qual traduzimos pelo vocábulo *para* (isto é, *para os montes*), é um substituto de עַל (*al*), que significa *acima*, transmitindo este sentido: por mais alto que os homens elevem os olhos, não acharão verdadeira salvação, a não ser em Deus.

[vv. 3-5]
Ele não permitirá que o teu pé tropece; aquele que te guarda não cochilará. Eis que aquele que guarda a Israel não cochilará nem dormirá. Jehovah é o teu guarda; Jehovah é a tua defesa,² a tua destra.

3. Ele não permitirá que o teu pé tropece. Aqui, o profeta, para lembrar aos fiéis a vereda direita e invalidar as influências de todas as fascinações que costumam distrair a mente deles, afirma que todas as vantagens que os homens costumam desejar ou esperar da parte do mundo, os crentes verdadeiros as encontrarão em abundância e disponíveis somente em Deus. O salmista não só atribui poder a Deus, mas também ensina que Ele tem por nós tal afeição, que nos preservará, quanto a todos os aspectos da vida, em perfeita segurança. Sempre que o poder de Deus é exaltado, há muitos que replicam de imediato: É verdade que Ele pode fazer tais e tais coisas, se assim sentir-se inclinado; mas não sabemos com certeza qual é a sua intenção.

Nesta passagem, Deus é exibido aos fiéis como o guardião deles, para que descansem, com firme confiança, na providência dEle. Como os epicureus destroem toda a piedade por imaginarem que Deus não se preocupa com tudo que existe no mundo, assim também os que pensam que o mundo é governado por Deus apenas de uma maneira geral e confusa e não crêem que Ele se preocupa, de modo especial, com todos os membros de seu povo crente deixam a mente dos homens em suspense e se mantêm num estado de constante incerteza e ansiedade. Em suma, o coração dos homens nunca será guiado a invocar resolutamente a Deus, enquanto a persuasão da veracidade do guardar de Deus não estiver profundamente fixada em sua mente. O salmista declara que o propósito pelo qual Deus é nosso ajudador é que Ele nos sustente.

---

2 A palavra hebraica é צֵל (*tsel*), "uma sombra". Por isso, tem-se presumido que as palavras "tua sombra à tua direita" são linguagem figurada, referindo-se à proteção propiciada pela sombra de uma árvore contra os escaldantes raios solares ou referindo-se ao costume, prevalecente em climas tropicais, de proteger-se do intenso calor do sol usando um protetor portátil, como um sombreiro ou um guarda-sol. A palavra é freqüentemente usada como substituto de *defesa*, no aspecto geral. Comparar Números 14.9, Isaías 30.2 e Jeremias 48.45.

A palavra hebraica מוט (*mot*), usada aqui, significa tanto um *escorrego* ou *queda* como *um tropeço* ou *cambaleio*. Ora, embora às vezes suceda que os fiéis cambaleiem, sim, e estejam até quase a cair de vez, o salmista nos diz que eles permanecem de pé, visto que Deus os sustenta com seu poder. E, como é difícil nos desvencilharmos de toda ansiedade e temor, em meio a muitos perigos que a todo o momento nos ameaçam, o profeta testifica, ao mesmo tempo, que Deus mantém vigilância incessante sobre a nossa segurança.

4. Eis que aquele que guarda a Israel não cochilará nem dormirá.[3] Com o intuito de chamar a atenção de cada indivíduo à consideração da aliança comum, ele representa a providência divina como que se estendendo a todo o corpo da Igreja. Para que cada um de nós esteja pessoalmente certo de que Deus lhe será gracioso, cumpre sempre começarmos com a promessa geral feita a todo o povo de Deus. Esta forma de expressão, *não cochilará nem dormirá*, seria imprópria em outros idiomas. De conformidade com a expressão idiomática, o texto ficaria assim: *Ele não dormirá, sim, ele não cochilará*. Mas, quando os hebreus invertem esta ordem, argumentam do maior para o menor. O sentido é que, como Deus nunca cochila, nem mesmo no menor grau, não precisamos ter medo de que qualquer dano nos sobrevenha, enquanto dormimos. O desígnio do profeta agora fica óbvio. Para persuadir os verdadeiros crentes de que Deus manifesta cuidado especial em relação a cada um deles, o salmista apresenta a promessa que Deus fez a todo o povo e declara que Ele é o guardião de sua Igreja; para que, com base neste princípio geral, como que a beber de uma fonte, cada um se fortalecesse nele. Em seguida [v. 5], dirigindo-se a cada crente em particular, ele reitera: *Jehovah é o teu guarda*, para que ninguém hesitasse em aplicar a si aquilo que pertencia a toda a comunidade de Israel. Além disso,

---

3 Havia entre os pagãos uma noção de que seus deuses às vezes dormiam e não tinham consciência das falhas de seus adoradores. Foi isto que Elias falou aos seguidores de Baal: "Clamai em altas vozes, porque ele é deus; pode ser que esteja meditando, ou atendendo a necessidades, ou de viagem, ou a dormir e despertará" [1Rs 18.27]. Muito diferente era o caráter do Guardião de Israel! Ele não relaxava seu vigilante cuidado por seu povo, entregando-se a cochilos durante o dia, nem mesmo dormindo à noite, quando a exausta estrutura humana busca e demanda repouso.

Deus é chamado *uma defesa à tua direita*, para ensinar-nos que não há necessidade de irmos longe em buscar a Deus e que Ele está bem perto, ou melhor, está ao nosso lado, para nos defender.

[vv. 6-8]
O sol não te ferirá de dia, nem a lua, de noite.[4] Jehovah te guardará de todo o mal; ele guardará a tua alma. Jehovah guardará a tua partida e a tua chegada, desde agora e para sempre.

6. O sol não te ferirá de dia. Por meio desta forma de expressão, o salmista magnifica as vantagens que nos resultam de termos a Deus presente conosco; e, por meio de sinédoque, ele declara que os fiéis estarão seguros em todas as adversidades, defendidos como o são pelo poder de Deus. A linguagem é metafórica: o frio da noite e o calor do dia denotam todo tipo de inconveniências. O sentido é que, embora o povo de Deus esteja sujeito, em comum com os demais povos, às infelicidades da vida humana, a sombra de Deus está sempre ao lado deles, a protegê-los, para que não sofram algum dano. Entretanto, o profeta não promete aos fiéis uma condição de felicidade e conforto que implica isenção de toda dificuldade. Com o propósito de suavizar suas dores, ele apenas coloca diante deles esta consolação: estando interessados no favor de Deus, estarão seguros de todo dano mortal. Este assunto o salmista amplia mais distintamente nos versículos seguintes, onde nos informa que Deus guarda seu próprio povo de todos os males, para manter a vida deles em segurança. A declaração feita

---

4 Parece haver, no primeiro membro deste verso, uma alusão às insolações bastante fatais em países quentes, infligindo às vezes morte instantânea ou logo seguidas pela morte, enquanto, outras vezes, quando a pessoa sobrevive, ela passa o resto de seus dias em estado de idiotice. Comparativamente, poucos sobrevivem e recuperam perfeitamente os efeitos de tal visitação. O que o salmista pretende dizer, com o "molestamento por parte da lua", não é tão óbvio à primeira vista. Há quem imagine que ele fala em harmonia com uma crença popular, a qual, supõe-se, prevalecia no Oriente em seu tempo, como se dá em nossos dias, acerca da influência prejudicial dos raios lunares sobre o corpo humano. Embora não haja qualquer base para tal crença, a lua, sem dúvida, recebia a culpa dos danos causados pelo frio e pela umidade da noite. Mas a probabilidade é que, ao falar sobre o molestamento por parte da lua, o salmista alude apenas ao frio da noite, o qual tem efeitos nocivos no metabolismo humano, particularmente em países orientais como a Palestina, onde há uma mudança súbita de calor extremo, durante o dia, para frio extremo durante a noite.

neste versículo é geral; porém, adiante ele especifica as partes primordiais da vida humana.

8. Jehovah guardará a tua partida e a tua chegada. Eis o sentido: seja o que for que você empreenda ou realize durante sua vida, isso atingirá um término feliz e bem sucedido. Deus, sem dúvida, mediante seu Espírito Santo, dirige as deliberações de seus servos. Todavia, parece-me que esta passagem deve referir-se mais aos resultados contrários. No entanto, se alguém imprimir-lhe um significado mais extenso, não faço objeção. Basta-me adotar aquele sentido que é indiscutivelmente certo e convincente: Deus será o guia contínuo de seu povo, de modo que, estendendo sua mão para eles, os conduzirá segundo o desejo de seu coração, do princípio ao fim. Além do mais, é importante destacar a razão por que o profeta repete tão amiúde o que expressou com clareza suficiente, de modo sucinto, numa só palavra. Essa repetição parece, à primeira vista, supérflua; mas, quando consideramos quão difícil é corrigirmos nossa falta de confiança, logo percebemos que o salmista não insiste inapropriadamente sobre o enaltecimento da providência divina. Quão poucos são aqueles que rendem a Deus a honra de ser um Ajudador, para que sejam fiquem certos da segurança da parte dEle e levados a invocá-Lo em meio a seus perigos. Ao contrário, mesmo quando parecemos haver experimentado amplamente o que significa esta proteção da parte de Deus, tremmemos instantaneamente ante à menor inquietação, como se Deus nos houvesse esquecido completamente. Vendo-nos embaraçados por tantas apreensões profanas e tão inclinados à desconfiança, esta passagem nos ensina que, se uma sentença expressa em poucas palavras não nos for suficiente, devemos reunir o que encontrarmos, em toda a Escritura, acerca da providência de Deus, até que esta doutrina – "Deus sempre mantém vigilância sobre nós" – fique profundamente arraigada em nosso coração. Assim, dependendo somente da proteção dEle, podemos abandonar todas as vãs confianças do mundo.

Salmos 122

Neste Salmo, Davi se congratula, bem como toda a Igreja, com o fato de que um local definitivo havia sido designado para a Arca da Aliança e que Deus escolhera um lugar onde seu nome deveria ser continuamente invocado. Em seguida, para estimular e encorajar os fiéis a envolverem-se no culto no santuário, ele declara de forma sucinta que a condição próspera do povo dependia de haver Deus escolhido Jerusalém para a sede da realeza. Por causa disso, o propósito dEle era defender, manter e assistir seu povo.

Cântico dos Degraus de Davi[1]
[vv. 1-3]
Eu fiquei alegre quando me disseram: Iremos à casa de Jehovah. Nossos pés estarão[2] firmes dentro de teus portões, ó Jerusalém! Jerusalém está edificada como uma cidade compacta em si mesma.[3]

---

1 "O refrão do Salmo", diz Jebb, é שלום ('paz'). O jogo das palavras é notável: שם ('ali') e שם ('o nome'), linhas 5 e 6; שבטים, ('tribos'), linha 5; משפט, linha 7. Então, na linha 9 e nas seguintes: שאלו ('orar'), שלום ('paz'), ירושלם ('Jerusalém'), ישליו ('prosperará'), שלוה ('prosperidade') – *Jebb's Literal Translation of the Psalters, with Dissertations*, volume 1. Em referência ao autor do Salmo e à opinião mantida por alguns críticos, de que o Salmo foi escrito cerca do tempo da restauração dos judeus de Babilônia, Jebb diz: "O extraordinário jogo de palavras já observado poderia favorecer uma época de escrita mais tardia [do que o tempo de Davi]. No entanto, só posso pensar que o título atribuindo o Salmo a Davi é confirmado por uma fortíssima evidência interna. A agradável menção de Jerusalém (a amada cidade de Davi), bem como dos tronos da casa de Davi, e a recorrência da paz, tão enfaticamente prometida a Davi como a bênção que seria outorgada a seu filho Salomão, essa são circunstâncias que, tomadas em conexão, identificam este cântico com um caráter evidentemente peculiar ao reinado do salmista que era rei" – *Ibid.*, volume 2.

2 "Ou, ont este — *fr. marg.* "Ou, tem sido."

3 "Literalmente: 'Jerusalém construída como uma cidade que é unida em si mesma, isto é, as diversas partes dela estão conectadas umas com as outras, a ponto de formar um todo compacto.

1. Eu fiquei alegre quando me disseram. Deus havia dito a Moisés que, um dia, o seu santuário teria um lugar de habitação definido e permanente. No entanto, desde o tempo de Moisés, por um período de mais de mil anos, a Arca da Aliança foi carregada de um lugar para outro, como se existisse na condição de peregrina. Por fim, foi revelado a Davi que o monte Sião seria o local em que Deus desejava sua arca fosse estabelecida e seu templo, construído. Ora, Davi mesmo recebeu esta revelação com grande excesso de alegria; por isso, ele afirma que ficou feliz em descobrir que todo o povo concordava com isso. Esta circunstância não tem sido devidamente considerada. E a conseqüência disso é que os intérpretes têm feito esta infeliz tradução: *Eu fiquei alegre com aqueles que me disseram*. No entanto, essa versão apenas torna o sentido um tanto obscuro. A tradução da Septuaginta e a da Vulgata, que dão ao segundo verbo do versículo uma significação neutra, distorcem inteiramente o significado: *Eu fiquei alegre com as coisas que me foram ditas*. Admito que a redação é, literalmente: *Eu fiquei alegre naqueles que me disseram*. Contudo, não é incomum que a letra ב (*beth*), que geralmente significa *em*, seja convertida no advérbio de tempo *quando*; e aqui o escopo do texto requer essa tradução. Davi testifica que sentiu em seu coração alegria dupla, ao observar que todo o povo concordava em render obediência ao oráculo que declarava que o monte Sião seria o local que Deus escolhera para seu culto solene. Desse exemplo aprendemos que nossa alegria também deve ser dupla: quando Deus, por seu Espírito Santo, não só inflama a cada um de nós com o espírito de obediência à sua palavra, mas também produz o mesmo efeito sobre outros, para que nos unamos na mesma fé.

Tão obstinada e rebelde é a natureza humana, que a maior parte da raça humana murmura invariavelmente contra Deus, sempre que Ele fala. Temos não pouco motivo para regozijar-nos, quando todos harmoniosamente se unem conosco ao lado de Deus. Se a tradução for

---

Antes do tempo de Davi, Sião não era parte de Jerusalém, tampouco Milo. Ele as anexou à cidade e as encerrou dentro de seus muros [2Sm 5.7, 9; 1Cr 11.7, 8]. Mais tarde, Salomão anexou a Jerusalém o monte Moriá, sobre o qual seu templo foi construído" – Cresswell.

com aqueles que me disseram, deduz-se este significado: deleito-me na companhia dos que me induzem ao serviço de Deus e se oferecem a mim como companheiros, para juntos irmos ao santuário. Mas, à luz do segundo versículo, será mais óbvio que a alegria de que fala Davi procedia de ver ele o povo manifestando a obediência da fé e dando seu consentimento ao oráculo celestial a respeito do local escolhido para ser a habitação legítima e permanente da Arca da Aliança. Pois, em seguida, ele diz:

2. Nossos pés estarão firmes dentro de teus portões, ó Jerusalém! No texto hebraico, o verbo está no pretérito, o qual não seria impróprio reter; mas, como faz pouca diferença, quanto ao significado, adotar uma ou outra redação, não tenho dificuldade em deixar que meus leitores façam sua própria escolha. Davi emprega a linguagem com a qual todos os piedosos se expressavam – que, por fim, deveriam permanecer com segurança em Jerusalém, porque era a vontade de Deus estabelecer ali seu santuário, que até àquele momento mudava seu local de permanência e era carregado de um lado para outro. Por meio desse estado de peregrinação da arca, Deus lembrava ao povo que não fora sem motivo que falara pelos lábios de Moisés aquilo sobre o que acabamos de advertir. Assim, sempre que Arca da Aliança era levada de um lugar para outro, Deus estimulava os corações de seus servos a desejarem e a orarem por um local fixo designado para ela. Além disso, esse estabelecimento de um lugar permanente para a arca não era algo insignificante. Como ela estava freqüentemente mudando seu lugar de permanência, a fé do povo ficava em suspense. Assim, depois de haver Deus escolhido para ela uma residência permanente, por meio disso Ele testificou, de modo inequívoco, que seria para sempre o imutável Protetor de seu povo. Portanto, não é surpresa encontrarmos os fiéis reconhecendo com gratidão que seus pés, que estavam acostumados a andar de um lugar para outro, doravante permaneceriam firmes no interior de Jerusalém.

É verdade que a arca há muito tempo permanecia em Siló [1Sm 1.3], mas, como Deus não havia feito nenhuma promessa a respeito de Siló, aquele lugar não podia ser o local permanente da habitação daquele símbolo da presença de Deus. Ao contrário, visto que, como veremos no Salmo 132.14, fora dito a respeito do monte Sião: "Este é meu repouso para sempre", os fiéis, dependendo daquela promessa, se gloriam confiantemente no fato de que seus pés repousariam doravante em solo firme. Além do mais, uma vez que Cristo, o nosso verdadeiro Emanuel [Is 7.14], Aquele "em quem habita corporalmente toda a plenitude da Divindade" [Cl 2.9], reside agora em nós, Ele nos forneceu motivo de júbilo mais profundo. Portanto, somos ingratos e estúpidos, se esta promessa: "Eis que estou convosco todos os dias até à consumação dos séculos" [Mt 28.20] – não nos extasiar com júbilo transbordante, especialmente quando vemos que ela é recebida publicamente, com consentimento de todos. O que até aqui temos citado acerca do descanso ou repouso do Senhor concretizou-se, por fim, na pessoa de Cristo, como é evidente de Isaías 11.10: "Seu descanso será glorioso"; neste versículo, o profeta não fala sobre o sepultamento de Cristo, como alguns intérpretes presumem erroneamente, mas sobre a futura distinção da Igreja.

3. Jerusalém está edificada como uma cidade. Aqui, Davi começa a celebrar os louvores de Jerusalém. Ele faz isso com o desígnio de encorajar o povo a perseverar, com invariável firmeza, em sua obediência. Era de grande importância para a mente dos piedosos que, em vez de se deixarem arrastar daqui para ali, se mantivessem constantemente fixadas naquela cidade, a qual era o vínculo de uma unidade santa. Quando o povo se dividiu em duas corporações, isso foi o começo da melancólica devastação. Não é surpreendente que encontremos Davi recomendando, com tanta veemência, o lugar que Deus havia escolhido, sabendo, como sabia, que a prosperidade da Igreja dependia de que os filhos de Abraão cultuassem a Deus ali em pureza, segundo as observâncias designadas da lei; dependia também de que reconhecessem a sede real que o próprio Deus erigira ali, por sua autoridade, e a tomara sob sua proteção.

Quando lemos que *Jerusalém está edificada como uma cidade*, não devemos entender isso como uma simples referência aos muros, ou torres, ou valas daquela cidade, mas principalmente à boa ordem e o governo santo pelos quais ela era distinguida, embora eu admita que há alguma alusão ao seu antigo estado. Salém fora uma cidade notável desde os mais antigos primórdios; mas, quando Deus a separou para ser a cabeça do reino, ela mudou sua aparência e, de certa maneira, a sua natureza, de modo que começou a merecer o nome de cidade bem ordenada. À primeira vista, pode parecer um enaltecimento pobre chamar Jerusalém de cidade. Todavia, precisamos observar que, aqui, ela é exibida, por assim dizer, como se estivesse sozinha no mundo inteiro – assumindo a precedência de todas as demais cidades que, em vão, tentavam rivalizar com ela. Davi, ao falar nestes termos, certamente não tencionava despir as demais cidades do título ao qual poderiam ter direito. Contudo, ele eleva Jerusalém acima das demais para que ela aparecesse de modo evidente acima de todas as outras, tal como o achamos em Isaías 2.2, ao falar sobre o monte Sião: "Será estabelecido no cimo dos montes e se elevará sobre os outeiros". Nesta passagem, o profeta, a fim de enaltecer este pequeno monte, menospreza os mais elevados montes do mundo, para que não obscurecessem a glória do monte Sião. De igual modo, aqui Davi afirma que Jerusalém é compacta como uma cidade, a fim de induzir os fiéis a que, em vez de mirarem todas as direções ao seu redor, descansem contentes com a cidade que Deus escolhera, visto que em parte alguma encontram uma que lhe seja rival. Depois de haver humilhado todas as demais cidades, ele mostra, em poucas palavras, a excelência de Jerusalém, representando-a como bem construída ou como apropriada e elegantemente bem distribuída em todas suas partes. Alguns entendem estas palavras de Davi como que expressando literalmente, sem figuras, que os cidadãos de Jerusalém vivem juntos em paz e união. Todavia, não percebo impropriedade em presumirmos que estas palavras descrevem, sob metáfora, o estado pacífico de uma cidade. Assim, a concórdia que reina entre os cidadãos de uma cidade e pela qual são unidos entre si compara-se a edifícios, edificados juntos por meio de uma destreza hábil e elegante. Assim, não há nada imperfeito, mal ajustado ou fendido, e sim uma bela harmonia em todas as suas partes. Com isto, Davi nos ensina que a Igreja só pode permanecer num estado de segurança quando nela prevalece a unidade e, sendo bem ajustada pela fé e o amor, ela cultiva a unidade santa.

[vv. 4, 5]
Para onde sobem as tribos, as tribos de Deus, para um testemunho a Israel,[4] para louvor do nome de Jehovah. Pois ali foram assentados os tronos para o juízo, os tronos da casa de Davi.

4. Para onde sobem as tribos. Aqui, Davi investe Jerusalém com dois títulos de honra, chamando-a o lugar sagrado, designado à invocação freqüente do nome de Deus; e, em seguida, chama-a de sede real, à qual todo o povo tinha que recorrer para obter a justiça. Toda a nossa salvação depende destes dois pontos: primeiro, que Cristo nos foi dado para ser nosso sacerdote; e, segundo, que Ele foi estabelecido rei para nos governar. Isto Deus mostrou a seu antigo povo sob figuras. O santuário erigido sobre o monte Sião se destinava a manter a fé do povo fixa no sacerdócio espiritual de Cristo; e, de igual modo, mediante o reino de Davi, foi apresentada aos olhos do povo uma imagem do reino de Cristo.

O salmista diz, em primeiro lugar, que as tribos ou famílias de Deus viriam a Jerusalém; e acrescenta, imediatamente, que ali seria erigido o trono do juízo, sobre o qual se assentariam ele e sua posteridade. Esta é razão por que a vontade de Deus era que houvesse somente

---

4 Walford traduz: "De acordo com a instituição de Israel". Phillips adota uma versão semelhante, que ele endossa com a seguinte nota: "עדות significa *testemunho* e, conseqüentemente, um *estatuto* ou *lei*. Amyraldus diz: 'Quacunque re Deus voluntatem suam significet, id Dei testimonium solet appellari'. A partícula כ deve ser entendida como prefixada a esta palavra. O estatuto expresso aqui é aquele encontrado em Êxodo 23.17 e Deuteronômio 16.16, reunindo as tribos de Israel para congregá-las diante do Senhor nas três grandes festas. O lugar de sua assembléia foi aquele que Deus escolheu para a residência da arca, primeiro em Siló e, mais tarde, em Jerusalém". O bispo Horne, French e Skinner trazem: "De acordo com o testemunho dado a Israel"; e isso salienta exatamente o mesmo significado – *testemunho*, denotando, como o explicam, a exortação dada aos israelitas na passagem de Deuteronômio.

um templo e um altar: para que o povo não fosse dominado por várias superstições. Davi declara que este lugar foi designado pela própria boca de Deus, para que todas as famílias de Deus, ou as doze tribos, ali se reunissem de todos os quadrantes do país. Para expressar mais claramente quão importante era que esta forma de culto divino fosse preservada pura e completa, ele diz que o culto era *um testemunho*. O substantivo empregado vem do verbo עוד (*ud*), que significa *dar testemunho* ou *fazer aliança*. Ora, pela palavra, neste lugar, denota-se uma declaração ou acordo mútuo entre Deus e o povo. Quando as tribos vierem de toda as partes, diz em essência o profeta, isso não acontecerá por acaso, porque a imaginação delas os dirige, e sim porque Deus, mediante sua própria boca, os convida. Portanto, o equivalente é que as santas assembléias que serão feitas em Jerusalém não serão inúteis e sem proveito, visto que Deus fez uma aliança com seu povo, determinando e designando aquele lugar para seu culto. Disso aprendemos que, ao julgarmos o verdadeiro templo de Deus, é necessário levarmos em conta a doutrina ensinada. Com respeito ao tempo em que Davi viveu, uma vez que Deus adotara o povo judeu e sua vontade era que eles fossem empregados no culto externo de seu nome, Davi lhes prescreveu uma norma da qual não lhes era lícito desviar-se.

Assim, quando os fiéis se reuniam no monte Sião, não era a tolice, nem o zelo irrefletido, nem o impulso de sua própria mente que os trazia até lá, como se fossem uma reprodução daqueles que diariamente inventam para si, baseados em suas próprias idéias, inumeráveis formas de culto a Deus. Eles eram levados pela ordenação divina, a fim de que cultuassem a Deus no monte Sião. E, por meio de sua palavra, o profeta dá a entender que todos os demais templos são profanos, e todas as demais religiões perversas e corruptas, porque não correspondem à norma estabelecida na Palavra de Deus.

Em seguida ele acrescenta a finalidade deste contrato ou aliança: *que o nome de Deus fosse louvado*. E, de fato, como o render a Deus a glória de todas as coisas boas é o propósito de nossa adoção, esse também é o propósito de todas as nossas ações.

5. Pois ali foram assentados os tronos para juízo. O salmista quer dizer que o trono do reino foi fixado ou estabelecido em Jerusalém ou que ali tinha sua sede permanente. No meio daquele povo, existiu sempre alguma ordem de juízes: estes existiram outrora num estado instável e mudavam com freqüência, mas, na pessoa de Davi, Deus ordenou por fim um novo governo que fluísse num curso permanente; pois era a vontade dEle que os filhos de Davi sucedessem a seu pai nesta dignidade real, de geração a geração, até à vinda de Cristo. O profeta falara, um pouco antes, do templo e do sacerdócio; agora, afirma que este reino, erigido por Deus, será firme e estável, a fim de distingui-lo de todos os demais reinos do mundo, que são temporários, frágeis e sujeitos a uma variedade de mudanças.

Esta perenidade do reino foi confirmada expressamente por outros profetas, em várias partes de seus escritos, e não sem motivo; pois o objetivo era ensinar aos fiéis que Deus seria o guardião de seu bem-estar somente sob a suposição de que permaneceriam sob a proteção e defesa de Davi e que, portanto, se desejassem continuar em segurança e prosperidade, não constituiriam para si mesmos novos reis a seu bel-prazer, mas viveriam tranqüilamente sob esse tipo de governo que Deus estabelecera entre eles. A repetição da palavra *trono* é enfática. Ali, diz o salmista, é erigido o trono de juízo e de eqüidade. Então acrescenta: *o trono da casa de Davi*; pois era a vontade de Deus que o direito e prerrogativa de reinar continuassem na posteridade de Davi, até que a verdadeira perenidade deste reino se manifestasse na pessoa de Cristo.

> [vv. 6-9]
> Orai pela paz de Jerusalém; prosperem os que te amam! Haja paz dentro de teus muros![5] Prosperidade,[6] dentro de tuas torres! Por amor de meus irmãos e vizinhos, eu digo agora: haja paz dentro de ti! Por causa da casa de Jehovah, nosso Deus, buscarei o teu bem.

---

5 "*Dentro de teus muros*. Josefo nos informa que havia em Jerusalém *três* filas de muros que cercavam a cidade. O sentido da passagem é: que nenhum inimigo se aproxime de tuas obras externas para perturbar a tua prosperidade."

6 "Ou, abondance" — *fr. marg.* "Ou, abundância."

6. Orai pela paz de Jerusalém. Agora Davi exorta a todos os devotos adoradores de Deus a fazerem súplicas pela prosperidade da santa cidade. Para incitá-los mais eficazmente a tal exercício, ele promete que, desta maneira, a bênção divina descerá sobre eles. Como já afirmamos, a razão por que ele estava tão profundamente preocupado com a prosperidade de Jerusalém era (e repete-a no final do Salmo) que o bem-estar de toda a Igreja estava inseparavelmente conectado com aquele reino e sacerdócio. Ora, visto que cada um de nós pereceria miseravelmente, estivesse toda a Igreja em ruínas, não é surpreendente encontrarmos Davi recomendando a todos os filhos de Deus que cultivassem esta ansiosa preocupação pela Igreja. Se ordenarmos nossas orações corretamente, começaremos sempre suplicando que agrade ao Senhor preservar esta santa comunidade. Todos que, confinando sua atenção em sua vantagem pessoal, são indiferentes à felicidade comum, não evidenciam que são destituídos de todo verdadeiro sentimento de piedade; mas desejam em vão sua própria prosperidade, e suas orações serão inúteis, visto que não observam a ordem devida.[7]

Semelhante é a tendência da promessa que o salmista acrescenta em seguida: *prosperarão os que te amam*; o que pode ser lido na forma de um desejo: *prosperem aqueles que te amam*. Mas o sentido, em cada caso, é quase o mesmo. Além do mais, o verbo hebraico שלה (*shalah*), que o profeta usa aqui, significa *viver em quietude* ou *paz;* mas, como o substantivo hebraico que significa *paz*, do qual o verbo se deriva, é empregado por ele geralmente para retratar uma condição de júbilo e felicidade, não tenho dúvida de que o salmista anuncia aqui a todos os piedosos que têm no coração o bem-estar da Igreja que eles desfrutarão da bênção de Deus e de uma vida próspera. Esta sentença ocorre com bastante freqüência nas profecias de Isaías, do capítulo 54 até ao final do livro. Disso aprendemos que a maldição divina repousa sobre todos os que afligem a Igreja ou arquitetam e realizam todo tipo de malefício para causar a sua destruição.

---

7 "Et ne proufitera rien par ses prieres, d'autant qu'il n'observe point l'ordre legitime " — *fr.*

7. Haja paz dentro de teus muros. As duas sentenças expressam o mesmo sentimento; portanto, o significado da primeira é deduzido da segunda. O substantivo שלוה (*shalvah*), na segunda sentença, significa, às vezes, *descanso*, mas é freqüentemente tomado no sentido de *abundância* ou *prosperidade*. Por isso, traduzi o substantivo בחילך (*bechelech*) por *dentro de teus muros*.[8] Não culpo os demais que o traduziram por *uma vala* ou um *muro externo*; mas a palavra *muros* concorda melhor com a palavra *torres*, que ocorre no final do versículo. O significado é que Davi ora pela prosperidade da Igreja em toda a sua extensão. Além do mais, devemos notar que, ao oferecer súplicas pela prosperidade externa de Jerusalém, não devemos entender isso no sentido de que ele estava despreocupado quanto ao estado interior ou o bem-estar espiritual da Igreja. Contudo, sob a similitude de *muros*,[9] ele deseja que de todos os lados a bênção divina cercasse e fortificasse a cidade santa.

8. Por amor de meus irmãos e vizinhos. Ele especifica duas causas pelas quais se preocupava com a Igreja, com o propósito de instigar, por meio de seu exemplo, todos os fiéis ao exercício da mesma preocupação. Estas palavras parecem conter um tácito contraste. Entre os perversos e maliciosos, ele poderia ser objeto de suspeita, ou, pelo menos, corria o risco de ser caluniado; como se, ao enaltecer Jerusalém, tivesse seus olhos fixos mais em seu benefício pessoal do que no bem-estar público. Portanto, a fim de remover todo motivo de alguém objetar que, ao falar assim, procurava astutamente estabelecer seu próprio reino, ele protesta dizendo que não está influenciado por considerações pessoais, e sim pela preocupação com toda a Igreja, a qual ele abraçou com afeição sincera do coração. Falarei, diz ele, ó Jerusalém, de tua paz, não porque esta me será proveitosa, mas por-

---

8 O significado de Calvino é este: visto que os substantivos *paz* e *prosperidade* têm significado correspondente, a opinião dele era que existia uma correspondência similar entre os outros dois substantivos.

9 Aqui, a cópia latina diz: "sed ad mores alludens"; mas, evidentemente, *mores* é um erro tipográfico da palavra *muros*. A versão francesa diz: "mais sous ceste similitude *des murs*".

que tua prosperidade se estenderá a todos os filhos de Deus; pois o termo *irmãos* compreende indubitavelmente todos os crentes.

9. Por causa da casa de Jehovah, nosso Deus. Neste versículo, ele adiciona uma segunda razão por que se preocupava com a Igreja – ele agia assim porque o culto divino, em vez de permanecer íntegro, cairia em ruínas, se Jerusalém não continuasse estável. Se a salvação de nossos irmãos é considerada por nós um objeto de importância, devemos, ao mesmo tempo, até onde pudermos, cultivar interesse pela prosperidade da Igreja. Disso, segue-se que, os indiferentes para com a condição da igreja são tão cruéis quanto os ímpios, pois, se ela é "a coluna e o baluarte da verdade", a conseqüência inevitável de sua destruição seria a extinção da verdadeira piedade. E, se o corpo for destruído, como pode cada um de seus membros deixar de envolver--se nessa destruição? Além do mais, esta passagem nos ensina que a Igreja não é um título vazio, e sim que deve ser buscada como o lugar em que prevalece o verdadeiro cristianismo. Isso evidencia quão fútil são os papistas, os quais, havendo rejeitado e subvertido a doutrina do evangelho, se gabam ostentosamente do título de Igreja.

Salmos 123

Neste Salmo, os fiéis, oprimidos por tirania cruel da parte de seus inimigos, rogam a Deus que os liberte, não tendo eles nenhuma outra fonte de esperança, exceto a proteção de Deus.

Cântico dos Degraus
[vv. 1-4]
Elevo os meus olhos a ti, que habitas os céus. Como os olhos dos servos atentam[1] para a mão de seus senhores, como os olhos de uma serva atentam para a mão de sua senhora, assim os nossos olhos, para Jehovah o nosso Deus, até que ele tenha misericórdia de nós. Tem misericórdia de nós, ó Jehovah! Tem misericórdia de nós, pois estamos grandemente fartos de opróbrio. Nossa própria alma está grandemente farta da zombaria de homens que são ricos e do desprezo dos soberbos.

1. Elevo os meus olhos a ti, que habitas os céus. São incertos a ocasião e o profeta que escreveu este Salmo. Não creio ser provável que Davi foi seu autor; pois, quando ele se queixava das perseguições que sofreu nos dias de Saul, costumava interpor algumas referências à sua pessoa. Antes, minha opinião é que esta forma de oração foi composta por algum profeta para todos os piedosos, ou quando os judeus eram cativos na Babilônia, ou quando Antíoco Epifânio exerceu sobre eles a mais implacável crueldade. Seja como for, o Espírito Santo, por cuja inspiração o profeta entregou este salmo ao povo, nos compele a recorrer a Deus sempre que os perversos perseguem injusta e orgu-

---

1 "Atentam" é um suplemento tomado da versão francesa.

lhosamente não apenas um ou dois dentre os fiéis, mas todo o corpo da Igreja. Além do mais, aqui Deus é denominado aqui expressamente *o Deus que habita os céus*, não somente para ensinar a seu povo a estimar o poder divino como ele merece, mas também para que, quando nenhuma esperança de auxílio lhes fosse deixada sobre a terra, sim, melhor ainda, quando sua condição fosse desesperadora, como se fossem colocados no túmulo ou estivessem perdidos num labirinto, então se lembrassem de que o poder de Deus permanece no céu, em perfeição incomparável e infinita.

Assim, estas palavras parecem expressar um contraste entre o estado conturbado e confuso deste mundo e o reino de Deus nos céus, de onde Ele administra e governa de tal modo todas as coisas, que, sempre que Lhe agrada acalmar todas as agitações do mundo, desce para o livramento dos desesperados, restaura a luz, banindo as trevas, e soergue os que estão humilhados e prostrados no chão. O profeta confirma isso ao usar o verbo *elevar*, o qual sugere que, embora todos os recursos do mundo nos falhem, devemos erguer nossos olhos para o céu, onde Deus permanece imutavelmente o mesmo, a despeito da perversa impetuosidade dos homens em transtornar todas as coisas aqui embaixo.

2. Como os olhos dos servos atentam para a mão de seus senhores. Esta comparação é mui apropriada ao presente caso. Implica que, sem a proteção de Deus, os crentes verdadeiros não têm conforto, estão completamente desprotegidos e expostos a todas as formas de erros; não possuem nenhuma força, nem coragem para resistir. Em suma, implica que a segurança deles depende totalmente de auxílio oriundo de outro. Sabemos quão vergonhosamente os servos eram tratados nos tempos antigos e quão árduos opróbrios podiam ser lançados sobre eles, enquanto não podiam mover sequer um dedo para repelir os ultrajes. Sendo privados de todos os meios de defesa pessoal, a única coisa que lhes restava fazer era aquilo que o salmista declara aqui, ou seja, anelar a proteção de seus senhores. A mesma explanação é aplicável ao caso das *servas*. Sua condição era deveras vergonhosa e degradante; mas não há razão por que devamos sentir-nos envergonhados ou ofendidos, sendo comparados a escravos, contanto que Deus seja nosso defensor e tome nossa vida sob sua guarda. Eu digo que Deus nos desarma intencionalmente e nos despoja de todo auxílio do mundo, para que aprendamos a confiar em sua graça e viver contentes unicamente com ela. Outrora, era um crime capital um criado portar uma espada ou outra arma. E, como eram expostos a todo tipo de injúria, seus senhores costumavam defendê-los com empenho redobrado, quando alguém lhes fazia violência sem motivos.

Não podemos duvidar que Deus, quando nos vê depositando exclusiva dependência em sua proteção e renunciando toda confiança em nossos próprios recursos, nos encontrará como nosso defensor e nos protegerá de todo molestamento que se ponha em nosso caminho. No entanto, é certo que temos aqui a descrição de um período em que o povo de Deus fora reduzido a um estado de extrema necessidade e levado à beira do desespero. Quanto à palavra *mão*, sabemos muito bem que ela expressa *auxílio*.[2]

3. Tem misericórdia de nós, ó Jehovah! O salmista prossegue e confirma a doutrina anterior. Ele havia dito que os piedosos, encontrando-se totalmente de espírito quebrantado e abatido, volviam atentamente seus olhos para a mão de Deus. Agora, ele acrescenta que se acham saturados de opróbrio. Deste fato aprendemos que os perversos não somente atacavam os piedoso de forma demasiadamente violenta, mas também inquietavam a mente deles; de modo que, com sua zombaria, os perversos, por assim dizer, pisoteavam os filhos de Deus. A repetição da oração *tem misericórdia de nós*, um sinal de dese-

---

2 "*Para a mão de seus senhores* – se retivermos a palavra *mão*, que seja entendida no sentido familiar que, às vezes, ele carrega, ou seja, o sentido de *beira* ou *parte*. A palavra original é usada nesse mesmo sentido [Ex 2.5]. A frase significará simplesmente que os olhos dos servos olham em direção aos seus senhores; e isto concorda com o sentido — *assim, nossos olhos esperam no Senhor*. Mas a palavra hebraica também significa *poder* [como em Dt 32.36], que pode muito bem ser substituída por *mão*, neste lugar. Neste caso, a noção é a de que os servos, quando se encontram em perigo ou em aperto, olham para o poder de seus senhores, à espera de assistência; em geral, esperam deles subsistência e defesa" – Cresswell.

jo veemente e intenso, indica que os piedosos estavam reduzidos ao grau máximo de miséria. Quando se adiciona insulto aos erros, nada há que cause uma ferida mais profunda na mente bem constituída. O profeta se queixa principalmente do fato de que essa era a consumação de todas as calamidades.

Ele diz que *os homens ricos e soberbos* tratavam a Igreja com insolente triunfo, pois comumente sucede que aqueles que são elevados no mundo vêem com desprezo o povo de Deus. O esplendor da honra e do poder ofusca os olhos deles. Por isso, não se importam com o reino espiritual de Deus. Sim, quanto mais os perversos prosperam e são favorecidos pela fortuna, tanto mais aumenta o seu orgulho e tanto mais violentamente lançam de si imundícies. Esta passagem nos ensina que ser tida em desprezo pelos filhos deste mundo cujas riquezas transbordam não é nada novo para a Igreja. O epíteto *orgulhosos* é aplicado às mesmas pessoas que são descritas como *ricas,* pois a riqueza engendra orgulho no coração. Além do mais, vemos como nos tempos antigos a Igreja de Deus era coberta de opróbrios e apontada com o dedo do escárnio; por isso, não devemos sentir-nos desanimados se o mundo nos despreza, nem admitir que nossa fé seja abalada pelos perversos, quando nos assaltam com seus motejos e nos difamam com sua linguagem injuriosa e insultante.

Devemos ter sempre em mente o que está aqui registrado: o coração não apenas de um só homem, ou de uns poucos, mas de toda a Igreja estava saturado de violência, crueldade, astúcia e outros malfeitos dos perversos, bem como de opróbrio e zombaria. Devemos lembrar também que todos os arrogantes e orgulhosos existentes no mundo estão aqui representados como que em oposição à Igreja, de modo que ela é considerada como nada melhor que "lixo do mundo e escória de todos", como declara o apóstolo Paulo em 1 Coríntios 4.13. Quando essa mesma coisa nos acontece no presente, deixemos que os perversos se envaideçam com seu orgulho, até que explodam. Basta-nos saber que, apesar disso, somos preciosos aos olhos de Deus.

Ao usar o verbo *fartar*, enfaticamente repetido, o profeta tencionava expressar uma longa e contínua opressão que saturava o coração dos piedosos com fadiga e tristeza. Quão necessária é a lição ensinada neste texto nos dias atuais! Não precisamos de uma discussão extensa para demonstrar isso. Vemos a Igreja destituída de toda proteção do mundo e sob os pés de seus inimigos, que transbordam em riquezas e se acham armados de poder terrível. Vemos os papistas se erguendo ousadamente e derramando, com todo o seu poder, zombarias contra nós e contra todo o ministério divino. Em contrapartida, misturados entre nós, permeando todos os lados, há epicureus que zombam de nossa simplicidade. Há também muitos gigantes que nos esmagam com opróbrios; e tal vileza tem durado desde os tempos em que o evangelho começou a emergir das corrupções do papado até aos dias atuais. O que resta a ser feito, quando nos achamos envoltos em trevas por todos os lados, senão buscarmos no céu a luz da vida? Que a nossa alma, saturada de todos os gêneros de opróbrios, torne conhecidas a Deus suas súplicas por livramento, com a importunação dos famintos!

Salmos 124

Havendo sido a Igreja libertada providencialmente de perigo extremo, Davi exorta os crentes genuínos a renderem graças e lhes ensina, por seu memorável exemplo, que a sua segurança depende da graça e do poder de Deus.

Cântico dos Degraus de Davi
[vv. 1-5]

Se não fora Jehovah, que esteve ao nosso lado, Israel que o diga agora; se não fora Jehovah, que esteve ao nosso lado, quando homens se levantaram contra nós, nos teriam tragado vivos, quando a sua ira se acendeu contra nós; as águas nos teriam, então, submergido, a torrente teria passado sobre nossa alma. As águas[1] soberbas teriam, então, passado sobre a nossa alma.

1. Se não fora Jehovah, que esteve ao nosso lado. Alguns comentaristas pensam que este Salmo descreve a própria condição dolorosa e miserável da Igreja, quando o restante do povo foi levado para Babilônia. No entanto, esta opinião não tem qualquer fundamento, pois as queixas feitas neste salmo se aplicam com igual propriedade às perseguições que a Igreja sofreu sob a tirania de Antíoco Epifânio. Outra objeção a esta interpretação é que o Salmo figura em sua inscrição o nome de Davi e lembra historicamente o livramento que o povo obteve do extremo perigo, pelo intermédio do poder de Deus. Para se

---

1 "Alors leseaux enflees et impetueuses fussent" – *fr.* "As águas altivas e impetuosas teriam então", etc. O epíteto *soberbas* se aplica às águas do mar, em Jó 38.11.

desvencilharem desta dificuldade, alguns observam que o salmo descreve profeticamente aquilo que ainda não sucedera. Contudo, esta é uma conjectura forçada, pois o profeta, ao fala de coisas futuras, geralmente o faz de um modo diferente. É mais provável que aqui Davi apresente uma história conhecida e exorta os fiéis a refletirem sobre o socorro divino que já haviam experimentado. Todavia, não ouso limitar ao tempo de Davi o que aqui se expressa. De fato, é verdade que as nações pagãs costumavam deflagrar guerra contra o povo de Deus, armados com tal poder, que vinham determinados a esmagá-los de todo, com a impetuosidade de um dilúvio; mas, como Davi não especifica nenhum exemplo particular, não penso que ele deve ser entendido como a celebrar um único livramento, e sim, incluindo de modo geral, todos as ocasiões em que Deus socorrera sua Igreja. Os pagãos, em muitas épocas diferentes, como bem sabemos, se insurgiram contra a Igreja, com exércitos tão poderosos, que ela quase foi levada à destruição. Davi representa, como num espelho, a condição incerta e mutável da Igreja, como se deu desde o princípio, a fim de ensinar aos fiéis que a estabilidade deles não se devia à sua própria força intrínseca, mas que fora preservada pela maravilhosa graça de Deus; também para habituá-los a invocar a Deus em meio aos perigos.

2. Se não fora Jehovah, que esteve ao nosso lado. Não é sem motivo que ele repete duas vezes a mesma sentença. Sempre que estamos em perigo, nosso temor é imoderado; mas, logo que somos libertados, amenizamos a grandeza de nossa calamidade; e Satanás, enganando-nos por meio deste artifício, nos leva a obscurecer a graça de Deus. Visto que, depois de havermos sido miraculosamente preservados pelo Senhor, na maioria das vezes inventamos para nós toda sorte de circunstâncias imaginárias, a fim de dissipar de nossa mente a lembrança da graça de Deus. Davi, por apresentar-nos o povo como que abalado por espanto, insiste intencionalmente na ampliação do perigo. Estas palavras colocam um freio em nós, para nos manter em meditação sobre nossos perigos, a fim de que o senso da graça de Deus não desvaneça em nossa mente.

A tradução comum *não fora o Senhor que esteve ao nosso lado* não expressa suficientemente o que Davi queria dizer. Pois ele afirma que o livramento e a salvação do povo não procediam de nada mais do que do socorro da parte de Deus. E, ao mesmo tempo, mostra que este socorro era certo e evidente. Duas coisas devem ser observadas distintamente: primeira, que o Senhor estivera perto, a fim de propiciar ajuda a seus servos e levara a parte deles; segunda, estando os servos de Deus em condição desesperadora, não podiam, por meio de nenhuma outra fonte ou de nenhuma outra maneira, ter escapado do perigo. Assim, somos ensinados que os homens só atribuem a Deus a glória por sua preservação quando são persuadidos de que Ele é tão favoravelmente afeiçoado a eles, que os defende e os mantém em segurança. Na segunda sentença, está enaltecido em termos elevados o poder infinito de Deus, do qual Ele dera prova superabundante, por livrar seu povo, a fim de nos ensinar que esse método de preservação não pertence ao homem. Ao usar o substantivo אדם (*adam*), que, como coletivo, significa homens em geral, Davi parece insinuar um vasto número de inimigos. Era como se Davi quisesse dizer que o povo de Deus não contendera meramente com uns poucos homens ou com uma só nação, mas fora atacado por quase todo o mundo; e isso manifesta, abundantemente, que toda raça humana era os inimigos dos judeus.

Quando diz *nos tragaram vivos*[2] [v. 3], ele não só expressa crueldade bárbara, mas também desproporção de força. Ele descreve, em primeiro lugar, quão violenta foi a investida do inimigo e, em segundo lugar, quão frágeis e inadequados eram os judeus para repeli-los, visto que essas bestas cruéis não necessitavam de espadas para matar e que, mesmo sem uma batalha ou empenho de força, podiam devorar facilmente aquele rebanho indefeso, sem destreza e recursos para a guerra.

---

2 "A metáfora pode ser tomada de animais selvagens famintos que atacam e devoram homens [cf. 5.5] ou a referência pode ser ao caso de um homem fechado vivo em um sepulcro [Pv 1.12], deixado ali para perecer, ou engolido por um terremoto [Nm 16.30]" – Cresswell. "Uma linguagem figurada que transmite a noção da selvageria dos adversários, aludindo à prática de muitos animais predadores de tragarem vivas as suas vítimas. Esse é o hábito bem conhecido de muitos tipos de peixes predadores " – Phillips.

4. As águas nos teriam, então, submergido. Ele adorna, com uma elegante metáfora, o sentimento anterior, comparando a terrível impetuosidade dos inimigos dos judeus com uma inundação que traga tudo quanto encontra em sua trajetória transbordante. Ele insiste em preservar o caráter de um homem amedrontado. Menciona *as águas*; em seguida, *a torrente*; em terceiro, *as águas soberbas* ou *impetuosas*. Diz ainda *sobre nós* e *sobre a nossa alma*, como se, ao exibir a coisa ante os olhos, pretendesse causar terror no povo. Certamente, esta impressionante linguagem deve ter exercido todo o efeito de uma ilustração vívida, de tal modo que os fiéis sentissem que haviam sido resgatados pela mão divina como que de um abismo profundo. Ele atribui realmente seu livramento a Deus, reconhecendo que estivera perdido, antes de ser libertado. Neste versículo, o advérbio *então* é ou demonstrativo, como se o salmista estivesse apontando o dedo para a coisa ou é entendido no sentido de *há muito*. No entanto, o primeiro significado é mais adequado a esta passagem.

[vv. 6-8]
Bendito seja Jehovah, que não nos deu por presa aos dentes deles.[3] Nossa alma foi resgatada como uma ave dos laços dos passarinheiros; os laços foram partidos e fomos libertos.[4] Nosso socorro está em o nome de Jehovah, que fez o céu e a terra.

6. Bendito seja Jehovah. O salmista exorta os piedosos a um grato reconhecimento da bondade de Deus e, por assim dizer, sugere-lhes as palavras. Aqui, ele também mostra, por meio de uma comparação, que lhes teria sido muito pior se Deus não os houvera socorrido, afirmando que não foram libertados de qualquer outra maneira, senão como alguém que fora arrancado como presa dos dentes de um animal selvagem e cruel. A terceira comparação tem esse mesmo sentido: de todos

---

3 O escape da Igreja, devemos observar, como transparece no versículo 3, assemelha-se a um resgate das garras de um animal feroz, que devora sua presa ainda viva.

4 O leitor perceberá que, à medida que a imagem prossegue, ela se torna cada vez mais bela. Idéias agradáveis e ternas estão associadas ao escape de uma ave inocente das redes que a arte e crueldade do homem engendrou, para tirar-lhe a vida ou roubar-lhe a liberdade.

os lados foram apanhados e emaranhados nas redes de seus inimigos, como *aves* apanhadas na rede estendida sob a mão do passarinheiro; e, quando foram libertados, isso era como se alguém pusesse em liberdade aves que haviam sido apanhadas. O significado é que o povo de Deus, débil, sem conselho e destituído de auxílio, não somente teve de lidar com bestas furiosas e sedentas de sangue, mas também se viu emaranhado por redes e estratagemas, de modo que, sendo muito inferiores a seus inimigos, tanto em política como em força pública, se viram sitiados por muitas aflições. Com base nisso, podemos deduzir facilmente que eles foram miraculosamente preservados.

8. Nosso socorro está em o nome de Jehovah. Aqui, Davi estende ao estado da Igreja de todas as épocas aquilo que os fiéis já haviam experimentado. Segundo minha interpretação do versículo, ele não só rende graças a Deus por um benefício, mas também afirma que a Igreja não pode continuar segura, se não for protegida pela mão de Deus. Seu objetivo é animar os filhos de Deus com a infalível esperança de que sua vida está em perfeita segurança, sob a guarda divina. Devemos notar o contraste entre o socorro de Deus e os outros recursos em que o mundo confia inutilmente, como já vimos em Salmos 20.7: "Uns confiam em carros, outros, em cavalos; nós, porém, nos gloriaremos em o nome do Senhor, nosso Deus". E precisamos observar que os fiéis, purificados de toda falsa confiança, podem recorrer exclusivamente ao socorro divino e, dependendo deste, desprezar sem temor tudo que Satanás e o mundo tramam contra eles.

O **nome de Deus** nada mais é do que o próprio Deus. No entanto, ele transmite uma idéia significativa, implicando que, como Ele nos revelou sua graça por meio de sua palavra, temos acesso a Ele. Assim, ao buscá-Lo, não necessitamos ir longe, nem seguir veredas circulares. Não é sem razão que o salmista honra, outra vez, a Deus com o título de *Criador*. Sabemos com que inquietude nossa mente se agita, até que tenha elevado o poder de Deus ao seu devido lugar, para que, tendo o mundo inteiro em sujeição, esse poder seja preeminente. Mas tal poder não será preeminente para nós, se não estivermos persuadidos de que todas as coisas estão sujeitas à vontade de Deus. Ele não demonstrou de uma única vez e num só momento seu poder na criação do mundo e, depois, o retraiu. Antes, Ele o demonstra continuamente no governo do mundo. Além do mais, embora todos os homens confessem aberta e notoriamente que Deus é o Criador do céu e da terra, de modo que até os mais perversos se envergonham de negar-Lhe a honra desse título, logo que algum terror se nos apresenta, somos convencidos de incredulidade, por valorizarmos com dificuldade todo auxílio que Ele nos outorga.

Salmos 125

Os fiéis, vivendo misturados com os ímpios neste mundo, parecem viver expostos a todos os males desta vida, assim como as demais pessoas. Por isso, o profeta, comparando-os com Jerusalém, mostra que os fiéis são defendidos por uma muralha inexpugnável. E, se Deus, em algum tempo, tolera que eles sejam atingidos pela maldade dos perversos, exorta-os a que nutram boa esperança. No entanto, Ele faz, ao mesmo tempo, distinção entre os verdadeiros e os falsos israelitas, para que os hipócritas não apliquem a si o que este Salmo diz a respeito da segurança dos justos.

> Cântico dos Degraus
> [vv. 1, 2]
> Aqueles que confiam em Jehovah 'são' como o monte Sião, 'que' não será abalado, 'mas' permanecerá para sempre.[1] Como os montes estão em derredor de Jerusalém, assim Jehovah está em derredor de seu povo, desde agora e para sempre.

1. Aqueles que confiam em Jehovah são como o monte Sião. Este Salmo difere do anterior nisto: embora naquele se afirme que a Igreja *fora preservada* pelo poder de Deus, sem qualquer meio humano, neste salmo o Espírito Santo ensina que *no porvir* a Igreja continuará sempre em perfeita segurança, porquanto é defendida pelo invencível poder de Deus. Quando a Igreja é descrita por meio

---

[1] As palavra suplementares, neste versículo, marcadas por aspas simples, são tomadas da versão francesa.

de figuras que retratam a situação da cidade de Jerusalém, o desígnio do profeta é encorajar cada um dos fiéis a crer que possui a segurança prometida a todo o povo escolhido. Mas, ao exibir aos olhos uma imagem visível da Igreja, o salmista se acomoda à rudeza dos que, detidos pelo embotamento da carne, continuam fixados na terra. É preciso, em primeiro lugar, observar que, para os que não apreendem suficientemente, pela fé, a proteção secreta de Deus, os montes que cercam Jerusalém são exibidos como um espelho no qual podem ver, sem qualquer dúvida, que a Igreja é bem defendida de todos os perigos, como se estivesse solidamente cercada por muros e torres. Além do mais, é proveitoso saber o que acabo de mencionar: sempre que Deus fala a todo seu povo como um corpo, Ele se dirige igualmente a cada um deles em particular. Visto que muitas das promessas se estendem geralmente a todo o corpo da Igreja, muitos dos fiéis as contemplam como que de longe, como que vivendo afastados delas; por isso, não pensam em apropriar-se delas. É preciso observar a regra aqui prescrita, ou seja, que cada um aplique a si tudo que Deus promete a toda a sua Igreja. Tampouco é sem razão que o profeta faça uma representação da Igreja, pois estavam ali o santuário de Deus e a Arca da Aliança.

No que concerne à explicação das palavras, devemos observar que os dois últimos verbos do primeiro versículo podem ser entendidos de duas maneiras. Podem ser governados por Jerusalém como o nominativo. Mas há quem entenda o primeiro verbo לא ימוט (*lo yimmot*), *não será abalada*, como uma referência somente a Jerusalém; e o segundo verbo ישב (*yesheb*), *permanecerá*, como uma referência aos fiéis. Assim, de acordo com esse ponto de vista, há uma mudança de número, o que é muito comum entre os hebreus – o número singular ישב (*yesheb*) usado no lugar do plural ישבו (*yeshbu*). Certamente, a sentença pode ser, não impropriamente, traduzida assim: *Aqueles que confiam em Jehovah, como o monte Sião que não se abalará, habitarão para sempre*, ou, *continuarão inabaláveis*, pois o verbo traduzido por *permanecer* é interpretado neste sentido. Agora percebemos a intenção do profeta, ou seja, que, embora o mundo se sujeite a tantas e súbitas mudanças, quase mudando de feição a cada instante; embora os fiéis estejam misturados com e na mesma condição externa dos demais, a segurança deles continua estável sob a proteção inexpugnável de Deus. Isso ocorre não porque têm permissão de viver imperturbável e ociosamente, mas porque a segurança deles, estando sob a guarda de Deus, é atacada em vão; pelo menos, eles nunca podem cair totalmente, embora possam tropeçar.

Notemos que a palavra הבמחים (*habbtechim*), que significa *aqueles que esperam* ou *aguardam*, comunica uma exortação implícita à firmeza da fé. Todo aquele que deseja ser sustentado pela mão de Deus, deve se inclinar constantemente a esta verdade. E todo aquele que deseja ser defendido pela Mão de Deus, precisa descansar pacientemente sob ela. Quando Deus permite que sejamos levados de um lado para outro ou impelidos como palha ao sabor do vento, isso sucede por nossa própria inconstância – pois preferimos vaguear a fixar nossa mente na rocha do socorro divino. A comparação empregada no segundo versículo é bastante clara e nos ensina que, como a permanente cadeia de montes em derredor de Jerusalém exibe a aparência de muros, assim Deus cerca os fiéis com seu poder, para repelir todos os males que viessem desses muros.[2] Formas semelhantes de expressão são freqüentes nas Escrituras. Às vezes, Deus promete ser um muro e um baluarte para seu povo. Davi ou quem quer que seja o autor deste Salmo, vai mais além e mostra, sob a figura de montes, a proteção secreta com que Deus defende seu próprio povo até ao fim, para que os indoutos e instáveis, que ainda estão presos a este mundo pelo embotamento de seu próprio entendimento, auxiliados pela visão dos montes, elevem sua mente ao alto, à concepção e à contemplação das coisas celestiais.

---

2 Dos montes ou colinas que cercavam Jerusalém, o profeta Ezequiel representa-a sob a imagem de uma "panela" [Ez 11.3].

[vv. 3-5]
Porque o cetro³ dos perversos não permanecerá sobre a sorte do justo, para que o justo não estenda as mãos à iniqüidade. Faze o bem, ó Jehovah, aos bons e aos que são retos em seu coração. Mas os que se desviam para suas veredas tortuosas,⁴ Jehovah os fará andar com os obreiros da iniqüidade. E haverá paz sobre Israel.

3. Porque o cetro dos perversos não permanecerá sobre a sorte do justo. Esta é, por assim dizer, uma correção da sentença anterior. O salmista dissera que a mão de Deus estava estendida por todos os lados em defesa de sua Igreja. Mas, como sempre nos dispomos a tomar as promessas divinas em nosso benefício pessoal, na maneira de interpretá-las como que para assegurar nossa isenção de todos os problemas, aqui somos advertidos que a proteção de Deus não impede que, de vez em quando, sejamos exercitados pela cruz e por aflições; e que, portanto, os fiéis não devem prometer a si mesmos uma vida amena e fácil neste mundo, sendo-lhes suficiente que não sejam abandonados por Deus, quando se sentirem necessitados de seu auxílio. É verdade que seu Pai celestial os ama mui ternamente, mas deseja que sejam treinados pela cruz, para que não se entreguem demasiadamente aos prazeres da carne. Se abraçarmos esta doutrina, ainda que sejamos oprimidos pela tirania dos perversos, esperemos com paciência até que Deus ou quebre o cetro deles ou o arranque de suas mãos. Admito ser uma dolorosa tentação ver os perversos exercendo crueldade contra a herança do Senhor e os fiéis estendidos sob a planta dos pés dos perversos. Contudo, visto que Deus, não sem justa razão, humilha assim o seu povo, eles devem consolar-se com a consideração sugerida no texto.

---

3 שבט. Se esta palavra for traduzida por *vara*, entenderemos que o salmista estava falando sobre *os ataques* dos perversos contra os justos. Mas, como "a sorte dos justos" evidentemente denota suas condições, posses, etc., conseqüentemente, שבט parecer ser empregada como símbolo de domínio, isto é, cetro. Esta noção de שבט se adapta melhor à de גורל [a palavra traduzida por *a sorte de*]. Assim, o sentido de toda a expressão é que os perversos não exercerão domínio permanente sobre os justos; o cetro dos perversos não descansará", etc. – Phillips.
4 "Ou, se fourvoyent en leurs chemins obliques, ou, font fourvoyer" — *fr. marg.* "Ou, desviar-se em suas veredas tortuosas, ou, fazer desviar-se".

O salmista acrescenta a razão por que Deus não permitirá que os perversos triunfem sempre sobre os justos – para que o justo, vencido pela tentação, não se entregue totalmente à prática do pecado. Esta razão deve ser cuidadosamente observada. Disso, concluímos que Deus, de sua livre vontade, tolerando nossa fraqueza, modera nossas adversidades. Então, embora não possuamos em nós mesmos um equivalente de fortaleza e constância que nos capacite a perseverar em nosso dever, por um único momento, este sentimento deve abrigar-se em nossa mente: Deus cuidará para que, quebrantados pelas aflições, não esqueçamos de sua adoração. Embora Ele nos aflija durante todo o curso de nossa vida, a cruz nos será sempre proveitosa, pois vemos quão indomável é a rebelião de nossa carne e com que veemente impetuosidade ela está continuamente ebulindo; sim, ela não cessa de fazer alvoroço em meio às muitas aflições pelas quais deve ser reduzida à obediência. Tanto mais necessária é esta lição – que o Senhor oportunamente põe limites a nossas tentações, porque sabe que somos débeis demais para impedi-las.

O profeta diz não somente que os fracos correm o risco de falhar, mas também que os justos, que servem a Deus em verdade e de todo o coração e se devotam ao cultivo de uma vida santa, correm o risco de sucumbir sob o fardo. Por mais vigoroso que seja o temor de Deus em nosso coração, devemos ter sempre em mente que não somos dotados de força adequada para suportar até ao fim, a menos que o Senhor leve em conta a nossa debilidade. Se o Espírito Santo fez esta declaração acerca dos melhores campeões, qual é a situação tocante aos neófitos que são tão imperfeitamente treinados para o combate? Ainda é oportuno enfatizar a forma de linguagem empregada – *para que o justo não estenda suas mãos*. Com essas palavras, ele dá a entender que os ataques das tentações são tão violentos, que as mãos do justo, que antes estavam, como dissemos, amarradas e cujos movimentos eram ordenados e regulados de acordo com a vontade de Deus, estão agora, por assim dizer, soltas e se aplicam à prática de pecados sem restrição.

4. Faze bem, ó Jehovah, aos bons. O profeta já havia prometido a todos os fiéis o socorro oportuno de Deus. No entanto, recorre à oração, e não sem motivo, pois, embora que a fé nos sustente, visto que nosso senso e razão carnais são oscilantes, devemos unir à fé orações para nossa confirmação. Sigamos esta regra do profeta, que, havendo exortado a todos os fiéis a nutrirem confiança, lhes ensina, ao mesmo tempo, que, em vez de sentarem-se em inatividade apática, recorram a Deus, buscando-O ardentemente em oração, pois Ele os tem exortado a esperarem em sua palavra. Com certeza, a importância de usarmos esse remédio é evidente da consideração de que, em meio às trevas das aflições, não discernimos o auxílio de Deus; antes, parece-nos que Ele não faz diferença entre justos e perversos. Tampouco o salmista ora apenas para que Deus lide graciosamente com os bons. O salmista também define a bondade com a qual eles são caracterizados como aquilo que procede da afeição sincera do coração. Não bastaria que os filhos de Deus se abstivessem de toda maldade, se não fossem distinguidos pela correspondente integridade de coração, ou melhor, se esta não governasse toda a vida deles.

5. Mas os que se desviam por caminhos tortuosos. Como a partícula המטים (*hammattim*) está na conjugação *hiphil*, ela deve, segundo as regras da gramática, ser traduzida em um sentido ativo – *os que causam desvio*. Mas, não sendo comum que verbos nessa conjugação sejam interpretados em um sentido neutro, é mais provável que a versão que tenho seguido seja a correta. No entanto, como a significação ativa não é inapropriada, deixo ao leitor a liberdade de se valer de seu próprio critério. O significado é que Deus nem sempre faz vista grossa à perversidade dos que, embora se vangloriem de uma profissão de fé vazia e forçada, perambulam de cá pala lá, seguindo o impulso de seus desejos pessoais, ou corrompem os simples e os atraem aos mesmos excessos de atos pecaminosos. Não tenho dúvida de que, nestas palavras, o salmista falava sobre os hipócritas que são tão endurecidos pela impunidade temporária, que reivindicam para si um lugar entre os mais santos dos homens, porque Deus usa de longanimidade para com eles.

Vemos não somente os bons misturados com os maus neste mundo, mas também, no celeiro do Senhor, o trigo oculto sob a palha e o refugo. Neste duvidoso e confuso estado de coisas, os maus se inflam de orgulho, como se estivessem entre os melhores dos servos de Deus. Devemos orar para que Deus os traga à luz e, com os obreiros da iniqüidade, os entregue à punição que bem merecem. A conseqüência é que a *paz* desejada pelo profeta seja o privilégio de Israel. Ele não fala em termos gerais de toda a raça de Abraão, segundo a carne; antes, deseja que a Igreja de Deus seja purificada dos hipócritas que ocupam lugar nela, até que Deus erga sua mão em juízo. Por essa razão eu disse que a paz da Igreja emana disto: que Deus, enquanto executa sua justa vingança sobre os israelitas fingidos e falsos que esfacelam e despedaçam a igreja, reúna os retos de coração e mostre publicamente, por meio de sua bênção, o amor paterno que nutre por eles.

Salmos 126

Este Salmo consiste de três partes. Primeiramente, o profeta exorta os fiéis que haviam regressado do cativeiro à gratidão e enaltece, de modo sublime, a graça exibida no livramento deles, a fim de mostrar-lhes, sem dúvida alguma, que estavam sendo trazidos de volta à sua pátria pela mão de Deus, e não por uma conjuntura fortuita de circunstâncias ou pelo favor dos homens. Na segunda parte, o profeta acrescenta uma oração para que Deus aperfeiçoe a obra que Ele mesmo havia começado. Finalmente, ainda que não houvesse nenhum perspectiva imediata de uma restauração plena, o profeta ele ameniza o senso de fadiga que a demora poderia ocasionar e lhes assegura que, embora a semente fosse regada com lágrimas, a ceifa seria jubilosa.

Cântico dos Degraus
[vv. 1-3]
Quando Jehovah trouxe de volta o cativeiro[1] de Sião, ficamos como os que sonham. Então, a nossa boca se encheu[2] de riso e a nossa língua, de regozijo; e dirão[3] entre os pagãos: Jehovah fez grandes coisas por eles. Jehovah fez grandes coisas por nós, por isso estamos alegres.

1. Quando Jehovah trouxe de volta o cativeiro de Sião. É ilógico e forçado presumir, como o fazem alguns expositores, que esta

---

1 O substantivo abstrato substitui o concreto: "o cativeiro de Sião" em lugar de "os cativos de Sião" – aqueles que foram levados cativos de Sião. Conseqüentemente, na versão francesa, Calvino usa o concreto – "Les captifs" – "Os cativos".
2 "Ou, alors nostre bouche a este remplie" — *fr. marg.* "Ou, então a nossa boca ficou cheia."
3 "Ou, alors on disoit." — *fr. marg.* "Ou, então disseram."

é uma predição de algo que estava por acontecer. De minha parte, não tenho dúvida de que o Salmo foi composto durante o regresso do povo hebreu do cativeiro babilônico. Por essa razão, traduzi o verbo בשוב (*beshub*), no pretérito. Ora, não importando quem foi o autor do salmo,[4] ou um dos levitas, ou um dos profetas, ele afirma que a maneira do livramento deles foi maravilhosa demais para ser atribuída à sorte, a fim de levar os fiéis à conclusão de que a profecia de Jeremias, que designara setenta anos para o fim do cativeiro, realmente se cumprira [Jr 25.12 e 29.10]. Ao usar o verbo *sonhar*, que expressa o caráter assustador do evento, o salmista nos ensina que não há lugar para ingratidão. Sempre que Deus opera por meios ordinários, os homens, pela malignidade de sua natureza, exercem geralmente sua esperteza inventando várias causas para o livramento operado, a fim de obscurecer a graça de Deus. Mas o regresso do povo hebreu do cativeiro babilônico, tendo sido um milagre de tal magnitude, que era suficiente para anular e confundir todos os pensamentos dos homens, nos compele a imaginar que foi uma obra magistral de Deus. Essa é a razão por que o profeta compara este livramento a um sonho. Em essência, ele diz: "Qualquer mente está tão distante de compreender este incomparável benefício divino, que o mero pensar nele nos arrebata com admiração, como se fosse um sonho e não uma realidade já ocorrida. Que impiedade seria não reconhecer o autor desse benefício". Além do mais, ele não quer dizer que os fiéis eram tão obtusos de entendimento, que não perceberam que foram libertados pela mão de Deus. Estava apenas dizendo que, julgando pelos sentidos e pela razão carnal, eles foram abalados com espanto. E ele ficou apreensivo de que eles, ao arrazoarem consigo mesmos sobre aquela redenção, como se arrazoassem a respeito de algo comum, não valorizassem o poder de Deus como lhes cumpria fazer. O substantivo שיבת (*shibath*), traduzido por *cativeiro*, pode ser

---

[4] Grotius e Amyraldus presumem que este salmo foi escrito por Esdras, depois que os judeus começaram a voltar da Babilônia.

traduzido por *trazer de volta*, como o fazem alguns que imprimem maior elegância à expressão do salmista; e, nesse caso, שיבת seria um substantivo do mesmo verbo usado no início do versículo.[5] No entanto, como isso faz pouca diferença quanto ao sentido, é suficiente comentar isso de passagem a meus leitores.

2. Então, a nossa boca se encheu de riso. O advérbio de tempo אז (*az*) é comumente traduzido por *então*. Mas, como os verbos estão no tempo futuro, a minha conclusão é que não é impróprio que o advérbio seja traduzido assim: *Agora, a nossa boca ficará cheia* e *agora eles dirão*. No entanto, se admitirmos o que alguns doutores hebreus afirmam, que a função desta partícula é converter o tempo futuro em pretérito, o advérbio *então* será a palavra apropriada. O desígnio do profeta não é obscuro, de modo algum. Ele deseja que o povo se regozijando por causa de seu regresso, e não esquecesse a graça de Deus. Por isso, ele descreve um júbilo extraordinário, de tal natureza que encha de a mente deles e os impulsione a prorromperem em gesto e voz extravagantes.

Ao mesmo tempo, o salmista dá a entender que houve bom motivo para esse júbilo, segundo o qual cumpria aos filhos de Deus se alegrarem em virtude de seu regresso à sua terra. Assim como naquele período não houve nada mais infeliz do que viverem eles em cativeiro, durante o qual foram, de certo modo, desapossados da herança que Deus lhes prometera, assim também não havia nada que lhes teria sido mais desejável do que serem eles restaurados. Visto que a restauração ao seu próprio país foi uma prova da renovação de sua adoção divina, não é surpresa encontrarmos o profeta afirmando que sua boca estava cheia de riso, e sua língua, de exultação. Com júbilo semelhante, conseguimos nos dias atuais exultar quando Deus congrega sua Igreja. E o fato de que a infeliz

---

5 Isto é, seria derivado de שוב (*shrub*), *ele regressou*, enquanto, se fosse traduzido por cativeiro, sua derivação seria de שבה (*shabah*), *ele levou cativo*. Parece que os tradutores da Bíblia inglesa ficaram na dúvida se שיבת (*shibath*), devia ser traduzida como derivada do primeiro destes verbos ou do segundo. Neste caso, a redação no texto seria: "regressaram de seu cativeiro", e sua redação marginal seria: "empreenderam o retorno". Há um jogo nas palavras שוב, "voltar", e שיבת, "cativeiro". Devemos observar que a parte conclusiva desta sentença no texto provém do comentário francês de Calvino. Não há nada para representá-la na versão latina.

dispersão da Igreja não produz em nossa mente tristeza e lamentação é uma evidência indubitável de que somos insensíveis. O profeta vai mais além, declarando que este milagre era visto até pelos cegos; pois, naquela época, como bem sabemos, os pagãos vagueavam em trevas como cegos, não reconhecendo que Deus os iluminava. No entanto, o poder e a operação de Deus foram tão notáveis naquele evento, que eles irromperam em reconhecimento público de *que Deus fizera grandes coisas por seu povo*. Quão mais vergonhosa era a indiferença dos judeus, caso não celebrassem espontânea e abertamente a graça de Deus, pela qual haviam adquirido tanto renome entre os incrédulos. A forma de linguagem empregada também deve ser observada, pois expressa vigorosamente a idéia que ele queria comunicar, ou seja, que o onipotente poder de Deus, manifestado neste livramento, era conhecido até dos gentios. No versículo seguinte, o profeta reitera, em sua própria pessoa, bem como na pessoa da Igreja, as palavras enunciadas pelos pagãos no último membro do versículo anterior. Pelo menos nós, é como ele se dissesse, apresentemos uma confissão correspondente àquela que Deus extrai dos gentios incrédulos. Ao acrescentar que *estavam alegres*, ele expressa uma antítese entre a nova alegria e o sofrimento contínuo com o qual havia muito eram afligidos em seu cativeiro. Ele declara expressamente que a alegria lhes foi restaurada, para capacitá-los a avaliar melhor a desalentadora condição da qual tinham sido libertos.

[vv. 4-6]
Traze-nos de volta de nosso cativeiro,[6] ó Jehovah, como os rios do sul.[7] Os que com lágrimas semeiam, com alegria ceifarão. Saindo, ele irá e chorará,

---

6 Walford traduz: "Traze de volta *todos* os nossos cativos". "A palavra *todos*", diz ele, "não está no texto hebraico; no entanto, é necessária ao sentido, pois alguns haviam voltado, e outros estavam voltando ou voltariam". Alguns dos judeus cativos voltaram à sua própria terra no reinado de Ciro; outros, no reinado de Dario; e o restante, no reinado de Xerxes. Portanto, visto que haviam sido os primeiros a retornarem, esperava-se que orassem, nestas palavras, em favor da restauração de seus irmãos.

7 Phillips traduz assim: "No lugar seco". "O substantivo נגב", diz ele, "em sua aceitação usual, significa *sul*; mas seu sentido primário é *sequidão*, conforme se usa em Josué 15.19 e Juízes 1.15. Nestas passagens, ארץ הנגב é oposto a מים נלח (*fontes de água*)". Na Septuaginta, a redação é: "Como as torrentes na terra ressequida". Street diz: *"Jehovah nos tem restaurado de nosso cativeiro, como tem restaurado as torrentes no país seco"*. French e Skinner traduzem, de igual modo: "Numa terra sedenta".

carregando o preço da semente; vindo, ele voltará com júbilo, trazendo consigo os seus molhos.

4. Traze-nos de volta de nosso cativeiro, ó Jehovah. A segunda parte do Salmo, como já dissemos, contém uma oração para que Deus ajunte o restante dos cativos. O Espírito Santo ditou esta forma de oração aos judeus que já estavam chegando ao lar pátrio, para que não esquecessem seus pobres irmãos que ainda estavam no exílio. Todos os judeus, sem dúvida, tinham uma porta aberta diante de si, e uma perfeita liberdade lhes era concedida, para saírem da terra de seu cativeiro. Todavia, o número dos que participavam deste benefício era bem pequeno, em comparação com a vasta multidão do povo. Alguns eram impedidos pelo medo de voltar; outros, por indolência e falta de ânimo, ao contemplarem os perigos tão próximos, que os faziam compreender que não tinham o poder de vencer. Estes preferiam, antes, permanecer entorpecidos em sua própria imundícia a enfrentar as dificuldades da jornada. Também é provável que muitos dentre eles preferiam o seu ócio e conforto presentes a uma salvação eterna. O que o profeta Isaías predissera sem dúvida se cumpriu [10.22], ou seja, que, embora o povo fosse numericamente como a areia do oceano, só um remanescente deles seria salvo. Portanto, visto que muitos recusaram publicamente o benefício, quando este lhes foi propiciado, e que dificuldades e impedimentos não lhes faltavam e vinham ao encontro dos que se privavam da liberdade que lhes era outorgada pelo beneplácito do rei,[8] foram uns poucos, de juízo são e mais intrepidez de coração, que ousaram mover um pé – mas com certa relutância. Por isso, não nos surpreende o fato de que o profeta tenha demandado que Igreja fizesse súplica a Deus pelo regresso do cativeiro.

Além de tudo isso, é preciso notar o estado dos que já haviam regressado. A sua terra estava nas mãos de estrangeiros, que eram, todos, seus inveterados e ajuramentados inimigos. Por isso, os que

---

8 "Precaria libertas" — *lat.* "Ceste liberte obtenue d'eux par le bon plaisir du Roy" — *fr.*

haviam regressado não eram menos cativos em seu próprio país do que entre os babilônios. Dois motivos tornavam imprescindível que a Igreja rogasse fervorosamente a Deus que congregasse os que estavam dispersos. Primeira: que Ele injetasse ânimo nos tímidos, nos enfraquecidos e entorpecidos, fizesse os insensatos abandonarem seus deleites e estendesse sua mão a guiar todos. Segunda: que ele estabelecesse a corporação dos que haviam regressado em liberdade e tranqüilidade.

Quanto à comparação que achamos em seguida, muitos crêem que o sentido é este: trazer de volta de seu cativeiro aqueles em favor dos quais haviam orado seria tão gratificante como se água emanasse do deserto.[9] Bem sabemos quão árduo e doloroso é viajar em um país quente, através de areias escaldantes. O *sul* é entendido como sinônimo de *deserto*, porque a região ao sul da Judéia era estéril e quase inabitável. No entanto, parece-me mais justo dizer que a graça de Deus é aqui enaltecida e mais ampliada pelo fato de que o profeta a comparação com um milagre. Em essência, ele diz: "Embora seja difícil o remanescente disperso ser novamente congregado em um corpo, Deus pode fazer isso, se quiser, assim como pode fazer que rios de água emanem de um deserto ressequido". Ao mesmo tempo, ele faz alusão à estrada que ligava a Judéia à Babilônia, como transparece da situação dos dois países. Assim as palavras não demandarão qualquer suplemento, e este é o significado: ao serem trazidos de volta de seu cativeiro, eles seriam como um rio que corre através de um país estéril e escaldante. E, certamente, abrir um caminho para um povo, por assim dizer, tragado por um abismo profundo seria semelhante a um leito aberto para que águas de irrigação fluíssem pelo deserto.

5. Os que com lágrimas semeiam, com alegria ceifarão. Esta sentença, em minha opinião, tanto deve estender-se ao futuro e

---

9 Walford traduz: "Como as correntes do sul". "Nos distritos sulinos da Palestina e Arábia", diz ele, "o calor é tão veemente durante algumas estações, que seca por completo os rios e esturrica o solo. Quando vêm as chuvas, as torrentes fluem outra vez, o solo é refrigerado e se torna verdejante – uma deleitosa imagem da alegria experimentada pelos cativos em seu regresso à terra natal".

como deve ser entendida a respeito do passado. O levar os judeus para Babilônia era como um tempo de semeadura.[10] E Deus os encorajou, por meio da profecia de Jeremias, a esperarem a colheita. No entanto, não foi sem grande aflição e angústia de coração que foram arrastados para um cativeiro tão longo e contínuo. Era como se em tempos de escassez o pobre agricultor, que já experimentara os tormentos da fome, se visse compelido a privar-se de seu alimento ordinário, a fim de fazer provisão para o ano vindouro. Embora este seja um caso difícil e angustiante, ele é forçado a semear na esperança da colheita. Os judeus, quando levados para o cativeiro, estavam não menos pesarosos do que o agricultor que, em tempos de escassez, lançava a preciosa semente no solo. Mas depois veio uma jubilosa colheita, quando foram libertados, pois o Senhor lhes restaurou a alegria como aquilo que é experimentado em tempos de abundância.[11]

Também admito que, nesta passagem, o profeta estava exortando os fiéis à paciência quanto ao futuro. A restauração da Igreja ainda não estava completa, mas, por duas razões que já especifiquei, aquele período era, evidentemente, o tempo de semear. Embora o decreto do rei convidasse francamente os judeus a regressarem, apenas uns poucos, dentre muitos, regressaram, gradativa e timidamente, em pequenas levas. Além do mais, os que foram recebidos de modo hostil e áspero por seus vizinhos se viram sujeitos a tantas dificuldades, que sua servidão anterior lhes parecia tolerável. Disso concluímos que tinham de suportar o fato de que o tempo pleno da colheita ainda não havia chegado. Por isso, o profeta, não sem razão, os exorta a labutarem diligentemente e a perseverarem em meio às contínuas dificuldades, sem esmorecerem, até que estivessem em circunstâncias mais favoráveis.

---

10 "Fuit Judæis sun migratio sationis instar" — *lat.* "Le transport des Juifs en Babylone leur a este comme un temps de semence " — *fr.*

11 "A palavra *então* pode ser prefixada a este versículo; então, isto é, quando houveres trazido de volta os cativos, eles que semearam com lágrimas ceifarão com alegria" – Cresswell.

No que diz respeito às palavras, alguns traduzem מֶשֶׁךְ (*meschech*) por *um preço*; e outros, *um cesto* ou *recipiente de semente*.¹² Não há fundamento para a primeira tradução. Os que a traduzem por *preço* citam em apoio à sua tradução a passagem no livro de Jó [28.18]: "O preço da sabedoria está acima dos rubis". Mas, como o verbo מָשַׁךְ (*mashach*), do qual se deriva o substantivo, significa *estender* ou *prolongar*, talvez aqui e naquele outro lugar seja entendido mais apropriadamente em sua significação própria. No texto citado de Jó é a profunda sabedoria, e não a perspicácia intelectual, o que se recomenda; assim, a extensão da sabedoria, ou seja, um curso contínuo de sabedoria é, com base no fato de que ela está profundamente alicerçada, melhor do que pérolas. De modo semelhante, na passagem que agora consideramos, o lançamento da semente se aplica aos próprios agricultores, implicando que estendem e prolongam sua vida enquanto semeiam. No entanto, se a palavra *preço* for preferida, o sentido será este: quando o trigo é escasso, a semente é entregue ao solo com lágrimas, porque ela é preciosa e caríssima.

Este ensino se estende ainda mais. Em outras partes da Escritura, nossa vida é comparada ao período de semeadura. E, visto que, freqüentemente, acontece que temos de semear em meio às lágrimas,

---

12 "מֶשֶׁךְ. Esta palavra tem sido interpretada de maneira variada, pois, como se encontra somente aqui e em Jó 28.18, o seu significado é incerto. Na versão Siríaca, nós a encontramos temos traduzida por uma palavra que significa *uma pele*. Por isso, J. D. Michaelis propõe entender מֶשֶׁךְ no sentido de *um saco feito de pele*. Assim, Aben Ezra crê 'que essa palavra é o nome de uma medida em que há semente'. O autor de Mendlessohn's Beor aprova este comentário e observa que מֶשֶׁךְ era um pequeno copo feito de pele'. A raiz é מָשַׁךְ ('estender'). No entanto, deveríamos aderir estritamente ao significado da raiz, se traduzíssemos a expressão como o fez Gesenius: 'Lançamento da semente', isto é, espalhar ou semear a semente. No entanto, creio que a tradução de Miachaelis é a melhor, adequando-se bem à palavra precedente (נֹשֵׂא); assim, temos 'carregar o saco de semente', no final do primeiro hemistíquio, que corresponde a 'carregar seus feixes', no final do segundo hemistíquio" – Phillips. Na margem de nossa Bíblia inglesa, temos "sacola de semente". Street traduz: "Carregando a vasilha com semente". Horsley: "Aquele que vai e, chorando, leva a semente para ser espalhada". French e Skinner: "Levando a semente para sua semeadura". Fry: "Semeando a sua semente", observando que מֶשֶׁךְ expressa a ação de lançar a semente no solo. Walford: "Levando a semente para semear". Cresswell diz: "Literalmente, um lançamento da semente, isto é, tudo que o semeador, ao colocar sua mão na vasilha que continha a semente, pudesse tirar de uma vez [Amós 9.13]".

devemos elevar nossa mente à esperança da colheita, para que a tristeza não enfraqueça ou afrouxe nossa diligência. Além disso, devemos lembrar que todos os judeus que foram levados para o cativeiro babilônico não semeavam. Pois todos dentre eles que haviam se endurecido contra Deus e os profetas, desprezando todas as ameaças, perderam toda a esperança de regresso! Aqueles em quem se abrigara tal desespero estavam acostumados com suas infelicidades. Contudo, aqueles que eram sustentados pela promessa de Deus nutriam, em seu coração, a esperança da colheita, embora, num tempo de extrema escassez, lançassem suas sementes no solo, por assim dizer, no espírito de aventura. A fim de que tal júbilo logre êxito em nossa presente tristeza, aprendamos a aplicar nossa mente à contemplação do resultado que Deus promete. Assim, perceberemos que todos os crentes têm um interesse comum nesta profecia de que Deus não só enxugará as lágrimas dos olhos deles, mas também difundirá júbilo indizível no coração deles.

Salmos 127

Este Salmo nos mostra que a ordem da sociedade, política ou familiar, é mantida tão-somente pela bênção de Deus, e não pela habilidade, diligência ou sabedoria dos homens. Mostra-nos também que a procriação de filhos é um dom peculiar de Deus.

Cântico dos Degraus, de Salomão
[vv. 1, 2][1]
Se Jehovah não edificar a casa, em vão trabalharão aqueles que a edificam. Se Jehovah não guardar a cidade, em vão vigiarão as sentinelas. Ser-te-á inútil apressar-te a levantar cedo, descansar tarde, comer o pão de dores; porque[2] assim ele dará sono aos seus amados.

1. Se Jehovah não edificar a casa. Não há razão para os judeus negarem que este Salmo foi escrito por Salomão. Crêem que a letra ל (*lamed*), que traduzimos *de*, é equivalente a *no interesse de Salomão*. Isso gera discrepância com o uso comum, pois esse título, em todos os casos, designa o autor. De acordo com isso, é absurdo que engendrem um novo sentido, para o qual não há necessidade, visto que o salmo é muito apropriado a Salomão, dotado de espírito de sabedoria nos negócios de governo, discursar sobre coisas acerca das quais ele conhecia bem e tinha experiência.

---

1 "Agostinho aplica com beleza a linguagem deste Salmo aos ministros e pastores cristãos, como os construtores e vigias de Deus para a de sua Igreja. Quão inútil debalde seria o seu labor deles sem a graça e poder de Deus!" (– Fry).
2 *Porque* é suprido da versão francesa.

Ao afirmar que Deus governa o mundo e a vida humana, o salmista faz isso por duas razões. Primeira, não importa o tipo de prosperidade que advenha aos homens, sua ingratidão se manifesta imediatamente, ao atribuírem tudo a si mesmos; assim, Deus é defraudado da honra que Lhe é devida. Salomão, para corrigir tão perverso erro, declara que nada nos sucede prosperamente, se Deus não abençoa nosso procedimento. Segunda, seu propósito era abater a tola presunção dos homens que, rejeitando a Deus, não temem fazer qualquer coisa, não importando o que seja, em dependência exclusiva de sua própria sabedoria e força. Despojando-os daquilo que arrogam infundadamente para si mesmos, Salomão os exorta a serem modestos e a invocarem a Deus. No entanto, ele não rejeita nem o labor, nem os empreendimentos, nem os conselhos dos homens, pois é uma virtude louvável cumprir diligentemente os deveres de nosso ofício.

A vontade do Senhor não é que vivamos inertes ou que cruzemos os braços, sem nada fazermos;[3] e sim que nos apliquemos ao uso de todos os talentos e vantagens que Ele nos tenha conferido. De fato, é verdade que a maior parte de nossos labores procede da maldição divina. No entanto, ainda que os homens retivessem a integridade de seu primeiro estado, Deus pretendia que tivéssemos ocupações, como o sabemos da maneira como Ele colocou Adão no Jardim do Éden para cuidar dele [Gn 2.15]. Salomão não condena a diligência, que Deus aprova. Tampouco condena os labores dos homens, pelos quais, quando realizados de bom grado, de acordo com o mandamento de Deus, Lhe oferecem um sacrifício aceitável. Mas, para que, cegos por presunção, não se apropriassem daquilo que pertence a Deus, Salomão os admoesta, dizendo que sua diligência ansiosa de nada lhes aproveita, exceto quando Deus não abençoa seus esforços.

Ao usar a palavra *casa*, o salmista se referia não somente a um edifício de madeira ou de pedras, mas também a toda a ordem e o governo de uma família. De igual modo, um pouco adiante, ao usar

---

3 "Ou que nous demeurions les bras ceroisez sans rien faire." — *Ffr.*

a palavra *cidade*, ele denota não somente os edifícios ou o ambiente dentro dos muros, mas também o estado geral de toda a comunidade. Há uma sinédoque nas palavras *construtor* e *ajudador*, pois o salmista pretendia dizer, em termos gerais, que, seja qual for o labor previsto, bem como os homens habilidosos empregados na manutenção da família ou na preservação de uma cidade, tudo será inútil, se Deus não outorga, do céu, um resultado próspero a todos.

Precisamos lembrar o que acabei de mencionar, ou seja: uma vez que a mente dos homens comumente se deixa possuir de tal arrogância voluntariosa que os leva a desprezarem a Deus e a exaltarem, além da medida, seus próprios meios e vantagens, nada é mais importante do que humilhá-los, a fim de perceberem que tudo quanto empreendem será dissipado como fumaça, se Deus, no exercício da soberana graça, não os faz prosperar. Quando os filósofos argumentam acerca das atividades políticas de um estado, ajuntam engenhosamente tudo que lhes pareça corresponder ao seu propósito. Eles põem cautelosamente em relevo os meios de se edificar uma comunidade e, em contrapartida, os erros pelos quais um estado bem regulado comumente se corrompe. Em suma, discursam com consumada habilidade sobre tudo que é necessário ser conhecido sobre esse tema, exceto que omitem o ponto primordial – ou seja: quanto mais os homens excedem em sabedoria e virtude, nos diferentes empreendimentos em que se engajem, nada podem realizar, se Deus não lhes estender as mãos, ou melhor, se Deus não os usar como seus instrumentos.

Qual dos filósofos já reconheceu que um político nada mais é do que instrumento guiado pela mão divina? Sim, em vez disso, os filósofos asseveram que a boa administração da parte do homem tornou-se a principal causa da felicidade da corporação social. Ora, visto que os homens mortais se erguem com profana ousadia a construir cidades e a ordenar o estado do mundo inteiro, o Espírito Santo, com razão, reprova essa insensatez. Portanto, que cada um de nós se mantenha ocupado, de conformidade com a medida de sua habilidade e a natureza de seu ofício, a fim de que, ao mesmo tempo, o louvor do sucesso que acompanha nossos esforços permaneça exclusivamente com Deus. A divisão que muitos engendram – atribuindo metade do louvor àquele que tem se esforçado bravamente, enquanto reserva a outra metade para Deus – é merecedora de toda condenação. A bênção de Deus deve ter o mérito total e ocupar exclusivamente o trono.

Ora, se nossa condição terrena depende inteiramente do beneplácito de Deus, como podemos nos exaltar? Quando uma casa é planejada ou se escolhe certa maneira de viver – sim, mesmo quando se promulgam leis e se administra justiça, tudo isso nada mais é do que rastejar pela terra. No entanto, o Espírito Santo declara que todos os nossos empreendimentos nesta vereda são infrutíferos e sem qualquer valor. E menos tolerável é a insensatez daqueles que se esforçam por entrar no céu mediante seu próprio poder. Além do mais, podemos deduzir desta doutrina que não é surpreendente encontrarmos, nos dias atuais, a situação do mundo em total perturbação e confusão. E, de fato, é a situação é esta mesma: a justiça é repelida das cidades; esposo e esposa se acusam mutuamente; pais e mães se queixam de seus filhos. Em suma, todos deploram sua própria condição. Como são poucos aqueles que, em sua vocação, se voltam para Deus e não se exaltam perversamente, por se deixarem inflar pela arrogância! Por isso, Deus, agindo com razão, outorga essa dolorosa recompensa a homens ingratos, quando é defraudado de sua honra. Mas, se todos os homens se submetessem humildemente à providência de Deus, sem dúvida alguma, a bênção aqui recomenda por Salomão iluminaria todos os setores de nossa vida, pública ou particular.

O verbo עמל (*amal*), que traduzimos por *trabalhar*, significa não só empregar alguém em uma ou outra coisa, mas também ocupar-se até ao ponto de cansaço e inquietação. Já disse que devemos entender a palavra *guardas* não somente como que referindo-se aos que são designados a manter vigilância, mas também a todos os magistrados e juízes. Se são caracterizados com vigilância, esta é um dom de Deus. No entanto, há necessidade de outra vigilância – a de Deus, pois, a não ser que Ele mantenha sua vigilância desde o céu, nenhuma perspicácia humana será suficiente para guardar-nos dos perigos.

2. Ser-te-á inútil apressar-te a levantar cedo. Salomão expressa com mais clareza que os homens se desgastam e se consomem inutilmente no trabalho, apressando-se na aquisição de riquezas, visto que estas também são benefícios outorgados exclusivamente por Deus. Para despertá-los mais eficazmente, ele se dirige a cada homem em particular. Ele diz: *ser-te-á inútil*. Ele particulariza dois meios que, conforme se imagina, contribuem num grau eminente para o acúmulo de riquezas. Não é surpreendente encontrarmos aqueles que acumulam riquezas em curto prazo, não poupam esforços e consomem noite e dia em dedicarem-se às suas ocupações, mas desfrutam apenas pequena parte do produto de seu labor. Salomão afirma que nem o viver com poucas despesas nem o ser diligente nos negócios serão, de alguma maneira, benéficos por si mesmos. Tampouco ele nos proíbe de praticar a temperança em nossa alimentação e de levantar-nos cedo para realizar nossa ocupação mundana; mas nos instiga a orar e a invocar a Deus, bem como nos recomenda a gratidão pelas bênçãos divinas, reduzindo a nada tudo que obscurece a graça de Deus. Conseqüentemente, exerceremos nossa vocação mundana de modo correto quando nossa esperança depender exclusivamente de Deus e nosso sucesso, nesse caso, corresponder aos nossos desejos. Mas, se um homem, menosprezando a Deus, apressar-se ansiosamente, trará sobre si mesmo ruína em decorrência de seu caminho precipitado. O desígnio do profeta não é encorajar os homens a darem vazão à indolência, de modo que não cogitem mais nada durante toda a sua vida, caindo na indolência e se entregando à ociosidade. Antes, o significado de Salomão é este: ao executarem o que Deus lhes determinou, os homens devem começar sempre com oração, invocando o nome de Deus e oferecendo-Lhe seus labores, para que Ele os abençoe.

A expressão *o pão de dores* pode ser explicada de duas maneiras: ou denotando o que se adquire mediante trabalho duro e exaustivo; ou o que é comido com inquietude de coração, tal como vemos em pessoas parcimoniosas e mesquinhas, que, ao provarem um bocado de pão, logo *afastam* a mão da boca. Não importa qual desses sentidos adotamos, pois somos meramente ensinados que os homens mesquinhos nada aproveitam – nem mesmo quando, em decorrência de sua própria avareza, relutam em comer o que a natureza requer.

Porque assim ele dará sono aos seus amados. O escritor inspirado notifica que a bênção de Deus, da qual tem falado, é realmente vista em seus filhos e servos. Não é suficiente crer nesta doutrina – de que tudo quanto os homens intentarem não terá qualquer proveito –, é necessário que a promessa seja acrescentada, a fim de que eles sejam guiados, com esperança garantida, a cumprirem seus deveres. A sentença pode ser lida *ele dará sono a seus amados* ou *ele lhes dará enquanto dormem*. Isto significa: Ele lhes dará aquelas coisas que os incrédulos labutam para adquirir por meio de seu próprio esforço. A partícula כן (*ken*), *assim*, é usada para expressar certeza.[4] Pois, com o intuito de produzir uma persuasão mais indubitável da verdade (de que Deus dá alimento a seu povo, sem grande preocupação da parte deste) que parece incrível e irreal, Salomão aponta-a de modo específico. Ele fala como se Deus nutrisse a indolência de seus servos por meio de seu tratamento meigo. Todavia, como sabemos que os homens são criados com o desígnio de viver ocupados e como no Salmo subseqüente descobriremos que os servos de Deus são considerados felizes, quando comem do trabalho de suas mãos, é certo que a palavra *sono* não deve ser entendida como que implicando indolência, e sim um labor plácido, ao qual os verdadeiros crentes se submetem pela obediência da fé.

De onde procede este grande ardor nos incrédulos, os quais não movem sequer um dedo sem tumulto ou agitação (em outros

---

4 Walford lê: "Ele realmente outorga sono ao seu amado" e observa que a sentença é enfraquecida pela palavra "assim", na tradução comum. "Mais provavelmente signifique", acrescenta, "em verdade", isto é, realmente, e o sentido será: ainda que todo esforço seja fútil sem Deus, ele realmente outorga sono reparador e livramento da ansiedade e do desgaste excessivo àqueles que são objetos de seu amor, contanto que combinem todos os seus esforços com o devido respeito para com ele." Cresswell adota a tradução da Septuaginta: "Posto que ele dá seu precioso sono".

termos, sem atormentarem-se com preocupações supérfluas), se não do fato de que nada atribuem à providência de Deus? Os fiéis, em contrapartida, embora vivam uma vida laboriosa, seguem sua vocação com mentes serenas e tranqüilas. Assim, as mãos dos fiéis não são ociosas, mas a sua mente descansa na quietude da fé, como se estivessem dormindo. Se alguém objete outra vez dizendo que o povo de Deus é amiúde inquietado com preocupações angustiantes e que, oprimidos por pobreza embaraçosa e destituídos de todos os recursos, se preocupam ansiosamente com o amanhã, eis minha resposta: se a fé e o amor a Deus fossem perfeitos em seus servos, sua bênção, da qual o profeta faz menção, se manifestaria. Sempre que os servos de Deus se vêem atormentados em extremo, isso sucede por causa de sua própria erro em não descansarem inteiramente na providência de Deus. Afirmo também que Deus os pune mais severamente do que aos incrédulos, porque isso lhes é proveitoso: para que, por algum tempo, sejam agitados por inquietude e assim, por fim, alcancem este sono pacífico. No entanto, nesse ínterim, a graça de Deus prevalece e sempre brilha em meio às trevas, enquanto Ele acalenta seus filhos como que pelo sono.

[vv. 3-5]
Eis que os filhos são a herança de Jehovah; o fruto do ventre, o galardão que ele outorga.[5] Como flechas na mão de um homem forte, assim são os filhos da juventude.[6] Bem-aventurado o homem que, com eles, encher a sua aljava; pois[7] não serão envergonhados, quando falarem com seus inimigos à porta.

---

5 "*Fructus.* Merces, fructus ventris " — *Lat.* "Le fruict du ventre *est* loyer *qu'il donne* " — *Fr.*

6 "בני הנעורים (*filhos da juventude*) — essas palavras podem significar filhos gerados pelo pai em sua juventude, assim como בן־זקנים é um filho gerado por um pai em sua velhice [Gn 37.3]. Ou a expressão pode denotar juventude, assim como בני נכר significa *estrangeiros* [Sl 18.45]. Entendo que ambas as traduções serão adequadas a esta ocasião, pois o objetivo do versículo é, sem dúvida, mostrar que uma descendência numerosa constitui uma grande bênção a um homem, bem como um importante acréscimo à sua força e segurança; e mostrar que os filhos lhe serão uma defesa em tempo de perigo e lhe servirão para repelir o inimigo, assim como o fazem as flechas na mão de um homem poderoso" – Phillips.

7 "*Car*" — *Fr.*

3. Eis que os filhos são a herança de Jehovah. Aqui Salomão cita um exemplo por meio do qual, de maneira particular, gostaria que reconhecêssemos a verdade que até aqui ele tem asseverado em termos gerais – a vida dos homens é governada por Deus. Nada parece mais natural do que serem os homens produto dos homens. A maior parte da raça humana imagina que, depois de haver Deus ordenado isso no princípio, os filhos passaram a ser gerados somente por um instinto íntimo da natureza, cessando Deus de interferir neste assunto. E até aqueles que são dotados de algum senso de piedade, embora não neguem que Ele é o Criador da raça humana, não reconhecem que sua providente preocupação se envolve neste assunto específico; antes, eles pensam que os homens são criados por um ciclo universal definido. Com o propósito de corrigir esse erro contraditório, Salomão chama os filhos de *herança de Deus*, e o fruto do ventre, *sua dádiva*. A palavra hebraica שכר (*sachar*), traduzida por *galardão*, significa todos os benefícios que Deus outorga aos homens, como é evidente em muitas passagens da Escritura. O significado é que os filhos não são frutos do acaso e que Deus, como bem Lhe parece, distribui a cada pessoa a sua parte de filhos. Além do mais, como o profeta reitera a mesma coisa duas vezes, os termos *herança* e *galardão* devem ser entendidos como equivalentes, pois ambos são colocados em oposição a acaso ou a vigor dos homens. Quanto mais forte um homem parece ser, tanto mais apto é para a procriação. Salomão declara o contrário: que se tornam pais aqueles a quem Deus outorga essa honra.

Como a maioria dos filhos nem sempre é uma fonte de alegria aos seus pais, o salmista acrescenta um segundo favor de Deus: formar a mente dos filhos e adorná-los com uma disposição excelente e todos os tipos de virtudes. Aristóteles, em seu livro *Política*, discute com muita propriedade a questão se πολυτεκνια, isto é, o possuir muitos filhos, deve ou não ser incluída entre as coisas boas. Ele decide em favor da resposta negativa, a não ser que se acrescente ευγενεια, isto é, generosidade ou bondade da natureza nos próprios filhos. E, com certeza, viver sem filhos ou ser estéril seria para muitos uma sorte muito mais feliz do que ter uma prole numerosa, que lhes proveria somente lágrimas e gemidos.

A fim de expor com clareza esta bênção divina – possuir uma descendência –, Salomão recomenda uma disposição virtuosa e generosa nos filhos. A comparação introduzida com este propósito é que, como um arqueiro se arma de arco bem munido, assim os homens são defendidos por seus filhos, como se fosse com arco e flechas. Esta comparação talvez pareça, à primeira vista, um tanto abrupta. Mas, se for examinada mais detidamente, logo admitiremos sua elegância. O profeta pretende dizer que aqueles que são destituídos de filhos são, de certa maneira, desarmados; pois, o que é viver sem filhos, senão ser uma pessoa solitária? Ser renovado em sua posteridade não é um dom insignificante que outorga a um homem; pois Deus lhe imprime nova força, para que ele, que, de outro modo, definharia, comece, por assim dizer, a viver segunda vez.

O conhecimento desta doutrina é muitíssimo valioso. Até a procriação dos animais é expressamente atribuída somente a Deus. E, se considerarmos como benefício da parte dEle o fato de que as vacas, as ovelhas e as éguas concebem, quão inescusável será a impiedade do homem, se, quando Deus os embeleza com o honroso título de pais, eles consideram insignificante esse favor. Devemos acrescentar também que, se os homens considerarem seus filhos como um dom divino, serão displicentes e relutantes em prover sustento para eles. Por outro lado, esse reconhecimento contribui em grau eminente para encorajá-los a criar seus descendentes. Além do mais, aquele que medita sobre a bondade de Deus em lhe dar filhos, visualizará prontamente, com uma mente serena, a permanência da graça de Deus. E, embora tenha uma pequena herança a deixar-lhes, não será indevidamente cuidadoso por conta disso.

5. Não serão envergonhados, quando falarem com seus inimigos à porta. Aqui Salomão descreve os filhos como pessoas que, distinguidos por retidão e integridade, não hesitam em prestar conta de sua vida, para que fechem a boca dos malevolentes e caluniadores.

Nos tempos antigos, como bem sabemos, as assembléias judiciais[8] se reuniam junto às portas das cidades. Aqui, o salmista fala da *porta* como alguém falaria, no tempo presente, sobre o tribunal, ou as cortes, ou o senado. Devemos observar que o salmista louva principalmente nos filhos o valor deles. Na cláusula anterior, ele comparou a flechas os filhos dotados de virtude e excelência de natureza. Ora, para que ninguém dê uma interpretação violenta a esta comparação, como se a intenção fosse permitir que seus filhos, como ladrões, se precipitassem no caminho da maldade, inconscientes do certo e do errado, o salmista apresenta expressamente a virtude e a integridade moral como elementos que constituem a proteção que os filhos devem propiciar aos pais. Assim, ele nos ensina que os filhos que devemos desejar não são tais que possam oprimir violentamente o miserável e sofredor, ou superar outros na astúcia e fraude, ou acumular grandes riquezas por meios ilícitos, ou adquirir para si autoridade tirânica; e sim filhos que amem a prática da retidão e sejam dispostos a viver em obediência às leis, preparados a prestar conta de sua vida. Além do mais, embora os pais devam criar diligentemente seus filhos sob um sistema de disciplina santa, devem lembrar-se de que nunca terão êxito em atingir seu objetivo almejado, se não por meio da especial graça de Deus. Salomão também sugere que, por mais que nos dediquemos à prática da integridade, nunca viveremos sem detratores e caluniadores, pois, se a integridade de vida fosse isenta de toda calúnia, não teríamos nenhum conflito com nossos inimigos.

---

8 "Legitimos conventus" — *lat.* "Les assemblees Judiciales" — *fr.*

Salmos 128

Este Salmo é parecido com o anterior, assemelhando-se a uma espécie de apêndice a ele, pois declara que a bênção divina deve ser vista mais claramente nos verdadeiros e sinceros servos de Deus. Em favor da difusão desta bênção Salomão testemunha entre toda a raça humana.

Cântico dos Degraus
[vv. 1-3]
Bem-aventurado o homem que teme a Jehovah e anda em seus caminhos. Pois, quando comeres do labor de tuas mãos, serás abençoado e estará bem contigo. Tua esposa será como uma videira frutífera aos lados de tua casa, e teus filhos, como plantas de oliveira, ao redor de tua mesa.[1]

1. Bem-aventurado o homem que teme a Jehovah. O Salmo anterior declarou que a prosperidade em todos os afazeres humanos, bem como em todo o curso de nossa vida, deve ser esperada exclusivamente da graça de Deus. Agora o profeta nos admoesta, dizendo que os que desejam ser participantes da bênção divina devem devotar-se

---

[1] "As mesas dos judeus, como daqui podemos inferir [bem como de 1 Samuel 16.11] eram redondas; tinham sofás [Ez 23.41] colocados ao redor, nos quais [Gn 27.19; Jz 10.6; 1Sm 2.5, 24, 25; 1Rs 13.20] as pessoas se assentavam, exceto na festa da Páscoa" – Cresswell. No comentário ilustrado sobre a Bíblia, o escritor, ao falar sobre esta passagem, faz objeção à redação comum: *"Videira frutífera pelos lados de tua casa... oliveiras ao redor de tua mesa"*. "Não lembramos", diz ele, "haver encontrado no Oriente um único exemplo de videiras enfileiradas contra as paredes de uma casa ou de oliveiras próximas ou ao redor de uma casa. Nunca lemos sobre tais casos. A passagem, sem dúvida, deriva suas figuras da fertilidade da videira e da aparência da oliveira ou da ordem em que as oliveiras são plantadas". Por isso, ele propõe a seguinte construção: "Tua esposa, aos lados (apartamentos interiores) de tua casa, será como a videira frutífera; e teus filhos, ao redor de tua mesa, como oliveiras".

totalmente a Ele, com sinceridade de coração, pois Ele nunca desapontará aos que O servem. O primeiro versículo contém um resumo do assunto que é o tema do Salmo; o restante é apenas uma exposição. A máxima "os que temem ao Senhor serão abençoados especialmente nesta vida" se coloca em tão flagrante oposição à opinião comum dos homens, que poucos lhe darão seu assentimento. É possível encontrar por toda parte agitação decorrente de muitos epicureus, semelhantes a Dionísio, que, tendo tido certa vez um vento favorável no mar e uma viagem próspera, depois de haver pilhado um templo,² se vangloriou de que os deuses favoreciam os ladrões de igreja. Igualmente os fracos se perturbam e se sentem abalados ante a prosperidade dos maus, e em seguida desfalecem sob o fardo de suas próprias misérias. Os que desprezam a Deus, não podem realmente desfrutar de prosperidade; e a condição dos homens bons pode ser tolerável, mas a maioria dos homens é cega em avaliar a providência de Deus ou parece não percebê-la um mínimo sequer. O adágio "é melhor não haver nascido ou morrer o quanto antes" certamente tem sido desejado, visto que tem sido recebido pelo consenso comum de quase todos os homens. Finalmente, a razão carnal julga ou que toda a humanidade, sem exceção, é miserável, ou que o destino é mais favorável aos ímpios e iníquos do que aos bons.

O sentimento de que são abençoados os que temem ao Senhor conta com a aversão de todos, como já declarei mais extensamente no Salmo 37. A ponderação sobre esta verdade é extremamente indispensável. Além do mais, como esta bem-aventurança não é aparente aos olhos, é muito importante, a fim de sermos capazes de entendê-la, que, primeiramente, atentemos à sua definição, que será dada de passagem, e que, em segundo lugar, saibamos que ela depende principalmente da proteção divina. Ainda que reunamos todas as circunstâncias que pareçam contribuir para uma vida feliz, nada será encontrado mais

---

2 "Lequel une fois ayant bon vent sur mer, et la navigation prospore apres avoir pillé une temple" — *Fr.*

desejável do que viver abrigado sob a guarda divina. Se esta bênção, em nossa estima, for preferida, como merece, a todas as demais coisas boas, aquele que se deixar persuadir de que o cuidado de Deus é exercido sobre o mundo e as atividades humanas, reconhecerá, ao mesmo tempo, de modo inquestionável, que aqui se estabelece o ponto primordial da felicidade.

No entanto, antes de prosseguirmos, precisamos notar que a segunda parte do versículo acrescenta, com boa razão, uma marca pela qual os servos de Deus são distinguidos daqueles que o desprezam. Vemos como os mais depravados, com orgulho, audácia e desdém, se vangloriam de temer a Deus. O profeta requer a atestação da vida quanto a isso, pois estas duas coisas – o temor de Deus e a observância de sua lei – são inseparáveis; e a raiz deve, necessariamente, produzir fruto correspondente. Além do mais, apreendemos desta passagem que nossa vida não conta com a aprovação divina, se não está constituída de acordo com a lei divina. Inquestionavelmente, não há religião sem o temor de Deus. E o profeta apresenta o nosso viver segundo o mandamento e a ordenança de Deus como emanante desse temor a Deus.

2. Pois, quando comeres do labor de tuas mãos, serás abençoado. Alguns dividem este sentença em dois membros, lendo *Pois comerás o labor de tuas mãos* como uma sentença distinta e a seguinte: *Serás abençoado*, como o início de uma nova sentença. De fato, admito que isso seja correto, quando afirmam que a graça de Deus, manifestada nos fiéis que desfrutam dos frutos de seu labor, é colocada em oposição à maldição a que todo o gênero humano tem se sujeitado. No entanto, é mais natural ler as palavras como uma só sentença, enfatizando este significado: os filhos de Deus são felizes ao comerem os frutos de seu labor; pois, se fizermos delas duas sentenças, as palavras *serás abençoado e estará bem contigo* conteriam uma repetição fria e insípida. Aqui o profeta, confirmando a doutrina expressa no versículo 1, nos ensina que devemos formar uma estimativa diferente a respeito do que consiste a felicidade em relação àquela fomentada pelo mundo, que faz a vida feliz consistir de tranqüilidade, honras e grandes riquezas. O salmista lembra aos servos de Deus a prática da moderação, que quase todos os homens se recusam a exercitar. Quão poucos encontramos que, deixados à sua própria escolha, desejariam viver de seu próprio labor. Sim, quem consideraria isso um benefício singular? Logo que alguém pronuncia a palavra felicidade, cada pessoa prorrompe instantaneamente nas mais extravagantes idéias do que lhe é necessário, visto ser insaciável o abismo de cobiça do coração humano.

O profeta convida os tementes a Deus a se contentarem com esta única coisa: com a certeza de que, tendo a Deus como seu Pai adotivo, serão mantidos convenientemente pelo labor de suas próprias mãos, assim como lemos em Salmos 34.10: "Os leõezinhos sofrem necessidade e passam fome, porém aos que buscam o SENHOR bem nenhum lhes faltará". Devemos ter em mente que o profeta não fala da suprema bem-aventurança que não consiste de comida e bebida, nem se confina aos limites desta vida transitória. Ele assegura ao povo de Deus que, mesmo nesta peregrinação ou curta jornada terrena, eles desfrutarão de uma vida feliz, à medida que a condição do mundo o permitir. Paulo também declara que Deus promete ambas as coisas aos que o temem, ou, em outros termos, que Deus cuidará de nós durante todo o curso de nossa vida, até que, por fim, nos conduza à glória eterna [1 Tm 4.8]. A mudança de pessoa serve também para imprimir maior ênfase à linguagem, pois, após haver falado na terceira pessoa, o profeta direciona seu discurso a cada indivíduo em particular, neste sentido: felicidade imortal te espera no céu, mas, durante tua peregrinação neste mundo, Deus não cessará de exercer o ofício de pai de família em manter-te, de modo que teu alimento diário te será ministrado por sua mão, contanto que vivas contente com uma condição modesta.

3. Tua esposa será como uma videira frutífera aos lados de tua casa. Aqui, uma vez mais se promete, como no salmo anterior, que Deus fará com que os que O honram sejam frutíferos com uma numerosa prole. A maior parte da raça humana deseja realmente possuir descendentes; e podemos dizer que esse desejo está implantado neles por natureza. Muitos, porém, uma vez obtidos os filhos, logo se sentem saturados com eles. Além disso, com freqüência é mais gratificante a falta de filhos do que o deixar um bom número deles em circunstâncias de privação. Mas, embora o mundo seja impelido por desejos irregulares em busca de objetivos variados, entre os quais flutua perpetuamente a escolha das pessoas, Deus outorga esta bênção em preferência a todas as riquezas. Por isso, devemos mantê-la na mais elevada estima. Se um homem tem uma esposa de modos afáveis como a companheira de sua vida, que dê a esta bênção o mesmo valor que o deu Salomão, em Provérbios 19.14, ao afirmar que Deus é o único que outorga uma boa esposa. De igual modo, se um homem vem a ser pai de uma prole numerosa, que receba essa preciosa dádiva com um coração grato.

Caso alguém objete, dizendo que o profeta, ao falar assim, detém os fiéis na terra com as atrações da carne e os impede de aspirar pelo céu, com uma mente isenta e desembaraçada, minha resposta é que não nos surpreende o achá-lo oferecendo aos judeus, que viviam sob o regime da lei, um sabor da graça de Deus e de seu favor paternal, quando consideramos que eles se assemelhavam a crianças. No entanto, ele a temperou ou a misturou de tal modo, que pudessem, por meio dela, erguer-se em suas contemplações da vida celestial. Mesmo nos dias atuais, Deus testifica, embora de maneira mais amena, seu favor por meio de benefícios temporais, em harmonia com aquela passagem da Primeira Epístola de Paulo a Timóteo, citada anteriormente [4.8]: "A piedade para tudo é proveitosa, porque tem a promessa da vida que agora é e da que há de ser". No entanto, com estas palavras ele não pretende lançar qualquer entrave ou impedimento em nosso caminho, a fim de privar-nos de elevar nossa mente ao céu. De fato, o que ele pretende é armar escadas que nos capacitem a subir, um passo após outro.

Portanto, o profeta lembra mui apropriadamente aos fiéis que eles já receberam algum fruto de sua integridade, quando Deus lhes dá alimento, os torna felizes com suas esposas e filhos e se condescende em cuidar da vida deles. O desígnio do salmista, ao enaltecer esta bondade de Deus, é animá-los a prosseguir com alegria na vereda que conduz à sua eterna herança. Se a felicidade terrena descrita neste Salmo nem sempre é a porção dos piedosos, e, às vezes, sucede que sua esposa é uma mulher rabugenta, ou orgulhosa, ou de moral depravada, ou que seus filhos sejam dissolutos e ociosos, que trazem desgraça à casa de seus pais, saibam que o serem privados da bênção divina se deve ao fato de eles a rejeitaram por seu próprio erro. E, com certeza, se cada um considerar devidamente seus próprios erros, reconhecerá que os benefícios terrenos de Deus lhe foram retidos com justiça.

[vv. 4-6]
Eis que, certamente, assim será abençoado o homem que teme a Jehovah. Jehovah te abençoará desde Sião, e verás o bem de Jerusalém todos os dias de tua vida, e verás os filhos de teus filhos e paz sobre Israel.

4. Eis que, certamente, assim será abençoado o homem que teme a Jehovah. Aqui o profeta confirma a doutrina anterior de que, mesmo na condição exterior dos servos de Deus, enquanto vivem neste estado transitório, recebemos uma evidência tão clara do favor e da bondade de Deus que demonstra que não perdemos nosso labor ao servi-Lo. No entanto, como o galardão da piedade não se manifesta de modo tão evidente, o salmista usa, em primeiro lugar, a partícula demonstrativa *eis que*[3] e adiciona *certamente*; pois é assim que eu interpreto a partícula כי (*ki*). No entanto, devemos ter sempre em mente, como já observei antes, que a bênção divina é-nos prometida sobre a terra de tal maneira que não absolva todos os nossos pensamentos e os mantenha rastejando no pó; pois não convém que nossa esperança da vida seja sufocada. Essa é a razão por que nem sempre desfrutamos os benefícios divinos.

---

3 "Il use en premier lieu d'un mot qui est comme pour demonstrer la chose au doigt ou a l'œil, *voyla*" - *fr*. "Ele, em primeiro lugar, usa uma palavra, que, por assim dizer, aponta a coisa com o dedo ou mostra-a aos olhos: *Ei-la*!"

5. Jehovah te abençoará desde Sião. Alguns preferem que esta sentença seja uma oração; por isso, diluem o tempo futuro em modo optativo. Mas tudo indica ser preferível que haja aqui uma afirmação contínua da mesma doutrina frisada anteriormente. E o profeta expressa agora, com mais clareza, que a autoria dos benefícios que ele relatou em detalhes deve ser atribuída a Deus. Embora os dons divinos se apresentem freqüentemente aos nossos olhos, nossa percepção delas é turva e imperfeita devido à obscuridade que as falsas imaginações lançam ao redor desses dons. Por isso, não deve ser considerada supérflua a repetição deste sentimento: sempre que os verdadeiros crentes se deparam com eventos prósperos no curso de sua vida, isso ocorre como resultado da bênção de Deus.

Lemos que as pessoas descritas são abençoadas *desde Sião*, a fim de levá-las a recordar a aliança que Deus instituíra com elas, porque prometera, graciosamente, ser favorável aos que observam a sua lei; e desde a infância elas haviam assimilado esses princípios de piedade. O profeta declara que a doutrina citada por ele não é uma coisa nova ou algo que nunca fora ouvido; pois a lei há muito lhes ensinava que os benefícios temporais conferidos aos que servem a Deus tornam evidente que Ele não menospreza os esforços gastos em servi-Lo. O salmista afirma que é realmente isso que eles experimentarão.

O que ele acrescenta sobre *o bem de Jerusalém* deve ser considerado um incentivo aos piedosos ao dever não somente de buscarem o bem-estar pessoal ou de se dedicarem a seus interesses peculiares, mas também ao dever de terem isto como o seu principal desejo: ver a Igreja de Deus numa condição próspera. Seria irracional cada membro da Igreja desejar o que pode ser proveitoso a si mesmo, enquanto nesse ínterim, o corpo é negligenciado. Com base em nossa extrema inclinação ao erro nesse aspecto, o profeta, com boas razões, recomenda solicitude quanto ao bem-estar de todo o corpo; e mescla as bênçãos familiares com os benefícios comuns da Igreja, de modo a nos mostrar que estas são coisas entrelaçadas; e não é lícito separá-las.

Salmos 129

Este Salmo ensina, em primeiro lugar, que Deus sujeita sua Igreja a diversas tribulações e disposições, a fim de provar que Ele mesmo é o seu Libertador e Defensor. O salmista traz à memória dos fiéis quão dolorosamente o povo de Deus foi perseguido em todas as eras e quão maravilhosamente foram preservados, a fim de, por meio desses exemplos, fortificar a esperança deles em referência ao futuro. Na segunda parte, sob a forma de uma imprecação, ele mostra que a vingança divina está quase a sobrevir a todos os ímpios, os quais afligem sem causa o povo de Deus.

> Cântico dos Degraus
> [vv. 1-4]
> Com freqüência, eles me têm afligido desde a minha juventude, Israel diga agora. Com freqüência, eles me têm afligido desde a minha juventude. Contudo, não prevaleceram contra mim. Os aradores têm arado sobre as minhas costas e feito longos os seus sulcos.[1] Jehovah, porém, que é justo, rompeu as cordas dos iníquos.

1. Com freqüência, eles me têm afligido desde a minha juventude. É bem provável que este Salmo tenha sido escrito numa ocasião em que a Igreja de Deus, reduzida a um estado de angústia extrema, ou desfalecida em face de um grande perigo, ou oprimida com tirania, se via à beira de destruição total. Admito que esta conjetura é apoiada

---

1 Targ.: "Estendeu sua aradura", isto é, não nos deu descanso de sua servidão, pois, quanto mais longos são os sulcos, tanto mais tedioso é o trabalho dos bois" – Bythner.

pelo advérbio de tempo *agora*, que me parece ser enfático. É como se o profeta quisesse dizer: Quando os fiéis de Deus se encontram em meio às dificuldades que os abatem sob o fardo das tentações, esse é um tempo oportuno de refletirem sobre a maneira como Ele tem exercitado seu povo desde o princípio, de geração em geração. Tão logo Deus solte as rédeas de nossos inimigos, para que façam o que bem lhes agrade, somos perturbados com tristezas, e nossos pensamentos, totalmente absorvidos pelos males que ora nos embaraçam. Disso procede o desespero, pois não lembramos que a paciência dos pais foi subjugada a uma provação semelhante e que não nos sucede nada que eles não experimentaram. É um exercício eminentemente apropriado ao conforto dos verdadeiros crentes o volverem seu olhar aos conflitos da Igreja nos dias de outrora, para que, por meio disso, saibam que ela sempre labutou sob a cruz e tem sido severamente afligida pela violência injusta de seus inimigos.

A conjetura mais provável que me ocorre é que este Salmo foi escrito depois que os judeus regressaram do cativeiro babilônico, quando, tendo sofrido muitos agravos e injúrias cruéis nas mãos de seus vizinhos, quase desfaleceram sob a tirania de Antíoco Epifânio. Nesse estado de trevas e tribulações, o profeta encoraja os fiéis a serem fortes, não se dirigindo apenas a uns poucos, mas a todo o corpo, sem exceções. E, a fim de que fossem sustentados em assaltos tão ferozes, ele desejava que demonstrassem em oposição a tais assaltos uma esperança inspirada pela encorajadora consideração de que a Igreja, por meio de tolerância paciente, tem se mostrado invariavelmente vitoriosa.

Quase cada palavra contém ênfase. *Israel o diga agora*, ou seja, que ele considere as provações da Igreja nos tempos antigos; disso se pode deduzir que o povo de Deus nunca foi isentado de levar a cruz e que as várias aflições pelas quais têm sido provados sempre tiveram um resultado feliz. Ao falar dos inimigos de Israel usando apenas o pronome *eles*, e não sendo mais específico, o salmista agrava a severidade da aflição, mais do que se houvesse chamado expressamente pelo nome os assírios ou os egípcios. Ao não especificar qualquer classe particular de inimigos, ele notifica por meio do silêncio que o mundo está saturado de inumeráveis bandos de inimigos, que Satanás facilmente arma para a destruição dos homens bons, sendo o objetivo dele que novas guerras surjam continuamente e de todos os lados. A história certamente dá testemunho amplo de que o povo de Deus não tem enfrentado poucos inimigos, e sim que têm sido atacado por quase todo o mundo; e, além do mais, que foram molestados não só por inimigos externos, mas também por inimigos internos, que professavam pertencer à Igreja.

O termo *juventude* denota os primórdios do povo,[2] referindo-se não só ao tempo em que Deus tirou o povo do Egito, mas também ao tempo em que ele usou Abraão e os patriarcas durante quase toda a sua vida, mantendo-os numa condição de luta árdua. Se esses patriarcas tiveram de andar como estrangeiros na terra de Canaã, a sorte de seus descendentes foi ainda pior durante o tempo de sua permanência no Egito, quando foram oprimidos como escravos e afligidos por toda sorte de opróbrio e ignomínia. Em sua partida daquela terra, sabemos quantas dificuldades tiveram de enfrentar.

Se, ao considerarmos a história deles desde aquele período, nos depararmos com ocasiões em que se lhes tributou algum respeito, observaremos que eles nunca viveram num estado de tranqüilidade, por qualquer extensão de tempo, até ao reinado de Davi. E, embora durante o reinado de Davi eles aparentassem viver numa condição próspera, logo surgiam tribulações e derrotas, as quais ameaçavam o povo de Deus com total destruição. No cativeiro babilônico, sendo toda esperança quase extinta, pareciam como que ocultos no túmulo e antecipando o processo de putrefação. Após o seu regresso, foi com dificuldade que obtiveram algum breve intermissão, para tomarem fôlego. Por certo, às vezes eles eram entregues à espada, até que sua raça era quase totalmente destruída. A fim de evitar que alguém

---

2 Por isso, lemos em Oséias 11.1: "Quando Israel era menino, eu o amei e chamei meu filho do Egito". A juventude é, de igual modo, atribuída a um povo em Isaías 47.12, 15; Jeremias 48.11 e Ezequiel 16.43.

presuma que eles haviam recebido apenas algumas leves feridas, o salmista diz que *foram afligidos* com razão, como se os colocasse quase mortos diante de nossos olhos, por causa do tratamento de seus inimigos, os quais, vendo-os prostrados sob a planta de seus pés, os esmagavam sem escrúpulo. Se olharmos para nós mesmos, é oportuno acrescentar as terríveis perseguições pelas quais a Igreja teria sido consumida milhares de vezes, se Deus não a houvesse preservado, por meios ocultos e misteriosos, ressuscitando-a, por assim dizer, dentre os mortos. A menos que nos tornemos estúpidos, quando afligidos por nossas calamidades, as circunstâncias aflitivas desta era desditosa nos compelirão a meditar sobre essa mesma doutrina.

Quando o profeta diz, por duas vezes, *eles me têm afligido*, a repetição não é supérflua. A intenção é ensinar-nos que o povo de Deus enfrentou conflitos não somente uma vez ou duas e que sua paciência foi testada por disciplinas contínuas. O salmista dissera que esse conflito começara *desde a juventude*, sugerindo que estavam habituados ao conflito desde a mais tenra origem, a fim de que se acostumassem a carregar a cruz. Então, ele acrescenta que, ao se sujeitarem a este rigoroso treinamento, não o fizeram sem uma boa razão, visto que Deus não cessara de fazer uso das calamidades para submetê-los a Si mesmo. Se as disciplinas da Igreja, durante seu período de infância, eram tão severas, nossa debilidade será realmente vergonhosa, se nos dias atuais, quando a Igreja, por meio da vinda de Cristo, alcançou a era da maturidade, formos achados sem firmeza para suportar as provações. Fonte de consolação é a última sentença, que nos informa que os inimigos de Israel, após haverem tentado todos os métodos, nunca tiveram êxito em concretizar seus desejos, visto que Deus sempre frustrou as esperanças dos inimigos e abafou suas tentativas.

3. Os aradores têm arado sobre minhas costas.[3] Aqui o profeta,

---

3 Segundo o arcebispo Seeker, isto se refere a açoitamento severo. E os que têm testemunhado esse castigo cruel nos contam que a alusão é muito expressiva, sendo os longos vergões ou feridas deixadas pelos açoites, a cada golpe, comparados mui apropriadamente ou aos sulcos ou (como o original admite) às estrias entre os sulcos. "*Lacerare et secare tergum* são expressões latinas, e a

por meio de uma comparação aparente, adorna a afirmação anterior a respeito das graves aflições da Igreja. Ele compara o povo de Deus a um campo pelo qual um arado é arrastado. Ele diz que os sulcos eram longos, de modo que nenhum canto era excluído do corte feito pela lâmina do arado. Essas palavras expressam vividamente o fato de que a cruz sempre esteve plantada nas costas da Igreja, para fazer sulcos longos e amplos.

No versículo seguinte, o salmista anexa um fundamento de consolação, usando a mesma figura, ou seja, que *o justo Senhor rompe as cordas dos iníquos*. A alusão é a um arado que, como bem sabemos, é amarrado com cordas aos pescoços dos bois. A linguagem comunica mui apropriadamente a idéia de que os iníquos – por nunca se cansarem ou satisfazerem em exercer sua crueldade e em conseqüência de estarem bem armados – se mostravam preparados para avançar mais. Todavia, o Senhor reprimiu, de modo totalmente inesperado, a fúria deles, assim como se um homem separasse os bois do arado, fazendo em pedaços as cordas e as correias que os prendiam ao arado. Disso percebemos qual é a verdadeira condição da Igreja. Visto que Deus quer que tomemos alegremente o seu jugo sobre nós mesmos, o Espírito Santo nos compara apropriadamente a um campo arável, que não pode fazer qualquer resistência em ser cortado, fendido e revirado pela lâmina do arado.

Se alguém se dispusesse a concordar com um refinamento maior de especulação, afirmando que o campo é arado a fim de ser preparado para receber a semente e, por fim, produzir fruto. Em minha opinião, o sujeito a que o profeta limita sua atenção são as aflições da Igreja. O epíteto *justo*, com o qual ele honra a Deus, dever ser explicado, em harmonia com o escopo da passagem, como a implicar que, embo-

---

aradura não é tão forte para expressar um açoitamento severo." A linguagem do salmista poderia ser, sem alusão a qualquer espécie particular de violência perseguidora, como o entende Calvino, simplesmente uma imagem forte de opressão cruel. "Os perseguidores de Israel", diz Walford, "são comparados a aradores, porque, como eles trituram e, por assim dizer, torturam a superfície da terra, assim os adversários angustiam profunda e gravemente essas pessoas aflitas".

ra Deus pareça se ocultar por algum tempo, Ele nunca esquece a sua justiça, a ponto de enganar a confiança de seu povo aflito. Paulo, de modo semelhante, cita a mesma razão para explicar por que Deus nem sempre permite que seus filhos sejam perseguidos: "Se, de fato, é justo para com Deus que ele dê em paga tribulação aos que vos atribulam e a vós, que sois atribulados, alívio juntamente conosco, quando do céu se manifestar o Senhor Jesus com os anjos do seu poder" [2Ts 1.6, 7]. Digno de especial observação é o fato de que o bem-estar da Igreja está inseparavelmente conectado com a justiça de Deus. O profeta também nos ensina sabiamente que a razão por que os inimigos da Igreja não prevaleciam era que Deus transformava em nada os empreendimentos deles e não lhes permitia ir além do que determinara em sua própria mente.

[vv. 5-8]
Sejam confundidos e voltem atrás todos que odeiam a Sião. Sejam como a erva[4] dos telhados, a qual seca antes que apareça; com a qual o segador não enche a mão, nem o que ata os feixes, o peito.[5] Os que passam não digam: A bênção de Jehovah seja sobre vós, nós vos abençoamos em o nome de Jehovah.[6]

5. Sejam confundidos e voltem atrás todos que odeiam a Sião. Se tomarmos isto como uma oração ou uma promessa, o profeta está falando do tempo por vir. Como todos os verbos estão no tempo futuro, certamente uma interpretação muito apropriada é entender o salmista como que extraindo do passado instrução quanto ao que se deve esperar em relação ao futuro, sim, até ao final. Seja qual for a maneira como entendemos a passagem, ele declara que os fiéis não têm razão

---

4 Fry lê "grão". Ele diz: "חציר inclui evidentemente tanto o grão como a erva".
5 Na versão francesa, temos "son aisselle" – "sua axila".
6 Aqui há uma alusão ao costume de abençoar os segadores em seu trabalho, como naquele caso registrado no livro de Rute [2.4]: "Eis que Boaz veio de Belém e disse aos segadores: O Senhor seja convosco! Responderam-lhe eles: O Senhor te abençoe!" – Warner. "Esses mesmos costumes de saudação, aqui indicados, ainda prevalecem em Mohammedan, na Ásia. Ainda se mantém quase a mesma forma de palavras, implicando a bênção e a graça de Deus, e a negligência em dar a saudação é uma indignidade e um insulto" – Illustrated Commentary upon the Bible.

de viver em desânimo, quando visualizam seus inimigos subindo ao topo. A grama que cresce nos telhados não é, em virtude de sua posição elevada, mais valiosa do que a espiga de trigo que, rente ao chão, é pisada sob os pés; pois, embora a grama do telhado fique acima da cabeça dos homens, murcha e desaparece rapidamente.[7]

O verbo שלף (*shalaph*),[8] que traduzimos por *apareça*, alguns o traduzem por *é arrancada*. De acordo com esta tradução, o sentido é que, sem a mão ou o labor do homem, a grama dos telhados está morta. Mas, como o verbo significa propriamente *ser produzida* ou *aparecer*, o significado, em minha opinião, é que a grama nos telhados, em vez de continuar num estado de frescor, murcha e perece em seu primeiro estágio, porque não tem raiz embaixo, nem terra para supri-la com seiva ou umidade para sua nutrição. Sempre que o esplendor ou a grandeza de nossos inimigos nos abala com temor, devemos recordar essa comparação: assim como a grama que cresce nos telhados, embora esteja no alto, não possui raízes e, conseqüentemente, tem breve duração, assim também esses inimigos, por mais que se exaltem, depressa serão consumidos pelo calor intenso, pois não possuem raízes — é somente a humildade que atrai a vida e o vigor de Deus.

7. Com a qual o segador não enche a mão.[9] Temos aqui uma

---

7 "Na Judéia, os tetos das casas são achatados e cobertos com argamassa. Não é incomum a grama crescer sobre esses tetos; mas, sendo a massa fina e frágil, e sua situação quente e exposta, a grama secava e murchava rapidamente. Esse mesma tipo de arquitetura e as mesmas aparências são comuns no Oriente" – Warner.

8 שלף é interpretado de modo diferente. A maioria o traduz por "extrair, retirar"; é usado e assim em Rute 4.7-8 e João 20.25. E o sentido seria: "Antes que alguém arranque a grama, ela murcha". A Septuaginta tem πρὸ τοῦ εκσπασθῆναι, e a Vulgata, "priusquam evellatur". Nossos tradutores verteram assim a expressão שלף שקדמת: "Antes que ela cresça", recebendo o endosso de Áquila e Simaco. Teodoreto observa que muitos manuscritos da Septuaginta trazem ἐξανθῆναι em lugar de ἐκσπασθῆναι. Em ambos os casos, o sentido é que os inimigos de Sião serão exterminados pelos justos e maravilhosos juízos de Deus, antes que tenham tempo de consumar suas *intenções* perversas" – Phillips. "Parkhurst adota a opinião de Harmer, a saber, que o verbo hebraico, neste lugar, significa 'lançar para fora, desembainhar, como o milho brota a sua espiga'. Ela aparece em outros lugares com o sentido de 'desembainhar uma espada' ou 'tirar um sapato'. A tradução apropriada parece ser: 'Que murcha antes de fazer brotar sua espiga'. Ver Parkhurst, no comentário sobre שלף" – Mant.

9 "*Com a qual o segador não enche a mão*", etc. – ou seja, ela é escassa demais, para que um trabalhador a ajunte com a mão ou para que um segador, que usa uma foice, deposite o que corta

confirmação adicional da verdade de que, embora os perversos se elevem e formem uma opinião extravagante de sua importância pessoal, continuam sendo apenas grama, não produzem nenhum fruto bom, nem atingem um estado de maturidade, mas se exaltam apenas com a aparência da carne. Para tornar isto mais óbvio, o salmista os põe em oposição às ervas que produzem frutos, as quais nos vales e nos solos férteis produzem fruto para os homens. Enfim, ele afirma que merecem ser odiados ou sumariamente desprezados, enquanto comumente todo aquele que passa pelos campos de trigo os abençoa e ora pelos segadores.[10] Além do mais, como ele tomou emprestada esta ilustração de sua doutrina das atividades da vida ordinária, somos ensinados que, sempre que houver um esperançoso prospecto de uma boa colheita, devemos rogar a Deus, cujo propósito peculiar é transmitir fertilidade à terra, que ele dê pleno efeito a suas bênçãos. E, considerando que os frutos da terra estão expostos a tantos percalços, certamente é estranho que não sejamos incitados a nos engajarmos no exercício da oração com base na absoluta necessidade de tais frutos para o homem e animais. Tampouco o salmista, ao falar de transeuntes que abençoam os segadores, fala exclusivamente dos filhos de Deus, os quais realmente são instruídos por sua palavra que a frutificação da terra se deve a sua bondade; mas ele também abarca os homens profanos em quem o mesmo conhecimento está naturalmente implantado. Concluindo, contanto que não apenas habitemos a Igreja do Senhor, mas também labutemos por ter um lugar no número de seus genuínos cidadãos, seremos aptos a destemidamente desprezar todo o poder de nossos inimigos; pois ainda que floresçam e façam grande exibição externa, por algum tempo, no entanto não passam de grama estéril, sobre a qual repousa a maldição do céu.

---

na concavidade de sua roupa ou, como o entende Le Clerc, sob o seu braço esquerdo. O salmista orou, com efeito, para que os inimigos de Israel fossem reduzidos a tal pobreza, que ninguém ficasse rico por despojá-los; numa palavra, para que fossem totalmente desprezíveis. Hammon sugere que 'amarrar os feixes' equivale a 'ajuntar os punhados', referindo-se ao respigador [Rt 2.2]" – Cresswell.

10 "Au lieu que chacun communement en passant par les bleds les benit, et prie pour la moisson" — *fr.*

Salmos 130

Quer o salmista, neste Salmo, ore em seu próprio nome, quer represente toda a Igreja, torna-se evidente que, achando-se esmagado pelas adversidades, ele suplica livramento com profundo ardor de sentimento. Embora reconheça que é castigado, com justiça, pela mão de Deus, ele encoraja a si mesmo e a todos os verdadeiros crentes a nutrirem boa esperança, visto que Deus é o eterno Libertador de seu povo e sempre têm em prontidão os meios de resgatá-los da morte.

Cântico dos Degraus
[vv. 1-4]
Das profundezas tenho clamado a ti, ó Jehovah! Ouve a minha voz, ó Senhor! Estejam os teus ouvidos atentos à voz de minhas orações. Se tu, ó Deus, observares as iniqüidades, quem, ó Senhor, subsistirá? Mas contigo há perdão, para que sejas temido.

1. Das profundezas tenho clamado a ti, ó Jehovah! É preciso observar que o profeta fala de si como que ecoando a sua voz, como se estivesse em um profundo abismo,[1] sentindo-se submerso pelas calamidades. As misérias para as quais não temos esperança de que acabarão trazem comumente desespero em seu rastro; logo, para as pessoas que estão envoltas em tristeza e profunda angústia, nada é

---

1 As profundezas ou abismos profundos são usados na Escritura como um símbolo de perigo ou calamidade extrema, seja do corpo, seja da mente. Ver Salmos 69.2, 15. "Os papistas, entendendo profundeza como um tipo de purgatório, recitam este Salmo sobre aqueles que morreram em sua comunhão" – *Cresswell*. Mais adiante Calvino chama a atenção para isso.

mais difícil do que estimularem sua mente ao exercício da oração. Se considerarmos que, enquanto desfrutamos de paz e prosperidade, somos frios na oração (porque nosso coração se acha em um estado de segurança arrogante), é admirável como nas adversidades, que deveriam despertar-nos, somos ainda mais entorpecidos. Todavia, das próprias tribulações, preocupações, perigos e angústia em que se via envolto o profeta obtém confiança para achegar-se ao trono da graça. Ele expressa a sua perplexidade e a solicitude de seu desejo tanto pela palavra *clamor* como pela repetição contida no versículo 2. Bastante detestável é a ignorância bárbara dos papistas, que profanam de modo vergonhoso este Salmo, torcendo-o com um propósito totalmente estranho à sua genuína aplicação. Com que propósito os papistas sussurram este salmo em favor dos mortos, senão para, em conseqüência de Satanás havê-los fascinado com tal profanação, extinguirem uma doutrina de utilidade singular? Desde o tempo em que este Salmo foi, por meio de uma interpretação forçada, aplicado às almas dos falecidos, em geral se crê que ele não tem nenhum proveito para os vivos. Assim, o mundo perdeu um tesouro inestimável.

3. Se tu, ó Deus, observares as iniqüidades.[2] Aqui o profeta reconhece que, embora estivesse sendo gravemente afligido, merecia com justiça a punição que lhe era infligida. Visto que, por seu próprio exemplo, ele propicia uma regra que toda a Igreja deve observar, ninguém deve imaginar que pode introduzir-se à presença de Deus, senão por meio de aplacar de modo humilde a sua ira. Em especial, quando Deus exerce severidade em seu lidar conosco, saibamos que Ele deseja que façamos a confissão aqui pronunciada. Todo aquele que ou bajula-se a si mesmo ou oculta seus pecados por não atentar a eles, merece definhar em suas misérias ou, pelo menos, é indigno de obter

---

2 A alusão é aos procedimentos judiciais. É como se o salmista dissesse: Se tu, como um juiz terreno, observares a cada menor circunstância de culpa, quem seria capaz de suportar tal provação ou deixar teu tribunal sem ser convencido ou sem ser condenado? O verbo שמר denota não só *marcar* ou *observar*, mas também observar diligentemente, de modo a reter uma recordação perpétua do que é feito erroneamente — uma observação rígida e judicial das falhas. Ver Jó 10.14; 14.16, 17" – *Phillips*.

de Deus o menor alívio. Portanto, sempre que Deus exibe os sinais de sua ira, até o homem que parece, aos olhos de outros, ser o mais santo deve humilhar-se em fazer a confissão de que, se Deus resolvesse lidar conosco de acordo com as rígidas exigências de sua lei e nos convocasse a comparecer perante o seu tribunal, ninguém dentre toda a raça humana seria capaz de ficar de pé ali.

Admitimos que uma única pessoa ora neste salmo, mas ele pronuncia imediatamente uma sentença sobre toda a raça humana. "Todos os filhos de Adão", ele diz em essência, "do primeiro ao último, estariam perdidos e condenados, se Deus exigisse que prestassem contas de sua vida". Portanto, é necessário que até o mais santo dos homens enfrente essa condenação, para que recorra à misericórdia de Deus como seu único refúgio. No entanto, o profeta não pretende atenuar sua própria culpa, envolvendo outros consigo, como o fazem os hipócritas, os quais, quando não ousam justificar-se completamente, recorrem a este subterfúgio: "Porventura, eu sou o primeiro ou o único homem que tem ofendido a Deus?" Assim, mesclando-se com uma multidão de outros, pensam que estão absolvidos, pelo menos, de metade de sua culpa. Todavia, o profeta, em vez de abrigar-se nesse subterfúgio, confessa, depois de haver examinado completamente o seu íntimo, que, se de toda a raça humana nem sequer um pode escapar à eterna perdição, isto, em vez de amenizar, intensifica ainda mais sua aversão à punição. É como se ele quisesse dizer: qualquer um que entra na presença de Deus, por maior que seja sua eminência em santidade, deve prostrar-se e permanecer confuso;[3] então, o que direi a respeito de mim mesmo, que não sou, de modo algum, melhor do que ninguém? A aplicação correta desta doutrina é que cada um examine, com bom ânimo, sua própria vida com base na perfeição que a lei nos impõe. Assim, cada um se verá forçado a confessar que todos os homens, sem exceção, têm merecido condenação eterna; e reconhecerá a respeito de si mesmo que merece ser destruído mil vezes.

---

3 "Et demeure confus" — *fr.*

Além do mais, esta passagem nos ensina que, devido ao fato de que ninguém, por meio de suas próprias obras, pode suportar o juízo de Deus, todos aqueles que são tidos por justos o são em decorrência do perdão e da remissão de seus pecados. De nenhuma outra maneira alguém pode ser justo aos olhos de Deus. Os papistas pensam de maneira totalmente contrária. Eles realmente confessam que as deficiências de nossas obras são supridas pela indulgência que Deus exerce para conosco; mas, ao mesmo tempo, eles sonham com uma retidão parcial, baseados na qual os homens podem permanecer diante de Deus. Ao nutrir essa idéia, os papistas vão muito além do que o profeta tinha em mente, como transparece com mais clareza na seqüência do Salmo.

4. Mas contigo há perdão. Este versículo nos leva mais adiante. Embora todos confessem que no mundo não existe ninguém que Deus não possa, com justiça, condenar à morte eterna, se assim lhe aprouver, quão poucos se deixam persuadir da verdade que o profeta acrescenta: que a graça da qual necessitam não lhes será negada. Ou morrem em seus pecados por sua estupidez, ou vagueiam entre diversas dúvidas e, por fim, são esmagados pelo desespero. Esta máxima: "Ninguém é isento de pecado", é, como tenho dito, aceita inquestionavelmente por todos os homens. No entanto, a maioria fecha os olhos para suas faltas e escondem com segurança em seus esconderijos, aos quais, em sua ignorância, têm recorrido, se não são forçosamente despertados deles. Então, quando perseguidos de perto pelo juízo de Deus, se vêem esmagados pelo medo ou em extremo atormentados, a ponto de caírem em desespero. Nos homens, a conseqüência dessa falta de esperança nos homens de que Deus lhes será favorável é uma indiferença sobre o acesso à presença divina em busca de perdão. Quando uma pessoa é despertada com um vívido senso do juízo de Deus, ela não pode deixar de humilhar-se com vergonha e temor. No entanto, essa insatisfação pessoal não é suficiente, se, ao mesmo tempo, não for acrescentada de fé, cuja função é despertar os corações, para que se sintam dominados pelo temor e sejam animados a orar por perdão.

Davi agiu como deveria, quando, para alcançar seu arrependimento genuíno, primeiramente intimou a si mesmo a comparecer diante do trono do juízo de Deus. Contudo, para preservar sua confiança de que falharia sob a influência dominante do temor, ele acrescenta a esperança de que haveria de obter o perdão. Esta é, de fato, uma questão que vem a nossa observação diária: aqueles que não avançam sequer um passo em pensar que são merecedores de morte eterna, precipitam-se, como homens afoitos, com grande impetuosidade contra Deus. Para melhor confirmar a si e a outros, o profeta declara que a misericórdia de Deus não pode ser separada ou ser removida dEle mesmo. Era como se ele dissesse: "Logo que penso em ti, tua clemência também se apresenta à minha mente, para que eu não tenha dúvida de que serás misericordioso para comigo, visto que é impossível a Ti mesmo divorciar-te de tua própria natureza. O fato de que Tu és Deus é uma garantia de que serás misericordioso para comigo".

Ao mesmo tempo, precisamos entender que o salmista não fala de um conhecimento confuso da graça de Deus, e sim de um conhecimento que capacita o pecador a concluir com certeza: logo que busco a Deus, Ele se deixa, imediatamente, achar por mim e reconciliar-se comigo. Portanto, não é surpreendente o fato de que entre os papistas não haja invocação direta a Deus, quando consideramos que, em conseqüência de misturarem com a graça divina seus próprios méritos, suas satisfações e preparação condigna – como o chamam –, continuam sempre em suspense e dúvida a respeito de sua reconciliação com Deus. Assim, ao orarem, argumentam somente suas próprias angústias e tormentos, como se um homem deitasse lenha ao fogo já aceso. Quem deseja obter proveito do exercício da oração, tem de começar, necessariamente, pela remissão gratuita dos pecados.

Também é oportuno observar a causa final – como dizemos – pela qual Deus se inclina a perdoar e nunca deixa de se manifestar como fácil de pacificar para com aqueles que O servem. Esta causa final é a necessidade absoluta desta esperança de obter o perdão, para a existência da piedade e o culto de Deus no mundo. Este é outro princípio que os papistas ignoram. De fato, eles elaboram longos sermões[4] sobre o temor de Deus, mas, ao manter sua alma na pobreza, perplexidade e dúvida, edificam sem um fundamento. O primeiro passo para servirmos corretamente a Deus é inquestionavelmente: submeter-nos a Ele espontaneamente, com um coração livre. A doutrina que Paulo ensina a respeito de dar esmolas, em 2 Coríntios 9.7, a doutrina de que "Deus ama quem dá com alegria", deve estender-se a todas as áreas da vida. Como é possível alguém se oferecer alegremente a Deus, se não confia em sua graça e esteja convencido de que a obediência que Lhe rende é agradável? Quando isso não acontece, todos os homens se afastam de Deus, sentem medo de comparecer em sua presença e, se não lhe voltam as costas totalmente, recorrem a subterfúgios. Em suma, o senso do juízo de Deus, se não é cultivado com a esperança de perdão, abala os homens com terror; e isso engendra que necessariamente ódio. Sem dúvida, é verdade que o pecador que, alarmado com as ameaças divinas, sente-se atormentado em seu íntimo não despreza a Deus, mas se retrai dEle; e esse retraimento equivale a apostasia e rebelião. Isso implica que os homens nunca servem a Deus corretamente, a menos que saibam que Ele é um Ser gracioso e misericordioso.

A outra razão para a qual tenho advertido também precisa ser lembrada, ou seja, se não estamos certos de que o que oferecemos a Deus é aceitável a Ele, seremos apanhados em indolência e estupidez que nos impedirão de cumprir nosso dever. Embora os incrédulos exibam com freqüência grande medida de solicitude, tal como vemos os papistas ocupados laboriosamente em suas superstições, se não se persuadirem de que Deus já se reconciliou com eles, não prestarão a Deus uma obediência voluntária. Se eles não fossem restringidos por um temor servil, a horrível rebelião de seu coração, que esse temor mantém oculta e reprimida, logo se manifestaria exteriormente.

---

4 "Concionantur" — *lat.* "Ils tiendront long propos" — *fr.*

[vv. 5, 6]
Eu aguardei por Jehovah; a minha alma aguardou; e esperei por sua palavra. Minha alma tem esperado pelo Senhor mais do que os guardas da manhã, sim, mais do que os guardas da manhã.

5. Eu esperei por Jehovah. Depois de haver testificado que Deus está pronto a exibir sua misericórdia em favor dos infelizes pecadores que recorrem a Ele, o salmista conclui que é, por essa razão, encorajado a nutrir boa esperança. O pretérito nos verbos *aguardar* e *esperar* substitui o presente. *Eu aguardei* substitui *eu aguardo*; *eu esperei, eu espero*. A repetição, na primeira parte do versículo, é enfática. E a palavra *alma* dá ênfase adicional, implicando, como o faz, que o profeta confiava em Deus com a mais profunda afeição de seu coração. Deste fato também deduzimos não somente que ele era paciente e constante aos olhos dos homens, mas também que, nos sentimentos íntimos de seu coração, mantinha tranqüilidade e paciência diante de Deus. Isso é uma prova evidente de fé.

Sem dúvida, muitos são impedidos pela vanglória de murmurar abertamente contra Deus ou de expor sua desconfiança, mas raramente achamos um entre dez que, afastado da observação de seus companheiros e em seu próprio coração, esperam por Deus com uma mente serena. O salmista acrescenta, na sentença final, que o que sustentava sua paciência era a confiança que depositara nas promessas divinas. Se essas promessas fossem removidas, a graça de Deus se desvaneceria necessariamente de nossa visão; assim, nosso coração desfaleceria e submergiria em desespero. Além disso, o salmista nos ensina que nosso contentamento com a Palavra de Deus é a única coisa que propicia uma prova genuína de nossa esperança. Quando uma pessoa, ao aceitar a Palavra, se torna segura de que seu bem-estar é assistido por Deus, essa certeza produzirá esperança ou paciência. Embora o profeta fale de si mesmo com o propósito de confirmar sua fé, não há dúvida de que ele sugere isso a todos os filhos de Deus, como motivo de confiança em referência a eles mesmos. Em primeiro lugar, ele põe diante deles a Palavra, para que dependam inteiramente dela; e, em seguida, os adverte que a fé é vã e ineficaz, se não estiver escudada na paciência.

6. Minha alma tem esperado pelo Senhor mais do que os guardas da manhã. Neste versículo, o salmista expressa o ardor e a perseverança de seu desejo. Ao dizer que antecipava os vigias, ele mostra com esta comparação com que diligência e alegria aspirava por Deus. E a repetição é uma prova de sua perseverança, pois não há dúvida de que com isso ele pretendia expressar uma continuação ininterrupta do mesmo comportamento e, conseqüentemente, a perseverança. Ambas essas qualidades são dignas de atenção, pois evidenciam também quão morosos e frios somos em elevar nossa mente a Deus e quão facilmente somos abalados e caímos com uma simples lufada de vento. Além do mais, como as vigílias da noite eram, nos tempos antigos, divididas em quatro partes, esta passagem pode ser explicada como a implicar que, como os guardas da noite, que mantinham a vigília em turnos, eram cuidadosos em observar quando a manhã surgiria, assim o profeta observava Deus com a máxima atenção da mente. Mas o sentido mais natural parece ser que, como de manhã os guardas dos portões são mais atentos que as demais pessoas e mais solícitos em levantar-se, para comparecerem em seus postos designados, assim também a mente do profeta se prontifica com toda rapidez a buscar a Deus. A repetição, como já observei, revela que ele ficava observando atenta e perseverantemente, com olhar fixo em seu objeto. Devemos sempre cuidar que nosso fervor não se enfraqueça pela fadiga da demora, se, por algum tempo, o Senhor nos mantiver em suspense.⁵

---

5 Alguns, como Street, Mant, Dr. Adam Clarke, French, Skinner e Phillips, presumem que este versículo alude às vigilâncias que os sacerdotes e levitas, em seus turnos, exerciam durante a noite no templo [cf. Sl 34.1], especialmente àqueles oficiais deles que eram designados a vigiar durante a alva do dia, a fim de oferecerem o sacrifício matutino. "No Tratado Talmúdico, relata-se: Os perfeitos lhes disseram: Ide e vede se o tempo de matar já chegou; se já chegou, o vigilante grita: ברקאי (Chamas)" De acordo com esta explanação do versículo, a versão Caldaica o traduz assim: "Minha alma espera pelo Senhor, mais do que os guardas das vigílias matutinas, os quais velam pela oferenda do sacrifício matutino" – Phillips. "O costume aludido pelo Targum" [ou Caldaica], diz Street, "é mencionado em Êxodo 30.7: 'Arão queimará sobre ele o incenso aromático; cada manhã, quando preparar as lâmpadas, o queimará'". "A comparação", observa Mant, "é uma

[vv. 7, 8]
Que Israel espere em Jehovah, pois em Jehovah há misericórdia e, nele, há copiosa redenção. Ele redimirá Israel de todas as suas iniqüidades.⁶

7. Que Israel espere em Jehovah. Após falar sobre si mesmo e exibir, em sua própria pessoa, um exemplo para todos seguirem, o salmista agora aplica a doutrina a todo o corpo da Igreja. Devemos notar que o fundamento sobre o qual ele quer que a esperança de todos os piedosos repouse é a misericórdia de Deus, de cuja fonte emana a redenção. Na primeira sentença, ele lembra aos piedosos que, embora não tenham em si nenhuma dignidade ou mérito, deve lhes ser suficiente que Deus seja misericordioso. Precisamos notar bem essa relação mútua entre a fé da Igreja e a soberana bondade de Deus, a fim de sabermos que todos os que, confiantes em seus próprios méritos, se convencem de que Deus será seu galardoador não têm sua esperança regulada pela norma bíblica. Desta misericórdia, como de um manancial, o profeta deriva a redenção, pois não há outra causa que mova Deus a manifestar-se como Redentor de seu povo, senão a sua misericórdia. O salmista descreve a redenção como *copiosa*, para que os fiéis, mesmo quando reduzidos aos últimos extremos, firmem-se com base na consideração de que na mão de Deus há muitos e incríveis meios pelos quais eles são salvos.

Este Salmo pode ter sido escrito no tempo em que a Igreja vivia uma condição tão aflitiva, a ponto de desanimar irreversivelmente, não houvesse a grandeza infinita do poder de Deus servido de escudo em defesa da Igreja. A verdadeira utilidade desta doutrina é, em primeiro lugar, que os fiéis, mesmo quando submergidos nos mais profundos abismos, não duvidem que seu livramento, está nas mãos de Deus, que, sendo necessário, achará os meios agora ocultos e desconhecidos de nossa percepção; e, em segundo lugar, para que tenham certeza de que, sempre que a Igreja estiver aflita, Ele se manifestará como seu Libertador. A sentença seguinte se refere a esta verdade.

---

bela expressão da ávida impaciência do salmista, a impaciência que é aumentada pela repetição".
6 "Ou, punitions" – *fr.* "Ou, castigos".

8. Ele redimirá Israel de todas as suas iniqüidades. Aqui, o salmista aplica mais estritamente à Igreja o que dissera no versículo anterior. Ele conclui que não devemos duvidar que Deus, cujo poder é capaz de salvar por meios múltiplos, provará ser o Libertador do povo ao qual escolhera. Com estas palavras, o salmista nos ensina que, se temos evidência de que pertencemos ao número dos adotados por Deus, também devemos ter como certa a nossa salvação. A intenção dele pode ser explicada de um modo mais familiar, nestes termos: como redimir é o ofício permanente de Deus, e como Ele não é o Redentor de todos os homens, indiscriminadamente, e sim tão-somente de seu povo eleito, não há razão para a apreensão de que os fiéis não emergirão de suas calamidades, pois, se fosse de outro modo, Deus cessaria de realizar o ofício que reivindica para Si mesmo.

O salmista reitera o sentimento do versículo anterior, ou seja: se Israel, com toda humildade, se aproximar de Deus, rogando-lhe perdão, seus pecados não servirão de obstáculo no caminho de Deus em seu ofício de Redentor. Embora a palavra hebraica עוֹן (*Avon*) expresse às vezes o castigo contra o pecado, também possui uma referência tácita à culpa. Sempre que Deus promete um alívio da punição, ele dá, ao mesmo tempo, certeza de que perdoará os pecados; ou melhor, ao oferecer aos pecadores uma reconciliação gratuita, ele lhes promete perdão. Segundo esta opinião, o salmista afirma que Ele redimirá sua Igreja, não do cativeiro babilônico, nem da tirania e opressão dos inimigos, nem da penúria, nem, em suma, de qualquer outro problema, e sim do pecado; pois, enquanto Deus não perdoar os pecados dos homens aos quais Ele aflige, não é possível nutrir esperança de livramento.

Aprendamos desta passagem de que maneira forma devemos esperar o livramento de todas as calamidades ou a ordem que devemos observar para alcançá-lo. A remissão de pecados sempre vem em primeiro lugar; sem a remissão dos pecados, nada virá como resultado favorável. Aqueles que só desejam livrar-se da punição são como tolos inválidos, displicentes quanto às próprias doenças com que são afligidos, contanto que lhes sejam removidos, por algum tempo, os sintomas que ocasionam tais problemas. Então, a fim de que Deus nos livre de nossas misérias, devemos esforçar-nos por sermos conduzidos a um estado de favor diante dEle, obtendo a remissão de nossos pecados. Se este não for obtido, pouco nos valerá termos o castigo temporal aliviado, pois isso sucede com freqüência até mesmo aos próprios réprobos. Há um livramento verdadeiro e substancial quando Deus, por apagar nossos pecados, se mostra misericordioso para conosco.

Disso concluímos também que, uma vez obtido o perdão, não temos razão para recear sermos excluídos do livre acesso à benignidade e misericórdia de Deus e de desfrutarmos o exercício das virtudes divinas, pois *redimir da iniqüidade* equivale a moderar as punições ou disciplinas. Isto serve como argumento para reprovar a invenção contrária dos papistas a respeito das satisfações e do purgatório, como se Deus, ao perdoar a culpa, ainda reservasse, para um tempo futuro, a execução do castigo sobre o pecador. Caso alguém objete, dizendo que o Senhor às vezes pune aqueles que já perdoou, em resposta admito que nem sempre Deus mostra àqueles que reconcilia consigo os emblemas de seu favor, no exato momento em que opera a reconciliação, pois Ele os disciplinas para torná-los prudentes quanto ao futuro. Todavia, enquanto faz isso, Ele não deixa de moderar seu rigor; mas isso não é uma parte das satisfações pelas quais os papistas imaginam que oferecem a Deus a metade do preço de sua redenção.

Em inumeráveis passagens das Escrituras, em que Deus promete ao seu povo bênçãos exteriores, Ele sempre começa com uma promessa de perdão do pecado. Portanto, constitui-se a mais grosseira ignorância dizer que Deus não redime o castigo, enquanto não é pacificado pela obras dos homens. Além do mais, embora a intenção de Deus em infligir alguns castigos ou disciplinas sobre os fiéis seja dispô-los a uma obediência mais perfeita à sua lei, os papistas estão equivocados, ao estender esses castigos para além da morte. Não é surpreendente que os achemos a amontoar tantos sonhos pagãos, pois não aceitam à verdadeira e única maneira de reconciliação, a saber, que Deus é misericordioso exclusivamente para com os que buscam a expiação de seus pecados no sacrifício de Cristo. É preciso notar ainda que lemos *de todas as iniqüidades,* para que os infelizes pecadores, embora se sintam culpados de muitas formas, não cessem de nutrir a esperança de que Deus será misericordioso para com eles.

Salmos 131

Neste Salmo, Davi, visando encorajar o povo a lutar exaustivamente sob a sua bandeira, bem como exortar e estimular os piedosos a reconhecerem-no como quem tinha direito de receber a obediência deles, declara-lhes que sempre se submetia às orientações de Deus e nada fizera sem a sua vocação e comissão.

> Cântico dos Degraus, de Davi
> [v. 1]
> Ó Jehovah, o meu coração não se ensoberbeceu, nem os meus olhos se elevaram. Não tenho andado em grandes coisas ou em coisas ocultadas de mim.

1. Ó Jehovah, o meu coração não se ensoberbeceu. Davi se tornara o cabeça do povo de Deus; e, para provar que era o legítimo príncipe deles, que tinha direito à lealdade dos fiéis, ele desejou mostrar que não fora influenciado, em tudo quanto havia empreendido, pela ambição ou orgulho, e sim que se submetera com espírito sereno e humilde à disposição de Deus. Nisto, Davi nos ensina uma lição proveitosa, pela qual devemos ser governados em nosso viver: temos de ser contentes com o quinhão que Deus nos designou, considerar aquilo para o que Deus nos chama e não almejar modelarmos nosso próprio quinhão; temos de ser moderados em nossos desejos, evitar envolvimento em empreendimentos temerários e limitar-nos alegremente à nossa própria esfera, em vez de tentar grandes coisas.

Davi nega que *seu coração era soberbo*, pois esta é a verdadeira causa de toda pressa e presunção irrefletida, na conduta. Não é o orgulho que conduz os homens, instigados por suas paixões, a realizarem com ousadia lutas presunçosas, a prosseguiram precipitadamente em seu curso e lançarem o mundo inteiro em confusão? Se essa altivez de espírito fosse refreada, a conseqüência seria que todos os homens obteriam moderação na conduta. Os *olhos* de Davi não eram altivos; não havia sintomas de orgulho em seu semblante ou gestos, como descobrimos em outro Salmo [Sl 18.27], no qual ele condena o olhar soberbo. No entanto, algo mais que isto pode estar implícito, ou seja, que, enquanto ele freava a renitente ambição de seu coração, cuidava para que seus olhos não cedessem anuência ao coração em quaisquer aspirações cobiçosas por grandeza. Em suma, todos os sentidos, bem como o seu coração, foram sujeitos às restrições da humildade.

Ao negar que *andava em* ou *era familiarizado com grandes coisas*, devemos supor que Davi se referia à disposição ou à atitude de sua alma. Pois manter, como ele o fez, o ofício de profeta, ser investido de dignidade real, sentar-se no trono sagrado do unigênito Filho de Deus, não mencionando as outras distinções com que ele foi honrado acima dos homens comuns, eram coisas grandes demais. Mas a expressão era apropriada, visto que ele se confinava estritamente ao objetivo único de servir a Deus e à Igreja. Se alguém ainda se vê inclinado a enfatizar indevidamente a palavra aqui empregada, observo que a palavra *de* ou *acima de mim*, no final do versículo, deve ser considerada como que conectada com o que Davi disse sobre as grandes coisas, bem como sobre as coisas *veladas* ou *ocultadas*, para que leiamos: *não tenho andado em grandes coisas que estão acima de mim*. A questão não é se a posição de Davi era pequena ou exaltada. Bastava que ele fosse cuidadoso em não ultrapassar os limites próprios de sua vocação. Ele não pensava em si mesmo com liberdade para dar sequer um passo, se não fosse chamado por Deus a fazer isso.

A submissão de Davi nessas questões é contrastada com a presunção dos que, sem qualquer autorização de Deus, correm a empreendimentos desautorizados e se envolvem em deveres que pertencem propriamente a outros; pois, sempre que tivermos uma visão clara do chamado divino, não podemos dizer que as coisas estão veladas ou ocultadas de nós ou que são grandes demais para nós; contanto que estejamos prontos para toda obediência. Em contrapartida, os que se rendem à influência da ambição, logo se perderão num labirinto de perplexidade. Vemos como Deus confunde a soberba e os empreendimentos orgulhosos dos filhos deste mundo. Correm todo o curso de sua carreira selvagem, reviram a terra de ponta cabeça, a seu bel-prazer, e estendem sua mão em todas as direções; são cheios de complacência na ponderação de seus próprios talentos e aptidões; e, num momento, quando todos seus planos já foram plenamente formulados, são inteiramente subvertidos, porque não há neles nenhuma firmeza. Há duas formas diferentes assumidas pela presunção daqueles que não querem ser humildes seguidores de Deus, mas precisam ter suas necessidades colocadas diante dEle. Alguns avançam com precipitação imprudente e parecem como se quisessem edificar até ao céu; outros não exibem tão publicamente a excesso de seus desejos, são mais lentos em seus movimentos e ponderam cautelosamente o futuro. No entanto, a presunção destes resulta do mesmo fato: com total inadvertência em relação a Deus, como se o céu e a terra lhes estivessem sujeitos, promulgam seu decreto quanto ao que eles farão num futuro de dez ou vinte anos. Estes edificam, por assim dizer, no mar profundo. Mas a sua obra nunca virá à superfície, por mais extensa que seja a duração de suas vidas. Enquanto isso, os que se submetem a Deus, como Davi, mantendo-se em sua própria esfera, moderados em seus desejos, desfrutarão uma vida de tranqüilidade e segurança.

[vv. 2, 3]
Se eu não tenho aquietado e acalmado minha alma como alguém que é desmamado de sua mãe – Minha alma é para mim como uma criança desmamada. Israel esperará em Jehovah desde agora e para sempre.

2. Se eu não tenho aquietado. Aqui, ele emprega uma figura que explica apropriadamente o que ele quer dizer e se compara a uma criança desmamada. Por meio disso, tencionava dizer que havia banido todas as ansiedades que inquietam o homem de ambição e estava disposto a viver satisfeito com as pequenas coisas. Esta afirmação, que alguns poderiam inclinar-se a desacreditar, ele faz com um juramento, declarado na forma particular sobre a qual já observamos, em outra passagem, que a imprecação não é formulada de maneira direta, mas subentendida, para ensinar-nos prudência no uso do nome de Deus.[1] No tocante às palavras, *aquietar a minha alma como uma criança*, era como se ele dissesse que a conformaria a essa semelhança. E faria isso visando, como ele mesmo declara, manter-se em silêncio.

A palavra דוממתי (*domaimtee*) é formada de דום (*dum*) e tem o sentido ativo de *reduzir ao silêncio*. *Aquietar* a alma é uma oposição aos desejos tumultuosos pelos quais muitos trazem inquietude a si mesmos e são os meios de lançar o mundo em agitação. A figura da infância é usada com outro sentido em outras passagens, para comunicar a idéia de repreensão [Is 28.9]. "A quem, pois, se ensinaria o conhecimento?... Acaso, aos desmamados e aos que foram afastados dos seios maternos?" Nesta passagem, o profeta censura o povo por sua demora de apreensão e por ser incapaz de tirar proveito da instrução, como as criancinhas. Neste Salmo, o que se recomenda é aquela simplicidade sobre a qual Cristo fala: "Se não vos tornardes como crianças, de modo algum entrareis no reino dos céus" [Mt 18.3].[2] Os desejos fúteis com

---

1 "אם־לא. Uma fórmula de juramento que pode ser traduzida por *seguramente* ou *deveras*. Eu tenho, com certeza, disposto e disciplinado a minha alma de modo a afastá-la de qualquer aspiração por grandes coisas, de quaisquer tendências ambiciosas" – *Phillips*.

2 De todas as explicações, a melhor é a que considera que a comparação é feita entre a humildade e a simplicidade da mente do salmista e a de uma criancinha, em quem não pode existir consciência uma suficiente para gerar uma ambição por qualquer objetivo mundano. A comparação não é com יונק (uma criança de peito), pois esta anseia pelo peito da mãe, e, portanto, tal comparação seria inapropriada. O mesmo pode ser dito a respeito de uma criança que acaba de ser desmamada; pois, nesse estágio, ela clama e chora amiúde por aquilo de que se viu privada e cuja posse era, antes, seu principal deleite! Portanto, concluímos que a comparação pretende ser com a criança já desmamada com tempo suficiente para esquecer sua nutrição infantil, que não é cônscia de quaisquer desejos ou anelos particulares e se resigna calmamente ao cuidado e

os quais os homens se deixam arrebatar provêm de sua busca por sabedoria e prudência acima do que é necessário. Por conseguinte, Davi acrescenta: *minha alma está quieta em mim*, não como que expressando a linguagem de autoconfiança, e sim falando como se sua alma estivesse suave e pacificamente em seu seio, imperturbável ante os desejos desordenados. Ele contrasta a agitação externa e tumultuosa que prevalece naqueles que possuem um espírito descontente com a paz que reina no homem que permanece na vocação do Senhor.

Com base neste versículo final do Salmo, percebemos a razão por que Davi afirmou nada haver realizado com base no espírito de ambição carnal. Ele convoca Israel a *esperar no Senhor*. Essas palavras que seriam abruptas, se o conhecimento de que Davi se assentara no trono do reino por designação de Deus não estivesse profundamente relacionado com a comum segurança da Igreja; e, nesse caso, os fiéis estariam certos da outorga da bênção prometida. Nossa esperança é segura quando cultivamos opinião humilde e sóbria a respeito de nós mesmos, não desejando nem tentando fazer algo sem a direção e aprovação de Deus.

---

treinamento de sua mãe – *Phillips*.

Salmos 132

O escritor deste Salmo, não importa quem tenha sido,[1] falando em nome de todos os fiéis, lembra a Deus a sua promessa de que jamais permitiria que sua casa ou seu reino fracassasse e que sustentaria e defenderia ambos.

Cântico dos Degraus
[vv. 1-5]
Ó Jehovah, lembra-te de Davi e de todas as suas aflições. Ele jurou a Jehovah e fez votos ao Todo-Poderoso de Jacó. Se eu entrar no tabernáculo de minha casa, se eu subir ao abrigo de meu leito,[2] se der sono aos meus

---

1 Lightfoot atribui este Salmo a Davi e presume que foi escrito durante a segunda remoção da arca, da casa de Obede-Edom [1Cr 15.4-15]. Mas a menção do nome de Davi, no versículo 10, na terceira pessoa, e os termos empregados militam contra a idéia de ser ele o autor. Outros o atribuem a Salomão, que, conforme pensam, escreveu-o próximo ao tempo da remoção da arca para o templo, que ele lhe havia construído [2Cr 5.2-14]. Outros têm a opinião de que o salmo foi escrito por Salomão para os serviços solenes que foram celebrados na dedicação do templo. "Todo o teor deste Salmo", diz Jebb, "é uma epítome exata da oração de dedicação feita por Salomão [2Cr 6]. Os tópicos são os mesmos da construção da casa que o Senhor prometera a Davi seria a habitação do Todo-Poderoso; e as sentenças que concluem a dedicação são idênticas às expressões do Salmo, nos versículos 8 a 10. Portanto, pode haver pouca dúvida de que este Salmo foi composto por Salomão" — *Jebb's Literal Translation of the Book of Psalms, volume 2*. Como este salmo é um dos "Cânticos dos Degraus", os que concebem que estes Salmos foram chamados assim porque eram cantados pelos judeus durante o tempo de seu regresso da Babilônia, concluem que Esdras selecionou este antigo cântico para ser entoado na dedicação do segundo templo.

2 A expressão de alguém subir ao leito pode ser ilustrada pelo que o Dr. Shaw afirma sobre as casas dos mouros na Barbária. Havendo observado que seus quartos são espaçosos, têm a mesma extensão que os pátios quadrados que eram construídos nas laterais, ele acrescentou: "No final de cada quarto há uma pequena galeria erguida a três, quatro ou cinco pés acima do piso, com uma balaustrada defronte dela, com uns poucos passos para se chegar nela. Ali eles põem seus leitos; uma situação freqüentemente aludida nas Santas Escrituras". A linguagem do texto sem dúvida é hiperbólica, como observa Calvino, sendo a sua intenção expressar a grande ansiedade de Davi

olhos, cochilo, às minhas pálpebras, enquanto não achar um lugar para Jehovah, habitação³ para o Poderoso de Jacó.⁴

1. Ó Jehovah, lembra-te de Davi. Os intérpretes não estão de acordo quanto ao autor deste Salmo, embora haja pouca dúvida de que foi escrito ou por Davi ou por Salomão. Na dedicação solene do templo, quando Salomão orou, vários versículos são mencionados na história sagrada como tendo sido citados por ele. Disso podemos inferir que o Salmo era bastante conhecido pelo povo ou que Salomão aplicou umas poucas palavras do Salmo a uma ocasião em referência à qual ele escreveu todo o Salmo. O nome de Davi é proeminentemente mencionado, porque foi a ele que se prometeu a continuação do reino e do templo. E, embora já houvesse morrido, isso não podia afetar a fidelidade da Palavra de Deus. Igreja podia mui propriamente orar da maneira como aqui se faz, para que Deus realizasse o que prometera a seu servo Davi, não como um indivíduo em particular, e sim em favor de todo seu povo. Portanto, é uma idéia contrária da parte dos papistas argumentar, com base nesta passagem, que podemos ser beneficiados pela intercessão dos mortos. É como se os fiéis devessem aqui ser entendidos como que a apelar do túmulo a um advogado para que pleiteasse sua causa junto a Deus, quando é fartamente evidente, à luz do contexto, que olhavam inteiramente para a aliança que Deus fizera com Davi, sabendo que, embora a aliança tenha sido feita somente com um homem, o propósito era que ela fosse comunicada a todos.

Há certa conveniência em se fazer menção da *aflição* ou *humilhação* de Davi. Alguns traduza a palavra por *mansidão*, mas não há

---

em ter uma casa edificada para o culto divino.

3 "משכנות. Temos aqui, por meio de enálage, o plural colocado em lugar do singular" – *Phillips*.

4 אביר יעקב (*abir Yaäcob*) — "o Todo-Poderoso de Jacó. Com esta expressão, que ocorre tanto aqui como em Salmos 132.2, o salmista refere-se, evidentemente, às próprias palavras do patriarca, as quais ele empregou em sua bênção impetrada sobre José, na qual Deus é enfaticamente designado assim [Gn 49.24]. Deste nome hebraico אביר (*abir*) e de כביר (*cabir*), que são sinônimos, provavelmente veio a palavra *Cabiri*, ou os grandes deuses dos gregos, e o *Abiry*, dos druidas. Ver Thes. Antiq. Roman. tom. 5, pg. 760; Bryant's Myth. vol. ii, p. 473; e Cooke's Patriarchal and Druidical Religion.

qualquer razão para essa idéia. É verdade que em 2 Crônicas 6.42 lemos חסדים (*chasdim*), ou seja, *misericórdias*. E creio que precisamos entendê-la no sentido passivo, significando os benefícios que foram conferidos a Davi; mas, evidentemente, acho que neste Salmo a palavra se refere às preocupações ansiosas, às numerosas dificuldades e lutas que Davi enfrentara, enquanto era mantido por Deus em incerteza. Era como se o salmista quisesse dizer: lembra-te das grandes ansiedades, das árduas tribulações que Davi suportou, antes de assumir o controle do reino, e de quão fervorosa e ansiosamente ele desejava construir o templo, embora não lhe tenha sido permitido fazê-lo durante toda a sua vida. Os perigos, labores e tribulações que Davi enfrentara devem ter confirmado a fé do povo de Deus na veracidade do oráculo divino, visto que demonstraram quão firme e certamente o próprio salmista se convencera da veracidade do que Deus falara. Alguns inserem a redação copulativa *lembra Davi e a aflição*, mas não aprovo tal coisa. A partícula את (*eth*) denota, antes, aquele respeito especial com o qual eles relembrariam Davi no que diz respeito às suas aflições ou denota que ele fosse colocado diante de Deus por causa de suas aflições e obtivesse seus desejos de acordo com elas.

2. Ele jurou a Jehovah. Menciona-se particularmente uma aflição de Davi: ele foi dominado de perplexidade ante a situação da arca. Moisés ordenara ao povo, séculos antes, a cultuar a Deus no lugar que Ele escolhesse [Dt 12.5]. Davi sabia que chegara a plenitude do tempo em que o lugar específico devia se tornar evidente. No entanto, ele estava com alguma hesitação – um estado que necessariamente era acompanhado de ansiedade, em especial para aquele que se apegara tão ardentemente ao culto divino e desejava tão ardentemente ter a presença permanente de Deus com a nação, para sua defesa e governo.

Lemos que ele jurou veria a edificação do templo e protelaria qualquer outro interesse, para ver a realização deste objetivo.[5] Parece que o

---

5 Este juramento não é mencionado em nenhum outro dos livros históricos do Antigo Testamento. No entanto, eles fazem alusão ao voto de Davi sobre este assunto, embora Deus proibisse a sua realização. Ver 2 Samuel 7.2, 3 e 1 Crônicas 22.7-10.

juramento assumiu uma forma um tanto temerária e severa demais, visto que ele declarou sua resolução de privar-se do sono, de seu alimento e do sustento comum da vida, até que separasse um lugar apropriado para o templo. Agir deste modo seria demonstrar um zelo irrefletido, pois não lhe cabia prescrever a Deus o tempo, nem lhe era possível suportar grande número de dias de jejum ou de noites insones.

Então, em que tempo achamos que esse voto foi tomado? De fato, estou ciente de que alguns escritores hebreus julgam ter sido naquele período em que Davi foi tomado de tremor diante do anjo. Todavia, sem negar que a porção de terra lhe foi designada imediatamente após tal circunstância, afirmar que o pensamento que há muito estava na mente de Davi foi concebido naquele exato momento é uma conjetura totalmente forçada e destituída de apoio. Tampouco nada nos impede de supor que a linguagem de Davi, aqui, deve ser entendida como hipotética e que suas palavras não constituíram um voto na forma estrita deste. O voto de Davi deve ser entendido num sentido qualificado – ele nunca entraria em sua casa, nem subiria ao seu leito, sem sentir uma preocupação por este assunto. Davi se sentia persuadido de que o estabelecimento do santuário estava intimamente conectado com o estado do reino. E não devemos ficar surpresos de que, enquanto ele era mantido na incerteza acerca do local do templo, dificilmente se sentia seguro quanto à sua própria coroa; tampouco se sentia apto a desfrutar, com satisfação, dos confortos ordinários da vida.

Entretanto, onde a Escritura mantém silêncio não podemos dizer nada definido. Posso descartar essas coisas e adotar o que me parece a interpretação mais provável. Creio que o sentido da passagem pode muito bem conter aquilo que tenho mencionado, ou seja: até ser informado do local destinado à arca, Davi se via dominado por preocupação e ansiedade, enquanto morava em sua casa ou estava deitado em seu leito. Quanto ao voto em si mesmo, esta ou outras passagens não propiciam base para a suposição, como fazem os papistas, de que Deus aprova todo e qualquer voto que proferirmos, sem levar em conta a natureza dos votos. Votar a Deus aquilo que ele já declarou ser-lhe agradável é uma prática recomendável. Contudo, é demasiada presunção de nossa parte dizer que nos aplicaremos àqueles votos que se adequarem à nossa inclinação carnal. O importante é que consideremos o que é agradável à vontade de Deus, pois, do contrário, poderemos ser achados privando-O daquilo em que jaz o seu principal direito, visto que para Ele "obedecer é melhor do que sacrificar" [1Sm 15.22].

[vv. 6-9]
Eis que ouvimos sobre ela em Efrata e a encontramos nos campos do bosque. Entraremos em tuas habitações, adoraremos ante o estrado de teus pés. Levanta-te, ó Jehovah! Entra em teu repouso, tu e a arca do teu poder. Vistam-se os teus sacerdotes de justiça, e teus mansos se regozijem.

6. Eis que ouvimos sobre ela em Efrata. Este versículo é obscuro; e não devemos ficar surpresos com a dificuldade que os intérpretes enfrentam para certificarem-se de seu significado. Primeiro, o pronome relativo[6] é do gênero feminino e não tem nenhum antecedente. Por isso, somos forçados a pressupor que deve referir-se à palavra *habitação*, na sentença posterior, embora ela esteja no plural. Mas a principal dificuldade está na palavra *Efrata*, porque a Arca da Aliança nunca esteve ali. Se a referência era ao tempo passado, Siló deveria ter sido o

---

6 Isto é, o afixo objetivo ה, que aparece em cada um dos verbos neste versículo e que é traduzido por *ela*. Há quem imagine que o antecedente é ארון (*aron*) — *arca*, que, embora em geral seja masculino, às vezes é feminino, como em 1 Samuel 4.17 e 2 Crônicas 8.11. Essa é a opinião do Dr. Lightfoot, que explica o versículo assim: "Ouvimos sobre ela (a arca) em Efrata (isto é, Siló), uma cidade de Efraim. Nós a descobrimos nos campos da floresta, isto é, em Quiriate-Jearim [1Sm 7.1]", etc. (Lightfoot's Chorogr. Cent., c. 45). Outros consideram o ה como uma referência a *habitações*, no versículo anterior. E, embora este substantivo esteja no plural, ele é, como observado em nota anterior, colocado, por meio de enálage, em luar do singular. Rosenmüller pensa que esta opinião — que é a opinião adotada por Calvino — é a mais provável. Sem dúvida, à primeira vista, o significado mais óbvio é que o pronome *ela* se reporte ao local que Davi havia descoberto como apropriado para erigir a casa de Deus. Walford objeta que "isso não podia estar em foco, porque o local do templo não estava em Efrata, nem nos campos do bosque (ou campo de Jaar)"; e faz, com extensão, uma habilidosa explicação desta passagem difícil, uma explicação extraída principalmente do escritor alemão Tilingius. Essa objeção, deve-se perceber, é refutada por uma das exposições sugeridas por Calvino, que supõe que a alusão é antes de tudo a uma notícia de que Efrata seria o lugar onde o templo deveria ser construído e que essa notícia foi seguida da informação, obtida mais tarde pelo povo de Israel, de que Jerusalém era o local que Deus mesmo escolhera. Contudo, não é fácil determinar se esta é a explicação correta do versículo.

local mencionado. No entanto, como é evidente que o salmista fala da nova residência da arca, a questão volta a ser esta: por que Efrata, e não Sião, é especificada? Há quem se desvencilhe da dificuldade recorrendo a uma idéia frívola, a saber, que o local tinha dois nomes e que a porção de terra mostrada a Davi [2Sm 24.18; 1Cr 21.18] era chamada de Efrata, porque era fértil; e, por isso, Jerônimo a qualifica de καρποφοριαν. No entanto, Jerônimo não é consistente consigo mesmo, pois, em outro lugar, quando usa suas alegorias, ela a interpreta ilogicamente no sentido de *exaltação*. Não tenho dúvida de que a palavra vem de פרה (*parah*), que significa *produzir fruto*, assim como Belém, situada na mesma região, era denominada, por sua fertilidade, "a casa do pão". Mas qualquer conjetura fundada no simples nome do lugar é necessariamente insatisfatória; e devemos buscar uma explicação mais provável.

Posso começar mencionado uma explicação que não é destituída de vigor. Um rumor se espalhara de que a Arca da Aliança fora deixada em Efrata, o lugar natalício de Davi.[7] E podemos presumir, pelo menos, que a terra natal de Davi pareceria mais apropriada para ser o lugar da arca e do santuário. Podemos entender facilmente como tal opinião conquistou amplitude. Nesse caso, o ouvir mencionado pelo salmista refere-se à notícia que estava em circulação. Se isso fosse admitindo como o significado, o verbo estaria no tempo mais-que-perfeito — *nós ouvíramos que ela estava em Efrata*, mas a encontramos nos bosques, isto é, num lugar que não era, de modo algum, atraente ou bem cultivado. Podemos dizer que Jerusalém era um lugar cheio de bosques, porque sabemos que ela estava cercada por montes e, de algum modo, era uma parte do país notavelmente frutífera.

Há outro significado que eu submeteria ao juízo do leitor. Suponhamos ler aqui que os fiéis *ouviram que ela estava em Efrata*, visto que Deus havia falado a respeito de Efrata coisa ainda maiores do que a respeito de Sião. É verdade que a memorável predição [Mq 5.2] não

---

7 Belém, o lugar do nascimento de Davi, é chamada Efrata em Gênesis 35.19.

havia sido ainda enunciada; contudo, é possível que Deus já pronunciara alguma profecia grande e magistral acerca de Belém. Era como se o salmista dissesse: Temos ouvido acerca de Belém, mas temos apenas uma expectativa muito vaga em referência àquele lugar; no entanto, devemos adorar a Deus neste lugar de bosques, visualizando o cumprimento da promessa relativa a Efrata. Esta interpretação é bem forçada, nem me aventuraria a adotá-la ou, pelo menos, recomendá-la como correta.

Tudo indica que o caminho mais simples é entender a palavra *Efrata* como que se aplicando a Davi pessoalmente e não ao lugar desse nome. Assim, a declaração do salmista tria este efeito: agora que Deus escolheu de Efrata um rei, o lugar seria necessariamente, ao mesmo tempo, designado para a Arca da Aliança. E lemos: *temos ouvido*, pois a determinação do lugar do santuário dependia da vontade de Deus; até que isso fosse declarado, os homens não poderiam determiná-lo à revelia de sua própria fantasia. Agora, na ascensão de Davi ao trono, esse eminente oráculo concernente ao estabelecimento permanente do templo se cumpriria, esse fato propiciava um bom motivo para ações de graças. Aqui temos uma prova de que o povo de Deus não colocou a arca em qualquer lugar, à revelia, pois tinha diretrizes claras, da parte de Deus, quanto ao lugar em que Ele seria cultuado – todo culto correto deve proceder da fé, enquanto a fé vem pelo ouvir [Rm 10.17]. O Monte Sião tinha poucas excelências peculiares a recomendá-lo; mas, ao ouvirem que ele era o objeto da escolha divina, os fiéis mostraram que consideravam errado o duvidar da questão.

7. Entraremos em tuas habitações. Aqui, o salmista dita a todo o povo do Senhor uma forma comum de exortação mútua a respeito do dever de subir ao lugar que fora designado pelo Anjo. Quanto mais clara for a comunicação que recebermos acerca da vontade de Deus, tanto mais alegria devemos demonstrar em obedecê-la. De acordo com isso, o salmista dá a entender que agora, quando o povo determinou, sem qualquer dúvida, o lugar que Deus escolhera, eles não devem admitir qualquer procrastinação e mostrar, com a máxima alegria, que

Ele os chamava para mais perto de Si, com a mais privilegiada familiaridade, agora que havia escolhido certo lugar certo de descanso entre eles. Assim, o salmista transmite uma condenação implícita sobre a indiferença daqueles cujo zelo não aumenta em proporção à medida da revelação que desfrutam.

O termo *habitações* está no plural e talvez ocorra assim (embora tenhamos dúvida de que o salmista tinha essas pequenas distinções em mente) porque havia no templo um santuário interior, um santuário no meio e o átrio. É muito importante atentar ao epíteto com o qual o salmista designa a Arca da Aliança, chamando-a de *estrado dos pés de Deus*, para sugerir que o santuário jamais poderia conter a imensidão da essência de Deus, como os homens se inclinavam absurdamente a imaginar. Visto que o mero templo externo, com toda a sua majestade, não era mais do que estrado de seus pés, o povo era chamado a erguer os olhos ao céu e fixar, com a devida reverência, sua contemplação no próprio Deus. Sabemos que eram proibidos de formar qualquer conceito inferior e carnal a respeito dEle. É verdade que em outro passagem nós o achamos sendo chamado "a presença de Deus" [Sl 27.8], para confirmar a fé do povo em olhar para este símbolo divino que era exibido aos olhos deles. Ambas as idéias são realçadas mui distintamente na passagem que ora examinamos, ou seja, de um lado é mera superstição presumir que Deus se confina a um templo e que, em contrapartida, os símbolos externos devem ter seu uso na Igreja – que, em suma, devemos aproveitar esses símbolos como auxílios para a nossa fé, mas não depositar neles nossa confiança. Embora Deus habite no céu e esteja acima de todos os céus, devemos valer-nos de auxílios para crescer no conhecimento dEle. E, ao dar-nos símbolos de sua presença, Ele coloca, por assim dizer, seus pés na terra e nos permite tocá-los. É assim que o Espírito Santo condescende ao nosso proveito e acomoda-se à nossa debilidade, elevando nossos pensamentos ao céu e às coisas divinas por meio desses elementos terrenos.

Em referência a esta passagem, a nossa atenção é despertada à espantosa ignorância do Segundo Concílio de Nicéia, no qual os dignos pais fracos[8] torceram-na como prova de idolatria, como se Davi ou Salomão ordenasse ao povo que erigissem estátuas a Deus e cultuassem-nas. Agora, quando as cerimônias mosaicas estão abolidas, adoramos ante o estrado dos pés de Deus, ao rendermos submissão reverente à sua Palavra e nos erguemos, com base nas ordenanças, para prestar-Lhe um genuíno culto espiritual. Sabemos que Deus não desce do céu imediatamente ou em seu caráter absoluto e que seus pés são afastados de nós e colocados em um estrado, devemos ser cuidadosos em subir a Ele por meio de degraus intermediários. Cristo é aquele não só em quem os pés de Deus repousam, mas em quem reside toda a plenitude da essência e da glória divinas; e nEle devemos buscar o Pai. Ele desceu com este propósito: para que subíssemos ao céu.

8. Levanta-te, ó Jehovah.[9] Linguagem como essa, que convida o grande Deus, que enche o céu e a terra, a tomar posse de um novo lugar de residência, pode parecer estranha e grosseira, mas os símbolos externos da religião designados por Deus são expressos nesses termos exaltados, a fim de atribuir-lhes honra e assegurar-lhes a consideração do povo dEle. Se Deus não houvesse instituído nenhum meio de comunhão com ele, e nos chamasse a uma comunicação direta com o céu, ficaríamos abalados pela grande distância a que nos manteríamos dEle, e isso interromperia nossa invocação. Portanto, embora nem por isso Ele mude de lugar, nós o sentimos nos atraindo sensivelmente para mais perto de Si. Foi assim que Ele desceu para o meio de seu antigo povo, através da Arca da Aliança, que Ele designou como símbolo visível de seu poder e graça, vivendo entre eles. De acordo com isso, a segunda sentença do versículo possui caráter exegético, informando a Igreja que Deus tinha de ser entendido como Alguém que fizera uma

---

8 Boni paterculi – *lat.*

9 *Levanta-te, ó Jehovah* eram as palavras que Moisés usava [Nm 10.35] nas jornadas pelo deserto, sempre que a arca se movia; este e os dois versículos seguintes formam uma parte da oração que Salomão ofereceu a Deus na dedicação do templo [2Cr 6.41-42], que pode ser considerado o lugar de repouso de Deus e da arca. A arca é chamada de *a arca do teu poder* – ou seja, o símbolo do teu poder e majestade. Essa frase se encontra somente neste salmo e na passagem de 2 Crônicas.

clara exibição de seu poder em conexão com a arca. Por isso, ela foi chamada de *a arca do seu poder*. A arca não era uma sombra fútil e vazia a ser contemplada, e sim aquilo mas que declarava a proximidade de Deus de sua Igreja. O *repouso* aqui mencionado deve ser entendido como o Monte Sião, porque, como veremos em seguida, Deus teria de ser adorado somente naquele lugar.

9. Vistam-se os teus sacerdotes. Agora, o salmista suplica, de um modo geral, em favor da prosperidade da Igreja, de conformidade com aquilo que estava intimamente conectado à afirmação anterior: a promoção de nossos melhores interesses é o grande objetivo pelo qual Deus habita entre nós. Alguns interpretam as palavras como um desejo de que o culto divino fosse mantido em sua pureza e crêem que o salmista orava para que os sacerdotes fossem revestidos de santidade, em alusão às suas vestes sagradas. Com base em uma exame mais detalhado das palavras e de todo o contexto, sou inclinado a manter outra opinião e a considerar esta oração como uma pedido de que a justiça de Deus fosse revelada entre o povo, como se fosse um ornamento sobre os sacerdotes, para comunicar alegria a todo o povo. Assim, entendo *justiça* no sentido de frutos ou efeitos da justiça, sendo esta a justiça de Deus, e não dos homens.

Os *sacerdotes* são mencionados em primeiro lugar, porque mantinham um posto mais elevado na ordem designada da Igreja. Embora tivessem seu devido lugar designado, a oração se refere à Igreja coletivamente, como se o salmista rogasse que a glória desta justiça fosse refletida dos sacerdotes sobre o povo em geral. Lemos que Deus nos veste com sua justiça, quando se manifesta como nosso Salvador e auxílio, defende-nos por seu poder e mostra, em seu governo sobre nós, que somos os objetos de sua preocupação. O *regozijo* mencionado deve referir-se a uma vida de felicidade. E essas duas coisas, uma vez reunidas, podem nos convencer de que *justiça* nada mais significa do que a guarda e o governo de Deus. Em coerência com isso, o salmo diz em seguida: "Os teus sacerdotes, ó Senhor Deus, se revistam de salvação", e posso acrescentar que Salomão, na solene oração à qual já nos referimos, não faz qualquer menção de justiça, e sim de salvação [2 Cr 6.41]. Tenho apresentado reiteradamente a razão por que os santos de Deus são chamados חסידים (*chasidim*) ou *misericordiosos*, porque a misericórdia ou a beneficência é aquela graça que nos torna mais semelhantes a Deus.

[vv. 10-12]
Por amor de Davi, teu servo, não faças retroceder o rosto de teu Cristo. Jehovah jurou a Davi, em verdade, e não se desviará disto: do fruto de teu ventre eu porei em teu trono. Se os teus filhos guardarem a minha aliança e os meus testemunhos, os quais lhes ensinarei, os seus filhos também se assentarão em teu trono para sempre.

10. Por amor de Davi, teu servo. Alguns conectam a primeira parte do versículo com o anterior. Não mencionarei as razões contrárias a isso, pois o leitor ficaria imediatamente chocado se este versículo fosse unido ao anterior. Antes de entrarmos na explanação do significado do salmista, posso apenas dizer que haveria um sentido forçado, se as palavras fossem entendidas assim: *desviar o rosto de teu Cristo* – privando-nos de uma visão do Redentor. Podemos inferir com certeza, com base na oração de Salomão, que as palavras expressam a súplica para que Deus mostrasse favor ao rei. A mesma expressão é empregada por Bate-Seba na súplica que fez a seu filho Salomão: "Não voltes a tua face", significando que ele não a expulsasse de sua presença [1Rs 2.20]. É uma expressão equivalente a *mostrar desprazer*; e podemos dizer uma palavra ou duas em referência a ela, porque a outra idéia, a de aplicar as palavras a nosso Redentor, é plausível e pode confundir as pessoas de pouco discernimento. Portanto, estas palavras nada mais significam do um pedido de que Deus não desprezasse ou rejeitasse as orações que Davi havia proferido em nome de todo o povo. Pede-se favor por amor a Davi, tão-somente porque Deus fizera uma aliança com ele. No que concerne a esse privilégio, Davi não ocupava a posição de qualquer homem comum. A oração, em suma, visava rogar a Deus que se lembrasse de sua promessa, mostrando favor à posteridade de Davi, pois, embora esta oração pela Igreja seja considerada como pronunciada a cada um dos reis, o fundamento era a pessoa de Davi. A Igreja foi assim ensinada, de modo figurado, que Cristo, o Mediador, intercederia por todo seu povo. Como Ele ainda não havia se manifestado na carne, nem entrado, pelo sacrifício de Si mesmo, no Santo dos Santos, nesse ínterim o povo tinha um mediador representativo a incentivá-los em suas súplicas.

11. Jehovah jurou a Davi.[10] Aqui, o salmista enfatiza a idéia com maior clareza: a única coisa que dizia respeito a Davi era a graciosa promessa que Deus lhe fizera. Em confirmação de sua fé, o salmista observa o fato de que Deus ratificara a promessa por meio de um juramento. Quanto às palavras específicas usadas, ele fala que Deus havia jurado em verdade, isto é, não com mentira, e sim de boa fé, para que ninguém duvidasse que Ele cumpriria a sua palavra. A coisa prometida era um sucessor para Davi, um sucessor que viria de sua própria descendência; pois, embora que não tivesse muitos filhos, ele já estava quase sem esperança da sucessão regular, por causa das confusões fatais que prevaleciam em sua família e a discórdia que reinava internamente em sua casa, que podiam eventualmente levá-la à ruína. Salomão já estava especificamente destinado, mas a promessa se estendia a uma linhagem contínua de sucessores. Esse arranjo afetava o bem-estar de toda a Igreja, e não apenas o de Davi. E o povo de Deus é encorajado pela certeza de que o reino que fora estabelecido entre eles possuía uma estabilidade sagrada e duradoura. Ambos, o rei e o povo, precisavam ser lembrados deste fundamento divino sobre o qual o reino se alicerçava. Vemos quão insolentemente os soberanos deste mundo se comportam amiúde – saturados de orgulho, embora em palavras reconheçam que reinam pela graça de Deus. Além disso, quão freqüentemente usurpam o trono por meio de violência, e quão raramente ascendem a ele de maneira normal. Portanto, traça-se uma

---

10 Comparar com Salmos 89.48. As histórias sagradas não fazem menção desse juramento, mas uma promessa que tem o mesmo significado se acha em 2 Samuel 7.12, 2 Reis 8.25.

distinção entre os reinos deste mundo e aquele que Davi manteve pela posse sagrada do próprio oráculo de Deus.

12. Se os teus filhos guardarem a minha aliança. Agora, observa-se, de forma mais distinta, a linhagem pela qual a perpetuidade da sucessão, como já mostramos, é realçada. Filhos de príncipes comumente os sucediam neste mundo por direito de herança, mas havia essa indubitável peculiaridade de privilégio no caso do reino de Davi, a peculiaridade de que Deus havia declarado expressamente que Davi teria sempre um de seus descendentes no trono, não somente por algum tempo, mas para sempre. Pois, ainda que aquele reino tenha sido destruído por algum tempo, ele foi restaurado outra vez e teve seu estabelecimento eterno em Cristo.

Aqui, surge a pergunta: a continuação do reino repousava na boa conduta ou no mérito humano? Pois os termos deste acordo pareciam sugerir que a aliança divina não seria bem feita, a menos que os homens realizassem fielmente sua parte; assim, o efeito da graça prometida dependia da obediência. Devemos lembrar que a aliança era perfeitamente gratuita, sempre relacionada com a promessa de Deus, de enviar um Salvador e Redentor, porque estava conectada com a adoção original daqueles a quem a promessa havia sido feita, a qual era, em si mesma, gratuita. Aliás, a desobediência e a rebelião daquele povo não impediram que Deus enviasse seu Filho; e isso é uma prova de que Ele não se deixava influenciar pela consideração da boa conduta deles. Por isso, Paulo disse: "E daí? Se alguns não creram, a incredulidade deles virá desfazer a fidelidade de Deus?" [Rm 3.3], sugerindo que Deus não subtrairia seu favor dos judeus, pois os escolhera espontaneamente por sua graça. Também sabemos que, apesar dos esforços deles, como que realizados de propósito, para destruir as promessas, Deus enfrentaria a maliciosa oposição deles exibindo seu maravilhoso amor, fazendo a sua verdade e fidelidade emergirem de modo triunfante e mostrado que sempre permaneceu firme em seu próprio propósito, independentemente de qualquer mérito deles.

Isto pode servir para mostrar em que sentido a aliança não era condicional; mas, como havia outras coisas que eram acessórias às aliança,[11] anexou-se uma condição, sob cujo efeito Deus os abençoaria, se obedecessem aos seus mandamentos. Os judeus, por declinarem desta obediência, foram levados ao exílio. Deus, ao mesmo tempo, parecia "tornar nula ou profana a sua aliança", como vimos em outra passagem. A dispersão era um tipo de rompimento da aliança, mas apenas em parte e na aparência. Isso será realçado mais claramente pela referência ao que aprendemos da história sagrada ocorreu logo depois da morte de Davi. Pela deserção das dez tribos, o reino sofreu um golpe severo, permanecendo apenas uma pequena parte dele. Mais tarde o reino foi reduzido por novos desastres, até que, finalmente, foi arrancado pelas raízes. Embora o regresso do cativeiro tenha dado alguma esperança de restauração, não houve ninguém que portasse o nome de rei, e a dignidade vinculada a Zorobabel era um tanto obscura, até que surgiram reis espúrios, não da linhagem direta.

Não estaríamos dizendo que a aliança de Deus foi abolida? No entanto, visto que o Redentor veio da mesma fonte predita, é claro que a aliança se manteve firme e estável. Neste sentido, lemos o Ezequiel disse sobre a coroa: "Tira o diadema e remove a coroa; o que é já não será o mesmo; será exaltado o humilde e abatido o soberbo" [21.26]. Onde o profeta pode parecer cancelar o que Deus havia escrito com sua própria mão e anular a promessa divina, pois a segurança do povo estava intimamente conectada com o trono, conforme a expressão que encontramos em Lamentações: "O fôlego de nossa vida, o Ungido do SENHOR, foi preso nos forjes deles" [4.20]. O profeta, digamos, talvez pareça golpear diretamente a aliança feita por Deus, quando fala que a coroa seria removida. No entanto, o que ele adiciona na parte subseqüente da sentença prova que a aliança, por ser gratuita, tinha de ser eterna e inviolável, visto que se estendia à promessa do Redentor, apesar da conduta dos judeus — uma conduta tão péssima que podia

---

11 "Sed quia secum trahebat alias accessiones" - *lat.*

excluí-los temporariamente do favor divino. Deus, em contrapartida, tomou vingança contra o povo devido à sua ingratidão, para mostrar que os termos da aliança não se encaminhavam condicionalmente a nenhum propósito. Por outro lado, na vinda de Cristo houve uma livre realização do que fora graciosamente prometido, uma vez que a coroa foi posta na cabeça de Cristo. A obediência que Deus demanda é particularmente declarada como a obediência de sua aliança, para ensinar-nos que não O servimos por meio de invenções humanas, mas nos confinamos às prescrições de sua Palavra.

[vv. 13-16]
Visto que Jehovah escolheu Sião,[12] ele a quis para sua habitação. Este é o meu repouso para sempre, aqui habitarei, porque eu assim o quis. Abençoando, abençoarei a sua provisão, saciarei os seus pobres com pão e vestirei os seus sacerdotes com salvação,[13] e os seus misericordiosos gritarão de alegria.

13. Visto que Jehovah escolheu Sião. Ao unir o reino ao sacerdócio e ao serviço no santuário, o salmista declara ainda mais enfaticamente que isso procedeu de designação divina, e não humana. Não devemos ignorar uma conexão em favor de outra. A verdadeira força e estabilidade do reino estavam em Cristo, e o reino de Cristo é inseparável de seu sacerdócio. Isto pode explicar por que se faz menção de Sião como escolhida. Deus decretou em relação ao reino somente o que tinha certa conexão com o santuário, para prefigurar mais perfeitamente o Mediador que havia de vir e que era tanto sacerdote como rei, segundo a ordem de Melquisedeque. O reino e o tabernáculo eram estreitamente

---

12 O templo de Salomão foi construído sobre o monte Moriá, e não sobre o monte Sião. Mas, como o Moriá era apenas uma extensão do monte Sião, este era, às vezes, considerado parte daquele, sendo chamado pelo seu nome. Até o templo e seus átrios são assim designados [Sl 65.1; 84.7]. Entretanto, Sião pode te sido colocada aqui como sinônimo de Jerusalém.

13 Em Salmos 132.9, a oração do salmista a Deus é que os sacerdotes fossem vestidos de justiça; e nesta parte final do Salmo, em que Deus está declarando o que fará ao rei e à cidade de seu povo, Ele promete conceder mais do que pediam em sua oração; pois, diz ele, "vestirei seus sacerdotes com salvação"; não apenas com justiça, mas com o que é a conseqüência ou recompensa da justiça, a saber, a salvação" – *Phillips*.

aliados. É preciso notar a razão da qual procedeu a escolha – o monte Sião não foi escolhido por uma excelência pertinente a ele, como já vimos [Sl 68.16], e sim porque essa foi a vontade de Deus. O beneplácito de Deus é especificado no devido lugar em contraste com qualquer mérito. Esta é outra prova do que já afirmamos – que a aliança feita por Deus com Davi procedeu de sua mera bondade.

14. Este é o meu repouso para sempre. A mesma verdade é aqui colocada na boca de Deus, para dar-lhe importância adicional. E declara-se não ter sido em vão que o templo foi erigido, visto que Deus mostraria eficazmente e por testemunhos práticos o deleite que sentia no culto que Ele mesmo designara. O repouso de Deus, ou a construção de sua habitação, é uma expressão que denota que Ele está presente com os homens na manifestação de seu poder. Assim, *ele habita em Sião* no sentido de que ali seu povo O adorava segundo a prescrição de sua lei e, além disso, encontrava o benefício do culto em sua resposta favorável às súplicas deles. No devido tempo, foi visto, de maneira notável, que essa era a promessa de um Deus infalível, quando mais tarde, depois que o templo foi destruído, o altar arruinado e interrompida toda a estrutura do ministério da época da lei, a glória do Senhor retornou mais uma vez e permaneceu ali até ao advento de Cristo.

Todos sabemos de que maneira ímpia e vergonhosa os judeus abusaram da promessa divina feita neste salmo, sob a impressão de que Deus se colocara, necessariamente, na obrigação de favorecê-los; e, com base nisso, aproveitaram a ocasião para, no orgulho de seus corações, desprezar e perseguir cruelmente os profetas. Por isso, Lutero chama-a de "promessa de sangue", pois, à semelhança de todos os hipócritas que usam do nome de Deus como uma máscara para a iniqüidade, não hesitavam, quando acusados dos mais graves crimes, em insistir que os profetas não tinha poder de tirar deles os privilégios que Deus lhes outorgara. Para eles, asseverar que o templo podia ser destituído de sua glória equivalia a acusar a Deus de falsidade e de renunciar a sua fidelidade. Sob a influência desse espírito de confiança vã, avançaram em uma extensão tão inconcebível, que chegaram a derramarem sangue inocente.

Se o Diabo de Roma estivesse armado com pretensões tão esplêndidas, que limites poderiam ser postos em sua audácia? Assim, vemos com que fúria e sangrento orgulho ela reivindica o nome de igreja, enquanto ultraja toda a religião em franco menosprezo de Deus e flagrante violação da humanidade. Qual seria o resultado disso? A hierarquia cairia e esta situação permaneceria, se Cristo não abandonasse sua esposa, a Igreja! Não é difícil acharmos a refutação dessa justificativa. A Igreja não está limitada a nenhum lugar; agora, a glória do Senhor resplandece em toda a terra, e o repouso dEle é onde Cristo e seus membros estão. É indispensável que entendamos corretamente o que o salmista diz a respeito da perpétua continuidade do templo. O advento de Cristo foi "o tempo de reforma", e as figuras do Antigo Testamento, em vez de serem provadas ou tornadas nulas, foram substanciadas e cumpriram-se nEle. Se alguém objetar dizendo que o monte Sião é mencionado como a eterna residência de Deus, precisamos apenas responder que o mundo inteiro se tornou um monte Sião ampliado pelo advento de Cristo.

15. Abençoando, abençoarei. A habitação de Deus no meio de seu povo era o que constituía a grande fonte de sua bem-aventurança. Agora são mencionadas algumas das provas que ele daria a respeito de seu amor paternal, tais como preparar e administrar seu alimento diário, aliviar suas carências, vestir seus sacerdotes com salvação e encher todo o seu povo de júbilo e alegria. Era necessário acrescentar isso, pois, a menos que tenhamos demonstração visível da bondade de Deus, não somos suficientemente espirituais para nos elevarmos à apreensão dessa bondade. Temos uma manifestação dupla no que concerne ao nosso alimento diário: primeiro, em ser a terra enriquecida para nos prover o grão, o vinho e o óleo; segundo, em ser a produção multiplicada na terra, por meio de um poder secreto, de modo a prover-nos nutrição suficiente. Aqui, há uma promessa de que Deus exerceria um cuidado especial sobre seu próprio povo, suprindo-lhe alimento; e, embora não tivessem grande abundância, os pobres seriam saciados.

Não deixaremos de mencionar o extraordinário e ridículo equívoco que os papistas têm cometido sobre esta passagem; esse equívoco revela que eles se encontram em tal estupidez de discernimento, que não existe nada tão absurdo que eles não aceitarão. Ao fundir as duas letras numa só, pois, em lugar de *victus*, eles lêem *vidus* e conjeturam que isso se deve a uma mutilação de *viduas* – *abençoando, abençoarei suas viúvas*! Assim, transformaram "alimento" em "viúvas" – um erro tão crasso, que dificilmente acreditaríamos, não fosse pelo fato de que bradam a palavra em seus templos até aos dias de hoje.[14] Deus, porém, que abençoa o alimento de seu povo, tem obscurecido a mente deles e deixado que confundam tudo em seus devaneios e tagarelices. O autor inspirado continua a repetir o que já havia dito a respeito de outras bênçãos; o termo *salvação* é usado em lugar de *justiça*, mas no mesmo sentido que já mencionei. Alguns o entenda em referência à pureza da doutrina e a santidade de vida, mas esta parece ser uma interpretação forçada; e o salmista queria dizer simplesmente que estariam seguros e felizes sob a proteção divina.

[vv. 17-18]
Ali farei brotar o chifre de Davi; preparei uma lâmpada[15] para meu Cristo.
Vestirei os seus inimigos de opróbrio, mas sobre ele florescerá a sua coroa.[16]

17. Ali farei brotar o chifre de Davi. Ele retorna ao estado do reino, que Deus prometera tomar sob o seu cuidado e proteção. É necessário que atentemos à força peculiar das palavras empregadas:

---

14 "צידה" (*a provisão dela*). A palavra צִיד significa alimento obtido por meio de caçar; é usada para expressar alimento de qualquer gênero – geralmente provisão. A Septuaginta tem θήραν, que denota provisão que fora caçada e obtida; mas outra redação da versão grega é τὴν χήραν αὐτῆς, que foi seguida pela Vulgata, Arábica e Etiópica, sendo a redação da Vulgata: *viduam ejus*. Esta redação corrompida é observada por Jerônimo" – *Phillips*.

15 "Alguns acham que este versículo se refere à lâmpada do Tabernáculo [Êx 27.20]. Crisóstomo e Cirilo entendem a que a lâmpada aqui mencionada tem uma referência profética a João Batista" — *Cresswell*.

16 A idéia da coroa florescendo na cabeça parece ter sido sugerida pelas antigas coroas outorgadas aos vencedores. Essas coroas consistiam de certas espécies de ramos de sempre-vivas, como o louro, a hera, a oliveira, a murta, etc.

Farei brotar o chifre de Davi. Ora, não pode haver dúvida quanto ao significado do termo *chifre*, que em hebraico é comumente usado para significar *força* ou *poder*; mas devemos observar que o *brotar do chifre* alude à humildade original do reino, bem como às restaurações singulares pelas quais ele passaria. Davi havia sido retirado da enfadonha e servil atividade de pastor e do humilde abrigo em que vivia. Ele era o mais jovem dentre os filhos de seu pai e um pastor comum; e foi elevado ao trono, por meio de uma série de sucessos não buscados. Sob o governo de Jeroboão, o reino foi, numa época bem inicial, tão efetivamente reduzido, que foi somente por meio de foi de um desabrochar pouco a pouco e que ele se manteve num grau moderado de avanço. Mais tarde, o reino sofreu vários choques, que teriam resultado em sua destruição, se não houvesse florescido de novo. E, quando o povo foi disperso no cativeiro, o que acontecido com eles, se Deus não houvesse feito o chifre quebrado e pisoteado de Davi irromper novamente?

Parece que Isaías tinha isso diante dos olhos quando comparou Cristo a um rebento que nasceria não de uma árvore em pleno vigor, mas de um tronco ou caule [Is 11.1]. É provável que Zacarias se referiu à profecia deste Salmo, quando disse: "Eis aqui o homem cujo nome é o Renovo" [Zc 6.12], significando que somente deste modo o poder e a dignidade do reino poderiam ser restaurados, depois do desmembramento e da devastação a que fora exposto. Em 2 Samuel 23.5, Davi faz uso da palavra empregada neste versículo do Salmo, mas em sentido um pouco diferente, referindo-se ao avanço contínuo do reino em maiores medidas de prosperidade. Aqui, o autor inspirado em vez de referir-se à maneira singular pela qual Deus faria o chifre de Davi reviver outra vez, quando em algum tempo ele parecesse quebrado e ressequido.

A figura da *lâmpada* tem o mesmo sentido e ocorre em muitas outras passagens bíblicas, sendo uma profecia bem generalizada na boca do povo. O significado é que o reino, embora sofresse obscurecimentos ocasionais, nunca se extinguiria totalmente sob as calamidades que lhe ocorreram, sendo como a lâmpada de Deus que queima constantemente e salienta a segurança do povo do Senhor, ainda que não brilhe a uma grande distância. Naquele tempo, toda a iluminação de que se desfrutava não passava de uma lâmpada tênue que brilhava em Jerusalém. Agora, Cristo, o sol da justiça, derrama uma iluminação plena sobre o mundo inteiro.

18. Vestirei os seus inimigos de opróbrio. O salmista já havia dito que os sacerdotes "serão vestidos com justiça e salvação"; agora os inimigos de Davi são representados como que "vestidos de opróbrio". Não basta que tudo vá bem dentro da Igreja. Deus tem de nos guardar dos vários danos e males que nos sobrevêm de fora. Por isso, temos esta segunda promessa acrescentada, por meio da qual reconhecemos com freqüência a bondade de Deus, mais do que nas bênçãos que Ele pode derramar sobre nós no dia de prosperidade. Quanto maior é o medo que se apodera de nós, quando somos expostos à agressão dos inimigos, tanto mais nos mostramos sensivelmente despertos em confessar o socorro divino. A passagem nos ensina que a Igreja e o povo de Deus nunca desfrutarão de tão elevado grau de paz na terra, que evitarão totalmente o serem atacados pela variedade de inimigos que Satanás instiga a destruí-los. Basta-lhes a declaração de que, sob a autoridade de Deus, as tentativas desses inimigos serão frustradas e de que, eventualmente, eles se retirarão com ignomínia e desgraça.

A sentença seguinte tem sido interpretada de modo variado. O verbo que temos traduzido por *florescer*, às vezes significa, na conjugação Hiphil, *ver*. Por isso, há aqueles que traduzem assim o versículo: Naquele lugar será vista a coroa de Davi, quando o chifre florescer. Alguns acham que a palavra se deriva de ציץ (*tsits*) — *uma lâmina* — e acham que o salmista como queria dizer que a coroa do rei seria resplandecente com lâminas de ouro. Eu considero que a coroa é aqui expressa como que a *florescer*, assim como antes a alusão foi a brotar ou a germinar. Por outro lado, Isaías fala [28.5] sobre a coroa dos bêbados de Efraim como uma flor murcha. Assim, este salmo declara que, por mais frágil que a coroa de Davi parecesse em sua posteridade, ela seria revigorada por uma virtude secreta e floresceria para sempre.

Salmos 133

Um salmo de ação de graças por aquela santa harmonia que prevalecia na nação e que o povo do Senhor foi energicamente exortado a manter.

Cântico dos Degraus, de Davi
[vv. 1-3]
Oh! quão bom e quão conveniente é que os irmãos[1] habitem juntos! É como o ungüento preciso sobre a cabeça, que desce para a barba, a barba de Arão, que desce para as abas de suas vestes.[2] É como o orvalho do

---

1 A palavra *irmãos* não se limita aos que descendem dos mesmos pais; denota os membros da mesma comunidade, professam a mesma santa religião e são governados pelas mesmas instituições. Todo o povo de Israel se inclui no primeiro caso mencionado.

2 Kimchi, Jarchi, entre outros, em vez de "para as abas", traduzem "para a gola de suas vestes". Isto parece dar o verdadeiro significado do original, o qual implica que somente a cabeça e a barba de Arão foram ungidas e que os mantos caríssimos dos sacerdotes eram preservados da unção, com o que inevitavelmente seriam manchados. Para uma consideração deste ungüento e de sua aspersão sobre Arão e seus filhos, ver Êxodo 30.23-25, 30; Levítico 8.12. Quando Arão foi consagrado como Sumo Sacerdote, o óleo foi derramado sobre ele, enquanto os demais sacerdotes foram só aspergidos.

Hermom,³ que desce sobre os montes de Sião,⁴ pois ali⁵ Jehovah ordenou a bênção, a vida para sempre.

1. Oh! quão bom e quão conveniente é que os irmãos habitem juntos! Não tenho dúvida de que neste Salmo Davi rende graças a Deus pela paz e harmonia que sucedera um longo e melancólico estado de confusão e divisão no reino e que ele exorta a todos, individualmente, a se esforçarem na manutenção da paz. Esse tema é ampliado até, pelo menos, onde permite a brevidade do Salmo. Havia amplo motivo para louvar, nos termos mais elevados, a bondade de Deus por unir um povo que fora tão deploravelmente dividido. Quando Davi tomou posse do reino, a maior parte da nação o via como um inimigo do bem público e se alienou dele. Aliás, tão mortal era a hostilidade existente, que nada mais além da destruição do partido de oposição parecia assegurar a perspectiva de paz. A mão de Deus foi maravilhosa e inesperadamente vista na harmonia existente entre eles, quando aqueles que haviam sido inflamados pela mais violenta antipatia se congra-

---

3 Há uma montanha chamada Hermom, que é a mais alto dentre as montanhas designadas Anti-Líbano; essa montanha fica situada a nordeste do país, além do Jordão. No entanto, este não é o monte que se supõe ser aqui mencionado; aqui se refere a outro monte que tem o mesmo nome e fica dentro da terra de Canaã, a oeste do rio Jordão. Ele é descrito por Buckingham como uma cordilheira de montes que percorrem vários quilômetros de leste a oeste, formando a fronteira sudeste da planície de Esdraelon, na qual fica situado o Monte Tabor. Maundrell, que, em sua viagem de Aleppo a Jerusalém, durante cerca de seis ou sete horas em direção ao leste, teve plena visão do Tabor e do Hermom, falou sobre os copiosos orvalhos que caíam naquela parte do país e disse: "Fomos suficientemente instruídos pela experiência o que o salmista quis dizer por orvalho do Hermom, visto que nossas tendas ficaram tão encharcadas por ele, como se houvesse chovido toda a noite" – *Journey*, p. 57.

4 Calvino dá a construção destas palavras como se acha no texto hebraico. Mas, para torná-las inteligíveis, algo precisa ser suprido. Como Hermon e Sião ficam muitos quilômetros distantes um do outro, seria absurdo falar dos orvalhos daquele descendo sobre este, para não mencionar a dificuldade de entender como o orvalho de um monte pode descer sobre outro. Os tradutores da Bíblia em inglês repetem as palavras *como o orvalho* antes de *que desce*; e a inserção deste suplemento é plenamente justificada, pois essa é a maneira mais natural de produzir significado inteligível.

5 "As partículas שם כי não se referem a Sião; são postas como a introduzir a razão da bondade mencionada no versículo 1, חיים" – *Phillips*. Outros, como Lowth, sustentam que שם deve se referir a Sião e que a bênção também deve se referir a ela. "שם não poderia significar o lugar onde os irmãos habitam juntos em união?" – *Secker*.

tulavam cordialmente. Esta[6] particularidade nas circunstâncias que provocaram o Salmo infelizmente tem sido ignorada pelos intérpretes, os quais têm achado que Davi emite apenas uma recomendação geral à união fraternal, sem qualquer referência particular.

A exclamação *oh!* que inicia o Salmo é particularmente expressiva, não somente porque coloca diante de nós o estado das coisas visíveis, mas também porque sugere um contraste entre o deleite da paz e aqueles tumultos civis que quase destruíram o reino. O salmista apresenta a bondade de Deus em termos elevados. E, como os judeus tinham grande experiência em antagonismo interno, que levou a nação quase à ruína, aprenderam o inestimável valor da união. O fato de que este é o sentido da passagem transparece ainda mais na partícula גם (*gam*), no final do versículo. Não devemos entender, como o fazem alguns que têm entendido de modo errado o significado do salmista, que esta palavra é um mero copulativo que acrescenta ênfase ao contexto. Era como ele se quisesse dizer: nós, que éramos naturalmente irmãos, nos tornamos tão divididos, que olhamos uns para os outros com ódio mais amargo do que para com os inimigos estrangeiros; agora, porém, quão bom é que cultivemos um espírito de concórdia fraternal!

Ao mesmo tempo, não pode haver dúvida de que o Espírito Santo deve ser visto, nesta passagem, como a recomendar aquela harmonia mútua que deve existir entre todos os filhos de Deus e a exortar-nos a exercer toda diligência em manter essa harmonia. Enquanto as animosidades nos dividirem, e os rancores prevalecerem entre nós, sem dúvida podemos ser irmãos mediante um relacionamento comum com Deus, mas não podemos ser considerados um só povo enquanto apresentarmos a aparência de um corpo quebrado e desmembrado. Como somos um em Deus, o Pai, e em Cristo, a união deve ser ratificada entre nós por harmonia recíproca e amor fraternal. Assim, se, na providência de Deus, os papistas voltassem àquela santa harmonia da qual

---

6 "Les expositeurs laissent passer cette circonstance, et mal, comme si David louoit generalement, et sans son propre regard, le consentement fraternel, etc." — *fr.*

apostataram, com base nesses termos seríamos chamados a render graças a Deus e, nesse ínterim, obrigados a receber em nossos âmbito fraternal todos os que alegremente se submetem ao Senhor. Devemos opor-nos àqueles espíritos turbulentos que o diabo jamais deixa de suscitar na Igreja e mostrar-nos diligentes em manter boa relação com aqueles que demonstram uma disposição dócil e tratável. Não podemos estender esta comunhão aos que persistem obstinadamente no erro, visto que para recebê-los como irmãos teríamos de renunciar Aquele que é o Pai de todos e de quem todo relacionamento espiritual se origina. A paz que Davi recomenda é tal que começa na verdadeira Cabeça; e isto é, em si mesmo, suficiente para refutar a infundada acusação de cisma e divisão que os papistas têm lançado contra nós, enquanto temos dado ampla evidência de nosso desejo de que se juntem a nós na verdade de Deus, a qual é o único vínculo da união santa.

3. Como o ungüento precioso sobre a cabeça. Temos aqui uma prova clara de que Davi, como acabamos de dizer, afirma que toda a verdadeira união entre os irmãos tem sua origem em Deus e que o legítimo objeto dessa união é que todos sejam conduzidos ao culto dedicado a Deus em pureza e invoquem seu nome com consenso. A comparação teria sido emprestada da unção sagrada, se não visasse denotar que a religião deve sempre ocupar o primeiro lugar?[7] Insinua-se assim que qualquer concórdia insinua prevalecente entre os homens é insípida se não for permeada pelo doce sabor do culto a Deus. Mantemos, pois, que os homens devem ser unidos entre si, em afeição mútua, tendo isto como seu grande objetivo: sejam congregados sob o governo de Deus. Se há alguém que discorde desses termos, devemos nos opor energicamente a essa pessoa, em vez de granjearmos a paz às custas da honra de Deus. Temos de sustentar que, ao mencionar o sacerdote, o intuito do salmista é sugerir que a concórdia tenha sua origem no verdadeiro e puro culto a Deus. Por *barba* e *golas*

---

7 "Car a quel propos tireroit-il ceste similitude de l'huile sacree, sinon a ceste fin que la vraye religion tiene tousjours le premier lieu?" – *fr.*

das vestes somos levados a entender que a paz que emana de Cristo, como a Cabeça, é difundida por toda a extensão e amplitude da Igreja. A outra figura, a do *orvalho* que desce do monte Hermom e cai sobre o monte Sião denota que uma unidade santa tem não só um doce sabor diante de Deus, mas produz bons efeitos, como o orvalho umedece a terra e supre-a de seiva e frescor. Moisés, bem o sabemos, disse a respeito de Judá que este não seria fertilizado como o Egito fertilizado, por meio do transbordamento de seu rio, e sim pela chuva que cairia do céu [Dt 11.11]. Davi sugere que a vida do homem não teria vitalidade, seria inútil e miserável, se não fosse sustentada pela harmonia fraternal. É evidente que o monte Hermom era rico e frutífero, famoso entre as regiões de pastagens. Os montes dependem principalmente da fertilidade do orvalho do céu, e isso foi demonstrado no caso do monte Sião. Davi adiciona, no final, que Deus ordena sua bênção onde a paz é cultivada; isso significa que Ele testemunha o quanto se agrada com a harmonia entre os homens, ao fazer chover bênçãos sobre eles. O mesmo sentimento é expresso por Paulo em outros termos [2Co 13.11; Fp 4.9]: "Vivei em paz, e o Deus da paz estará convosco". Então, quanto depender de nós, esforcemo-nos por viver no amor fraternal, para nos assegurarmos da bênção celestial. Estendamos nossos braços aos que diferem de nós, desejando exortá-los a retornar, se quiserem retornar à unidade da fé. E se eles recusarem? Ora, que se vão! Como já disse, não reconhecemos qualquer outra fraternidade, exceto a que existe entre os filhos de Deus.

Salmos 134

Exortação ao louvor divino, dirigida ao povo de Deus em geral e, mais particularmente, aos sacerdotes e levitas.

Cântico dos Degraus
[vv. 1-3]
Eis! Bendizei a Jehovah, todos vós, servos de Jehovah, que permaneceis à assistis noite na casa de Jehovah. Erguei vossas mãos para o santuário[1] e bendizei a Jehovah. Jehovah, que fez o céu e a terra, te abençoe desde Sião.

1. Eis! Bendizei a Jehovah. Alguns intérpretes acreditam que outros, além dos levitas, estão aqui subentendidos; e devemos admitir que, pelo menos, alguns dos mais zelosos dentre o povo permaneciam no templo durante a noite, como lemos a respeito de Ana [Lc 2.37], uma viúva "que servia a Deus constantemente com orações, noite e dia".[2] Mas é evidente, à luz do final do Salmo, que o autor inspirado se

---

[1] "קדשׁ". Alguns traduzem esta palavra como se fosse um advérbio. Assim Tilingins lê: 'Attollite manus vestras sanete'. Não há dúvida de que, levantar as mãos reverentemente é uma postura ordinária e própria de suplicantes junto ao trono da graça. Além do mais, Paulo, em 1 Timóteo 2.8, talvez referindo-se a esta passagem, fala de 'erguer mãos santas'. As versões Septuaginta e a Siríaca tomaram a palavra como um substantivo, significando *o santuário*. A Septuaginta traz ἅγια; a Siríaca: ἐις ἅγια" — *Phillips*. Warner e Cress, juntamente com Calvino, leriam: "Para o santuário", isto é, para o Santo dos Santos, onde a arca, o símbolo da divina presença, permanecia.

[2] "Sabemos", diz Fry, "que havia um serviço noturno no templo [2Cr 21]; e Kimchi, um escritor judaico, representa aqueles que à noite permaneciam na casa do Senhor como homens santos que se levantavam de seus leitos, no meio da noite, e iam orar no templo". Após reportar-se ao caso de "Ana, a profetisa", ele acrescenta: "E Paulo, diante de Agripa, falando 'da esperança da promessa feita aos pais', nos dá esta notável descrição: 'Que nossas doze tribos, servindo incessantemente a Deus, dia e noite, esperam alcançar'. Havia serviço público no templo em Jerusalém, não só de dia, mas também à noite; e muitos judeus costumavam

dirige somente aos sacerdotes, visto que prescreve a forma da bênção que deviam oferecer em favor do povo. E esse era um dever que pertencia exclusivamente aos sacerdotes. Parece que os levitas são aqui chamados *servos de Deus*, com base nas funções que desincumbiam, sendo especialmente designados, em turnos, a vigiar o templo durante a noite, como lemos na história inspirada [Lv 8.35].[3]

O Salmo começa com o advérbio demonstrativo *eis*, apresentando-lhes o seu dever, pois precisavam ser estimulados à devoção, por contemplarem constantemente o templo. Devemos notar o desígnio do salmista em impor-lhes o dever de louvar com toda solicitude. Muitos dos levitas, mediante a tendência que existe em todos os homens de usar mal as cerimônias, achavam que não precisavam fazer nada além de ficarem ociosos no templo; assim, ignoravam a parte principal do seu dever. O salmista queria mostrar que guardar a vigília noturna no templo, acender as lâmpadas e superintender os sacrifícios não tinha nenhuma importância, se não servissem a Deus espiritualmente e não submetessem todas as cerimônias externas àquilo que deve ser considerado o principal sacrifício – a celebração dos louvores de Deus. O leitor pode imaginar que serviço laborioso era ficar de vigia no templo, enquanto os demais dormiam em suas casas. Mas o culto que Deus requer é algo muito mais excelente do que isso e demanda que cada um de nós entoemos seus louvores diante de todo o povo.

No versículo 2, o salmista lembra-lhes, em adição, a forma observada na invocação do nome do Senhor. Por que os homens erguem suas mãos enquanto oram? Não é para que, ao mesmo tempo, seu coração também seja erguido a Deus?[4] Assim, o salmista aproveita a ocasião para repreender a negligência deles, ou por ficarem ociosos no

---

freqüentar esse serviço noturno, para o qual este e o seguinte Salmo parecem haver sido escritos" – *Cresswell*.

3 "Vós, servos do Senhor", isto é, vós, levitas, cujo dever era, segundo os talmudistas, manter vigilância noturna, em pé, no templo. O sumo sacerdote era o único que se assentava no templo. Cf. Levítico 8.35; 1 Crônicas 9.33; Salmo 92.2; 119.147; Lucas 2.37" – *Cresswell*.

4 "Car a quel propos les hommes *eslevent ils les manis* en priant, sinon afin qu'ils eslevent aussi leurs esprits a Dieu?" – *fr*.

templo, ou por tagarelarem e engajarem-se em conversa fútil, ou por deixarem de adorar a Deus de maneira apropriada.

3. Jehovah... te abençoe desde Sião. Em minha opinião sobre este versículo, temos aqui uma prova conclusiva de que o Salmo deve ser considerado como uma referência apenas aos sacerdotes e levitas, pois cumpria-lhes, propriamente, abençoar o povo [Nm 6.23]. A princípio, o salmista lhes exorta que bendigam a Deus; agora, lhes diz que abençoem o povo em nome de Deus. Por meio dessa exortação, Deus não queira sugerir que o povo podia se entregar a uma vida de segurança carnal – opinião prevalecente entre os papistas, os quais pensam que, se os monges cantam nos templos, esse é todo o culto necessário da parte de todo o povo. O que Deus tencionava era que os sacerdotes liderassem o culto divino, e o povo seguisse o exemplo do que era feito no templo, praticando-o individualmente em seus lares privados. O dever de abençoar o povo foi imposto aos sacerdotes como representantes de Cristo.

O salmista menciona, expressa e intencionalmente, duas coisas que são distintas em si mesmas, quando afirma que o Deus que os abençoa desde Sião é o Criador do céu e da terra. Faz menção do título de Deus como *Criador* para manifestar o seu poder e convencer os crentes de que nada existe que não se possa esperar dEle. O que é o mundo, senão um espelho no qual vemos o infinito poder de Deus? E, de fato, devem ser insensíveis aquelas pessoas que não se satisfazem com o favor de quem é reconhecido por elas como Aquele que tem, nas mãos, todo o domínio e todas as riquezas. No entanto, visto que, ao ouvirem o nome de Deus sendo mencionado como Criador, muitos se mostram capazes de imaginar que Ele está bem distante deles e de duvidar que possam ter acesso a Ele, o salmista também menciona aquilo que era um símbolo da presença de Deus com seu povo – para que fossem encorajados a aproximar-se dEle com liberdade e irrestrita confiança de pessoas que eram convidadas a achegar-se à presença de um Pai. Ao olharem para o céu, deviam visualizar o poder de Deus; ao olharem para Sião, o lugar de sua habitação, deviam reconhecer o seu amor paternal.

Salmos 135

Este salmo é uma a louvar a Deus, ou por sua bondade manifestada especialmente a seu povo eleito, ou por seu poder e glória manifestados no mundo em grande escala. Há um contraste entre os ídolos, que tinham apenas uma vã exibição de divindade, e o Deus de Israel, que estabelecera sua reivindicação de ser considerado o único Deus verdadeiro, por meio de provas claras e incontestáveis, visando levar o povo a louvá-Lo com a máxima alegria e a submeter-se ao seu governo.

Aleluia
[vv. 1-4]
Louvai o nome de Jehovah,¹ louvai-o, servos de Jehovah. Vós que assistis na casa de Jehovah e vós que assistis nos átrios da casa de nosso Deus,² louvai a Deus, porque Jehovah é bom. Cantai a seu nome, porque isso é agradável. Pois Deus escolheu para si a Jacó,³ e a Israel, para seu tesouro peculiar.

1. Louvai o nome de Jehovah. Embora este Salmo comece quase da mesma maneira como o anterior, o salmista parece não dirigir-se aos levitas

---

1 "Talvez o original הללו שם יהוה (halelu et shem, Jehovah) deva ser traduzido: *Louvai o nome de Jehovah*, ou seja, louvai a Deus em sua infinita essência, ser, santidade, bondade e verdade" – *Dr. Adam Clarke*.

2 Suprimos, na segunda cláusula, as palavras "vós que assistis" como necessárias para realçar o sentido que Calvino lhe atribui. A בית יהוה, "*a casa de Jehovah*", mencionada na primeira cláusula, observa Mendlessohn, em seu Beor, era o lugar onde os sacerdotes permaneciam; enquanto "os átrios" que circundavam o templo, mencionados na segunda cláusula, eram ocupados pelo povo, quando estavam engajados em suas orações públicas.

3 O nome "Jacó", aqui, é usado por metonímia para significar a posteridade de Jacó, como se torna faz evidente do paralelismo entre os dois membros.

exclusivamente, e sim ao povo em geral, visto que as razões dadas para louvar a Deus são aplicáveis igualmente a todos os filhos de Deus. Não faz nenhuma menção da vigília noturna ou de contínua permanência deles no templo. Mas, como o dever especial dos sacerdotes era assumirem a liderança neste exercício devocional e entoarem os louvores de Deus diante do povo, não há razão por que não devemos presumir que eles são primariamente dirigidos e estimulados ao seu dever. Só nos basta examinar as palavras mais detidamente, para nos convencermos de que o povo estava incluído, seguindo em ordem aos sacerdotes.[4] O salmista se dirige aos servos de Deus que *assistiam no templo* e, em seguida, aos que estão *nos átrios*, enquanto no salmo anterior não há qualquer referência aos átrios. Parece que ele menciona *átrios* no plural porque os sacerdotes tinham o seu átrio e havia outro átrio comum a todo o povo, porque, pela lei expressa [Lv 16.17], as pessoas eram proibidas de ter acesso ao santuário. Para frustrar qualquer sentimento de desgosto que surgisse da freqüente repetição dessa exortação a respeito dos louvores de Deus, era necessário apenas lembrar, como já observamos, que não havia sacrifício em que Ele mais se deleitava do que a expressão de gratidão. Assim, "oferece a Deus sacrifício de ações de graças e cumpre os teus votos para com o Altíssimo" [Sl 50.14]. E: "Que darei ao Senhor por todos seus benefícios para comigo? Tomarei o cálice da salvação e invocarei o nome do Senhor" [Sl 116.12-13].

Devemos prestar atenção especial àquelas passagens da Escritura que falam em termos elevados sobre aquela adoração a Deus que é espiritual. Do contrário, poderíamos ser levados, por meio do exercício de um zelo equivocado, a gastar nosso labor em tagarelices e, neste aspecto, imitar o exemplo de tantos que têm se cansado com tentativas ridículas de inventar acréscimos para o serviço divino, enquanto negligenciam o que é, de todas as coisas, o mais importante. Esta é a razão por que o Espírito Santo inculca tão reiteradamente o dever do louvor: para que não subestimemos ou nos tornemos negligentes neste exercício devocional. Isso implica também uma censura indireta de nossa

---

4 "Et quand on advisera de bien pres aux mots, on y trouvera que le peuple est adjoint, etc."— *fr.*

demora em prosseguir ao dever, pois ele não reiteraria a admoestação, se nos mostrássemos dispostos e fôssemos diligentes em cumpri-la. A expressão no final do versículo, *porque isso é agradável*, admite dois significados: que o nome de Deus é agradável, pois na sentença anterior ficou expresso que Deus é bom; ou que é algo agradável e prazeroso entoar os louvores de Deus. A palavra hebraica נעים (*naim*) significa propriamente *beleza* e *decência*; e esta significação geral tem melhor correspondência.

4. Porque Deus escolheu a Jacó. Mais adiante, são apresentadas outras razões por que deviam louvar a Deus, razões extraídas do seu governo do mundo. Mas, como naquele tempo só era verdadeiro filho de Abraão aquele que era favorecido com o conhecimento de Deus e era capaz de louvá-lo, o salmista os direciona ao fato de que haviam sido escolhidos por Deus, para que fossem seu povo peculiar, proporcionando-lhes assim motivo de ação de graças. Essa misericórdia possuía valor incomparável e podia despertá-los à fervorosa gratidão e louvor, pois haviam sido adotados ao favor de Deus, enquanto todo o mundo gentílico fora ignorado. O salmista oferece a Deus o louvor pela eleição deles – isso é uma prova clara de que deviam essa distinção não a qualquer excelência deles mesmos, e sim à graciosa misericórdia de Deus, o Pai, que lhes foi estendida. Deus colocou a todos, sem exceção, sob a obrigação de servi-Lo, pois "ele faz nascer o seu sol sobre maus e bons" [Mt 5.45]. Mas uniu a posteridade de Abraão a Si mesmo, com o mais estreito laço, semelhante àquele com o qual Ele adota agora os homens em sua Igreja e os une no corpo de seu Filho Unigênito.[5]

> [vv. 5-7]
> Porque eu sei que Jehovah é grande e nosso Deus acima de todos os deuses. Tudo quanto lhe apraz Jehovah faz no céu e na terra, no mar e em todos os lugares profundos. Faz subir as nuvens dos confins da terra, faz os relâmpagos para a chuva, tira os ventos de seus lugares secretos.[6]

---

5 "Comme e'est aujourd'huy de tous ceux qu'il adopte en sa bergerie, et ente au corps de son fils unique" – *fr.*

6 Os pagãos, que nos tempos antigos adoravam os elementos, imaginavam tais elementos como que possuindo poder de dar ou subtrair a chuva a seu bel-prazer. Reportando-se a esta supersticiosa imaginação, o profeta Jeremias [Jr 14.22] atribui esse poder peculiar a Deus, que criou e governa o

5. Porque eu sei que Jehovah é grande. Temos aqui uma descrição geral do poder de Deus, para mostrar aos israelitas que o Deus a quem eles adoravam era o mesmo que criou o mundo e governa sobre tudo, de conformidade com sua vontade; e não existe nenhum outro além dEle. O salmista não exclui os outros, quando diz que conhecia pessoalmente a grandeza de Deus. Mas ele deve ser considerado como que aproveitando a ocasião de sua própria experiência para despertar os homens, em geral, a atentarem a esse tema e se despertarem ao reconhecimento daquilo que está amplamente aberto à observação. A infinitude de Deus é tal, que ninguém pode compreender; no entanto, sua glória, até onde pode ser observada, tem-se manifestado de modo suficiente para deixar o mundo sem qualquer pretexto de ignorância. Como é possível que alguém que desfrute de uma visão dos céus e da terra feche seus olhos e ignore o Autor deles, sem cometer um pecado da pior espécie? Visando excitar-nos mais eficientemente, o salmista faz referência a si mesmo, ao convidar-nos ao conhecimento da glória de Deus; ou, antes, ele repreende nossa negligência, por não sermos bastante vivazes na consideração dela.

A segunda parte do versículo torna ainda mais evidente a veracidade da consideração que já declarei – o desígnio do salmista era reter os israelitas no serviço e temor do único Deus verdadeiro, mediante

---

mundo. "Acaso haverá entre os ídolos dos gentios algum que faça chover? Ou podem os céus de si mesmos dar chuvas? Não és tu somente, ó Senhor, nosso Deus, o que fazes isto? Portanto, em ti esperamos, pois tu fazes todas estas coisas." Entre os gregos e romanos, Júpiter estava armado com o trovão e o relâmpago; e Éolo governava os ventos. Aqui o salmista nos ensina a restaurar a artilharia celestial ao seu proprietário de direito. A descrição provavelmente se reporta à estação chuvosa regular de outono, que vai até ao fim de setembro; e o relato que o Dr. Russell faz do tempo em Aleppo, naquele mês, pode ser citado como ilustrativo dos particulares do versículo. "Na região nordeste, raramente passa um a noite", diz ele, "sem muitos relâmpagos acompanhados de trovões; e, quando o relâmpago aparece nos pontos oeste ou sudoeste, seguido amiúde de trovão, isso é um sinal seguro da chuva iminente. Uma rajada de vento e nuvens de pó são os precursores habituais dessas chuvas". Assim, pode-se dizer que Deus "faz os relâmpagos para a chuva", muito embora os relâmpagos no oeste e sudoeste são, no Oriente, prognósticos seguros de chuva; e as rajadas de vento que trazem as chuvas refrescantes são trazidos, podemos assim dizer, dos "lugares secretos de Deus" para cumprir aquele propósito. Com base no Dr. Russell, que representa as "nuvens torrenciais" como "precursores habituais dessas chuvas", Harmer conclui que נשאים (*nesiim*), traduzida por "vapores" em nossa Bíblia inglesa, deve significar "nuvens", tal como ela é traduzida em outras passagens.

uma declaração que tinha o propósito de afirmar que o Deus que fizera a aliança com seus pais era o mesmo que criou céus e terra. No mesmo instante em que faz menção de Jehovah, o salmista adiciona que Ele é o Deus de Israel. Uma conseqüência necessária é que todos que se apartam deste Deus preferem uma divindade que não tem nenhuma direito a esse título e que os judeus e turcos, por exemplo, em nossos dias, se tornam culpados de mera evasiva, quando pretendem adorar a Deus, o Criador do mundo. Onde as pessoas têm se apartado da lei e do evangelho, qualquer demonstração de piedade da parte delas equivale a uma renúncia do verdadeiro Deus. Portanto, ao atribuir a Deus um título específico, o salmista tinha o propósito de limitar os israelitas àquele Deus que era apresentado na doutrina da lei. Se por אלהים (*Elohim*) entendermos as falsas divindades dos gentios – o título lhes é dado somente por concessão, pois ele não podia ser atribuído propriamente aos que eram apenas mentiras e vaidades. E o significado é que a grandeza de Deus anula totalmente qualquer falsa deidade. Mas a expressão pareceria incluir os *anjos*, conforme já se observou, nos quais há um reflexo da Divindade, como os principados e poderes celestiais, que são exaltados por Deus e designados a um lugar subordinado, para que não interfiram na glória de Deus.[7]

6. Tudo quanto lhe apraz. Esta é a grandeza imensurável do Ser divino, sobre a qual o salmista acabara de falar. Deus não somente criou no princípio o céu e a terra, mas também governa todas as coisas pelo seu poder. Reconhecer que Deus fez o mundo e afirmar que Ele se assenta ocioso no céu, não se preocupando com a sua administração, é lançar uma calúnia ímpia sobre seu poder. Contudo, embora a idéia seja absurda, obtém ampla aceitação entre os homens. Talvez eles não diriam em muitas palavras que crêem que Deus dorme no céu, mas, ao imaginar, como o fazem, que Ele entregou o controle ao acaso ou à sorte, eles Lhe atribuem uma mera sombra de poder, que não se manifesta

---

7 "Tellement qu'il les embrasse et range en leur ordre, afin que sa grandeur ne soit nullement obscurcie par eux" – *fr.*

em efeitos. Todavia, as Escrituras nos ensinam que o poder de Deus é genuíno e prático e que, com esse poder, Ele governa o mundo inteiro, em conformidade com a sua vontade. O salmista assevera expressamente que cada parte do mundo se encontra sob o cuidado de Deus e que nada acontece por acaso ou sem determinação. Segundo uma opinião bastante comum, todo o poder que deve ser atribuído Deus é um poder de providência universal. E confesso que não entendo isso.

A distinção feita neste versículo entre céus, terra e mar denota um governo específico. O termo חפר (*chaphets*) é enfático. O Espírito Santo declara que Deus faz tudo que Lhe apraz. Aquela tipo confuso de governo divino sobre o qual muitos falam equivale a nada mais do que certa manutenção da ordem no mundo, sem devido conselho. Deste modo, não se leva em conta a sua vontade dEle, pois vontade implica conselho e método. Conseqüentemente, há uma providência especial exercida no governo das várias partes do mundo. Não existe tal coisa como acaso, e o que parece ser apenas fortuito é, na realidade, ordenado pela secreta sabedoria de Deus. Não somos chamados a indagar por que Ele quer que ocorram eventos que contradizem nosso senso do que significa a sua administração. Contudo, se não queremos desestruturar os próprios fundamentos da religião, temos de manter como um princípio firme que nada acontece fora da vontade e do decreto de Deus.[8] A vontade de Deus pode ser misteriosa, mas deve ser considerada, com reverência, como a fonte de toda justiça e retidão, a fonte que tem direito inquestionável à nossa suprema consideração. Para informação adicional sobre este assunto, o leitor pode consultar os comentários sobre o Salmo 115.

7. Faz subir as nuvens dos confins da terra. O salmista toca em uma ou duas particularidades para ilustrar o argumento de que nada ocorre por si mesmo, e sim pela mão e conselho de Deus. Nossa mente não pode compreender a milésima parte das obras de Deus. E poucos são os exemplos que o salmista apresenta para serem considerados como prova da

---

8 "Neantmoins si nous ne voulons arracher tous les rudimens de la vraye religion, ceci doit demeurer ferme" – *fr*.

doutrina da providência divina, que ele acabara de anunciar. O salmista fala sobre as *nuvens subindo dos confins da terra*, pois os vapores que saem da terra formam nuvens, quando se acumulam mais densamente. Ora, quem pensaria que os vapores que vemos subir escureceriam tão depressa o céu e ameaçariam cair sobre a nossa cabeça? O poder de Deus é provado de maneira notável pelo fato de que esses tênues vapores, que emanam do solo, formam um corpo que se difunde por toda a atmosfera.

O salmista menciona outra circunstância que desperta nossa admiração: *os relâmpagos se misturam com a chuva*, coisas que, em sua natureza, são opostas entre si. Se não estivéssemos acostumados e familiarizados com o espetáculo, diríamos que essa mistura de fogo e água é um fenômeno completamente incrível.[9] O mesmo se pode dizer do fenômeno dos ventos. Causas naturais podem ser-lhes assinaladas, e os filósofos as têm realçado; mas os ventos, com suas várias correntes, constituem uma maravilhosa obra de Deus. Devemos observar que o salmista não somente afirma o poder de Deus no sentido em que os próprios filósofos o admitem, mas também assevera que nenhuma gota de chuva cai do céu sem uma comissão ou atividade divina nesse sentido. Todos admitem prontamente que Deus é o autor da chuva, do trovão e dos ventos, à medida que estabeleceu originalmente esta ordem de coisas na natureza. Todavia, o salmista vai mais além, afirmando que, ao chover, isso não é causado por um instinto cego da natureza, mas constitui a conseqüência do decreto de Deus, que em determinado tempo se agrada escurecer o céu com nuvens e, noutro tempo, em iluminá-lo novamente com raios solares.

[vv. 8-12]
Ele feriu os primogênitos do Egito, desde os homens até aos animais. Ele enviou sinais e prodígios no meio de ti, ó Egito, contra faraó e contra todos seus servos. Ele feriu grandes nações e matou poderosos reis: Siom, rei dos amorreus, e Ogue, rei de Basã, e a todos os reinos de Canaã.10 E deu sua terra por herança, herança a Israel, seu povo.

---

9 "Si ce meslange du feu et de l'eau n'estoit cognu par usage, qui ne diroit que c'est une merveille" – *fr.*
10 Cf. Números 21, Deuteronômio 2 e 3, Josué 12.7, etc. Os chefes de muitas comunidades pequenas eram, nos tempos antigos, intitulados reis. Seom e Ogue são particularmente enumerados como homens de uma raça de gigantes [Dt 3.11; Am 2.9], que possuíam tamanho e força prodigiosos" – *Cresswell.*

8. Ele feriu os primogênitos do Egito. O salmista agora se volve para aqueles benefícios mais específicos, pelos quais Deus colocou sua igreja e povo eleito sob a obrigação de viver para o seu serviço. Como ele se dirigiu somente ao povo crente do Senhor, o ponto primordial destacado como tema de louvor é que Deus os adotara dentre toda a família humana, embora fossem tão poucos em número. Além disso, havia o fato de que Ele se opusera, por amor deles, a grandes reinos e poderosas nações. As prodigiosas obras realizadas por Deus no Egito e em Canaã foram todas outras provas daquele amor paterno que Ele nutria para com os israelitas como seu povo escolhido. O salmista não segue estritamente a ordem histórica, ao começar com uma menção da destruição dos primogênitos do Egito. Contudo, isso é citado como memorável ilustração do grande interesse que Deus tinha pela segurança de seu povo; tão grande era esse interesse, que Ele não pouparia nem mesmo uma nação poderosa e rica. O objetivo da passagem é mostrar que Deus, ao libertar seu povo, deu um testemunho abundante do seu poder e da sua misericórdia.

10. Ele feriu grandes nações. O salmista passa a falar sobre o objetivo pelo qual Deus os libertara de sua escravidão. Ele não tirou seu povo do Egito e os deixou a vaguear como pudessem; antes, Deus os conduziu para estabelecê-los na herança prometida. O salmista menciona isto como outra prova magistral do favor de Deus e de sua incansável bondade para com eles, pois, havendo tirado os filhos de Abraão pela mão, Ele os guiou, pelo exercício contínuo de seu poder, até introduzi-los na posse da terra prometida. O salmista aproveitou a ocasião para enaltecer o poder de Deus, com base na circunstância de que só depois da matança de muitos inimigos é que chegaram à posse pacífica do país. E manifestar esta preferência pelos israelitas é uma notável ilustração da bondade divina, pois os israelitas representavam apenas uma multidão de pessoas indignas de consideração, enquanto aqueles que se lhes opunham eram reis portentosos e nações poderosas. São mencionados dois reis: Seom e Ogue, não porque eram mais poderosos do que os restantes, e sim porque, ao impedirem o acesso à terra que estava adiante dos israelitas, tornaram-se os primeiros inimigos cruéis que os israelitas encontraram;[11] além disso, o povo ainda não estava habituado à guerra. Mencionando-o como o ato crucial da bondade do Senhor, o salmista acrescenta que os israelitas obtiveram posse segura da terra. Alguém afirmou: "*Non minor est virtus quam quaerere, parta tueri*" ("Preservar a posse não é um empreendimento menor do que adquiri-la"). E, como os israelitas estavam cercados por inimigos mortíferos, o poder de Deus foi eminentemente exibido na preservação deles, para que não fossem desarraigados e expulsos novamente; e isso teria ocorrido reiteradamente, se não houvessem sido firmemente estabelecidos na herança.

[vv. 13-14]
O teu nome, ó Jehovah, é para sempre. A tua memória, ó Jehovah, é de geração a geração, porque Jehovah julgará o seu povo e se arrependerá[12] no tocante a seus servos.

13. O teu nome, ó Jehovah, é para sempre. Há muitas razões por que o nome de Deus deve ser sempre preservado no mundo. Aqui, porém, o salmista fala mais especialmente daquele louvor eterno que Lhe é devido por preservar sua Igreja e seu povo; e a causa é imediatamente adicionada: *porque Deus julgará seu povo*. O mundo inteiro é o teatro para a exibição da bondade, da sabedoria, da justiça e do poder de Deus, mas a Igreja é, por assim dizer, a orquestra – a parte mais importante do teatro. E, quanto mais Deus se aproxima de nós, tanto mais íntima e condescendente é a comunicação de seus benefícios e tanto mais somos chamados a considerá-los atentamente.

O termo *julgar*, no hebraico, expressa tudo que pertence ao governo justo e legítimo.[13] O tempo futuro indica aparentemente ação

---

11 "Sed quia praecluso terrae aditu in primis erant formidabiles" – *lat.* "Mais pource qu'ils estoyent les plus a redouter, a cause qu'ils tenoyent l'entree de la terre fermee" – *fr.*
12 "Ou, prendra consolation" – *fr. marg.* "Ou, confortará."
13 "Le mot de *juger* selon les Hebrieux contient en soy toutes les parties d'un juste et legitime gouvernement" – *fr.*

contínua, como amiúde o faz, de modo que as palavras do salmista equivaliam a isto: Deus sempre vigiaria e preservaria seu povo, e que, estando sob a guarda e o cuidado de Deus, esse povo estaria em segurança. Ou podemos supor que o salmista emprega o tempo futuro para ensinar-nos que, sob as aflições, devemos nutrir esperança firme, não dando cedendo ao desespero, embora Deus pareça ter nos esquecido e nos abandonado, pois, apesar de toda e qualquer demora de seu auxílio, Ele se manifestará como nosso juiz e defensor na ocasião oportuna, quando vir que já fomos suficientemente humilhados. Este pode ser recomendado como o verdadeiro significado, porque o salmista parece aludir à expressão de Moisés [Dt 32.36], cujas palavras ele cita. Como alívio em meio às disciplinas que o povo sofreria, Moisés predisse que Deus se manifestaria como seu juiz, para ajudá-los e livrá-los, quando em situações extremas. E o escritor deste Salmo, quem quer que tenha sido, faz uso disso com uma aplicação geral à Igreja, declarando que Deus nunca permitiria que ela fosse totalmente destruída, visto que, se ela fosse destruída, Ele cessaria de ser Rei. Propor uma mudança do tempo no verbo, transformando-o em pretérito, e entendê-lo como se Deus estivesse demonstrando que Ele mesmo fora o juiz de seu povo contra os egípcios significa imprimir um sentido fraco à passagem, um sentido que não se ajusta ao contexto, quer deste Salmo, quer do discurso de Moisés.

O verbo hebraico נחם (*nacham*) significa ou *arrepender-se* ou *receber conforto*; e ambos os sentidos correspondem suficientemente bem ao contexto. De um lado, quando Deus se mostra misericordioso para com seu povo, embora isso não implique mudança nEle, há uma mudança aparente no próprio evento. Assim, lemos que Ele *se arrepende*, quando começa a mostrar compaixão por seu povo, em vez de manifestar desprazer em juízos justos contra eles. Além disso, lemos que Ele *recebe consolação* ou é apaziguado e reconciliado com seu povo, quando, recordando sua aliança, que dura para sempre, Ele os visita com eterna compaixão, ainda que os tivesse corrigido por um momento [Is 44.8]. Em suma, o significado é que o desprazer de Deus em relação a seu povo é apenas temporário e que, ao tomar vingança de seus pecados, Ele se lembra da misericórdia em meio à ira, como diz Habacuque [3.2]. Assim, Deus se expressa como se fosse homem, manifestando um afeto paterno e restaurando seus filhos, os quais mereciam ter sido abandonados, porque Ele não pode suportar que o fruto de seu próprio corpo seja separado de si. Este é o sentido da passagem: Deus tem compaixão de seu povo, porque são seus filhos; Ele não quer separar-se espontaneamente deles e ficar sem filhos; Ele é pacífico para com eles, que Lhe são muito queridos; e, reconhecendo-os como sua descendência, Ele os afaga com amor gracioso.

[vv. 15-21]
As imagens das nações são prata e ouro, obra das mãos de homens. Têm boca e não falam; têm olhos e não vêem. Têm ouvidos e não ouvem; também14 não há alento em sua boca. Como elas sejam os que as fazem, quem nelas confiam. Bendize a Jehovah, ó casa de Israel! Bendize a Jehovah, ó casa de Arão! Bendize a Jehovah, ó casa de Levi; vós que temeis a Jehovah, bendizei a Jehovah. Bendito seja Jehovah desde Sião, que habita em Jerusalém. Aleluia.15

15. As imagens das nações. Como toda esta parte do Salmo foi explanada em outro lugar, não há necessidade de insistirmos neste ponto; e a repetição pode tornar-se enfadonha ao leitor. Portanto, mostrarei apenas, em poucas palavras, qual é o alvo do salmista. Repreendendo a estupidez dos pagãos, por imaginarem que não podiam ter a Deus perto de si, se não recorressem ao culto aos ídolos, o salmista lembra aos israelitas a sublime misericórdia que haviam desfrutado e deseja que mantenham deliberadamente, em simplicidade e pureza, o culto devido

---

14 "Alguns entendem אף como advérbio no sentido de *ainda*, como Kimchi; mas o contexto e a passagem correspondente em Salmos 115.6 mostram que essa palavra tem o significado de *nariz*. אין, seguido de ש׳, tem o sentido de *não* [1Sm 21.9]. O significado desta parte do versículo é que os ídolos dos pagãos nem mesmo têm respiração que passa pela boca e narinas" – Phillips. "אף. Suspeito fortemente que uma passagem que começa com esta palavra (têm narizes?) foi omitida do texto. Ela se encontra-se em um dos manuscritos de Kennicott e foi adicionada à Septuaginta em tempos posteriores" – Jebb's Translation of the Psalms, volume 1.

15 O aleluia com o qual este Salmo termina, no texto original, foi transferido pela Septuaginta para o título do Salmo 136.

a Deus e evitem as superstições profanas. Ele declara que os idólatras atraem para si somente juízos mais severos, por mais zelosos sejam no culto prestado aos ídolos. E não há dúvida de que, ao denunciar os terríveis juízos que sempre sobrevêm aos adoradores de ídolos, o objetivo do salmista é impedir, no máximo possível, com a autoridade da Palavra de Deus, que os israelitas sigam o exemplo dos pagãos. Em Salmos 115, a exortação ministrada é que o povo recorra à confiança ou esperança no Senhor; neste salmo, a exortação é que aprendam a bendizê-Lo. Os levitas são mencionados em adição à casa de Arão, havendo duas ordens de sacerdócio. Quanto ao mais, os dois Salmos gira em torno da mesma idéia, exceto que, no último versículo, o salmista aqui se une, com o restante do povo de Deus, a bendizer a Deus.

O salmista disse: *Desde Sião*, pois Deus prometeu ouvir daquele lugar as orações de seu povo e comunicar-lhes, a partir dali, a rica exibição de seu favor. Por isso, o salmista apresentou-lhes boas razões para louvá-Lo desde Sião.[16] E a razão é declarada: *Ele habita em Jerusalém*. Isso não deve ser entendido no sentido fútil e grosseiro de que Deus se achava confinado em alguma residência medíocre, e sim no sentido de que Ele se achava ali para uma manifestação visível de seu favor, pois a experiência mostrava que, embora sua majestade seja de tal proporção que enche os céus e terra, seu poder e graça eram outorgados de um modo particular a seu próprio povo.

---

16 "Quant et quant aussi il donnoit occasion et matiere de luy chanter louanges" – *fr.*

Salmos 136

O salmista lembrou ao povo do Senhor que, se não fossem assíduos em seus louvores, se tornariam culpados de roubar a Deus aquilo que Lhe era devido por seus benefícios. E, ao mencionar cada benefício, o salmista observa em particular a misericórdia divina, a fim ensinar-lhes quão necessário é, à celebração própria dos seus louvores, reconhecermos que tudo que recebemos dEle é-nos outorgado gratuitamente.[1]

[vv. 1-9]
Louvai a Jehovah, porque ele é bom, porque a sua misericórdia dura para sempre. Louvai ao Deus dos deuses, porque a sua misericórdia dura para sempre. Louvai o Senhor dos senhores,[2] porque a sua misericórdia dura para sempre. O único que tem feito grandes maravilhas, pois a sua misericórdia dura para sempre. Aquele que fez os céus por sua sabedoria [ou de modo inteligente], porque a sua misericórdia dura para sempre. Aquele que fez os grandes luzeiros, porque a sua misericórdia dura para sempre. O sol, para governar o dia, porque a sua misericórdia dura para sempre. A luz e as estrelas, para governarem a noite, porque a sua misericórdia dura para sempre.

1. Porque a sua misericórdia.[3] A inserção desta sentença, re-

---

1 Este Salmo é chamado pelos judeus de a *Grande Ação de Graças*.
2 "Os três primeiros versículos deste Salmo contêm três dos diferentes nomes de Deus, comumente traduzidos por *Jehovah, Deus* e *Senhor*. O primeiro nome se refere à essência de Deus como *auto-existente*, sendo o seu nome próprio; o segundo nome designando a Deus sob o caráter de *Juiz* ou de um Ser todo-poderoso, se Aleim deriva-se de Al. O terceiro nome, *Adoni*, representando-O como a exercer o governo" – *Cresswell*.
3 Jebb observa que "o Salmo 136 é totalmente peculiar em sua construção, pois tem a

petidas vezes, em frases tão breves e abruptas, talvez pareça uma repetição supérflua, mas versos reiterados à guisa de coro são permitidos e admitidos nos poetas profanos. Por que nos oporíamos à reiteração neste caso, para a qual as melhores razões podem ser apresentadas? Os homens não podem negar que a bondade divina é a fonte de todas as bênçãos, mas a graciosidade de sua liberalidade está longe de ser plena e sinceramente reconhecida, embora as Escrituras enfatizem-na de modo vigoroso. Paulo, ao falar sobre ela [Rm 3.23], denomina-a enfaticamente com o termo geral *a glória de Deus*, sugerindo que, embora Deus tenha de ser louvado por todas suas obras, é principalmente a sua misericórdia que devemos glorificar.

É evidente, à luz do que lemos na história sagrada, que os levitas costumavam, segundo a regulamentação de Davi para a condução do louvor divino, cantar responsivamente: "Porque a sua misericórdia dura para sempre". A prática foi seguida por Salomão na dedicação do templo [2Cr 7.3, 6] e por Josafá naquele solene cântico triunfal men-

---

recorrência das mesmas palavras: 'Porque a sua misericórdia dura para sempre', no final de cada dístico". Ele acrescenta que "este elaborado artifício de redação parece característico daquele último período que compreendia o cativeiro e a restauração"; embora ao mesmo tempo admita que essa tipo de redação deve ser encontrada em Salmos de uma época anterior ao cativeiro na Babilônia, citando uma passagem do relato da dedicação do templo de Salomão, a passagem que nos informa que todo o coro de Israel se uniu no louvor a Deus "Pois ele é bom, e a sua misericórdia dura para sempre", e observando que esta expressão forma o início de três outros Salmos: 106, 107 e 118. Em suas observações sobre o Salmo 119, depois de chamar a atenção ao caráter alfabético daquele Salmo, Jebb acrescenta: "Há outros artifícios de redação observáveis nos Salmos e hinos escritos nestas últimas épocas da Igreja, como, por exemplo, a repetição das mesmas palavras e sentenças, bem como a freqüente recorrência de uma palavra característica, tão presente no Hallel Maior [Salmos 111 a 118, inclusive] e nos Cânticos dos Degraus; e num refrão continuamente recorrente, em cada dístico, como no Cântico das três Crianças, e no Salmo 136, que é único no Saltério. Tem sido a tendência da poesia da maioria dos países, no avanço do tempo, fazer seus traços característicos depender menos da exatidão do arranjo sentimental e mais de algum artifício externo, seja a métrica prosódica, a aliteração, o ritmo, a assonância ou a recorrência de um refrão. Ora, embora a poesia das Escrituras, porque foi inspirada, nunca tenha declinado da perfeição de sua construção sentimental, as invenções artificiais praticadas nos primeiros tempos parecem ter sido mais prevalecentes no tempo do cativeiro e na época imediatamente seguinte do que depois desse tempo. Provavelmente, o Salmo 136 foi assim ordenado para fortalecer as recordações dos judeus que, na Babilônia, foram excluídos do exercício de sua religião e do ensino público e, portanto, demandavam mais auxílios específicos que pudessem, com facilidade, ser mais transmitidos oralmente, de pais para filhos ou de mestres para discípulos" – Jebb's Translation of the Psalms, volume 2.

cionado em 2 Crônicas 20.21. Antes de continuar recitando as obras de Deus, o salmista declara a suprema deidade e domínio de Deus. Essa linguagem comparativa não implica que há qualquer ser que chegue perto de assemelhar-se a Ele, e sim que há nos homens, sempre que vêem qualquer parte da glória de Deus revelada, uma tendência de concebê-Lo como separado de Si mesmo, dividindo impiamente a Deidade em partes e indo ainda mais além, a ponto de fabricar deuses de madeira e pedra. Há em todos uma tendência depravada de se deleitarem numa multiplicidade de deuses. Por essa razão, aparentemente, o salmista usa o plural, não só na palavra אלהים (*Elohim*), mas também na palavra אדונים (*Adonim*), de modo que o texto diz, literalmente: *Louvai os Senhores dos senhores*. Ele queria dá a entender que a mais plena perfeição de todo domínio só pode ser encontrada no Deus único.

4. O único que tem feito grandes maravilhas. Nestas palavras, o salmista inclui todas as obras de Deus, desde a menor à maior, a fim de despertar a admiração dos israelitas; pois, a despeito das marcas da sabedoria inconcebivelmente grande e do poder de Deus que estão gravados nessas obras, estamos dispostos, por imprudência, a menosprezá-las. O salmista declara que tudo que é digno de admiração é feito com exclusividade por Deus, para ensinar-nos que não podemos transferir a outro ser o menor porção de louvor devido a Ele, sem cometermos terrível sacrilégio, pois não há vestígio de divindades, em todas as regiões do céu e da terra, com as quais nos seja lícito compará-Lo ou equipará-Lo. Ele prossegue louvando a sabedoria de Deus, exibida como particularmente na habilidade com que *os céus foram criados,* evidenciando, num grau surpreendente, a excelente discriminação com que são adornados.[4]

Em seguida, ele passa a falar sobre *a terra,* a fim de levar-nos a formar uma avaliação adequada desta grande e memorável obra de Deus, visto que Ele estendeu uma superfície vazia e seca acima das

---

[4] "Les cieux sont composez d'um si excellent et bel artifice, qu'ils crient que c'est d'une façon admirable qu'ils ont este ornez d'une si plaisante distinction" – *fr.*

águas. Como estes elementos possuem forma esférica, as águas, se não fossem mantidas dentro de seus limites, naturalmente cobririam a terra; mas isso não ocorre devido ao fato de que Deus julgou conveniente garantir um lugar seguro para a habitação da família humana. Os próprios filósofos se vêem forçados a admitir esse fato como um de seus princípios e máximas.[5] A superfície expandida da terra e o espaço vazio, não coberto por águas, têm sido com razão considerados algumas das grandes maravilhas de Deus. E são atribuídos à sua misericórdia, porque a única razão que Deus teve mover as águas de seu leito próprio foi a consideração que ele teve, em sua infinita bondade, pelos interesses do homem.

7. Aquele que fez os grandes luzeiros. Moisés havia chamado o sol e a lua de *os dois grandes luzeiros*. E há pouca dúvida de que o salmista tomou emprestada a mesma fraseologia. O que se acrescenta imediatamente sobre as estrelas é, por assim dizer, acessório aos demais. É verdade que os demais planetas são maiores que a lua, mas ela é declarada como sendo o segundo em ordem por causa de seus efeitos visíveis. O Espírito Santo não tinha a intenção de ensinar astronomia. E, ao elaborar instrução que Ele tencionava seria comum às pessoas mais simples e incultas, o Espírito Santo usou, por meio de Moisés e dos outros profetas, a linguagem popular, para que ninguém se escondesse sob o pretexto de obscuridade, pois vemos, às vezes, pessoas pretextando prontamente incapacidade de entendimento, quando algo profundo ou difícil é submetido à observação delas. Conseqüentemente, como Saturno, embora maior do que a lua, não parece ser assim a olho nu, devido à sua distância, o Espírito Santo quis falar aos humildes e incultos em linguagem infantil, em vez de usar termos ininteligíveis. Podemos fazer essa mesma observação quanto ao salmista acrescenta a respeito de haver Deus designado ao sol e à lua suas respectivas funções, fazendo um *governar o dia* e o outro, *a noite*. E isso não deve levar-nos a entender que eles exercem algum governo,

---

5 "De mettre Ceci entre leurs principes et maximes" – *fr.*

e sim que o poder administrativo de Deus é manifesto nesta distribuição. Podemos dizer que o sol, ao iluminar a terra durante o dia, e a lua e as estrelas, à noite, prestam reverente homenagem a Deus.

[vv. 10-16]
Que feriu os egípcios em seus primogênitos, porque a sua misericórdia dura para sempre. E tirou a Israel do meio deles, porque a sua misericórdia dura para sempre. Com mão forte e com braço estendido, porque a sua misericórdia dura para sempre. Que dividiu o Mar Vermelho em divisões, porque a sua misericórdia dura para sempre. E fez Israel passar pelo meio dele, porque a sua misericórdia dura para sempre. E lançou faraó e o seu exército no meio do Mar Vermelho, porque a sua misericórdia dura para sempre. E guiou o seu povo pelo deserto, porque a sua misericórdia dura para sempre.

10. Que feriu os egípcios em seus primogênitos. Alguns lêem *com seus primogênitos*, mas a outra redação parece melhor. Como não pretendemos fazer um sermão sobre esta passagem, é desnecessário deter o leitor aqui com muitas palavras, visto que não se menciona nada além do que tratamos em outras passagens. Só podemos observar que o salmista afirma com razão que os egípcios foram feridos em seus primogênitos, porque continuaram em sua ultrajante obstinação ante às demais pragas, embora ocasionalmente terrificados por elas; mas foram quebrantados e subjugados por esta última praga, e se submeteram. Como a intenção não era rememorar todas as maravilhas realizadas sucessivamente no Egito, todas são resumidas numa única afirmação, quando o salmista diz que Deus tirou o seu povo do meio do Egito, com braço poderoso e estendido. Pois, oprimidos como eram de todos os lados, somente uma prodigiosa exibição do poder divino poderia efetuar-lhes um livramento. A figura de *braço estendido* é apropriada, pois estendemos o braço quando precisamos realizar um grande esforço. Assim, isso significa que Deus fez uma exibição extraordinária, não comum, nem superficial, de seu poder na redenção de seu povo.[6]

---

6 "Dieu en deliverant son peuple n'a point monstré une petite puissance" – *fr.*

13. Que dividiu o Mar Vermelho. Já fiz menção da palavra סוּף (*suph*), em Salmos 106.7. Portanto, não hesitei em traduzi-la por *Mar Vermelho*. O salmista fala de divisões no plural, o que levou alguns autores judaicos a conjeturar que haveria mais do que uma passagem – esse é um exemplo solene de como eles tratam com trivialidade as coisas sobre as quais nada sabem e de seu método de corromper as Escrituras em total concordância com suas vãs imaginações. Poderíamos rir dessas tolices, mas devemos, ao mesmo tempo, ter aversão por elas, visto que pode haver dúvida de que os escritores rabínicos foram levados a isso pelo impulso do diabo, como uma astuta maneira de desacreditar as Escrituras. Moisés assevera clara e explicitamente que as paredes de água amontoaram-se em ambos os lados; disso inferimos que o espaço entre elas era único e indivisível.[7] Mas, como o povo passou em grupos, e não um após outro, e a passagem era tão ampla, que admitia a livre travessia de homens e mulheres, com sua família e gado, o salmista menciona, mui apropriadamente, *divisões* como uma referência ao povo que atravessou o mar. Esta circunstância deu maior amplitude à misericórdia divina, visto que eles contemplaram grandes abismos ou canais secos e não tiveram dificuldade em avançar em grupos lado a lado.

Outra circunstância que confirmou ou ampliou a misericórdia exibida foi a de que Faraó, logo depois, foi morto pelas águas; pois aquele resultado diferente provou que o fato de que alguns pereceram, enquanto outros atravessaram o mar em inteira segurança, não se deveu a alguma causa oculta e meramente natural A distinção feita proporcionou uma exibição nítida da misericórdia de Deus em salvar seu povo. Muito está incluso na afirmação de que Deus foi *o líder de seu povo através do deserto*. Foi somente por meio de uma sucessão de diversos tipos de milagres que eles foram preservados, ao longo de quarenta anos, num deserto ressequido, onde estavam destituídos de todos os meios de subsistência. Devemos compreender, por meio das

---

[7] "Dont nous pouvons bien recueillir que l'espace d'entre deux estoit sans aucune separation" – *fr*.

palavras aqui expressas, que as várias provas da bondade e do poder de Deus, mencionadas por Moisés, foram outorgadas no alimentar seu povo com pão do céu, no fazer a água fluir da rocha, no protegê-los, sob a nuvem, do calor do sol, no dar-lhes um sinal de sua presença na coluna de foto, no preservar a sua roupa integral, no abrigá-los em tendas de folhas,[8] juntamente com seus pequeninos, durante sua peregrinação, e em outros inúmeros exemplos de misericórdia que ocorrerem ao leitor.

[vv. 17-26]
Que feriu grandes reis, porque a sua misericórdia dura para sempre. E matou famosos reis, porque a sua misericórdia dura para sempre. Seom, rei dos amorreus, porque a sua misericórdia dura para sempre. E Ogue, rei de Basã, porque a sua misericórdia dura para sempre. E deu sua terra por herança, porque a sua misericórdia dura para sempre. Por herança a Israel, seu servo, porque a sua misericórdia dura para sempre. Que se lembrou de nós em nossa humilhação, porque a sua misericórdia dura para sempre. E nos resgatou de nossos opressores, porque a sua misericórdia dura para sempre. Que dá alimento a toda carne, porque a sua misericórdia dura para sempre. Reconhecei o Deus dos céus, porque sua misericórdia dura para sempre.

23. Que se lembrou de nós em nossa humilhação. Deixo sem observação os seis versículos tomados do Salmo anterior e tocarei apenas de leve nos demais, por não haver necessidade de consideração mais ampla. Podemos apenas observar que o salmista representa cada época como que propiciando demonstrações da mesma bondade manifestada a seus pais, visto que Deus nunca falhou em socorrer seu povo mediante uma sucessão contínua de livramentos. Intervir em favor da nação numa época em que ela se via quase destruída por calamidades foi uma prova mais notável de misericórdia do que preservá-la em todo o seu estado e sob um curso de atividades ainda mais tranqüilo, pois havia algo urgente que despertava a atenção e atraía a visão. Além disso, em todos os

---

8 "Sous des logettes de feuilles" – *fr.*

livramentos que Deus concedera a seu povo, havia a acompanhante remissão de pecados. No final, o salmista fala sobre a providência paternal de Deus como se ela se estendesse não somente a todo a raça humana, mas também a cada ser vivente, sugerindo que não temos razão para sentir-nos surpresos com o fato de que Ele mantém o caráter de um Pai amoroso e providente para o seu povo, quando condescende em cuidar do gado e dos asnos selvagens, dos corvos e pardais. Os homens são muito melhores que os animais irracionais; e há grande diferença entre alguns homens e outros, embora não em mérito, mas, pelo menos, em relação ao privilégio da adoção divina. E o salmista deve ser considerado com que a pensar do menor para o maior, enfatizando realçando a misericórdia incomparavelmente superior que Deus demonstra para com seus próprios filhos.

Salmos 137

No cativeiro babilônico, a ordem estabelecida do culto divino fora subvertida, e o salmista se queixa, em nome de toda a Igreja, das difamações que o inimigo lançava sobre o nome de Deus e dirige, ao mesmo tempo, uma palavra de conforto a seu povo, que estava no cativeiro, animando-os com a esperança de livramento.

[vv. 1-4]
Junto aos rios da Babilônia, ali nos assentávamos e, até, chorávamos, quando nos lembrávamos de ti, ó Sião! Pendurávamos nossas harpas nos salgueiros que havia no meio dela. Então, aqueles que nos levaram cativos exigiam de nós as palavras de um cântico e que fôssemos alegres, quando estávamos em suspense, dizendo: Cantai para nós um dos cânticos de Sião. Como cantaremos o cântico de Jehovah numa terra estranha?

1. Junto aos rios da Babilônia,[1] **ali nos assentávamos.** Disse em outra passagem que é um grande equívoco supor que, neste salmo, Davi fala profeticamente ao povo de Deus sobre o cativeiro que lhes sobreviria. Os profetas, ao falarem de eventos futuros, empregam uma linguagem bem distinta. O que o salmista ressalta é um fato histórico e uma experiência pessoal. Explicaremos de modo sucinto o escopo do salmista. Havia o risco de que os judeus, expostos a essa melancolia,

---

1 Por "Babilônia" está implícito não a cidade, e sim o reino; e a menção de rios, segundo a sugestão de Rosenmüller, se deve ao fato de que as sinagogas geralmente eram construídas junto a rios, para maior conveniência dos judeus, que eram obrigados a lavar as mãos antes das orações. Mas, como eles não tinham sinagogas na Babilônia, podiam freqüentar as margens dos rios como lugares mais adequados para o culto; e ali, a céu aberto, realizavam o culto divino.

perdessem totalmente a sua fé e a confiança em sua religião. Levando em conta o quanto nos inclinamos, quando misturados com os perversos e ímpios, a abraçar a superstição ou as práticas nocivas, ele temia que pudessem corromper-se em meio à população da Babilônia. Além disso, o povo do Senhor podia se lançar em desespero, por causa do seu cativeiro, da cruel escravidão a que estavam submetidos e de outras indignidades que tinham de suportar.

O escritor deste Salmo, cujo nome é ignorado, elaborou uma forma de lamentação para que, ao expressarem seus sofrimentos com suspiros e orações, pudessem manter viva a esperança daquele livramento do qual haviam desesperado. Ele tinha outro objetivo em vista, ou seja, adverti-los contra o declínio da piedade em uma terra ímpia e irreligiosa e contra a contaminação das corrupções dos pagãos. De acordo com isso, ele anuncia o merecido juízo sobre os filhos de Edom e declara que Babilônia, cuja prosperidade estava destinada a uma curta existência e que, ao mesmo tempo, eclipsara o resto do mundo, era um objeto de compaixão e estava próximo à destruição. A extensão de tempo durante o qual persistiu o cativeiro pode, por si mesmo, convence-nos de como era útil e necessário sustentar a mente desfalecida do povo de Deus. Eles teriam se mostrado dispostos a ceder a práticas corruptas dos pagãos, se não tivessem sido dotados de surpreendente fortaleza mental, por um período de setenta anos.

Quando lemos que *se assentavam*, isso denota um período contínuo de cativeiro e nos diz que eles estavam não somente privados da visão de seu país natal, mas também, de certo modo, estavam mortos e sepultados.[2] O advérbio de lugar שם (*sham*), *ali,* é enfático, colocando o

---

2 Também pode ser observado que o assentar-se no chão é uma postura que indica pranto e angústia profunda. Assim, lemos em Isaías 3.26, que prediz a respeito do cativeiro dos judeus em Babilônia: "E Sião [Judéia], desolada, se assentará em terra". E o profeta Jeremias, ao retratar a dor que afligia seus compatriotas piedosos por causa da desolação de seu país, disse: "Sentados em terra se acham, silenciosos, os anciãos da filha de Sião; lançam pó no ar sobre a cabeça, cingidos de cilício; as virgens de Jerusalém abaixam a cabeça até ao chão" [Lm 2.10]. "Encontramos a Judéia", disse Mr. Addison, "em várias moedas de Vespasiano e Tito, numa postura que denota tristeza e cativeiro. Não preciso mencionar o assentar-se ela ao chão, porque já falamos da aptidão de tal postura em representar uma aflição extrema. Imagino os romanos a retratar os costumes

sujeito, por assim dizer, bem diante do leitor. Embora a agradabilidade do país, irrigado por correntes de água, possa ter exercido um efeito de acalentar a mente perturbada deles, somos informados que o povo do Senhor, enquanto permaneceu ali, estava continuamente em lágrimas. A partícula גם (gam), até, é usada como intensiva, para sabermos que os verdadeiramente tementes ao Senhor não podiam ser tentados por todas as luxúrias da Babilônia, a ponto de esquecerem a herança em sua terra natal. A linguagem é de tal natureza, que sugere, ao mesmo tempo, que eles foram tão completamente afligidos por suas calamidades, que reconheceram-nas como o merecido castigo de Deus e que eram culpados de lutar obstinadamente contra Ele, pois lágrimas são expressão de humildade e penitência, bem como de angústia. Isso aparece com maior clareza no fato de lembrarem-se de *Sião*, pois essa atitude comprova que estavam fascinados não por qualquer vantagem mundana que pudessem desfrutar ali, e sim pelo culto divino.

Deus erigira seu santuário como um estandarte sobre o monte Sião, para que, enquanto olhassem para o santuário, ficassem seguros da salvação que viria dEle. A região em que habitavam era bela e fértil e possuía encantos que podiam corromper mentes frágeis; e, enquanto permaneciam detidos ali, as lágrimas, que em breve seriam enxugadas, nunca cessavam de fluir de seus olhos, porque estavam privados do culto de Deus, ao qual costumavam afluir, e sentiam que haviam sido apartados da herança prometida.

2. Pendurávamos nossas harpas nos salgueiros.[3] O salmista deplora a suspensão dos cânticos de louvor, os quais Deus havia

---

da nação judaica, bem como os de seu próprio povo, nos diversos sinais de tristeza que gravaram nesta figura. O salmista descreve os judeus lamentando seu cativeiro na mesma postura pensativa: "Junto às águas de Babilônia nos assentávamos e chorávamos, quando nos lembrávamos de ti, ó Sião" – *Addison on Medals*, Dial. ii.

3 "Às margens dos rios da Babilônia (quer dizer, o Eufrates e o Tigre) não há bosques, nem florestas, nem quaisquer árvores consideráveis, além de palmeiras cultivadas. Mas esses rios, em algumas partes, são mais extensamente nivelados com o desenvolvimento de arbustos e matagais, intercalados com algumas árvores pequenas e médias, entre as quais o salgueiro é hoje a mais freqüente e notável" – *Illustrated Commentary upon the Bible*. Por isso, Isaías [15.7] chamar o Eufrates de " torrente ou rio dos salgueiros".

ordenado em seu templo. Os levitas haviam sido estabelecidos no ministério de cântico e lideravam o povo nesse exercício devocional. Se alguém perguntar como teriam levado consigo suas harpas da terra natal. Podemos dizer que isso é outra prova, mencionada pelo salmista, de sua fé e piedade fervorosa; pois os levitas, quando destituídos de todas os seus bens, preservaram as harpas, no mínimo, como peças de mobília preciosa, para se dedicarem, quando tivessem oportunidade, ao uso de outrora. É possível presumirmos que aqueles que realmente temiam a Deus mantinham elevado apreço pelas peças antigas do culto divino e demonstraram grande cuidado em preservá-lo até à época de sua restauração.[4]

Ao mencionar os *salgueiros*, o salmista denota a beleza das praias, que eram arborizadas com salgueiros, para produzir refrigério. Mas o salmista diz que essas sombras, por mais deleitosas que fossem, não podiam dissipar a tristeza que estava tão profundamente arraigada para que admitia as consolações ou refrigério comuns. Visto que se assentavam às margens dos rios protegidas pelas sombras das árvores, esse era justamente o lugar em que podiam ser tentados a tomar suas harpas e amenizar, com cânticos, suas tristezas. Mas o salmista sugere que a mente deles estava ferida demais com o senso do desprazer do Senhor, para se deixarem enganar com fontes tão fúteis de conforto. Ele avança ainda mais e dá a entender que uma alegria boa e santa estava suspensa nessa ocasião. Pois, embora não fosse certo nem prudente encorajar a tristeza deles, não devemos admirar que o canto dos louvores em público tenha sido suspenso até ao regresso deles do cativeiro, chamados como o foram, pelos castigos divinos, a prantear e lamentar.

3. Então, aqueles que nos levaram cativos. Podemos estar certos de que os israelitas eram tratados com cruel severidade na bárbara tirania a que se viram sujeitos. E a pior aflição de todas era que seus

---

4 "É provável que os levitas [Ed 2.40-41], que eram os cantores e os músicos do templo, houvessem levado consigo suas harpas para Babilônia e que seus dominadores, ouvindo sobre a habilidade dos levitas na música, tenham exigido que tocassem um exemplo daquela música" – Cresswell.

conquistadores os insultavam com zombaria e motejavam deles. O desígnio desses opressores não era ferir o coração desses miseráveis exilados, e sim dirigir blasfêmias contra o seu Deus. Os babilônios não nutriam nenhum desejo real de ouvir os cânticos sagrados dos israelitas e, provavelmente, não suportariam que eles se envolvem nos louvores públicos de Deus. Aqui, os babilônios falam de modo irônico e insinuam, como um menosprezo aos levitas, que estes deviam permanecer em silêncio, quando o seu antigo costume era entoar os cânticos sagrados. Era como se perguntassem: Está morto o vosso Deus, a quem os vossos louvores antigamente eram dirigidos? Ou, se ele se deleita em vossos cânticos, por que não cantais a ele? A última sentença do versículo foi traduzida de maneiras diferentes pelos intérpretes. Alguns derivam תוללינו (*tholalenu*) do verbo ללי (*yalal*), *lamentar*, e lêem: eles exigiam alegria *em nossos lamentos*. Outros o traduzem *suspensões da alegria*.⁵ Outros o entendem como um particípio do verbo הלל (*halal*), *esbravejar*, e lêem: *esbravejando contra nós*. Mas, como תלינו (*talinu*), radical do substantivo aqui empregado, é entendido, no versículo anterior, no sentido de *suspender*, considero a redação que adotei a mais simples.

4. Como cantaremos. O salmista coloca na boca do povo do Senhor uma resposta sublime e magnânima ao seu insolente insulto, ou seja, que se abstinham de seus cânticos, bem como de seus sacrifícios legais, porque a terra onde se encontravam era impura. Os caldeus achavam que os judeus estavam permanentemente presos ao lugar de exílio. O salmista, ao chamá-la de *terra estranha*, insinua que a Babilônia era apenas o lugar da estadia temporária dos israelitas. Mas a idéia primordial é que a Caldéia não era digna da honra de ter os louvores divinos ali cantados. Sem dúvida, os filhos de Deus, onde quer que vivam, sempre são peregrinos e forasteiros no mundo, mas a terra de Canaã era o descanso santo que Deus provera para eles; e o salmista os descreve bem como

---

5 "Outros a entendem como procedente de תלה (*ele suspendeu*), como se eles exigissem "alegria em nossas suspensas", isto é, as harpas que penduramos nos salgueiros" – Bytner.

estranhos e peregrinos quando estavam em outros lugares. Assim, ele quer que estejam sempre prontos e preparados para seu regresso, reforçando o que Jeremias já profetizara, quando, a fim de preveni-lhes que não esquecessem sua terra natal, predisse de forma definida o tempo de duração do exílio [25.11; 29.10].

Nesse ínterim, o salmista os anima à constância e não quer que se fundam com os babilônios por motivo de medo. Em nossos próprios dias, sob o papado, embora seja grande o risco ao qual os fiéis se expõem, por não se conformarem aos exemplos que os cercam, o Espírito Santo usa uma barreira como esta a fim de separá-los das transigências pecaminosas.[6] Àqueles que amam e praticam a verdadeira religião, quer sejam franceses, ingleses ou italianos, o seu próprio país é um ambiente estranho, quando vivem sob tirania. No entanto, há uma distinção entre nós e o antigo povo de Deus, pois naquele tempo o culto divino se confinava a um lugar, enquanto agora ele tem seu templo onde quer que dois ou três estejam reunidos em nome de Cristo, estejam separados de toda confissão de idolatria e mantenham a pureza do culto divino. O salmista, por meio da linguagem que emprega, não queria frustrar qualquer tentativa deles para celebrar os louvores divinos. Antes, ele os exorta a que, sob a aflição, esperassem com paciência até que fosse restaurada a liberdade de cultuar publicamente a Deus, dizendo sobre este assunto: fomos destituídos de nosso templo e sacrifícios, agora vagueamos como exilados numa terra impura; mas, ante a recordação de nosso estado proscrito, devemos suspirar e gemer pelo livramento prometido.

[vv. 5-9]
Se eu me esquecer de ti, ó Jerusalém, a minha mão direita esqueça.[7]

---

6 "Toutesfois le Sainct Esprit leur met ia comme une barre pour les separer de toute simulation perverse, comme aussi elle emporteroit impieté" – *fr.*

7 *Que minha mão direita esqueça*. A sentença termina abruptamente, e uma palavra suplementar é exigida para completá-la. A versão Caldaica, ao alterar a pessoa do verbo, evitou a elipse: *Que eu esqueça a minha mão direita*. A versão Siríaca diz: *Que minha a mão direita me esqueça*. A Septuaginta tem um verbo passivo, ou seja, ἐπιλησθείν, como se o original fosse תשכח. Calvino, em

Apegue-se a minha língua ao céu de minha boca, se não me lembrar de ti, se não preferir Jerusalém à minha maior alegria. Lembra-te, ó Jehovah, dos filhos de Edom, no dia de Jerusalém, dizendo: Arrasai-a, arrasai-a até aos fundamentos. Ó filha de Babilônia, devastada![8] Feliz quem pagar-te a retribuição com que nos retribuíste! Feliz quem tomar e esmagar teus pequeninos nas pedras![9]

5. Se eu me esquecer de ti, ó Jerusalém. Isto confirma o que foi dito no versículo 1 e nos ajuda a entender o que o salmista tinha em mente. Pois aqui o povo de Deus declara, com a solenidade de um juramento, que a recordação da santa cidade estaria para sempre gravada em seu coração e nunca, sob qualquer circunstância, seria apagada. Havendo falado sobre o cântico e os instrumentos de música, o apelo do salmista é formulado em termos correspondentes: *sua mão esqueça sua destreza*, e *sua língua se apegue ao seu palato* ou *ao céu de sua boca*. O sentido é que o povo do Senhor, enquanto lamenta sob as provações pessoais, deve ser ainda mais profundamente afetado

---

seu comentário, usa o mesmo suplemento empregado pelos tradutores de nossa Bíblia inglesa: *Que a minha mão direita esqueça a **sua habilidade**.* E a exatidão deste ponto de vista é endossada pelo versículo seguinte, onde temos: *Que minha língua se apegue ao céu de minha boca*, etc. O objetivo de ambos os versículos é expressar um interesse sincero e profundo por Jerusalém. E, se perdesse tal interesse, o salmista deseja que os membros de seu corpo com os realizava a música vocal e a instrumental (a boca e a mão) se tornassem incapazes de cumprir a sua obra — desejou que a língua se tornasse incapaz de falar e que a mão direita esquecesse a arte de tocar ou *a sua habilidade*. Há um argumento notável e apropriado nestas palavras, um argumento que não pode ser menosprezado. O argumento é que, conforme era costumeiro às pessoas do Oriente jurarem por suas possessões, aquele que não tinha possessões — pobre, que não tinha nenhum valor reconhecido no mundo, esse jurava por sua mão direita, que era a sua única segurança na sociedade e por meio da habilidade dessa mão ele ganhava o seu pão diário. Por isso, existe o provérbio árabe (expresso por Burckhardt, No. 550), que reflete a mudança de comportamento produzida pela melhora das circunstâncias: "Aquele que costumava jurar pelo decepar de sua mão direita, agora jura pelo dar dinheiro aos pobres" — *Illustrated Commentary upon the Bible*.

8 O Bispo Horsley traduz assim: "Ó filha de Babilônia, que te deleitas na destruição".

9 "Esta não é uma linguagem de *imprecação*, e sim de *profecia*, predizendo os horrores que acompanhariam a tomada e o saque da cidade de Babilônia. Entre esses horrores, estava a crueldade atroz de 'esmagar as crianças nas pedras' [ver Is 8.16; Jr 51.62; Os 8.16]. Homero menciona essa prática antinatural como algo comum nos tempos antigos: 'Os infantes eram esmagados contra o solo, em terrível hostilidade' (Il., 22.5.63)" — Warner. 'Feliz aquele...' é apenas uma declaração da opinião geral de que seriam reputados felizes, seriam celebrados como pessoas que haviam prestado um grande serviço no mundo, por destruírem um poder tão universalmente detestado por causa de sua opressão.

pelas calamidades públicas que sobrevêm à Igreja, sendo lógico que o zelo da casa de Deus tenha o mais elevado interesse no coração deles, e deve se erguer acima de todas as considerações pessoais. Alguns interpretam assim a segunda parte do versículo 6: se a minha principal alegria não for ver Jerusalém outra vez numa condição próspera. Outros entendem: a alegria nunca mais adentrará meu coração, enquanto eu não me tornar feliz por ver restauração da Igreja. Ambos os sentidos estão, em minha opinião, compreendidos nas palavras do salmista. Um não pode separar-se do outro, pois, se pusermos Jerusalém acima de nossa maior alegria, o clímax dessa alegria surgirá de considerarmos a prosperidade de Jerusalém. E, se esse for o caso, a tristeza que sentimos devido às calamidades de Jerusalém serão tais, que excluirão todas as alegrias mundanas.

7. Lembra-te, ó Jehovah, dos filhos de Edom. A vingança deveria ser executada sobre as outras nações vizinhas que haviam conspirado para destruir Jerusalém. Assim, todas essas nações estão incluídas na expressão os filhos de Edom, que, nesse caso, são especificados como uma parte em lugar do todo, porque demonstraram mais ódio e crueldade do que as demais nações ou porque o ódio e a crueldade deles foram intoleráveis; pois eles eram irmãos, possuíam o mesmo sangue, ou sejam, eram filhos de Esaú; e os israelitas, devido ao mandamento de Deus, haviam poupado os edomitas, enquanto estes se dedicaram tudo à destruição de Israel. o nascidos mesmo pai, não foram tão bem nascidos, considerando que eram irmãos, e do mesmo sangue, sendo a posteridade de Esaú, e que os israelitas tinham, por mandamento de Deus, poupado os edomitas, quando devotaram todos juntos com eles à destruição [Dt 2.4]. Portanto, convidar os babilônios a destruir seus próprios irmãos ou a intensificarem as chamas de hostilidade era extrema crueldade da parte dos edomitas.

No entanto, precisamos observar que o salmista não profere essas terríveis denúncias de modo inadvertido, e sim como arauto de Deus, a fim de confirmar as profecias anteriores. Por meio de Ezequiel e de Jeremias, Deus, havia predito que puniria os edomitas [Ez 25.13;

Jr 44.7; Lm 4.21-22]. E Obadias nos fornece, distintamente, a razão, que corresponde ao que se declara neste salmo – os edomitas haviam conspirado com os babilônios [Ob 11]. Sabemos que com estas palavras Deus pretendia confortar e fortalecer a mente do povo, que sofria sob uma calamidade tão estressante, que fazia a eleição de Jacó parecer frustrada, pois seus descendentes eram tratados de modo impune e bárbaro pela descendência posteridade de Esaú. O salmista ora, sob a inspiração do Espírito, para que Deus demonstrasse na prática a veracidade desta predição. E quando ele disse: *Lembra-te, ó Jehovah*, queria recordar ao povo de Deus a promessa para fortalecer a sua crença na justiça vingadora de Deus e fazê-lo esperar pelo evento com paciência e submissão. Orar por vingança teria sido injustificável, se Deus não a houvesse prometido, e se a parte contra a qual a vingança era buscada não fosse réproba e impenitente; pois, quanto aos outros, embora sejam nossos maiores inimigos, devemos almejar que se corrijam e sejam transformados. *O dia de Jerusalém* é um título dado pelo salmista; é freqüente nas Escrituras e se refere ao tempo da visitação, que tinha um limite designado e definido por Deus.

8. Ó filha de Babilônia,[10] **devastada!** Embora a vinda do juízo de Deus ainda não lhe estivesse aparente, o salmista discerne-a com os olhos da fé, tal como o apóstolo define apropriadamente a fé como "a convicção das coisas que não se vêem" [Hb 11.1]. Embora parecesse incrível que qualquer calamidade pudesse sobrevir a um império tão poderoso como o era então a Babilônia e inexpugnável como geralmente era considerada, o salmista vê pela ótica da Palavra a destruição e subversão desse império. Ele convoca todo o povo a fazer o mesmo, e, pela fé na sublimidade dos oráculos celestiais, convida-os a desprezar o orgulho daquela cidade desprezada. Se as promessas divinas nos inspiram com esperança e confiança, e o Espírito de Deus molda as nossas aflições de acordo com a sua própria retidão, devemos erguer

---

10 *Filha de Babilônia* denota os habitantes do império babilônico. Os habitantes de uma cidade ou reino são expressos freqüentemente, nas Escrituras, como filhas dessa cidade, reino, etc. [ver Sl 45.13; Is 47.1; Zc 9.9].

nossa cabeça, nas mais profundas aflições pelas que tenhamos de passar, e gloriar-nos no fato de que tudo está bem conosco em nossos piores fadigas e que nossos inimigos estão destinados à destruição.

Ao declarar que seriam felizes os que *pagassem os babilônios com vingança,* o salmista não quis dizer que o serviço feito pelos medos e persas receberia, por si mesmo, a aprovação de Deus;[11] pois estavam envolvidos na guerra por ambição, cobiça por insaciável e rivalidade inescrupulosa. Contudo, ele declara que uma guerra realizada sob o auspício de Deus seria coroada de sucesso. Visto que Deus determinara punir Babilônia, Ele pronunciou uma bênção sobre Ciro e Dario. Por outro lado, Jeremias [48.10] declara malditos aqueles que realizassem a obra do Senhor negligentemente, isto é, fracassassem em realizar com zelo a obra de destruição à qual Deus os chamara como executores contratados. Querer que as criancinhas tenras e inocentes fossem lançadas e esmagadas nas rochas talvez pareça conter um sabor de crueldade, porém o salmista não fala sob o ímpeto de um sentimento pessoal e emprega somente palavras que Deus mesmo havia autorizado. Portanto, isto é apenas a declaração de um juízo justo, semelhante às palavras de nosso Senhor, quando disse: "Com a medida com que tiverdes medido, vos medirão também" [Mt 7.2]. Isaías [13.16] havia emitido uma predição especial em referência à Babilônia, uma predição que o salmista, sem dúvida, tinha diante de si: "Eis que eu despertarei contra eles os medos, que não farão caso da prata, nem tampouco desejarão ouro. Os seus arcos matarão os jovens; eles não se compadecerão do fruto do ventre; os seus olhos não pouparão as crianças."

---

11 "Il n'entend pas que le service des Perses et Medes ait este agreable a Dieu", etc. — *fr.*

Salmos 138

Neste Salmo, ao recordar a ajuda singular que Deus sempre lhe outorgara (a experiência que desfrutara de sua fidelidade e bondade) Davi aproveita a ocasião para estimular-se à gratidão. E, com base no que sabia a respeito da fidelidade de Deus, ele antecipa a continuação da mesma misericórdia. E, se tivesse de enfrentar perigos, ele contempla confiantemente um resultado bem-sucedido.

Salmo de Davi
[vv. 1-5]
Louvar-te-ei[1] de todo o meu coração; diante dos deuses,[2] te cantarei salmos. Adorar-te-ei voltado para o templo de tua santidade, e ao teu nome cantarei, por tua misericórdia e por tua verdade; pois por meio de tua palavra tens magnificado o teu nome acima de todas as coisas. No dia em que clamei a ti, me respondeste e tens ministrado, abundantemente, força à minha alma. Louvem-te todos os reis da terra, ó Jehovah, porque têm ouvido as palavras de tua boca. E cantem nos[3] caminhos de Jehovah, pois grande é a glória de Jehovah.

---

1 Aqui, "ó Jehovah" deve estar subentendido. Embora não esteja no texto hebraico aceito, esse termo foi encontrado em seis cópias examinadas pelo Dr. Kennicott e em oito examinadas por De Rossi. As versões Septuaginta, Arábica, Vulgata e Etiópica colocam "Jehovah" após o verbo "louvar". "A omissão do nome divino", diz Jebb em sua tradução dos Salmos, "numa passagem como esta, no início do Salmo, é totalmente sem precedente".

2 Quanto à palavra hebraica אלהים (*Elohim*), traduzida por deuses, Calvino a entende como "anjos" ou "reis"; particularmente, "anjos". No entanto, é oportuno observar que אלהים (*Elohim*) é um dos nomes aplicados ao Ser Supremo no volume sagrado; por isso, alguns críticos o traduzem por "diante de Deus", explicando que significa "diante da arca", onde estavam os símbolos sagrados da "presença" de Deus. Se após a palavra hebraica "diante" presumirmos estar subentendido "ti", a redação será "diante de ti ou em tua presença, ó Deus, entoarei teus louvores".

3 Phillips observa que o sentido de ב (*beth*) parece ser o de *concernente*: "Os reis da terra cantarão concernente aos caminhos do Senhor como eles são bons e misericordiosos."

1. Louvar-te-ei de todo meu coração. Como Davi fora honrado com sinais distintivas do favor de Deus, ele declara sua resolução de demonstrar mais do que gratidão comum. Esse é um exercício que se degenera e se degrada, no caso dos hipócritas, a um mero som de palavras vazias. Contudo, Davi declara que renderia graças a Deus não somente com os lábios, mas também com sinceridade de coração, pois a expressão *de todo o coração*, como já vimos em outras passagens implica um coração que sincero e não dúbio. O substantivo אלהים (*Elohim*), às vezes, significa *anjos* e, às vezes, *reis*; ambos os significados se ajustam bem à passagem que agora consideramos. O louvor de que Davi fala é de natureza pública. A assembléia solene é, por assim dizer, um teatro celestial, agraciado pela presença de anjos assistentes. E uma das razões por que os querubins pairavam sobre a Arca da Aliança era para que o povo de Deus soubesse que os anjos estavam presentes, quando eles se aproximavam para o culto no santuário. Podemos aplicar apropriadamente aos *reis* o que se diz aqui, em virtude da eminente posição deles, como em Salmos 107.32: "Louvai o Senhor na assembléia dos anciãos" – isto é, como diríamos, numa assembléia de um rei honrado e ilustre. Todavia, eu prefiro o primeiro sentido, porque os crentes, ao se chegarem a Deus, são afastados do mundo e sobem ao céu no desfrute de comunhão com os anjos. Por isso, achamos Paulo reforçando aos coríntios a sua mensagem sobre a necessidade de decência e ordem e exigindo que mostrassem certo respeito aos anjos, pelo menos em suas assembléias religiosas e públicas [1Co 11.10]. A mesma coisa foi representada por Deus muito tempo antes, sob a figura dos querubins, dando assim ao seu povo um penhor visível de sua presença.

2. Adorar-te-ei voltado para o templo[4] de tua santidade. O

---

4 Este Salmo é intitulado "Salmo de Davi", e Calvino o considera como o autor em concordância com o título; mas a menção de "o templo", no versículo 2, parece tornar essa opinião duvidosa. No entanto, se traduzirmos essa palavra por "mansão", que é uma tradução apropriada do original, "a mansão de tua santidade", esta objeção a sua composição por Davi cai por terra. Na Septuaginta, o título deste Salmo é "Salmo de Davi, de Ageu e Zacarias, quando foram dispersos" [cf. Ed 5.1], significando um Salmo de Davi, usado por Ageu e Zacarias.

salmista sugere que mostraria mais que uma gratidão particular e, para expor um exemplo diante de outras pessoas, submete-se ao preceito da lei quanto ao santuário. Ele cultuava a Deus espiritualmente, mas ergueria seus olhos para aqueles símbolos que constituíam o meio designado para atrair ao alto a mente do povo de Deus. O salmista ressalta a misericórdia e a verdade de Deus como os objetos de seu louvor, pois, enquanto o poder e a grandeza de Deus são igualmente dignos de enaltecimento, nada possui uma influência tão sensível a estimular-nos a ações de graças como a sua soberana misericórdia. E, ao falar-nos sobre a bondade de Deus, o salmista abre a nossa boca para entoar louvores a Ele. Como não podemos saborear ou, pelo menos, não temos, em nossa alma, qualquer vívida apreensão da misericórdia divina, senão por meio da palavra, o salmista menciona a fidelidade ou a verdade de Deus. Precisamos observar particularmente esta união de misericórdia com verdade, como tenho observado freqüentemente; pois, por mais que a bondade divina se nos revele em seus efeitos, a nossa insensibilidade é tal, que essa bondade nunca penetrará a nossa mente, a menos que primeiramente a Palavra tenha vindo a nós. A bondade divina é mencionada em primeiro lugar por ser a única base sobre a qual Deus se mostra como verdadeiro em haver obrigado por meio de sua soberana promessa. E sua inaudita misericórdia se evidencia nisto: por meio dela, Ele detém aqueles que estavam distante dEle e os convida a se aproximarem, condescendendo-se a falar-lhes de maneira familiar. No fim do versículo, alguns suprem um copulativo e lêem: *Tu tens magnificado o teu nome e a tua palavra acima de todas as coisas*.[5] Os intérpretes eruditos têm rejeitado isso como sendo uma tradução pobre; mas eles mesmos têm recorrido ao que considero uma inter-

---

5 De acordo com esse modo de traduzir a passagem, כל (*cal*), a palavra traduzida por *todos* é independente de שמך (*shimcha*), a palavra traduzida por *teu nome*. Mas "Aben Ezra observou apropriadamente por que כל, nesse caso, teria uma *cholem*, e não uma *Kametz Chateph*, que é encontrada em todas as cópias. Além disso, essa tradução não é apoiada por nenhuma das versões antigas" – *Phillips*.

pretação forçada: *Tu magnificaste o teu nome acima de toda a tua palavra*. Estou satisfeito com o fato de que Davi pretendia declarar que o nome de Deus é exaltado acima de todas as coisas, especificando a maneira particular pela qual Ele tem exaltado o seu nome: por cumprir fielmente as suas promessas soberanas. Sem dúvida, devido à nossa insensibilidade cega para com os benefícios que Deus nos outorga, a melhor maneira que Ele pode usar a fim de despertar-nos à correta observação desses benefícios é, primeiramente, por meio de dirigir-nos à sua palavra e, depois, por certificar e selar a sua bondade, cumprindo o que nos prometera.

3. No dia em que clamei a ti. Com freqüência, Deus retém as nossas orações e nos surpreende, por assim dizer, dormindo. Mas comumente Ele nos incita à oração pela influência de seu Espírito; e faz isso para enaltecer ao máximo a sua bondade, por descobrirmos que Ele coroa as nossas orações com sucesso. Davi infere que seu escape do perigo não podia ter sido fortuito, pois transpareceu claramente que Deus lhe respondera. Esta é uma coisa notável: as nossas orações revelam muito mais a bondade de Deus para conosco. Alguns acrescentam um copulativo na segunda parte do versículo: *Tu me tens aumentado, e em minha alma há força*. Tal coisa não é requerida, visto que as palavras soam bem como estão, se traduzimos a passagem como o fiz ou se a traduzirmos assim: *Tu me tens multiplicado, ou aumentado, a força em minha alma*. O sentido é este: de um estado fraco e aflito, Ele injetou nova força em meu espírito. Ou, talvez, alguns prefiram entendê-la assim: Tu tens multiplicado, ou seja, me abençoado, por isso há força em minha alma.

4. Louvem-te todos os reis da terra. Aqui, o salmista declara que a bondade que experimentara seria conhecida amplamente, e a notícia sobre ela se divulgaria por todo o mundo. Ao dizer que até os reis tinham ouvido as palavras da boca de Deus, o salmista não pretendia afirmar que os reis tinham sido instruídos na verdadeira religião, a fim de se prepararem para se tornarem membros da Igreja, mas apenas que seria bem conheceria, em todos os lugares, que a razão por que ele fora preservado, de maneira tão maravilhosa, era que Deus o havia ungido rei por seu mandamento.[6] Assim, embora os reis da circunvizinhança não obtiverem qualquer vantagem por meio daquele oráculo divino, a bondade de Deus foi ilustrada por ser universalmente conhecida e por Davi ser chamado ao trono de maneira extraordinária. Ainda que, durante todo o período da severa e sanguinária perseguição de Saul, Davi tenha declarado que hasteava seu estandarte em nome de Deus, não há dúvida de que ele chegou ao trono por vontade e mandamento divinos. Essa foi uma prova da bondade de Deus que pôde obter reconhecimento até de reis pagãos.

[vv. 6-8]
Por que Jehovah, o exaltado, terá respeito pelo humilde; e, sendo elevado, ele saberá de longe [ou: ele conhecerá de longe aquele que é altivo]. Se eu andar[7] em meio a angústias, tu me revigorarás; tu estenderás a tua mão para me salvar. Jehovah me recompensará;[8] a tua misericórdia, ó Jehovah, é para sempre; tu não esquecerás as obras de tua própria mão.

6. Por que Jehovah, o exaltado. Neste versículo, o salmista enaltece o governo geral de Deus sobre o mundo. A coisa mais importante a sabermos é que Ele não é indiferente à nossa segurança; pois, ainda que em palavras sejamos dispostos a admitir isso, nossa incredulidade se revela no temor que revelamos ante à mais leve aparência de perigo. E não expressaríamos tal alarme se tivéssemos a firme persuasão de que vivemos sob a proteção paternal de Deus. Alguns lêem *Jehovah nas alturas*, isto é, Ele assenta em seu trono celestial para governar o mundo; mas prefiro considerar que existe uma oposição intencional – que a grandeza de Deus não o impede de ter respeito pelos pobres e humildes da terra. Isto é confirmado pelo que é afirmado na segunda sentença: embora seja sublimemente exaltado, Ele reconhece

---

6 "Sed hoc ubique fore notum, non alia de causa mirabiliter servatum fuisse a Deo, nisi quod ejus mandato unctus fuerat in Regem" – *lat.*
7 "*Ainda que eu ande* – um hebraísmo equivalente a *ainda que eu seja*" – Cresswell.
8 "Parfera en moy *son œuvre*" — *fr.* "Realizará em mim a *sua obra*."

de longe ou à distância. Alguns lêem גבה (*gabah*) no caso acusativo; e isso dá às palavras um significado que corresponde bem ao contexto: Deus não honra os altivo e arrogantes, por parecer estar perto deles; antes, Ele os despreza, enquanto cuida, com respeito, dos pobres e humildes como se estivesse bem próximo destes, que talvez pareçam estar longe dEle. Alguns traduzem o verbo ידע (*yada*) por *esmagar* e acham que ele significa que Deus, enquanto favorece os humildes, lança ao pó os poderosos que se gloriam em sua prosperidade.

No entanto, há razão para duvidarmos que existe tal refinamento de significado nas palavras de Davi. Basta concluirmos que ele repete o mesmo sentimento expresso anteriormente: que Deus, embora seja sublimemente exaltado, atenta bem àquilo que imaginamos escapar de sua observação. Por isso, já vimos: "Quem há semelhante ao Senhor, nosso Deus, cujo trono está nas alturas, que se inclina para ver o que se passa no céu e sobre a terra?" [Sl 113.5-6]. O significado é que, embora a glória de Deus esteja muito acima de todos os céus, a distância em que se encontra não O impede de governar o mundo por meio de sua providência. Deus é sublimemente exaltado, porém vê ao longe, de modo que não precisa mudar de lugar, quando se condescende em cuidar de nós. De nossa parte, somos pobres e humildes, mas nossa miserável condição não é razão para Deus não se preocupar conosco. Enquanto vemos com admiração a imensidão de sua glória se erguendo acima dos céus, não devemos duvidar de sua disposição em nutrir-nos sob o seu cuidado paternal. As duas coisas são, com grande propriedade, unidas aqui por Davi, ou seja, por um lado, quando pensamos na majestade de Deus, não devemos sentir-nos terrificados ante a possibilidade de que Ele venha a esquecer sua bondade e benignidade; nem, por outro lado, perder nossa reverência por sua majestade, quando contemplamos a condescendência de sua misericórdia.[9]

7. Se eu andar em meio a angústias. Aqui, Davi declara o sentido

---

9 "Ne nous oste le goust de sa bonte, et benignite: d'autre part aussi afin que sa bonte par laquelle il daigne bien s'abbaisser jusques a nous, ne diminue rien de la reverence que nous devons a sa glorie" – *fr.*

em que lhe parecia que Deus agia como preservador – dando-lhe vida dentre os mortos, o que era uma extrema necessidade. A passagem merece toda a nossa atenção, pois somos por natureza tão sensivelmente avessos ao sofrimento, que desejamos todos viver em plena segurança, fora do alcance das flechas divinas e nos esquivamos, com medo, de contato próximo com a morte, como algo totalmente intolerável. Quanto maior é a proximidade do perigo, tanto mais imoderado é o nosso medo, como se nossas emergências frustrassem a esperança do livramento divino. Esta é a verdadeira função da fé: visualizar a vida em meio à morte e confiar na mercê divina, não como aquilo que nos granjeará a isenção do mal, mas como aquilo que nos vivificará em meio à morte no exato momento de nossa vida; pois Deus humilha seus filhos sob várias provações, para que, ao defendê-los, ser torne o seu libertador, bem como o seu preservador. No mundo, os crentes estão constantemente expostos a inimigos; e Davi assevera que viverá em segurança sob a proteção divina, guardado de todas as maquinações deles. Davi declara que sua esperança está nisto: a mão de Deus estava sempre estendida para ajudá-lo, aquela mão que ele bem sabia ser invencível e vitoriosa sobre todo inimigo. E de tudo isso somos ensinados que o método de Deus é exercitar seus filhos com contínuo conflito, para que, tendo um pé no túmulo, por assim dizer, busquem apressadamente refúgio sob as suas asas, onde podem habitar em paz. Alguns traduzem a partícula אַף (*aph*) por também, e não por ira, ficando assim a redação: também estenderás sobre os meus inimigos, etc. Tenho seguido o sentido mais comumente aceito como o mais completo e mais natural.

8. Jehovah me recompensará. A dúvida concernente ao significado do verbo גמר (*gamar*) lança incerteza sobre toda a sentença. Às vezes, ele significa retribuir e, em geral, outorgar, pois é freqüentemente aplicado aos favores gratuitos.[10] No entanto, o contexto pareceria exigir outro sentido, visto que, quando se acrescenta, como razão, *que*

---

10 "Il signifie aucunefois Rendre, recompenser, et mesme generalement ottroyer", etc. – *fr.*

a misericórdia de Jehovah é eterna e *que ele não esquecerá as obras de suas mãos*, o melhor sentido parece ser este: *Jehovah realizará por mim*, isto é, continuará a mostrar que cuida de minha segurança e aperfeiçoará plenamente o que começou. Havendo sido liberto por um ato da misericórdia de Deus, o salmista conclui que o que fora realizado seria aperfeiçoado, pois a natureza de Deus é imutável, e Ele mesmo não pode se separar daquela bondade que Lhe é peculiar. Não pode haver dúvida de que a maneira de manter boa esperança em meio aos perigos é fixar os olhos na bondade de Deus, na qual repousa nosso livramento. Deus não está sob qualquer obrigação de sua parte, exceto quando, de seu beneplácito, promete interessar-se por nosso bem-estar. Com a melhor razão e com base na eternidade da bondade divina, Davi conclui que a salvação que lhe fora outorgada não seria limitada e evanescente. Ele confirma isso ainda mais com o diz em seguida: é impossível que Deus abandone a sua obra (como os homens talvez o façam) num estado imperfeito e inacabado, movido por indolência e desgosto. Davi não deve ser entendido como se estivesse dizendo isso no mesmo sentido em que Paulo declarou: "Os dons e a vocação de Deus são sem arrependimento" [Rm 11.29]. Os homens podem desistir de uma obra por razões triviais que os levaram ao empreendimento desde o princípio e do qual podem se afastar movidos por inconstância ou podem ser forçados a desistir motivados por incapacidade, tendo-a empreendido acima de suas forças. Contudo, nada disso pode ocorrer com Deus. Logo, não temos razão para nutrir a idéia de que nossas esperanças serão frustradas em seu curso rumo ao cumprimento. Nada, exceto o pecado e a ingratidão de nossa parte, interrompe o tom contínuo e invariável da bondade de Deus. O que apreendemos com firmeza, por meio de nossa fé, Deus jamais tira de nós, nem permite que seja tomado de nossas mãos.

Ao declarar que Deus aperfeiçoa a salvação de seu povo, Davi não encoraja a ociosidade; antes, fortalece a sua fé e se anima ao exercício da oração. Qual é a causa da ansiedade e do temor sentidos pelos piedosos, senão a consciência de sua própria fraqueza e a completa dependência de Deus? Ao mesmo tempo, eles confiam, com plena certeza, na graça de Deus. "Estou confiante", escreve Paulo aos Filipenses, "de que aquele que começou a boa obra a terminará até ao dia de Cristo Jesus" [Fp 1.6]. O uso a ser feito da doutrina é lembrar, quando cairmos ou nos dispusermos a vacilar em nossa mente, que, se Deus já operou em nós o começo de nossa salvação, Ele a levará até à sua conclusão. Conseqüentemente, devemos valer-nos da oração para que, por nossa própria indolência, não sejamos privados do acesso àquela contínua torrente de bondade divina, que flui de uma fonte inesgotável.

Salmos 139

Neste Salmo, para desfazer muitos dos esconderijos enganosos nos quais a maioria dos homens busca refúgio, vestindo-se de hipocrisia, Davi insiste, em termos gerais, sobre a verdade de que nada pode enganar a observação divina. Ele ilustra essa verdade a partir da formação original do homem, pois Aquele que nos formou no ventre de nossa mãe e comunicou uma função específica a cada membro de nosso corpo, é impossível que Ele seja ignorante de nossas ações. Fortalecido por essa meditação sobre o devido temor reverente para com Deus, o salmista diz a si mesmo que não tem qualquer simpatia para com o ímpio e profano e roga a Deus, confiante em sua integridade, que não o abandone nesta vida.[1]

---

1 Este Salmo tem sido freqüentemente admirado pela grandeza de seus sentimentos, a sublimidade de seu estilo, bem como pela variedade e beleza de suas imagens. O bispo Lowth, em sua 29ª Preleção, o classifica entre os idílios hebreus, juntamente com o Salmo 104, no que concerne à estrutura do poema e à beleza de estilo. "Se este salmo for excedido (como provavelmente é)", diz ele, pelo Salmo 104 no plano, disposição e arranjo do assunto, não é, de modo algum, inferior na dignidade e elegância de seus sentimentos, imagens e figuras". "Entre as outras excelências deste salmo", diz o bispo Mant, "nada é mais admirável do que a inusitada arte com que discorre sobre as perfeições da Deidade. A fé do salmista na onipresença e onisciência de Jehovah é retratada logo no começo, com uma variedade bela e singular das mais vívidas expressões; nada pode ser mais sublime do que o acúmulo das mais nobres e elevadas imagens, nos versículos 7 e seguintes, proporcionais aos limites da natureza criada, e com isso o salmista labuta para imprimir na mente uma noção da infinitude de Deus". Se compararmos este poema sagrado com qualquer hino da antiguidade clássica escrito em honra das divindades pagãs, a imensa superioridade de sentimento que este salmo contém convenceria qualquer pessoa sensata de que Davi e os israelitas, embora inferiores em outros aspectos a algumas outras nações, superavam-nas no conhecimento religioso. Nenhum filósofo dos tempos antigos jamais alcançou visões tão sublimes das perfeições e do governo moral de Deus como os profetas hebreus alcançaram. Como podemos explicar essa diferença, senão por meio da suposição da origem divina da religião dos hebreus? Em qualquer

Ao mestre de música – Salmo de Davi
[vv. 1-6]
Tu me sondas e me conheces, ó Jehovah. Tu conheces o meu assentar e o meu levantar; de longe discernes os meus pensamentos. Tu cercas a minha vereda e o meu deitar e estás familiarizado com todos os meus caminhos. Pois não há nem uma palavra em minha língua, eis que tu, ó Senhor, já a conheces plenamente. Tu me fechas por trás e por diante, e puseste a tua mão sobre mim. Teu conhecimento é maravilhoso, acima de mim;2 é elevado, não o posso atingir.

1. Tu me sondas... ó Jehovah. Davi declara, no início deste Salmo, que não se aproximava de Deus com qualquer idéia de que é possível alguém ser bem-sucedido em usar o engano, como os hipócritas que tiram vantagem de esconderijos secretos, para continuarem em suas satisfações pecaminosas. Davi, porém, expõe voluntariamente os recessos mais recônditos de seu coração, para serem inspecionados, como alguém que está convicto da impossibilidade de enganar a Deus. Ele diz: A ti, ó Deus, pertence o sondar cada pensamento secreto; não existe algo que possa escapar à tua observação. Davi insiste nos detalhes para mostrar que toda a sua vida era plenamente conhecida por Deus, que o vigiava em todos os seus movimentos – quando dormia, quando se levantava ou quando caminhava. A palavra רע (*rea*), que

---

outra suposição, estes salmos constituem um milagre maior do que qualquer outro registrado por Moisés.

O bispo Horsley atribui a composição deste Salmo a uma época posterior à de Davi. "Os freqüentes caldaísmos", diz ele, "da dicção não argumentam em favor de uma antigüidade muito remota. O Dr. Adam Clarke, seguindo o mesmo princípio, argumenta que esse salmo não foi escrito pelo melodioso cantor de Israel, e sim durante ou após o tempo do cativeiro. Outros críticos mantêm que os vários caldaísmos encontrados no salmo não propiciam um fundamento para essa opinião. "Não consigo entender como algum crítico", diz Jebb, "pode atribuir este salmo a outra pessoa que não seja Davi. Cada linha, cada pensamento, cada nuance de expressão e transição pertence a Davi, e somente a ele. Quanto aos argumentos extraídos dos dois caldaísmos que ocorrem (רבעי, em lugar de רבצי, e עריך, em lugar de צריך), isto é insignificante. Esses caldaísmos consistem meramente na substituição de uma letra por outra, muito parecidas na forma e fáceis de serem equivocadas por um escriba, especialmente um escriba versado no idioma caldeu. Contudo, os argumentos morais em favor da autoria de Davi são tão fortes que sobrepujam qualquer crítica *verbal*, ou melhor, *literal*, ainda que as objeções fossem mais difíceis do que realmente são" – *Jebb's Literal Translation of the Psalms*, etc., volume 2.

2 C'est par dessus moy et ma capacité" – *fr. marg*. "Ou, seja, acima de mim e minha capacidade."

traduzimos por *pensamento* também significa *amigo* ou *companheiro*; por isso, alguns traduzem: *de longe tu conheces o que está mais próximo de mim*. Esse significado se aproxima mais do que qualquer outro do sentido exato, se pudesse ser endossado por algum exemplo. A referência seria mui apropriadamente ao fato de que os objetos mais distantes são contemplados por Deus como estando bem próximos. Alguns em lugar de *de longe* lêem *de antemão*; nessa significação a palavra hebraica é tomada em outras partes, como se quisesse dizer: Ó Senhor, todo pensamento que concebo em meu coração Tu o conheces de antemão. Eu, porém, prefiro o outro significado, a saber, que Deus não está confinado ao céu, satisfazendo-se em um estado de repouso e indiferente aos problemas dos homens (conforme pensavam os epicureus) e que, por mais distante que estivéssemos de Deus, Ele jamais se está longe de nós.

O verbo זרה, *zarah*, significa *cirandar*, bem como *cercar*, de modo que podemos ler apropriadamente o terceiro versículo assim: – *Tu cirandas meus caminhos*;[3] isso seria uma expressão figurativa para denotar o trazer algo desconhecido à luz. O leitor pode determinar sua opção, pois a outra tradução que adotei também é correta. Existe uma diferença de opinião entre os intérpretes quanto à última sentença do versículo. O verbo סכן (*sachan*), na conjugação Hiphil, como aqui, significa *tornar-se bem-sucedido*. Isso tem levado alguns a pensarem que, neste versículo, Davi agradece a Deus por coroar suas ações com sucesso. Contudo, esse sentido não se ajusta, de modo algum, ao escopo do salmista no contexto, pois ele não está falando de ação de graças. Igualmente forçado é o sentido que outros dão à s palavras — *Tu me*

---

3 Piscator, Campensis, Pagninus, Lutero e nossa versão inglesa lêem: "Tu me cercas". Sem dúvida, isso expressa o significado do original, embora a idéia exata, anotada na margem de nossa Bíblia inglesa, seja "cirandas". O verbo זרה (*zarah*), empregado neste versículo, significa *dispersar, manejar um leque, ventilar, cirandar*. Aqui denota que, como os homens separam o trigo da moinha, assim Deus faz separação entre, ou investiga, os bons e os maus na conduta diária dos homens. Por isso, a Septuaginta traz ἐξιχνίασας — "Tu [me] tens investigado". O bispo Hare, que traduz "tu [me] cercas", presume que existe aqui uma metáfora extraída do ato de caçar. "Joeirar", diz o arcebispo Secker, "pareceria estranho. Mudge, porém, tem insistido na palavra *peneirar*, que, embora contenha uma idéia um pouco diferente, se ajusta muito bem".

tornaste familiarizado ou acostumado com meus caminhos;[4] como se Davi louvasse a Deus por ser dotado de sabedoria e conselho. Embora o verbo esteja no Hiphil, não tenho tido nenhuma hesitação em assinalá-lo como de significação neutra – Senhor, tu estás tão acostumado com meus caminhos, que te são familiares.

4. Pois não há nem uma palavra em minha língua. Estas palavras admitem duplo significado. Por isso, alguns as entendem com o sentido de que Deus sabe o que vamos dizer antes mesmo de as palavras serem formuladas por nossa língua. Outros, com o sentido de que, embora não pronunciemos sequer uma palavra e tentemos, pelo silêncio, ocultar nossas intenções secretas, não podemos escapar à observação divina. Ambas as traduções equivalem à mesma coisa, e não importa qual delas adotamos. A idéia implícita no salmo é que, embora a língua seja o indicador do pensamento do homem e o grande meio de comunicação, Deus, que conhece o coração, não depende de palavras. E usa-se a partícula demonstrativa *eis* para indicar enfaticamente que os recessos mais recônditos de nosso espírito estão visíveis aos olhos de Deus.

Alguns lêem assim o versículo 5: *por trás e por diante, tu me formaste*.[5] Mas צור (*tsur*) freqüentemente significa *fechar*; e não há dúvida de que Davi queria dizer que estava cercado de todos os lados e, assim, sob a vigilância dos olhos de Deus; por isso, não podia escapar para lugar nenhum. Aquele que acha o caminho bloqueado volta atrás. Davi, porém, se achou cercado por trás, bem como por diante. A outra sentença do versículo tem o mesmo significado.

---

4 "Fecisti assuescere vias meas" – *lat.*

5 Assim, a Septuaginta tem ἔπλασάς με — "Tu me formaste". Semelhante a esta é a tradução da versão Siríaca. Os que abraçam esse ponto de vista tomam o verbo como se o radical fosse יצר (*yatsar*). "Mas", diz Phillips, "é certo que o radical de צרתני tem de ser צור (*afligir, pressionar, cercar*). Por isso, o significado do versículo deve ser este: 'De tal modo tu me tens pressionado, ou me tens cercado, por detrás e por diante, que não descubro nenhuma maneira de escapar de ti; tu puseste tua mão sobre mim de um modo que estou totalmente em teu poder'. Toda a passagem é uma figura que representa o meticuloso conhecimento que Deus tem do homem" – Phillips. "*Tu me cercaste por detrás e por diante*, isto é, conheceste todos os meus feitos tão perfeitamente como se eu estivesse cercado por ti de todos os lados" – Cresswell.

Portanto, imprimem-lhe uma interpretação errada aqueles que crêem a sentença se refere à formação que Deus nos dá e aplicam à sua mão o sentido de um artesão que modela a sua obra; isso não se ajusta ao contexto. É melhor entendê-la como que afirmando que Deus, por sua mão, estendida por sobre os homens, os mantém estritamente sob a sua inspeção, para que não possam mover sequer um fio de cabelo sem o conhecimento dEle.[6]

6. Teu conhecimento é maravilhoso, acima de mim. Dois significados podem ser vinculados a ממני (*mimmenni*). Podemos ler *sobre mim* ou *em relação a mim*, entendendo que Davi estava querendo dizer que o conhecimento de Deus é visto como maravilhoso na formação de uma criatura como o homem, que, usando um velho ditado, pode ser chamado um pequeno mundo em si mesmo. Não podemos sequer pensar sem admiração na perfeita habilidade evidente na estrutura do corpo humano e nos excelentes dotes com que a alma humana é revestida. Mas o contexto demanda outra interpretação; e podemos supor que Davi, dando prosseguimento à mesma idéia em que já havia insistido, exclama contra a tolice de avaliar o conhecimento de Deus com base em nosso próprio conhecimento, quando este se eleva prodigiosamente acima de nós. Muitos, quando ouvem falar a respeito de Deus, imaginam que Ele é semelhante a eles mesmos; e essa presunção é condenável em extremo. Comumente, eles não admitirão que o conhecimento de Deus é maior do que sua própria apreensão das coisas. Davi, ao contrário, confessa que esse conhecimento vai além de sua compreensão e declara que as palavras não podiam expressar a verdade da completude com que todas as coisas estão patentes aos olhos de Deus, visto que esse conhecimento não possui limites ou medidas. Assim, ele só podia contemplar a amplitude desse conhecimento com ignorância consciente.

---

6 "Comme mettant la main sur eux pour les arrester par le collet, ainsi qu'on dit, tellement qu'ils ne peuvent bouger le moins du monde qu'il ne le scache" – *fr.*

[vv. 7-12]
Para onde me irei do teu Espírito? Para onde fugirei da tua face? Se subo ao céu, lá estás; se desço ao sepulcro, eis que tu estás ali. Tomarei as asas da alvorada, para habitar nas partes mais profundas do oceano? Até ali a tua mão me guiará, e a tua destra me susterá. Se eu disser: pelo menos as trevas me encobrirão, e a noite me será luz; nem mesmo as trevas ocultarão de ti. A noite será luminosa como o dia, e as trevas, como a luz.

7. Para onde me irei de teu Espírito? Minha visão é que Davi dá continuidade à mesma idéia de ser impossível que os homens, por meio de qualquer subterfúgio, ludibriem os olhos de Deus. Pela expressão *o Espírito de Deus*, não devemos aqui, assim como em várias outras partes das Escrituras, conceber meramente o poder, mas também o entendimento e o conhecimento de Deus.[7] No homem, o espírito é a sede da inteligência; e isso se aplica aqui em referência a Deus, como é evidente da segunda parte da sentença, em que *a face de Deus* implica o conhecimento ou a inspeção de Deus. Em suma, Davi quer dizer que não podia mudar de um lugar a outro sem que Deus o visse e o seguisse com seus olhos, enquanto se movia. Aplicam mal a passagem aqueles que citam-na como prova da infinitude da essência de Deus; pois, embora seja uma verdade indubitável que a glória do Senhor enche o céu e a terra, esse fato não está presente na visão do salmista, e sim a verdade de que os olhos de Deus penetram o céu e o inferno, de modo que, mesmo escondendo-se no canto mais obscuro do mundo, ele seria descoberto por Deus. De acordo com isso, o salmista nos diz que, embora fugisse para o céu ou se escondesse nos abismos mais profundos, de cima ou de baixo, tudo estava visível e manifesto diante de Deus. *As asas da alvorada*, ou de Lúcifer,[8] é uma bela metáfora, pois, quando o sol se ergue sobre a terra, transmite subitamente sua radiância a todas as nações do mundo, com a rapidez semelhante à de um

---

7 Alguns comentaristas supõem haver aqui uma referência à terceira pessoa da Trindade.

8 Ou "do romper da manhã". שחר (*shachar*), a palavra empregada, "é a luz vista nas nuvens antes do nascer do sol; era como se ele tivesse asas para voar com rapidez; pois rapidamente o romper da manhã se difunde no horizonte, do extremo do Oriente ao extremo do Ocidente" – *Mendlessohn's Beor*.

relâmpago. A mesma figura é empregada em Malaquias 4.2. E a idéia é que, embora alguém tente fugir com a rapidez da luz, tal pessoa não achará nenhum recesso onde esteja fora do alcance do poder de Deus; pois devemos entender o vocábulo *mão* no sentido de poder. E a afirmação tem este significado: se o homem tentasse fugir da observação de Deus, seria fácil para Ele apanhar e trazer de volta o fugitivo.[9]

11. Se eu disser. Davi representa a si mesmo como alguém que usa cada método possível para conseguir escape de uma situação embaraçosa. Assim, tendo reconhecido que era inútil sonhar com a fuga, ele recorre a outra solução, dizendo: nenhuma rapidez de minha parte pode me remover do alcance da vista de Deus, mas, com base na suposição de que, afastando-se a luz, as trevas me encobrirão, eu terei alívio. Mas ele também declara que isso é inútil, pois Deus vê igualmente bem tanto nas trevas como na luz. Em minha opinião, é um tremendo equívoco achar, como muitos o têm feito, que as duas sentenças do versículo devem ser entendidas separadamente e lidas assim: *Se eu disser que as trevas me encobrirão, até mesmo a noite será como luz diante de mim* –, significando que as trevas se converterão em luz e que, embora ele não visse nada, estaria patente aos olhos de Deus. Ao contrário, Davi deve ser considerado como a expressar, em ambas as sentenças, aquilo pelo que (poderíamos supor) ele sentia desejo e a sugerir que, se pudesse encontrar algum esconderijo ou subterfúgio, aproveitaria a oportunidade';[10] como se ele estivesse afirmando: "Se eu disser que pelo menos as trevas me encobrirão e a noite será como luz para mim" — no mesmo sentido que a noite é para os ladrões ou os animais selvagens da floresta, que vagueiam com grande liberdade. O fato de que esta é a construção própria das palavras é

---

9 Dathe entende *tua mão* como a presença graciosa de Deus para defender o salmista. Esse pode ser o significado das palavras. Mas, se as tomarmos nesse sentido ou, de acordo com Calvino, como a expressar que o homem está sob o poder de Deus, em qualquer parte do mundo em que ele esteja, essas palavras ilustram a onisciência de Deus, que Calvino considera o principal desígnio do escritor inspirado.

10 C'est plustost que David prononçant ce propos selon son propre sentiment, entend que pourveu qu'il puisse estre par quelque moyen couvert et caché, il aura quelque peu de bon temps", etc. – *fr.*

possível inferir da partícula גם (*gam*). Caso alguém pense ser desnecessário afirmar que para Deus não há qualquer diferença entre luz e trevas, basta lembrar que a observação pessoal comprova a relutância e a extrema dificuldade com que os homens são induzidos a chegarem aberta e irrestritamente à presença Deus.

Em palavras, todos admitimos que Deus é onisciente. Ao mesmo tempo, secretamente não damos a menor importância àquilo que ninguém jamais imaginaria contestar, pois não temos escrúpulos de zombar de Deus e nos falta para com Ele a mesma reverência que estendemos a um de nossos semelhantes. Temos vergonha de permitir que os homens conheçam e testifiquem nossas delinqüências; todavia, somos muito indiferentes a respeito do que Deus poderia pensar de nós, como se os nossos pecados estivessem encobertos e velados de sua inspeção. Este entorpecimento, se não for severamente censurado, logo converterá, em nosso caso, a luz em trevas. Por isso, Davi insistiu demoradamente sobre esse tema, a fim de refutar as nossas falsas apreensões. A nossa preocupação deve ser a de aplicar as reprovações dadas e estimular-nos, por meio delas, quando nos sentirmos dispostos a tornar-nos seguros.

[vv. 13-16]
Pois possuíste[11] os meus rins; cobriste-me[12] no ventre de minha mãe. Louvar-te-ei, pois fui formado de modo terrivelmente maravilhoso. Maravilhosas são as tuas obras, e minha alma as conhece muito bem. Minha força

---

11 "A significação habitual de קנה é *possuir, adquirir*; aqui, porém, crê-se que contenha a noção de *formar* ou *criar*. A razão desta diferença no sentido pode ser explicada pela circunstância de que na versão Arábica há dois verbos aos quais קנה pode corresponder, a saber: um é *possuir*, e o outro, *formar*. Assim, em Gênesis 14.19 lemos que Deus é 'possuidor (קנה) do céu e da terra'. A Septuaginta traduz קנה por ὅς ἔκτισε — *que criou*; e a Vulgata: *qui creavit*. Ainda, em Provérbios 8.22, em lugar de קנני a versão Caldaica traz בראני — *me gerou* ou *me criou*. Com base nestas e noutras passagens, é evidente que קנה foi apoiado pelos antigos intérpretes como que tendo o sentido de *formar* ou *criar*. E tudo indica que esse significado é exigido no versículo ora consideramos; e tal significado concorda com o verbo seguinte" – *Phillips*.

12 O "cobrir" sobre o qual o salmista fala é ilustrado por Jó 10.11, onde lemos: "De pele e carne me vestiste e de ossos e tendões me entreteceste". "Uma obra tão admirável", observa o bispo Horne, "que, antes de prosseguir em sua descrição, o salmista não consegue senão irromper em êxtase ante o pensamento: 'Eu te louvarei, porque fui formado de um modo terrível e maravilhoso'."

não está oculta de ti,[13] a qual tu fizeste em secreto. Eu fui entretecido nas partes mais baixas da terra. Os teus olhos viram minha estrutura informe. Todas as coisas foram escritas em teu livro; foram formadas ao longo de dias, e nem uma delas.

13. Pois possuíste os meus rins. Aparentemente, ele prossegue o mesmo tema, embora o leve mais adiante, declarando que não precisamos sentir-nos surpresos com o fato de que Deus conhece os mais secretos pensamentos dos homens, pois formou o seu coração e os seus rins. Assim, o salmista representa Deus como um rei que se assenta no próprio reino do homem, como o centro de sua jurisdição, e demonstra que não há o menor motivo para nos admirarmos de que todos os meandros e recessos de nosso coração são conhecidos por Aquele que, ainda quando estávamos no ventre de nossa mãe, nos via com clareza e perfeição, como se estivéssemos diante dEle à luz do meio-dia. Isso nos possibilita conhecer o desígnio com que Davi continua falando sobre a formação original do homem. O seu escopo é o mesmo que percebemos no versículo seguinte, no qual, com alguma ambigüidade nos termos empregados, é suficientemente claro e óbvio que Davi pretendia dizer que havia sido formado de maneira prodigiosa, planejada para despertar temor e admiração,[14] de modo que ele prorrompesse nos louvores de Deus.

Uma grande razão por que caímos na segurança carnal consiste em não levarmos em conta quão singularmente fomos formados, no princípio, por nosso divino Criador. Desse exemplo particular, Davi é levado a se referir, de um modo geral, a todas as obras de Deus, que

---

13 "Ou, mon os n'est point caché de toy" – *fr. marg.* "Ou, meu osso não está oculto de ti."
14 "*Fizeste-me de um modo terrível e maravilhoso!* Nenhum homem jamais fez uma descrição tão sucinta e expressiva da conformação física do ser humano. Somos feitos de um modo tão *terrível*, que não há uma ação ou gesto de nossos corpos que, aparentemente, não traga risco a um músculo, veia, ou tendão; e a ruptura destes destruiria a vida ou a saúde. Somos feitos de um modo tão *maravilhoso,* que nossa organização ultrapassa, em habilidade, elaboração, desígnio e adaptação dos meios para os fins, as mais esquisitas e complexas peças de mecanismo não somente elaboradas 'pela arte e habilidade humana', mas também concebidas pela imaginação do homem" – Warner.

são maravilhas convenientes para atrair nossa atenção para Ele. A perspectiva correta e verdadeira das obras de Deus, como já observei em outro lugar, é aquela que termina em admiração. A declaração do salmista no sentido de que *sua alma conhecia muito bem* essas maravilhas, que transcendem infinitamente a compreensão humana, significa apenas que, com aplicação humilde e sóbria, ele colocaria toda a sua atenção e talentos em obter essa apreensão das maravilhosas obras de Deus, resultando em que adoraria a infinitude da glória de Deus. Portanto, o conhecimento intencionado pelo salmista não é aquele que professa compreender aquilo que, sob o título de prodígios, ele confessa ser incompreensível, nem aquele tipo de conhecimento que os filósofos presunçosamente pretendem atingir, como se pudessem solucionar o mistério de Deus; é apenas aquela atenção piedosa às obras de Deus que estimula o dever de gratidão.

15. Minha força não está oculta de ti. Davi começa a provar agora que nada está oculto a Deus, com base na maneira como o homem é formado, e realça a superioridade de Deus em relação aos demais artífices, fundamentado nisto: enquanto estes precisam ter sua obra diante de seus olhos, antes que possam formá-la, Deus nos formou no próprio ventre de nossa mãe. Não é importante se lemos *minha força* ou *meu osso*, ainda que eu prefira a segunda redação. Em seguida, o salmista relaciona o ventre da mãe às *cavernas profundas* ou aos *recessos da terra*. Se um artesão intentasse começar uma obra em uma caverna escura, onde não há luz para assisti-lo, como ele poria na obra a sua mão? De que maneira ele procederia? Que tipo de obra ele produziria?[15] Todavia, Deus faz uma obrar perfeita no escuro, pois Ele forma um ser humano no ventre da mãe. O verbo רקם (*rakam*), que significa *entretecer*,[16] é empregado para

---

15 "A figura", diz Walford, "deriva-se das trevas e escuridão das cavernas e outros recessos da terra".
16 "רקם" significa *bordar* – Phillips. Mant traduz o versículo assim: *"Desconhecida de todos, porém não de ti, minha substância se desenvolve; e sobre ela são lançados os fios bem elaborados do tear da natureza, todos escritos em secreto e na escuridão"*. E, após observar que o feto se forma e se desenvolve gradualmente para o nascimento, como plantas e flores sob o solo, ele acrescenta: "O processo é comparado àquele de uma peça trabalhada com uma agulha ou formada no tear, a

ampliar e intensificar o que o salmista acaba de dizer. Sem dúvida, Davi queria expressar figuradamente a inconcebível habilidade que transparece na formação do corpo humano. Quando o examinamos, inclusive as unhas de nossos dedos, não há nada que possa ser alterado, sem que sintamos inconveniência, como se algo fosse desconjuntado ou fora de lugar. E o que diríamos, se fizéssemos a tentativa de enumerar as partes individuais?[17] Onde, pois, está o bordador que, com toda sua habilidade e destreza, poderia executar a centésima parte desta estrutura complexa e diversificada? Não devemos perguntar se Deus, que formou tão perfeitamente o homem, no ventre, teria um exato conhecimento dele, depois de introduzi-lo no mundo.

---

qual, com toda a sua beleza, variedade de cores e proporções das figuras, surge gradativamente, até atingir a perfeição, sob a mão do artista, formada segundo o modelo colocado diante dele, elaborado a partir de uma rude massa de seda ou de outros materiais. Assim, pelo poder e sabedoria de Deus e segundo um plano delineado em seu livro, uma massa informe é elaborada na mais inusitada textura de nervos, artérias, ossos, músculos, membranas e pele, mui habilmente entretecida e conectada umas com as outras, até se tornarem um corpo harmoniosamente diversificado, com todos os membros e delineamentos de um ser humano, não um ser que aparecia a princípio, assim como as figuras vistas em um novelo de seda. Aquilo sobre o que o salmista insiste principalmente é que, enquanto o artífice humano precisa ter a mais clara luz para realizar sua obra, o divino artesão vê em secreto e efetua todos os seus prodígios no escuro e estreito âmago do ventre". O bispo Lowth presume que a força e a beleza da metáfora, nesta passagem, não serão entendidas, se não percebemos que o salmista alude à arte da tecelagem como consagrada pelos judeus a propósitos sagrados, usada na decoração das vestes dos sacerdotes e das cortinas na entrada do tabernáculo. "Nesse poema perfeito, Salmos 139", diz ele, "que celebra a imensidão da Deidade onipresente e a sabedoria do artífice divino em formar o corpo humano, o autor usa uma metáfora derivada da mui sutil arte dos operários frígios: *Quando eu fui formado no lugar secreto; quando eu fui entretecido com uma agulha nas profundezas da terra*. Quem observa isso (na verdade, não será capaz de observá-lo nas traduções comuns) e, ao mesmo tempo, reflete no maravilhoso mecanismo do corpo humano, nas várias ampliações das veias, artérias, fibras e membranas, 'na indescritível textura' de toda a urdidura, pode sentir a beleza e a graça desta metáfora bem adaptada, mas perderá muito de sua força e sublimidade, se não estiver informado sobre aquela arte de desenhar com a agulha — uma obra totalmente dedicada ao uso do santuário, por um preceito direto da lei divina, empregada principalmente em fornecer uma parte das vestes sacerdotais e os véus para a entrada do tabernáculo [Ex 28.39; 26.36; 27.16; cf. Ez 16.10, 13, 18]. Assim, o poeta compara a sabedoria do artífice divino com as artes humanas mais valiosas – aquela arte que foi dignificada por ser consagrada totalmente ao uso da religião e cuja elaboração era tão inusitada, que até os escritos sagrados parecem atribuí-la a uma orientação sobrenatural. Ver Êxodo 35.30-35" – *Lowth's Lectures on the Sacred Poetry of the Hebrews*, volume 1.

17 "Que sera-ce donc quand on viendra a contempler par le menu chacune partie?" — *fr.*

16. Os teus olhos viram minha estrutura informe. O embrião, quando inicialmente concebido no ventre, não tem forma. Davi fala de Deus o haver conhecido quando ainda era uma massa informe, uma τὸ κύημα, como os gregos a denominam; pois τὸ εμβρυον é o nome dado ao feto desde a concepção até ao nascimento. O argumento é do maior para o menor. Se ele era conhecido por Deus mesmo de adquirir certa forma definida, não poderia agora escapar à observação divina. Ele acrescenta que *todas as coisas foram escritas em seu livro*; isto é, todo o método de sua formação era bem conhecido por Deus. O termo *livro* é uma figura tomada da prática comum entre os homens de auxiliar sua memória por meio de livros e comentários. Seja qual for o objeto do conhecimento de Deus, o salmista diz que Ele registrou em forma escrita, não por necessidade da memória.

Os intérpretes estão divididos quanto à segunda cláusula. Alguns entendem ימים (*yamim*) no caso nominativo, significando *quando os dias foram feitos*. De acordo com eles, o sentido seria: todos meus ossos, ó Deus, foram escritos em teu livro desde o princípio do mundo, quando os dias foram inicialmente formados por ti e nenhum deles realmente existia. O outro é um significado mais natural: as diferentes partes do corpo humano são formadas em sucessão de tempo; pois no primeiro gérmen não há arranjo das partes ou proporção de membros, mas ele se desenvolve e assume sua forma peculiar progressivamente.[18] Há outro ponto sobre o qual os intérpretes diferem. Como na partícula לא (*lo*) o א (*aleph*) é, às vezes, intercambiável com ו (*vau*), alguns lêem לו (*para ele*), e outros lêem לא (*não*). De conformidade com a primeira redação, o sentido é que, embora o corpo seja formado progressivamente, ele sempre foi um e o mesmo no livro de Deus, que não depende de tempo para a execução de sua obra. Entretanto, um significado suficientemente bom

---

18 "*Eles* (meus membros) *foram diariamente formados*. Não foram formados de uma vez, mas gradualmente; a cada dia, iam aumentando em vigor e tamanho. Essa expressão talvez seja parentética, de modo que as últimas palavras do versículo se referirão a escrita, no registro de Deus, das coisas mencionadas antes" – *Phillips*.

pode ser formulado por aderirmos, sem mudança, a partícula negativa, isto é: embora os membros fossem formados no curso dos dias, ou gradualmente, nenhum deles existia ainda; nenhuma ordem ou distinção de partes havia inicialmente ali, e sim uma substância informe. Assim, a nossa admiração é dirigida à providência de Deus em dar gradualmente forma e beleza a uma massa confusa.[19]

> [vv. 17-18]
> Quão preciosos para mim, ó Deus, são os teus pensamentos! Quão grande é a soma deles! Se os contasse, seriam multiplicados acima da areia; despertei e ainda estou contigo.

17. Quão preciosos para mim, ó Deus, são os teus pensamentos. A palavra hebraica רעה (*reah*), usada aqui, é a mesma usada no versículo 2 e significa *pensamento*, e não *companheiro* ou *amigo*, como muitos a traduziram, seguindo a versão Caldaica, com base na idéia de que o salmista se mostra condescendente com a distinção entre os justos e os ímpios. O contexto requer que o salmista seja considerado como que falando da inigualável excelência da providência de Deus. Ele repete – e não sem razão – o que dissera antes, pois aparentemente negligenciamos ou subestimamos as provas singulares da profunda sabedoria de Deus, exibidas na criação do homem, bem como em toda a superintendência e governo de sua vida. Alguns lêem: *Quão raros são todos teus pensamentos*; mas isso ofusca o significado. Admito que encontramos essa palavra sendo usada na história sagrada [1Sm 3.1], ao lermos que, no tempo de Eli, os oráculos do Senhor eram raros. Mas ali também ela significa *preciosos*, e basta-nos reter o sentido que é isento de toda ambigüidade. Ele aplica o termo aos pensamentos de Deus como que não estando no âmbito do discernimento humano. O que ele diz em seguida tem esse

---

19 "O significado é", diz Warner, "houve um tempo em que não existia nenhuma dessas partes curiosas que constituem minha forma. O gérmen de todas elas foi plantado por ti no primeiro momento e maturado gradualmente, por teu poder, sabedoria e bondade, naquela maravilhosa peça de mecanismo que exibe a forma humana". Phillips dá à cláusula um tom diferente: "E nenhuma delas, ou entre elas, foi omitida. Nenhum dos particulares concernentes à minha formação foi deixado fora de teu registro".

mesmo sentido: as *somas* ou as agregações desses pensamentos eram imensas e poderosas, ou seja, suficientes para esmagar as mentes dos homens. A exclamação feita pelo salmista nos sugere que, se os homens não fossem tão obtusos em sua apreensão, ou melhor, tão insensíveis, eles seriam impactados pelos misteriosos caminhos de Deus; assim, humildes e trêmulos, se apresentariam ao tribunal de Deus, em vez de imaginarem presunçosamente que podem fugir dEle. A mesma verdade é apresentada no versículo seguinte, ou seja, qualquer tentativa que alguém faça para computar os juízos ou os conselhos secretos de Deus, a imensidão deles é maior do que *as areias do oceano*. Conseqüentemente, nossa capacidade não pode compreender a infinitésima parte deles.

Quanto à sentença seguinte: *acordei e ainda estou contigo*, os intérpretes têm traduzido as palavras de modo diferente. Eu não tenho dúvida de que o significado é simplesmente que Davi encontrara, no exato momento de despertar do sono, nova ocasião de meditar na extraordinária sabedoria de Deus. Ao falar sobre levantar-se, não devemos supor que ele se refere a um dia; mas, em harmonia com o que dissera antes a respeito de seus pensamentos serem absorvidos na incompreensível grandeza da sabedoria divina, ele adiciona que, sempre que *acordava*, descobria nova razão para admiração. Assim, entramos na posse do verdadeiro significado de Davi: o governo providencial de Deus sobre o mundo é tal que nada pode escapar dEle, nem mesmo os mais profundos pensamentos. Embora muitos se precipitem, de maneira apaixonada, a todo excesso de pecado, sob a idéia de que Deus jamais os descobrirá, é inútil que recorram a esconderijos dos quais, por mais que relutem, serão arrancados e trazidos à luz. Esta é uma verdade que fazemos bem em considerá-la mais do que o fazemos, pois, ao mesmo tempo que, num vislumbre, podemos contemplar nossas mãos e pés e, ocasionalmente, examinara com complacência a elegância de nossa forma, é raro acharmos um entre cem que pense em seu Criador. Ou, se alguns reconhecem que sua vida procede de Deus, não há pelo menos um que desperte para a grande verdade de que Aquele que formou os ouvidos, os olhos e o coração entendido, Ele mesmo ouve, vê e conhece tudo.

[vv. 19-24]
Ó Deus, se tu matas o perverso, então apartai-vos de mim, vós, homens de sangue. Aquele que fala perversamente de ti, teus adversários têm usado [teu nome] falsamente. Não odiarei os que te odeiam, ó Jehovah, e não lutarei contra os que se erguem contra ti? Eu os odiei com ódio perfeito; para mim eram inimigos.[20] Sonda-me, ó Deus, e conhece o meu coração. Prova-me e conhece os meus pensamentos. Percebe se há em mim o caminho da perversidade, e guia-me pelo caminho desta vida.[21]

19. Se tu matas. Não é natural procurar, como alguns o têm feito, conectar este com o versículo anterior. Nem parece adequado considerar as palavras como que expressando um desejo – "Eu desejo" ou "Oh! Se tu, ó Deus, matasses os perversos". Tampouco posso apoiar a idéia dos que crêem que Davi se satisfaz com ao eliminação dos perversos. Parece que o pensamento é outro, a saber, que ele se aplicaria à considerar os juízos divinos e prosseguiria na piedade e no temor do nome de Deus, à medida que fosse tomada vingança dos ímpios. Não há dúvida de que o desígnio de Deus é fazer dos ímpios um exemplo, para que seus eleitos sejam instruídos mediante o castigo deles, afastando-se da comunhão com eles. Davi estava, de si mesmo, disposto a temer e a cultuar a Deus. No entanto, necessitava de certo critério, como os demais santos, conforme diz Isaías: "Quando os teus juízos reinam na terra, os moradores do mundo aprendem a justiça" [Is 26.9], isto é, a fim de permanecerem no temor do Senhor. Ao mesmo tempo, não tenho dúvida de que o salmista se apresenta a Deus como testemunha de sua integridade, como se quisesse dizer que compareceu livre e inocentemente ante o tribunal de Deus, não como um dos perversos que desprezam o nome de Deus, nem como alguém que tinha qualquer conexão com eles.

20. Aquele que fala perversamente de ti. O salmista pretende mostrar a que ponto os perversos chegam, quando Deus os poupa e não

---

20 "Je les ay tenus pour mes ennemis" – *fr.* "Eu os tenho tido como meus inimigos."
21 "Via seculi" – *lat.* "Em la voye du siecle." – *fr.* Na margem do comentário francês, há a seguinte nota: "C'est, de ce monde" – "Isto é, deste mundo."

os visita com vingança. Os ímpios não somente concluem que podem perpetrar algum mal com impunidade, mas blasfemam abertamente de seu Juiz. O salmista observa que os ímpios *falam perversamente*, no sentido de não se empenham para disfarçar seu pecado usando pretextos coerentes. Eles não agem como pessoas que, possuindo algum senso de pudor, exercem certa restrição em sua linguagem; antes, não fazem segredo do desdém que nutrem por Deus.

Alguns têm interpretado de forma excessivamente restrita a segunda sentença — na qual o fala sobre os ímpios usando o nome de Deus falsamente; têm-na interpretado como uma referência ao pecado de perjúrio dos ímpios. Aproxima-se muito mais da verdade aquele que considera que os perversos são aqui mencionados como que pronunciando o nome de Deus em vão, quando pensam nEle de conformidade com suas imaginações tolas. Por experiência, percebemos que a maioria dos homens ignora o que Deus é, julgando-O mais morto do que vivo. Em palavras, eles O reconhecem como o Juiz do mundo. Contudo, esse reconhecimento se reduz a nada, visto que O despojam de seu ofício como Juiz. E isso equivale a tomar o nome de Deus em vão, por macularem a glória desse nome e, de certa forma, deturparem-na. Mas, como a palavra *nome* não está no original, e נשא (*nasa*) significa *levantar* ou *no alto*, creio que somos autorizados a interpretar a passagem no sentido de que os ímpios se portaram com orgulho arrogante e falso. Essa vanglória ou arrogância de espírito está quase sempre aliada àquela petulância sobre a qual o salmista comentou antes. Que outra razão pode explicar a atitude dos ímpios em proclamarem tão peçonhento ódio contra Deus, senão o orgulho e, por de um lado, o esquecimento de sua própria insignificância como homens e, por outro lado, o esquecimento do poder que pertence ao Senhor? Por essa razão, o salmista os chama de *adversários* de Deus, pois tantos que se exaltam acima do lugar que devem realmente ocupar cumprem o papel de gigantes que guerrearam contra o céu.

21. Não odiarei os que te odeiam? O salmista prossegue mencionando que grande proveito obtivera do meditar sobre Deus, pois, como o resultado de haver compreendido a sua existência perante o tribunal de Deus e de haver refletido sobre a impossibilidade de escapar dos olhos dAquele que perscruta todos os lugares profundos, ele estabelece agora a resolução de viver uma vida santa e piedosa. Ao declarar seu ódio por aqueles que desprezavam a Deus, o salmista assevera por meio dessa atitude a sua própria integridade, não como alguém que estava isento de todo pecado, mas como alguém dedicado à piedade. Por isso, em seu coração, ele detestava tudo que era contrário a ela. Nosso apego à piedade será interiormente deficiente, se não produzir aversão ao pecado, tal como Davi fala neste versículo. Se esse zelo pela casa do Senhor, o qual Davi menciona em outro lugar [Sl 69.9], arde em nosso coração, é uma indiferença imperdoável contemplar em silêncio a justa lei de Deus ser violada e ver o seu santo nome ser desprezado pelos perversos. Quanto à última palavra do versículo, קוט (kut), ela significa *disputar com* ou *contender* e, aqui, pode ser entendida como que retendo o mesmo sentido da conjugação *Hithpael*, a menos que pensemos que Davi estava dizendo mais particularmente que se inflamava a ponto de estimular sua mente a contender com eles. Assim, observamos que o salmista se manteve em incansável defesa da glória de Deus, não levando em conta o ódio do mundo inteiro e guerreando contra todos os obreiros da iniqüidade.

22. Eu os odeio com ódio perfeito. Literalmente, temos: Eu os odeio com perfeição de ódio. Ele reitera a verdade dita anteriormente, ou seja, que sua estima pela glória de Deus era tal que nada teria em comum com aqueles que O desprezavam. Em termos gerais, o salmista afirma que não deu qualquer sanção às obras das trevas, pois quem é conivente com o pecado e o estimula, por meio do silêncio, trai impiamente a causa de Deus, visto que Ele entregou em nossas mãos a vindicação da justiça. O exemplo de Davi deve nos ensinar a sobrepujar, com espírito sublime e ousado, toda consideração pela inimizade dos perversos, quando o assunto diz respeito à honra de Deus, e a renunciar todas as amizades terrenas, em vez de cortejarmos, falsamente, com bajulação, o favor daqueles que fazem tudo para atrair sobre si o desprazer divino. Temos grande necessidade de atentar a isso, porque o profundo senso que temos quanto àquilo diz respeito aos nossos interesses, honra e conveniência particulares nunca nos faz hesitar a lutarmos, quando alguém nos injuria, enquanto somos tímidos e covardes em defender a glória de Deus. Assim, visto que cada um de nós busca seus próprios interesses e vantagens, a única coisa que nos estimula a contender, a vociferar e a guerrear é o desejo de vingar nossos erros pessoais. Nenhum de nós é afetado quando a majestade de Deus é ultrajada. Em contrapartida, evidenciamos zelo fervoroso de nossa parte, em favor de Deus, quando temos a magnanimidade de declarar guerra irreconciliável contra os perversos e aqueles que odeiam a Deus; em vez de cortejarmos o favor deles, ao custo de nos afastarmos do favor divino. Entretanto, devemos observar que o ódio sobre o qual o salmista fala é dirigido aos pecados, e não à pessoa dos perversos. Devemos, quanto estiver em nós, lutar em favor da paz com todos os homens; devemos buscar o bem de todos. E, se possível, eles devem ser repreendidos com bondade e bom senso. Somente se forem inimigos de Deus, é que devemos confrontar energicamente a indignação deles.

23. Sonda-me, ó Deus! O salmista insiste nisto como a única causa por que ele se opunha aos desprezadores de Deus, ou seja, que ele mesmo era um genuíno adorador de Deus e desejava que os demais possuíssem o mesmo caráter. O fato de que ele se submetia com tanta ousadia ao juízo de Deus indica confiança incomum. Mas, estando plenamente convicto de sinceridade em sua religião, o salmista não se colocou tão confiantemente perante o tribunal de Deus sem a devida consideração. Tampouco devemos imaginar que ele alegava estar isento de todo pecado, pois gemia sob o fardo de suas transgressões. Em tudo o que dizem a respeito de sua integridade, os santos sempre dependem da graça de Deus. No entanto, persuadidos como são de que sua piedade é aprovada diante dEle, apesar de suas quedas e debilidades, não devemos nos admirar de que tenham liberdade de traçar a distinção entre eles e os perversos. Ao mesmo tempo que o salmista nega que seu coração era dúbio ou insincero, ele não professa isenção de todo pecado; apenas diz que não se dedicava à perversidade; pois עצב (*otseb*) não significa ausência de pecado, e sim *tristeza, perturbação* ou *degeneração* — e, às vezes, metaforicamente, *um ídolo*.[22] O último desses sentidos não se aplica aqui. Davi afirma sua isenção não somente da superstição, mas também da injustiça, pois lemos em outro lugar [Is 59.7] que nos caminhos de tais homens há "tribulação e destruição", porque tudo o que fazem é por meio de violência e perversidade. Outros pensam que a alusão é à má consciência, que aflige o perverso com tormentos íntimos. Esta, porém, é uma interpretação forçada. Qualquer que seja o sentido que atribuirmos à palavra, a intenção de Davi é simplesmente afirmar que, embora fosse um homem sujeito ao pecado, não se inclinava devotadamente à sua prática.

24. E guia-me. Não vejo fundamento para a opinião de alguns, a opinião de que isso constitui uma imprecação, e que Davi se julga livre de toda e qualquer punição. É verdade que a expressão "o caminho de toda a terra" é usada, às vezes, para denotar a morte, que é comum a todos, mas o verbo aqui traduzido por *guiar* é mais comumente entendido no sentido positivo, e não negativo. E pergunto se a expressão *caminho desta vida* significa sempre morte.[23] Evidentemente, ela parece denotar toda a extensão da vida humana. Davi rogou que Deus o guiasse até ao fim do curso de sua vida. Estou ciente de que alguns entendem essa expressão como uma referência à vida eterna; também não estou negando que o mundo por vir está incluído em toda a extensão da vida à qual o salmista se refere. Contudo, parece suficiente afirmar, devido ao sentido claro das palavras, que Deus teria zelo por seu servo, a quem já havia demonstrado bondade, até ao fim e não se esqueceria dele no meio de seus dias.

---

22 "Car le mot Hebrieu duquel il use en ce passage ne signifie pas indifferemment tout peche, mais douleur et fascherie", etc. – *fr.* "*Qualquer caminho de perversidade* — a palavra que a Septuaginta traduz por *perversidade* significa *tristeza, maldade* e *ídolo*. A primeira provavelmente seja o sentido que o salmista usa aqui; *um caminho de tristeza* é um caminho que produz sofrimento [Sl 1.7], como ocorre com muitos ímpios" – *Cresswell*.

23 Na margem do comentário francês, Calvino faz referência a Josué 23.14.

Salmos 140

Davi se queixa da crueldade implacável de seus inimigos, bem como de sua perfídia e calúnias rancorosas. No final, depois de haver buscado o auxílio divino e expressado sua convicção de obter o favor de Deus, o salmista se anima com a esperança de livramento e da justa vingança que recairá sobre os seus inimigos.

Ao mestre de música – Salmo de Davi
[vv. 1-5]
Livra-me, ó Jehovah, do homem [homo] mal; preserva-me do homem [vir]¹ de injúrias. Que imagina maldades em seu coração. Eles se congregam diariamente para a guerra. Já afiaram sua língua como serpente;² peçonha de áspide³ está debaixo de seus lábios. Selah. Guarda-me, ó Jehovah, das

---

1 "A palavra 'homem', nas duas sentenças, é expressa por אדם (homo), na primeira, e por איש (vir), na segunda" – *Jebb's Translation of the Psalms*, vol. i, p. 294.

2 Mant traduz assim: *"Eles possuem a língua agitada da serpente"*. "O verbo", diz ele, "aqui traduzido por 'agitar', significa 'afiar, aguçar' (que é realizado por meio de movimento repetitivo ou de fricção) ou 'vibração'. Em ambos os casos, a metáfora aplicada a uma língua perversa é bela e apropriada. Tenho preferido o segundo significado como que propiciando uma imagem mais poética. Ver Parkhurst, comentário sobre שנן, vol. iii. Ilustrando esta figura, Kimchi observa que "a serpente, quando chega a picar, abre a boca, assobia e move a língua para cá e para lá, como se a afiasse à semelhança da navalha do barbeiro".

3 A palavra original עכשוב (*achshub*), traduzida por "áspide", se encontra na Escritura somente neste lugar. E, ainda que denote evidentemente uma raça de serpente, não é fácil determinarmos a espécie particular em foco. Em nossa Bíblia inglesa, ela é traduzida por "víbora". E, como a palavra se deriva de um verbo árabe que significa enrolar ou inclinar para trás, tem-se afirmado que esse ato corresponde perfeitamente à natureza da víbora, que, ao preparar-se para dar o bote, se contrai, numa forma espiral, e ergue sua horrenda cabeça do meio da rodilha; ela também assume a mesma forma quando se prepara para dormir, enrodilhando seu corpo em uma série de círculos, tendo a sua cabeça no centro – (*Paxton's Illustrations of Scripture*, vol. i, p. 428.). Contudo, a mesma ação é comum à maioria das serpentes; e esse nome pode não ter referência a nenhuma espécie específica.

mãos dos perversos; preserva-me do homem de injúrias, que trama obstruir minhas saídas. Os soberbos têm preparado uma armadilha para mim e estendido uma rede com cordas; à beira do caminho, armaram ciladas contra mim.⁴ Selah.

Ao mestre de música. Não consigo restringir este Salmo ao incidente com Doegue, como o faz a grande maioria dos intérpretes, pois o contexto demonstra claramente que o salmista fala a respeito de Saul e dos conselheiros que não cessavam de incitar o rei – sendo este mesmo suficientemente exasperado contra a vida de alguém que era um santo de Deus. Visto que Davi era uma figura de Cristo, não devemos admirar que os agentes do diabo fossem os principais responsáveis pelo furor que os inimigos sentiam contra ele. Esta é a razão por que ele censurava tão severamente o rancor e perfídia dos inimigos.

Os termos *perversos* e *violentos* denotam as injustificáveis tentativas desses homens para destruir o salmista, sem haverem sido provocados. Ele, pois, confia sua causa a Deus, como alguém que fizera tudo em favor da paz com eles, como alguém que nunca os injuriara e

---

Há alguns que argumentam que esse é outro nome para a *áspide* mencionada em Jó 20.14, cujo veneno é tão letal, que se torna incurável, seguido por morte súbita, a menos que a parte ferida seja amputada. Essa parece ter sido a opinião da Septuaginta, que a traduziu por ασπις, e nisso foi seguida pela Vulgata e o apóstolo Paulo, que cita este texto em Romanos 3.13. Aqui, Calvino adota a palavra sancionada por essas autoridades. "Quanto ao veneno, deve-se observar que nas serpentes venenosas há uma glândula sob o olho que segrega a matéria venenosa transmitida por um pequeno tubo ou canal ao final de uma presa que jaz oculta no céu da boca. Essa presa pode ser movida à vontade da serpente, sendo projetada quando ela está para picar um adversário. A posição deste veneno, que de certa maneira está por trás do lábio superior, dá grande propriedade à expressão – 'o veneno da víbora está debaixo de seus lábios'. O uso da expressão hebraica não torna, de modo algum, improvável que a própria presa seja chamada לשון (*lashon*) — 'uma língua', neste texto. E podemos dizer que uma serpente afia sua língua quando, preparando-se para picar, projeta suas presas. Não vemos qualquer explicação pela qual um significado mais coerente possa ser extraído da expressão aqui empregada" – *Illustrated Commentary upon the Bible*.

4 A imagem, neste versículo, é emprestada das práticas de caçadores de animais e aves nas regiões do mundo oriental, que costumam apanhar e destruir os ferozes animais e espécies maiores de aves usando diversas armadilhas e inventos engenhosos. Uma curiosa circunstância, observada por Thevenot, é a de que artifícios desse gênero são literalmente empregados, por pessoas do Oriente, contra homens como e contra aves e animais selvagens. "Os ladrões mais astutos do mundo", diz ele, citado por Mant, "se encontram neste país. Usam um laço com um nó corrediço, que lançam com tanta leveza ao pescoço de um homem, estando este no alcance deles, que nunca erram e, assim, o estrangula num instante".

que se tornara um objeto inocente da injusta perseguição deles. Todos devemos observar a mesma regra, pois Deus estende a sua ajuda contra a violência e a perversidade. Davi não estava multiplicando termos de censura, como o fazem os homens em suas disputas pessoais, e sim conciliando o favor de Deus, por apresentar uma prova de sua inocência, pois ele sempre estaria ao lado das pessoas boas e pacíficas.

2. Que imagina maldades em seu coração. Aqui, o salmista os acusa de malignidade de coração. É claro que ele não se refere apenas a *um* homem, pois ele passa para o plural (de um modo bastante comum), envolvendo na mesma culpa tanto o líder como todos os seus associados e colegas. Aliás, o que ele disse anteriormente no singular pode ser tomado indefinidamente, como dizem os gramáticos. Em geral, ele repete o que já observei: a hostilidade a que se sujeitava não procedia de nenhuma causa da parte dele mesmo. Com base nisso, aprendemos que, por mais que nossos inimigos nos ataquem de modo perverso, e por mais evidentes que sejam a sua perfídia e seus atos escusos, tanto mais próximo está o auxílio prometido por meio do Espírito Santo, que ditou essa forma de oração por meio da boca de Davi. A segunda sentença pode ser traduzida de três maneiras. A leitura literal é: *que ajuntam guerras*. E alguns a entendem assim. Mas, sabemos muito bem que no hebraico as preposições são omitidas às vezes; e, sem dúvida, o salmista queria dizer que tais homens instigaram inimizade geral por meio de suas falsas informações, semelhantes à trombeta que ressoa para a batalha. Alguns traduzem verbo por *conspirar* ou *tramar juntos*, mas esse é um sentido forçado e pobre. O salmista sugere mais adiante como eles incitavam guerra injusta por usarem calúnias perversas difundidas por eles. Como não conseguiam destruir uma pessoa boa e inocente por meio de violência, eles o fariam por meio de calúnia.

4. Guarda-me, ó Jehovah. Agora ele adiciona novamente orações às queixas e acusações. Isso evidencia mais claramente, como já observei, que ele busca a Deus como seu vingador. É a repetição do mesmo sentimento, com a mudança de uma ou duas palavras.

Ele dissera, *livra-me*; agora ele diz: *guarda-me*. E *o homem perverso* ele substitui por *a mão do perverso*. O salmista dissera que eles *concebem maldades*; agora, afirma que *tramam* como poderiam arruinar um indivíduo pobre e inocente. O que ele dissera sobre as fraudes e os enganos dos perversos, agora repete em linguagem figurativa, que não precisa de ênfase. Ele fala a respeito de redes estendidas de todos os lados para envolvê-lo, se Deus não se interpusesse em seu auxílio. Ainda que, à primeira vista, as metáforas pareçam mais obscuras do que a oração, que fora expressada sem figuras, estão longe de obscurecer as declarações anteriores e lhes acrescentam muita força. Com base na palavra גאים (*geim*), que no hebraico significa *soberbo* ou *altivo*, aprendemos que o salmista não se refere a homens comuns, e sim a homens poderosos, os quais achavam que não teriam nenhuma dificuldade em destruir um indivíduo insignificante. Quando nossos inimigos nos atacam na insolência da soberba, aprendamos a recorrer a Deus, que pode repelir a fúria dos perversos. Tampouco o salmista quer dizer que o atacaram apenas com medidas ousadas e violentas, pois ele se queixa de que armaram laços e armadilhas. Ambos os métodos implicam que, enquanto viviam confiantes no poder que possuíam, engendravam estratagemas para a destruição dele.

> [vv. 6-10]
> Eu disse a Jehovah: Tu és o meu Deus; ouve a voz da minha súplica. Ó Jehovah, meu Senhor, força da minha salvação, tu puseste uma cobertura sobre a minha cabeça no dias das armas.[5] Não concedas, ó Jehovah, aos perversos os seus desejos. Eles planejaram, não concretizes que sejam exaltados. Selah. Quanto ao cabeça dos que me cercam, que a maldade de seus lábios o cubra. Caiam brasas de fogo sobre eles. Ele os lançará nas profundezas;[6] não se erguerão novamente.

---

5 Ou, seja, no dia da batalha, no dia da estridente ou barulhenta colisão de armas.

6 A versão francesa, como em nossa Bíblia inglesa, diz: "Fosses profondes" — "poços profundos". A palavra hebraica, segundo Parkhurst, significa propriamente *fendas* ou *rupturas* da terra, tais como aqueles feitas por um terremoto. Ele acha que o salmista se refere à punição de Corá, Data, Abirão e os duzentos e cinqüenta homens que queimaram incenso [Nm 16.31-35]. Ver Parkhurst, comentário sobre המר. O bispo Horsley, que concorda com Parkhurst na suposta alusão, traduz assim: "Fendas profundas da terra boquiaberta", observando que não pode expressar de outro modo, senão pelo uso desta perífrase, a idéia da palavra מהמרות.

6. Eu disse a Jehovah. Nestas palavras, ele mostra que suas orações não provinham meramente dos lábios, como os hipócritas que fazem a Deus apelos altissonantes por mera aparência; ele orava com ardor e com base num princípio secreto de fé. Contudo, temos a convicção de que, a não ser pela graça de Deus, não pode haver nenhuma oração sincera. Temos aqui uma excelente ilustração da natureza da fé, quando o salmista se oculta da vista dos homens para falar sozinho com Deus, sendo a hipocrisia totalmente excluída nesse exercício interior do coração. Esta é a verdadeira oração – não a mera e displicente elevação da voz, e sim a apresentação de nossas súplicas, movidos pelo princípio interior da fé. Para gerar em si mesmo a certeza de obter de Deus seus pedidos, o salmista recorda aqueles livramentos que Deus já lhe estendera. Ele se refere a Deus como um escudo em todo ocasião de perigo. Alguns interpretam as palavras no tempo futuro – "Tu cobrirás a minha cabeça no dia da batalha". Mas é evidente que Davi fala sobre a proteção proveniente da mão de Deus experimentada antes. E esse fato traz conforto à sua fé. Ele avança, não como um recruta inexperiente e indisciplinado, mas como um soldado bem treinado em empreendimentos anteriores. A *força da salvação* equivale a salvação exibida poder extraordinário.

8. Não concedas, ó Jehovah, aos perversos os seus desejos.[7] Podemos traduzir as palavras assim: *Não estabeleças*, ainda que o significado seja o mesmo, ou seja, que Deus restrinja os desejos dos perversos e frustre todos seus alvos e esforços. Disto vemos que está no poder de Deus, sempre que achar conveniente, o frustrar os inescrupulosos desígnios dos homens, bem como suas perversas expectativas, e lançar por terra seus métodos. Quando percebemos ser impraticável conduzir nossos inimigos a um saudável estado mental, devemos orar para que as artimanhas que têm engendrado sejam imediatamente subvertidas e frustradas. Na sentença seguinte há mais ambigüidade. Uma vez que o verbo hebraico פוק (*puk*) significa *guiar*,

---

7 "Os desejos que os ímpios nutrem visando à minha destruição" – *Phillips*.

bem como *bater* ou *cair*, as palavras podem significar que Deus não levaria a bom termo os conselhos dos perversos. Mas pode estar certa a opinião daqueles que lêem: *o pensamento deles é que tu não ferirás*, sugerindo que Davi representava aquelas esperanças que os perversos costumam entreter. Nós o encontramos em outra passagem [Sl 10.6] descrevendo de modo semelhante o orgulho dos ímpios em ignorar completamente a providência de Deus e considerar todos os eventos como que sujeitos ao controle deles e o mundo, sob a administração sua exclusiva deles mesmos. A expressão seguinte ocorre bem oportunamente: *que sejam exaltados*, referindo-se ao fato de que o orgulho os deixa inchados, por meio da idéia de que nunca podem ser vencidos pela adversidade. Caso a outra redação seja preferida, a partícula negativa deve ser considerada como repetida – "Não permitas que suas tentativas sejam levadas a bom termo e que não se exaltem". Seja como for, Davi deve ser considerado como quem estava censurando a segurança de seus inimigos em não fazerem caso de Deus e cercarem-se de libertinagem irrestrita.

9. Quanto ao cabeça dos que me cercam. Não pode haver dúvida de que, ao usar o termo *cabeça*, o salmista falava sobre o chefe da facção que se lhe opunha. Uma inversão na sentença e uma mudança do plural para o singular, produziria este sentido:[8] "Que a maldade de suas conversas ímpias, engendradas contra mim, lhes recaiam sobre a própria cabeça."[9] Entretanto, como quase todos os intérpretes têm assumido o outro ponto de vista, eu o adotei, entendendo que ele se refere a Saul, e não a Doegue. Em seguida, há uma imprecação sobre toda a companhia de seus inimigos, ou seja, *caiam brasas de fogo sobre eles*, aludindo ao terrível destino de Sodoma e Gomorra. Em outra passagem [Sl 11.6], vemos isso sendo apresentado pelo Espírito de Deus

---

8 "Car il pourroit estre que l'ordre des mots seroit renversé, et que le nombre singulier seroit mis pour le pluriel, en ce sens", etc. — *fr.*
9 "O significado do versículo pode ser que o dano idealizado pelos perversos contra outrem recairá sobre a cabeça deles mesmos, como lemos em Salmos 7.16: 'Sua violência descerá sobre a sua própria cabeça'; ou pode expressar o líder da facção hostil, como Saul ou Doegue, se Davi é o orador deste salmo" – *Phillips*.

como um exemplo da vingança divina, para aterrorizar os perversos. E Judas [v. 7] declara que, por meio desse exemplo de importância eterna, Deus prestou testemunho de que seria o Juiz de todos os ímpios. Alguns traduzem assim as palavras seguintes: *tu os lançarás no fogo*, o que é possível. Contudo, às vezes ב (*beth*), no hebraico, denota instrumentalidade; conseqüentemente, podemos traduzir assim as palavras: *Tu os humilharás **por meio do** fogo* ou ***com** fogo*, tal como o enviara contra Sodoma e Gomorra. O salmista ora para que sejam mergulhados nos *poços profundos*, de onde jamais se erguerão. Às vezes, Deus sara aqueles que feriu com grande severidade. Davi frustra os réprobos quanto à esperança de perdão, reconhecendo que eles estavam longe da recuperação. Houvessem eles se mostrado dispostos ao arrependimento, Deus teria se inclinado à misericórdia.

[vv. 11-13]
O homem [vir] de língua não se estabelecerá na terra; o mal perseguirá o homem [vir][10] de violência, até que seja banido. Eu sei que Deus cumprirá o juízo do pobre, o juízo do aflito. Com certeza, os justos louvarão o teu nome; os retos habitarão diante de tua face.

11. O homem de língua.[11] Alguns entenda isso como *o homem loquaz*, mas esse sentido é restrito demais. Também não se refere ao homem tagarela, acusador, fútil e gabola, e sim ao homem de virulência, que guerreia com fraude e calúnia, mas não abertamente. Isso é evidente do que foi dito a respeito da outra classe de pessoas na parte subseqüente da sentença, ou seja, que seus inimigos eram dados à violência, bem como à perfídia e à astúcia – como o leão e o lobo –, pois antes ele se queixara de que a peçonha da áspide ou víbora estava debaixo de seus lábios. As palavras transcorrem no tempo futuro; e muitos intérpretes as estruturam na forma optativa ou numa súplica.

---

10 איש é a palavra traduzida por *homem* em ambas as sentenças.
11 "*Um homem de língua*, isto é, de língua má, um caluniador ou detrator" – *Phillips*. Há uma versão que traz a frase "um mau orador". E a paráfrase Caldaica tem "o homem de detração, com uma língua de três pontas", porque essa pessoa fere *três* de uma só vez — o que recebe, o que permite e a si mesma.

Quanto a mim, prefiro reter o tempo futuro, visto que Davi não parece orar, e sim antecipar um livramento vindouro. Se os seus inimigos agiam com perfídia ou com violência pública, ele aguarda a Deus como seu libertador. A figura extraída da caça é expressiva. O caçador, ao estender sua armadilhas por todos os lados, não deixa nenhum escape ao animal selvagem. De modo semelhante, os ímpios não podem, à guisa de refúgio, evadir os juízos divinos. *O mal os caça até que sejam banidos*, visto que, por mais que busquem impunidade e escape, apenas se precipitam, com maior certeza, na destruição.

12. Eu sei que Deus cumprirá o juízo do pobre. Não há dúvida de que aqui Davi sela ou confirma a sua oração, por volver seus pensamentos e discurso aos juízos providenciais de Deus, pois, como já disse, uma oração duvidosa não é, de modo algum, uma oração. Ele declara que é bem conhecido e certo o fato de que Deus não pode fazer outra coisa, senão livrar o aflito. No entanto, visto que Ele pode ser tolerante e permitir, por algum tempo, que pessoas boas e íntegras sejam severamente provadas, Davi sugere uma consideração que pode confrontar essa tentação: Deus faz isso de modo intencional, para aliviar aqueles que se encontram aflitos e restaurar aqueles que são oprimidos. De acordo com isso, o salmista diz, em termos claros, que Deus será *o juiz dos pobres e dos aflitos*. Assim, ele encoraja a si mesmo e a outros, que passavam por problemas contínuos, até ao tempo oportuno do livramento, sugerindo que, embora ele pudesse ser considerado um objeto digno de compaixão, por viver exposto à fúria dos perversos e não ser libertado imediatamente pela mão divina, ele não se entregaria ao desespero, mas lembraria que o papel de Deus era defender a causa dos pobres. A passagem seria enfraquecida, se considerássemos Davi como a falar sobre o seu próprio caso.

Ele infere [v. 13] que os justos dariam graças a Deus e estariam seguros debaixo de sua guarda. A partícula אך (*ach*), que freqüentemente é adversativa no idioma hebraico, aqui é afirmativa e denota inferência ou conseqüência do que foi dito anteriormente. Ainda que os santos mantenham silêncio por algum tempo e que a força da tribulação não faça ecoar os louvores de Deus, Davi expressa sua convicção de que o que fora estragado seria logo restaurado, e celebrariam a benignidade do Senhor com alegria e entusiasmo. Como isso não é facilmente crido em circunstâncias de provação, inseriu-se a partícula já mencionada. Devemos nos esforçar, mesmo com dificuldade, para suscitar uma confiante persuasão de que, por mais aviltado que seja o povo do Senhor, ele será restaurado à prosperidade e logo entoará os louvores de Deus. A segunda sentença do versículo apresenta a razão da ação de graças. O salmista apresenta como o motivo dos louvores dos justos o fato de que experimentavam sobre si mesmos o cuidado de Deus e o seu interesse pela salvação deles; pois *habitar diante da face de Deus* equivale a ser nutrido e sustentado por sua afeição paterna.

Salmos 141

O que quer que tenha levado Davi a se apressar em oração da maneira como o fez neste Salmo,[1] é claro que seu desejo era, através da graça divina, reprimir e controlar seu espírito ante às injúrias de uma descrição imprudente e sem provocação, de modo a não irromper em retaliação e vingança, retribuindo o mal com o mal. Havendo-se atido ao exercício da paciência, ele espera que Deus julgue entre ele e seus inimigos.

Salmo de Davi
[vv. 1-4]
Ó Jehovah, tenho clamado a ti, apressa-te a mim. Dá ouvidos à minha voz, quando clamar a ti. Seja a minha oração dirigida como incenso diante de tua face; e o erguer de minhas mãos, como[2] sacrifício vespertino. Põe um guarda, ó Jehovah, à minha boca, mantém um guarda à porta de meus lábios. Não inclines o meu coração a coisas más, a praticar obras perversas com os homens que operam iniqüidade, para que eu não coma dos seus manjares.

1. Ó Jehovah, tenho clamado a ti. Com base nesta introdução e

---

1 Muitos comentaristas têm a firme opinião de que este salmo foi escrito como um memorial daquela interessante cena na vida de Davi, registrada em 1 Samuel 24, que relata seu generoso tratamento dado a Saul. Ainda que tivera a oportunidade de matar seu cruel perseguidor na caverna de En-gedi, poupou a sua vida, cortando apenas a sua capa e não permitindo que seus seguidores o tocassem. E, quando Saul saiu da caverna, Davi saiu após ele, protestando contra ele, ao longe, em linguagem prudente e respeitosa acerca da injustiça de sua conduta para com ele. Pensam que o sexto versículo contém uma referência tão expressiva a essa notável ocorrência da história de Davi, que deixa pouca dúvida de que essa foi a ocasião em que o salmo foi escrito.

2 *Como*, aqui e na sentença anterior, é um suplemento, feito por nosso autor de modo apropriado. Uma palavra que significa *como* ou *em lugar de* é amiúde entendida como parte do texto hebraico dos salmos.

maneira de orar, é evidente que Davi estava labutando com uma prova árdua, visto que ele repete seus rogos e insiste em receber socorro. Sem nos aventurarmos a dizer algo definido sobre esse assunto, não devemos desaprovar a conjetura de que este Salmo foi escrito por Davi referindo-se às perseguições que sofria da parte de Saul. Ele nos ensina, por seu exemplo, a recorrer imediatamente a Deus, e a não sermos tentados, como o fazem os perversos, a renunciar a oração e a confiar em outros recursos. Ele diz que clamava a Deus, não ao céu e à terra, aos homens ou ao destino e a outros objetos fúteis, que, nesses casos, são mencionados, em primeiro lugar, pelos ímpios. Se os ímpios se dirigem a Deus, fazem-no com murmurações e queixas, lamentando e não orando.

O segundo versículo alude, evidentemente, às cerimônias legais.[3] Naquele tempo, a oração do povo de Deus era, de acordo com a designação de Deus, sancionada pelo oferecimento de incenso e sacrifícios; e Davi dependia dessa promessa.[4] Quanto à conjetura que alguns fazem de que ele era, naquele momento, um exilado e estava privado dos privilégios da assembléia religiosa, não se pode dizer nada definido nesse sentido. Eles pensam há uma tácita antítese no versículo: que, embora impedido de ir com os adoradores de Deus ao santuário ou de usar incenso e sacrifício, Davi desejava que Deus aceitasse as suas orações. Mas, como parece não haver razão para adotarmos esse sentido restrito, basta-nos entender a verdade geral de que, como esses símbolos

---

3 Segundo a opinião da maioria dos comentaristas, aqui há uma alusão aos sacrifícios matutinos e vespertinos, dos quais vemos um relato em Êxodo 29.38-42. Na fraseologia do versículo, supõe-se que há uma referência aos atos iniciais e conclusivos do culto público e diário entre os judeus. A cada manhã e tarde, os sacerdotes ofereciam incenso sobre o altar de incenso, que ficava no lugar santo, enquanto o povo orava do lado de fora. Mas, de manhã, o incenso era oferecido *antes* que o sacrifício fosse colocado sobre o altar de holocausto; enquanto à tarde (às nove horas) era oferecido depois que o sacrifício era colocado sobre o altar. Assim, à tarde o sacrifício e o incenso eram oferecidos concomitantemente. Ver *Lightfoot's Temple Service*, chapter 9, section 5. O Dr. Adam Clarke pensa que Davi não se reporta a um *sacrifício*, "pois", afirma, "ele não usa זבח ((*zebach*), que é amplamente usada para se referir a um animal morto; Davi usa מנחת (*minchath*), que geralmente é entendida como uma 'oferta de gratidão' ou um sacrifício *incruento*". Ele traduz as duas últimas palavras por "a oblação vespertina".

4 "Car pource que lors Dieu vouloit que les prieres des fideles fussent sanctifiees par encensement et par sacrifices, David s'appuye sur ceste promesse" — *fr*.

ensinavam o povo do Senhor a considerarem suas orações igualmente aceitáveis a Deus com o incenso aromático e o sacrifício mais excelente, Davi extraiu dessa circunstância derivou confirmação à sua fé. Ainda que o ponto de vista dos pais não se confinava inteiramente às cerimônias externas, Davi se viu obrigado a valer-se desses auxílios. Ele julgava que não era vãos nem o incenso queimado diariamente no altar, segundo o mandamento de Deus, nem a oferta vespertina; por isso, fala sobre suas orações em conexão com esse culto cerimonial.

O *erguer as mãos* significa, evidentemente, orações, pois aqueles que traduzem משאת (*masath*) por *um dom* obscurecem e pervertem o significado do salmista. Como essa palavra hebraica, que é derivada de נשא (*nasa*), significa *erguer*, a inferência natural é que a oração está implícita na alusão à ação externa praticada durante a oração. Podemos presumir facilmente que Davi, nesta passagem, como em outras, repete duas vezes a mesma coisa. Quanto à razão que tem levado à prática universal, entre todas as nações, de erguer as mãos durante a oração, já considerei em outro lugar.

3. Põe um guarda, ó Jehovah, à minha boca. Como Davi estava sujeito a ser ferido, em decorrência da fúria desenfreada e irrestrita de seus inimigos, e por isso ser tentado a agir de maneira injustificável, ele ora em busca da orientação divina, não para que fosse poupado da violência física, e sim para que sua língua fosse refreada de expressar reprimenda ou palavras de queixa. Mesmo as pessoas de temperamento mais equilibrado, quando injuriadas de modo ilegítimo, começarão a retaliar por ficarem ressentidos pela conduta inconveniente de seus inimigos. De acordo com isso, Davi orou para que sua língua fosse impedida, pelo Senhor, de expressar qualquer palavra imprópria. Em seguida, ele pediu que seu coração fosse guardado de todos artifícios malévolos que pudessem resultar em vingança.

As palavras que ele acrescentou — *para que eu não coma dos seus manjares* — devem ser entendidas em sentido figurado, como uma súplica de que não fosse tentado pela prosperidade que eles desfrutavam no pecado e imitasse a sua conduta. As três coisas mencionadas no contexto devem ser conectadas, sendo aconselhável considerar cada uma delas de um modo particular. Visto que Nada é mais difícil às vítimas de perseguição injusta do que o refrearem a língua e se submeterem, com silêncio e sem queixas, às injúrias, Davi precisava rogar que sua boca fosse fechada e guardada — que a porta de sua boca fosse fechada por Deus, como alguém que vigia a porta contra a entrada e a saída; e, nesse caso, נצרה (*nitsrah*) seria o imperativo do verbo, e não um substantivo.

Em seguida, o salmista acrescenta a súplica de *que Deus não inclinasse seu coração para uma coisa ruim*, pois דבר (*dabar*), tanto aqui como em muitos outras passagens, é usada para significar *uma coisa*. Imediatamente, ele explica que pretendia dizer que não desejava intrometer-se com eles na perversidade e, assim, igualar-se a seus inimigos. Se aquele monge, do qual Eusébio faz menção, refletido devidamente nesta resolução de Davi, não teria caído na mais estulta falácia de imaginar que demonstrara a si mesmo perfeita erudição, por observar silêncio ao longo de sete anos. Ouvindo que o controle da língua era uma virtude rara, ele se recolheu a um ermo distante, donde não regressou a seu senhor até que se completaram sete anos. E, sendo interrogado sobre a causa de sua longa ausência, respondeu que estivera meditando sobre o que aprendera deste versículo. Teria sido oportuno interrogá-lo, ao mesmo tempo, se durante esse ínterim ele nada pensara, assim como nada falara; porque as duas coisas se acham conectadas: ficar em silêncio e eximir-se da acusação de maus pensamentos. É provável que, embora observasse o silêncio, teve muitos pensamentos ímpios; e estes são piores que palavras vãs. Aludimos apenas de passagem a esta noção tola, citando-a como algo que pode convencer o leitor acerca da possibilidade de pessoas fugirem com uma palavra divorciada de seu contexto, ignorando o escopo do escritor. Ao entregar-se à orientação divina, quer no tocante aos pensamentos, quer às palavras, Davi reconhece a necessidade da influência do Espírito para refrear sua língua e sua mente, particularmente quando tentado a exasperar-se pela insolência da oposição. Se, por um lado, a língua é passível de deslize e apressada demais a falar, a menos que seja continuamente vigiada e guardada por Deus, há, por outro lado, afetos íntimos desordenados que exigem restrição. Que fábrica agitada é o coração do homem, e quantos produtos são ali manufaturados a todo instante! Se Deus não vigiar nosso coração e língua, não haverá, reconhecidamente, limites para as palavras e pensamentos pecaminosos. O dom do Espírito na moderação do falar é tão raro, que Satanás está sempre fazendo sugestões que serão imediata e facilmente colocadas em prática, se Deus não intervir. Não parece absurdo falar que Deus inclina nosso coração para o mal, visto que estão nas mãos dEle, para incliná-los em que direção Ele quiser, à sua vontade. Deus mesmo não os inclina aos desejos maus. Contudo, visto que, de conformidade com seus juízos secretos, Deus entrega e sujeita efetivamente os ímpios à tirania de Satanás, as Escrituras nos dizem que Ele os cega e endurece. A culpa dos pecados dos homens está neles mesmos e na concupiscência que habita neles. E, como são arrastados ao bem ou ao mal por um desejo natural, o inclinarem-se para o mal não provém de qualquer impulso exterior, e sim de sua espontaneidade e de sua própria corrupção. Tenho lido *realizar as obras da iniquidade*; outros têm lido *pensar os pensamentos da iniquidade*. O significado é o mesmo, e não precisamos insistir na preferência a ser dada.

Ao usar מנעמים (*manammim*), traduzida por *manjares*, ele deixou implícita a satisfação sentida pelos ímpios, quando seus pecados são tolerados pela paciência divina. Enquanto a sua insolência, nesses casos, se torna mais presunçosa, até o povo do Senhor corre o risco de ser enganado pela prosperidade desfrutada pelos ímpios e de ser envolvido em libertinagem. Davi tinha razão em orar pelas restrições secretas do Espírito Santo, para que fosse guardado do *regalar-se com seus manjares*, ou seja, do ser embriagado com prazeres impróprios ou pecaminosos, por meio de coisas degradantes, vantajosas ou agradáveis em circunstâncias exteriores.[5]

---

5 "C'est a dire qu'il ne s'enyure de la vaine douceur qu'ils ont en se desbordant a mal, et qu'ainsi

[vv. 5-7]
Fira-me o justo, uma bondade; castigue-me ele, um óleo preciso, não quebrará minha cabeça, pois até a minha oração estará também nas calamidades deles. Seus juízes foram lançados em lugares pedregosos; eles ouvirão as minhas palavras, pois são agradáveis. Como alguém que quebra e parte[6] a terra, nossos ossos foram espalhados à boca da sepultura.

5. Fira-me o justo. Enquanto Satanás tenta os perversos por meio de suas seduções, eles, por sua vez, enganam uns aos outros com lisonjas; isso leva Davi a declarar que seria desperto ao seu dever pela vara da repreensão e não se deixaria seduzir pelas agradáveis falsidades. Entre os que desdenham a religião, não se administra nenhuma reprovação àquele que tenha cometido algum pecado. Por isso, se temos alguma preocupação por nossa segurança espiritual, buscaremos o relacionamento com homens bons, que restauram os que tiverem caído, por meio da admoestação correta e restauram os que tiverem errado o caminho certo. Não é agradável à natureza corrupta sermos reprovados, quando pecamos, mas Davi chegara àquele grau de docilidade e de renúncia que o levou a não considerar como repreensão desagradável aquela que ele sabia proceder de espírito de bondade.

Como há ambigüidade nas palavras, podemos tentar descobrir o verdadeiro significado delas. O substantivo חסד (*chesed*) pode muito bem ser entendido como advérbio – *os justos me ferirão misericordiosamente*, ou *com misericórdia*, suprindo a preposição. Este é o significado adotado pela maioria dos intérpretes, ou seja, que Davi considerava tais reprovações como o melhor ungüento, quando exalavam amor e bondade ou procediam de um espírito bondoso e imparcial. Se esta redação for preferida, devemos lembrar que Davi se refere não à maneira

---

il ne s'esgaye en pechez" – *fr.*
6 "*Como alguém que corta e rasga*. Muitos entendem עצים (*madeira*) após esses particípios, supondo uma comparação de espalhar os ossos com espalhar madeira depois de rachada. Mas é mais provável que o salmista tencionava dizer essencialmente o seguinte: 'Nossos ossos jazem espalhados à beira da sepultura, como alguém que, ao cortar e fender a terra, enquanto faz um túmulo, às vezes descobre e dispersa ossos, que podem ser vistos espalhados aqui e ali com terra ao seu lado'. O versículo é poético, e a figura indica angústia" – *Phillips.*

externa pela qual a repreensão deve ser ministrada, e sim à situação do coração. Por mais veementes que sejam os homens bons e por mais severa que seja a severidade de linguagem que empreguem para admoestar os que erraram, eles ainda são impulsionados pela força da afeição fraternal. Aliás, a própria severidade é, de fato, ocasionada por sua santa ansiedade e pelo temor quanto à segurança de seu irmão. O justo age com misericórdia em toda essa aparente aspereza e severidade, enquanto o perverso, por outro lado, age com crueldade contra aquele que apenas o censura de maneira gentil. Ao notar esse aspecto na repreensão, Davi queria fazer distinção a repreensão que se origina na afeição sincera e as invectivas que procedem de ódio ou animosidade pessoal, como o disse Salomão [Pv 10.12].

No entanto, a outra tradução, que tenho adotado, é igualmente adequada: *Censure-me o justo, será misericórdia* ou *o reconhecerei como um benefício; reprove-me ele, isso será ungüento precioso que não ferirá minha cabeça*. Alguns interpretem a última cláusula de outra maneira: *que o óleo da cabeça não fira a minha cabeça*, isto é, que o perverso não me seduza à destruição com suas agradáveis lisonjas.[7] Pelo vocábulo *óleo*, eles entendem as perniciosas adulações com as quais os perversos nos arruinariam e nos mergulhariam profundamente na destruição, embora pareçam ministrar algo agradável. Isso faria a passagem comunicar um significado mais pleno, ou seja, enquanto Davi era maleável e dócil no que diz respeito à repreensão, ele fugia da bajulação como se fugisse do canto fatal das sereias. Embora o louvor seja agradável a princípio, todo aquele que inclina os ouvidos à bajulação sorve um veneno que se difundirá por todo o coração. Aprendamos por meio do exemplo de Davi a rejeitar todas as lisonjas, visto que somos naturalmente inclinados a recebê-las. Aprendamos, igualmente, a renunciar a inconstância e a obstinação, para que não rejeitemos aquelas correções que são remédios repulsivos aos nossos erros. O é o amor que os homens nutrem para sua

---

7 "Que l'huile de la teste ne rompe point ma teste, c'est a dire, que les meschans ne m'amadouent point par leurs flatteries a ma perdition et ruine" – *fr*.

própria destruição é tão insensato que, mesmo forçados a condenarem a si mesmo, eles desejam ter a aprovação do mundo. Por quê? Por que, ao induzirem de modo excessivo o torpor da consciência, podem, por meio de um ato espontâneo deles mesmos, dedicar-se à ruína.

Pois até a minha oração. Alguns têm sugerido três explicações para esta cláusula. De acordo com alguns, o significado é que, como sempre nos dispomos à corrupção, por meio do mau exemplo, aqui Davi ora para que não se inclinasse aos erros dos outros ou aos males que eles praticavam. O segundo sentido assinalado é que Davi, reconhecendo as maquinações maldosas dos perversos, ora para que fosse guardado pelo Senhor da perversidade deles. O terceiro sentido é que, reconhecendo os perversos como pessoas reduzidas a calamidades desesperadoras, Davi ora para que a vingança justa de Deus seja executada sobre eles, de acordo com o seu merecimento. É exatamente o sentido oposto que parece mais adequado, a saber, que Davi não era impedido, pela obstinação e perversidade deles, de orar em favor do bem-estar deles. Pois o advérbio *até* está inserido enfaticamente. E se disséssemos que Davi deve ser considerado como se estivesse predizendo o fim miserável deles, dando a entender que, embora os ímpios se alvorocem em excessos, serão detidos em breve, e que, apesar disso, a sua compaixão seria exercida para com eles? A maneira como as palavras estão conectadas favorece esse ponto de vista, pois ele não diz: *até a minha oração estará em suas calamidades*, e sim, separadamente: "*até* ou *até um pouco de tempo* e, então, a minha oração estará em suas calamidades". Como Davi estava em perigo de ser tentado a sujeitar-se a seguir, como eles, procedimentos igualmente vãos, ele sugere mui propriamente um motivo sustentador à sua alma, pelo qual ele devia reter a sua integridade: em breve, os ímpios seriam atingidos por tão terrível destruição, que demandava compaixão da parte dele e de outros membros do povo de Deus.

6. Seus juízes foram lançados em lugares pedregosos.[8] Quase

---

[8] Aqueles que entendem haver neste versículo uma alusão à generosa maneira como Davi agiu para com Saul, na caverna de En-gedi, e ao protesto cortês, depois de haver deixado a caverna, traduzem-no assim: "*Seus príncipes, aos lados da rocha, foram despedidos ou deixados ir em se-*

todos os intérpretes concordam que o tempo do verbo deva ser mudado do pretérito para o futuro e convertê-lo em optativo – *sejam precipitados*. Quanto a mim, parece que a intenção de Davi precisa ser bem clara pela redação: *Quando seus juízes forem lançados da rocha* ou *nos lugares pedregosos, eles ouvirão as minhas palavras*. Ao perceber a fúria que o povo comum expressava contra ele, levada a efeito pela influência do erro e do engano, Davi põe a culpa em seus líderes. Quando o poder deles fosse destruído, Davi se sentiria confiante de que os simples, que ficaram desorientados, seriam trazidos de volta à razão. *Lançar das rochas* ou *em lugares pedregosos* é uma expressão metafórica que se referia à posição elevada e digna em que foram postos. Ainda que eles não fossem inculpáveis de seguir maus conselheiros, a ponto de perseguirem injustamente um homem bom e piedoso, ele tinha razão em nutrir mais esperança de arrependimento deles e de que voltassem à sensatez, quando Deus executasse vingança contra aqueles que era lideres deles. Percebemos quão disposto o povo comum é para julgar mais pelo impulso do que por deliberação e a se precipitar em procedimentos condenáveis devido a preconceito insano, enquanto, mais tarde, quando admoestados, refazem seus passos com igual precipitação. Assim, admitindo que a crueldade é sempre pecaminosa e que a simplicidade não é uma justificativa, somos ensinados pelo exemplo de Davi a orar para que o conselho saudável seja enviado àqueles que estão no erro, visando capacitá-los a ouvir a verdade e aquilo que é correto, com paciência.

7. Como aquele que quebra. Aqui, Davi se queixa de que seus inimigos não estavam satisfeitos apenas em infligir-lhe um sofrimento – um sofrimento comum. Eles, primeiramente, destroçariam a ele e seus companheiros e, em seguida, os lançariam na sepultura. Os la-

---

gurança; e ouviram minhas palavras que lhes foram aprazíveis". Isso corresponde exatamente às ocorrências referidas. Em correspondência com a primeira linha, lemos em 1 Samuel 24.2 que Saul e seus homens escolhidos saíram a buscar Davi sobre as rochas dos cabras selvagens; e os termos nos quais Davi argumentou com Saul foram tão corteses, respeitosos e afetuosos, que quase derreteram em ternura e contrição o coração de Saul e impressionaram a mente de todos os que as ouviram.

drões comuns, que roubam nas estradas, lançam os corpos de suas vítimas assassinadas num fosso. Davi nos informa que ele e seus companheiros eram tratados com barbaridade, como se os seus ossos houvessem sido dispersos, ou como alguém que quebra em fragmentos madeira ou pedras, ou como alguém que cava a terra. Disso transparece que Davi, à semelhança de Paulo [2Co 1.9], foi entregue a inúmeros sofrimentos.[9] Devemos aprender o dever de continuar nutrindo esperança de vida e livramento, mesmo quando esta expressão nos seja aplicada: nossos ossos foram quebrados e dispersos.

[vv. 8-10]
Porque em ti, ó Jehovah, meu Senhor, estão os meus olhos. Em ti tenho esperado, não deixes a minha alma destituída. Guarda-me da armadilha que espalharam para mim, das redes dos obreiros da iniqüidade. Caiam o ímpios juntos em suas redes; eu sempre passarei de lado.[10]

8. Porque em ti, ó Jehovah! Se refletirmos sobre o que estava incluído na figura anterior, a figura de seus ossos sendo quebrados, a sua oração, em tais circunstâncias, é como os pedaços dilacerados de um cadáver mutilado clamando a Deus. Isto pode dar-nos uma idéia

---

9 Se, neste versículo, Davi se reporta ao tratamento que ele e seus companheiros receberam das mãos de Saul, essas palavras o exibem, em cores lúgubres, a extrema desumanidade daquele monarca. "Não somos suficientemente informados", diz Walford, "a respeito das crueldades perpetradas contra Davi e os que se juntaram a ele. Por isso, não podemos salientar os incidentes aos quais ele aqui se refere. O assassinato de Abimeleque e dos sacerdotes que estavam com ele é uma prova repulsiva das atrocidades que Saul e seus agentes foram capazes de perpetrar. (Ver 1Sm 22.) Transparece da linguagem deste versículo que tais crueldades não se confinaram a uns poucos casos, mas teriam sido numerosas, dando ocasião à figura empregada para descrevê-las". Quão notável é o contraste entre o tratamento que Davi deu a Saul e o que este adotou para com aquele! Mr. Peters, em suas Dissertações sobre Jó, faz uma exposição sobre este versículo 7, que é primorosa e que o arcebispo Secker denomina de "admirável, embora de algum modo não inaceitável". Entendendo o versículo como uma referência à matança dos sacerdotes em Nobe, Mr. Peters traduz as palavras לפי שאול (que Calvino traduz por 'à boca da sepultura'), por 'à boca', isto é, 'ao comando de Saul'. Em apoio a essa tradução, ele apresenta expressões similares: על פי פרעה —'ao comando de faraó' [Gn 45.21] — e לע פיך —'ao teu comando' [Jó 39.17]. A essa tradução há esta objeção: não encontramos Davi jamais mencionando Saul pelo nome em qualquer dos Salmos. De fato, Peters declara que esta objeção lhe foi apresentada contra seu ponto de vista e se esforçou por removê-la, embora, conforme cremos, com indiferente sucesso.

10 "Jusques a ce que je passe" – *fr.* "Até que eu passe."

da coragem heróica de Davi, que podia continuar a volver seus olhos a Deus mesmo sob dificuldades tão opressoras. Este é o papel que a fé deve desempenhar em nos tornar revigorados e tranqüilos, quando nossos sentidos, ao contrário, estão confusos.[11] Se houve um grande milagre em Deus preservar-lhes a vida, quando seus ossos eram amplamente dispersos, houve um duplo milagre em preservar a mente deles na firme persuasão de que não pereceriam.

9. Guarda-me. Ele mesmo ficaria preso nas armadilhas de seus inimigos, se não fosse libertado por uma mão mais poderosa. Ao orar a Deus, enquanto se encontrava em aflições extremas, o salmista prova a elevada estima que desenvolvera a respeito do que a misericórdia divina podia realizar, pois em outro salmo ele diz que os resultados da morte pertencem a Deus [Sl 68.20]. Às vezes, Deus protela a sua intervenção, para que o livramento seja mais notório; em seguida, Ele faz as maquinações dos ímpios caírem sobre suas próprias cabeças. Parece absurdo aplicar a Saul o pronome *suas*, como se o sentido fosse que Doegue e outros do mesmo caráter caíssem nas armadilhas de Saul. Tudo indica que é Deus que está subentendido. Primeiro, o salmista falara a respeito de ser preservado por Deus das maquinações dos ímpios; agora, em oposição a essas armadilhas que os ímpios espalharam para os retos, o salmista apresenta as armadilhas com que Deus apanha os astutos em seus próprios inventos. E, visto que o número de seus inimigos era grande, ele usa a expressão *que caiam JUNTOS*, pois o escape teria sido impossível, se ele não tivesse sido persuadido de que para Deus era fácil destruir qualquer força e companhia de homens combinadas. Muitos lêem *eu sempre passarei ileso*. Mas podemos presumir a ordem das palavras e ler: *Até que eu passe*. Ele ora para que seus inimigos sejam mantidos na armadilha, até que ele esteja em segurança.

---

11 "C'est le propre de la foy de rassembler les sens de la personne dispersez, lequels autrement s'esvanouiroyent a chacum coup" – *fr*.

Salmos 142

Quando Saul entrou na caverna onde Davi estava escondido, este santo de Deus podia, diante daquela circunstância, ter-se lançado em abatimento ou, motivado por terror, dado um passo imprudente; pois é comum a pessoas em desespero ou prostrarem-se em desânimo ou fugirem por inquietação. Mas este Salmo nos mostra que Davi reteve sua tranqüilidade, entregando-se a Deus com firme confiança e resignando-se aos votos e a orações, em vez de dar um passo irrefletido.

Oração de Davi
Ministrando instrução quando se encontrava na caverna[1]
[vv. 1-4]
Eu clamei a Jehovah com a minha voz; com a minha voz, fiz súplicas a Jehovah. Derramo minha meditação diante da sua face; relato a minha aflição diante da sua face. Quando o meu espírito ficou perplexo dentro de mim, tu conheceste a minha vereda. No caminho em que ando, me armaram redes. Olhando à minha direita e percebendo, ninguém queria me conhecer. O refúgio foge de mim, não há ninguém que busque a minha alma.

1. Eu clamei[2] a Jehovah. Davi demonstrou firmeza mental singu-

---

1 Na história de Davi, lemos especialmente a respeito de duas cavernas nas quais ele buscou refúgio: a de Adulão [1Sm 22.1] e a de En-gedi [1Sm 24.3]. Presume-se geralmente que a caverna aqui em foco é a segunda.

2 No hebraico, o verbo está no futuro: "Eu clamarei". Mas, como o idioma não possui tempo presente, usa-se com freqüência o passado ou o futuro no lugar do presente. Portanto, Horne traduz no presente todos os verbos deste Salmo, os quais Calvino traduz no pretérito, exceto os verbos nos dois primeiros versículos, os quais ele traduz no futuro. Os tradutores concordam, em geral, com Calvino e acreditam, com razão, que o Salmo, como o concebemos, é uma reminiscência da essência das orações que ele dirigia a Deus, enquanto se achava na caverna de En-gedi, mas não

lar no fato de que não se sentiu paralisado pelo terror ou no fato de que não se vingou de seu inimigo motivado por um ímpeto de fúria (como poderia facilmente ter feito); bem como no fato de que não foi movido por desespero a tirar a vida de Saul. Mas, com atitude resoluta, se dirigiu ao exercício da oração. Havia boa razão por que o título devia ser afixado ao Salmo, para destacar essa circunstância; e Davi tinha boas razões para mencionar como ele se confiava a Deus. Cercado pelo exército de Saul e envolto por perigos em todos os lados, como lhe era possível poupar um inimigo tão implacável, se não estivesse fortalecido pela oração contra as mais fortes tentações? A repetição indica que ele orava com ardor, de modo a ser imune a todos os ataques de tentação.

Ele nos diz ainda, com mais clareza, no versículo seguinte, que entregava suas preocupações a Deus. Derramar alguém os seus pensamentos e compartilhar suas aflições implicam o contrário daquelas ansiedades embaraçosas que os homens nutrem em seu interior a respeito de suas próprias aflições e pelas quais se torturam e são inquietados, em vez de levá-las a Deus; ou implicam o contrário daquelas exclamações frenéticas que outros expressam, os quais não acham nenhum conforto na providência e cuidado superintendente de Deus. Em suma, somos levados a inferir que, enquanto não cedia, diante dos homens, às lamentações insistentes e tolas, nem se permitia ser atormentado por preocupações reprimidas e interiores, ele tornava conhecidas, com resoluta confiança, as suas tristezas ao Senhor.

3. Quando o meu espírito. Embora tenha reconhecido nestas palavras que sentia ansiedade, ele confirma o que dissera no tocante à firmeza de sua fé. A figura que ele usa, a de seu espírito ficar *perplexo*,[3] representa habilidosamente o estado da mente em alternar entre várias soluções, quando não havia nenhum escape evidente do perigo, e em intensificar sua angústia, por recorrer a diversos artifícios. Ele

---

devemos presumir que ele teve oportunidade de dedicar-se à escrita.
3 "Or c'est une belle similitude quand il dit que son esprit a este entortillé et enveloppé", etc. – *fr.*

acrescenta que, embora não houvesse segurança evidente, Deus sabia, desde o início, de que maneira realizaria o livramento. Outros atribuem um significado diferente a esta sentença: *Tu conheces meu caminho*, como se Davi asseverasse que Deus era testemunha de sua integridade. O outro sentido é mais correto, ou seja: que Deus conhecia o modo de livrá-lo, enquanto sua própria mente se distraía em uma variedade de pensamentos e não podia conceber uma solução. Estas palavras nos ensinam que, ao testarmos todas as soluções e descobrirmos que não há o que fazer, devemos descansar satisfeitos na convicção de que Deus está ciente de nossas aflições e condescende em cuidar de nós, como disse Abraão: "O Senhor proverá" [Gn 22.8].

4. Olhando à minha mão direita.[4] Ele mostra que havia bom motivo para os terríveis sofrimentos que experimentava, visto que não esperava nenhum auxílio humano e a destruição parecia inevitável. Quando ele fala de haver olhado e não percebida sequer um amigo entre os homens, isso não significa que volvesse seus pensamentos para os auxílios terrenos, esquecendo o auxílio de Deus, e sim que fizera tal inquirição, que não fora possível achar na terra quem o ajudasse. Se alguma pessoa capaz de ajudá-lo se lhe tivesse apresentado, sem dúvida ele a teria reconhecido como um instrumento nas mãos da misericórdia de Deus. Todavia, era o propósito de Deus que ele fosse abandonado de toda assistência humana e que seu livramento da destruição parecesse mais extraordinário. Na expressão *ninguém que busque a minha alma,* o verbo *buscar* é usado num bom sentido, ou seja, mostrar-se solícito para com o bem-estar ou segurança de outra pessoa.

[vv. 5-7]
Clamei a ti, ó Jehovah! Eu disse: Tu és a minha esperança e a minha porção na terra dos viventes. Atenta ao meu clamor, pois labuto muito sob a aflição. Livra-me de meus perseguidores, pois são mais fortes do que eu.

---

4 Acredita-se que neste versículo há uma alusão aos antigos tribunais judaicos, nos quais o advogado, bem como o acusador, se colocavam *à destra* do acusado [Sl 109.5]. O salmista se sentia na condição de alguém que não tinha ninguém que pleiteasse sua causa e o protegesse nas circunstâncias perigosas em que se achava.

Resgata a minha alma da prisão, para que eu louve o teu nome. Os justos me coroarão, pois tu me recompensarás.

5. Clamei a ti, ó Jehovah! Visando apressar a intervenção divina, Davi se queixa do estado desprezível vil a que fora reduzido, bem como da severidade desse estado. O termo *clamar* denota veemência, como eu já observei em outra passagem. O salmista fala sobre o livramento como algo evidentemente necessário, visto que naquele momento se achava encurralado. Alguns entendem o vocábulo *prisão* como uma alusão à caverna em que o salmista se abrigava, mas este é um significado restrito demais. A sentença seguinte, *os justos me rodearão*, é traduzida de modo diferente por alguns: *eles me esperarão*. Retive o sentido verdadeiro e natural. Admito que ele é entendido, em sentido figurado, como *rodear*, sugerindo que o salmista seria um espetáculo a todos e que os olhos dos homens seriam atraídos por um caso tão singular de livramento. Se alguém não acha que as palavras no sentido figurado, a idéia será: os justos não somente se congratulariam com ele, mas também colocariam coroas em sua cabeça como emblema de vitória. Alguns explicam a passagem assim: os justos se reunirão para congratularem-se comigo e me rodearão de todos os lados como uma coroa. Como a redação literal das palavras é *eles coroarão* **sobre mim**, alguns suprem à frase outro pronome e dão este sentido: os justos entenderiam a misericórdia outorgada a Davi como uma glória outorgada a eles mesmos. Pois, quando Deus livra algum de seus filhos, ele manifesta um prospecto de livramento aos demais e, por assim dizer, adorna com uma coroa. O sentido que tenho adotado é o mais simples, ou seja, a misericórdia concedida seria manifesta claramente a todos como num teatro, dando aos justos um exemplo magnífico para o fortalecimento de sua fé. O verbo גמל (gamal), no hebraico, possui um sentido o mais geral do que *retribuir*, significando *conferir um benefício*, como já demonstrei em outra passagem.

Salmos 143

Embora fossem perversos os inimigos com os quais Davi contendia e sua perseguição, injusta e cruel, ele reconhecia o justo juízo de Deus em tudo isso e buscava obter o seu favor, por suplicar humildemente o perdão. Havendo se queixado da crueldade de seus inimigos e declarado que, em meio a toda a sua aflição, ele ainda se lembrava de Deus, o salmista ora por restauração e pela direção do Espírito de Deus, para que o restante de sua vida fosse devotado ao temor de Deus.

Salmo de Davi[1]
[vv. 1-3]
Ouve a minha oração, ó Jehovah! Dá ouvidos à minha súplica, em tua verdade; responde-me, em tua justiça. E não entres em juízo com o teu servo, pois à tua vista nenhum homem vivente será justificado. Pois o inimigo tem perseguido a minha alma. Ele tem prostrado a minha vida no chão e me tem posto em lugares escuros, como os mortos, há muito tempo.

1. Ouve a minha oração, ó Jehovah! É evidente que a opressão de seus inimigos era extrema, pois Davi lamenta seu caso em termos bastante sinceros e comoventes. As palavras introdutórias mostram que a tristeza do salmista era profunda. Já mostramos em outra passagem a razão por que ele falou sobre a justiça e fidelidade de Deus

---

1 Ao título "Salmo de Davi" algumas cópias da Septuaginta e da Vulgata acrescentam "quando seu filho Absalão o perseguiu" [ver 2Sm 17.24-25]. E os intérpretes concordam, em geral, que esta é a ocasião mais provável em que o salmo foi escrito.

em conexão com o seu sofrimento. O termo *eqüidade* ou *justiça* não deve nos levar a presumir que ele falava de mérito ou salário, como alguns ignorantemente o imaginam. Ele falava sobre aquela bondade de Deus que O leva a defender seu povo. Com esse mesmo propósito, o salmista fala sobre a *verdade* ou a *fidelidade de Deus*; pois a melhor prova que Ele nos pode dar de sua fidelidade é não esquecer aqueles a quem prometeu socorrer. Ao ajudar o seu povo, Ele se mostra como um Deus justo e verdadeiro, quer seja no frustrar as expectativas deles, quer seja no mostrar a sua natureza ao estender a misericórdia. Assim, Davi se anima muito apropriadamente em oração, mencionando ambas as virtudes de Deus.

2. E não entres em juízo. Já sugeri a razão por que ele continua orando por perdão. Quando atingidos pela adversidade, somos sempre levados a concluir que ela é a vara da correção enviada por Deus, para estimular-nos à oração. Embora Ele não sinta prazer em nossas provações, é certo que nossos pecados são a causa de Ele lidar conosco com severidade. Enquanto aqueles homens a quem Davi se opunha eram perversos e ele estava plenamente ciente da retidão de sua causa em relação a eles, ele reconhecia seu pecado diante de Deus como um suplicante condenado. Devemos ter isso como uma regra geral em nossa busca do favor de Deus, a saber, devemos orar pelo perdão de nossos pecados. Se Davi não achou refúgio em lugar algum, exceto na súplica por perdão, quem há entre nós que presuma poder apresentar-se diante de Deus confiante em sua justiça e integridade pessoal? Tampouco Davi está apenas colocando diante do povo de Deus um exemplo a respeito de como este deveria orar. Antes, ele declara que não há entre os homens alguém que seja justo diante de Deus e que possa ser invocado para pleitear a sua causa. A passagem está saturada de muita instrução, ensinando-nos, como já sugeri, que Deus só pode mostrar-nos favor, quando O buscamos, por deixar de lado o seu caráter de Juiz e nos reconciliar consigo em uma remissão gratuita de nossos pecados. De acordo com isso, toda a retidão humana é inútil, quando chegamos perante o seu tribunal. Esta é uma verdade reconhecia universalmente em palavras, mas poucos se deixam impressionar seriamente por ela. Visto que há uma tolerância que se estende mutuamente entre os homens, todos se chegam confiantemente a Deus para juízo, como se satisfazê-Lo fosse tão fácil como obter a aprovação humana. A fim de obtermos uma visão apropriada de todo o assunto, primeiramente devemos observar o que está implícito em ser justificado.

A passagem que ora consideramos prova claramente que o homem justificado é aquele que é julgado e contado como justo diante de Deus ou aquele a quem o próprio Juiz celestial declara inocente. Ora, ao negarmos que há entre os homens alguém que possa reivindicar essa inocência, Davi pretende dizer que qualquer justiça que os santos possuem não é perfeita para suportar o escrutínio de Deus. Assim, ele declara que todos os culpados diante de Deus só podem ser absolvidos mediante o reconhecimento de que merecem ser condenados. Se a perfeição fosse algo que pudesse ser encontrada no mundo, entre todos, ele seria o homem que poderia gloriar-se dela. E a justiça de Abraão, e a santidade dos pais não era algo que ignorava. Contudo, ele não poupa nem mesmo a si mesmo, mas estabelece isto como a única regra universal da reconciliação com Deus: devemos nos confiar à sua misericórdia. Isso pode nos dar alguma idéia da cegueira satânica que tem se apoderado dos que falam tanto de perfeição em santidade, visando substituir a remissão dos pecados. Esse grau de orgulho jamais poderia ser evidenciado por eles, se não fossem secretamente influenciados por um desprezo irracional para com Deus. Eles falam em termos elevados e magnificentes sobre a regeneração, como se todo o reino de Cristo consistisse na pureza de vida. Mas, ao suprimirem a bênção primordial da aliança eterna – a reconciliação gratuita –, que o povo de Deus é ordenado a buscar diariamente e ao ensoberbecerem, tanto a si mesmos como a outros, com orgulho fútil, revelam de que espírito realmente são. Tenhamo-los em aversão, visto que não têm escrúpulo algum em exibir publicamente seu desprezo para com Deus. No entanto, como declaramos, isto por si mesmo não basta, pois os próprios papistas reconhecem que, se Deus se pusesse a examinar a vida dos homens como um juiz, todos seriam detestáveis e mereceriam justa condenação. E, neste aspecto, se mostram mais corretos, moderados e sensatos do que os ciclopes e monstros em heresia, sobre os quais acabamos de falar. Mas, visto que, não se apropriam da justiça, em toda a sua extensão, eles revelam, ao impor seus méritos e satisfações, que estão longe de seguir o exemplo de Davi. Estão sempre prontos a reconhecer algum defeito em suas obras, e assim, ao buscarem o favor de Deus, pleiteiam a assistência de sua misericórdia. Mas não há nada intermediário entre essas duas coisas, que são representadas como opostas nas Escrituras – ser justificado mediante a fé e ser justificado mediante as obras. É absurda a invenção que os papistas fazem de uma terceira espécie de justiça, que é, em parte, operada por suas próprias obras e, em parte, imputada a eles por Deus em sua misericórdia. Sem dúvida, quando ele afirmou que ninguém poderia permanecer na presença de Deus, se as obras fossem apresentadas em juízo, Davi não tinha idéia dessa justiça complexa e dupla, mas nos levou imediatamente à conclusão de que Deus é favorável tão-somente com base em sua misericórdia, visto que qualquer justiça reputada do homem não tem o menor significado diante dele.

3. Pois o inimigo tem perseguido a minha alma. Havendo reconhecido que estava apenas recebendo a justa punição de seus pecados, Davi passa agora a falar de seus inimigos, pois começar falando sobre eles teria sido uma ordem contrária. A crueldade deles exibiu-se no fato de que ficaram satisfeitos, sim, com a destruição de um homem que era um santo de Deus. O salmista declara que há de morrer, se Deus não o socorresse rapidamente. A comparação não é apenas com um homem morto, e sim com um cadáver pútrido, porque a expressão *mortos há muito tempo*[2] deixa implícitos aqueles que

---

2 "כמתי עולם. Estas palavras são traduzidas de maneiras diferentes nas versões antigas. A Septuaginta traz: ὡς νεκροὺς αἰῶνος — *como mortos há muito tempo*; a Siríaca: *para sempre*; a Caldaica: *como aqueles que há tempo desceram ao pó*. O sentido autêntico da expressão é: *como aqueles que foram mortos há muito tempo*. O salmista, neste versículo, emprega uma linguagem

há muito foram removidos do mundo. Essa linguagem sugere que o salmista não somente confiava em Deus como Aquele que poderia curá-lo de uma doença mortal, mas também achava que, embora sua vida estivesse sepultada, por assim dizer, e há muito esquecida, Deus poderia ressuscitá-lo e restaurar suas próprias cinzas.

[vv. 4-7]
E o meu espírito está perplexo dentro em mim, meu coração, em meu interior, está atônito. Lembrei-me dos dias de outrora, meditei em todas as tuas obras; meditei nas obras de tuas mãos. A ti estendi as minhas mãos, a minha alma é para ti como a terra sem água.[3] Selah. Apressa-te, ó Jehovah, em responder-me! O meu espírito desfalece; não ocultes de mim o teu rosto, porque serei como aqueles que descem à cova.

4. E o meu espírito. Até aqui ele falou sobre os males exteriores, agora reconhece a fragilidade de seu espírito. Isso evidencia que sua força já não era como a da rocha, inabalável ou imperturbável, e que, enquanto era esmagado pela tristeza no tocante aos sentimentos da carne, devia seu amparo inteiramente à fé e à graça do Espírito. Somos ensinados por meio desse exemplo a não cairmos em desespero, quando vier o conflito, por mais fracos sejamos e por mais desanimados que sejamos pelas aflições, visto que Deus nos capacitará a vencê-las, se recorrermos a Ele de todo nosso coração, em meio a todas nossas ansiedades.

No versículo seguinte, Davi afirma que buscara diligentemente meios pelos quais pudesse mitigar sua tristeza. Não deve nos surpre-

---

hiperbólica. Ele diz que o inimigo lançara sua vida ao chão, fizera-o habitar em lugares escuros, por muito tempo, de modo que não restou nenhuma lembrança dele, que veio a ser como aquelas pessoas que há muito tempo têm habitado o túmulo. O desígnio de tudo isso é expressar, enfaticamente, grande tristeza e opressão" – *Phillips*.

3 No Livro de Oração Comum, temos: "A minha alma suspira por ti como uma terra sedenta". Mant tem uma tradução semelhante. A palavra '*suspira*' é um suplemento, mas pode comunicar o significado exato; e, segundo esse conceito, a alusão é à rachadura das terras orientais, em conseqüência da extrema sequidão nos meses de verão. Essas terras secas, como notam os viajantes, amiúde criam fendas tão profundas que a pessoa nem consegue ver o fundo. Pode-se observar isso nas Índias Orientais mais do que em qualquer outro lugar, um pouco antes de caírem as chuvas do outono, onde as terras são férteis e resistentes. Ver Jeremias 14.4.

ender o fato de que tantos que se entregam espontaneamente à inércia são derrotados por suas provações, não usando meios para se fortalecerem por trazerem à memória a graça de Deus. É verdade que, às vezes, nossas provações são sentidas mais profundamente quando recordamos a bondade de dias passados demonstrada por Deus em nosso favor; e a comparação tende a despertar nossos sentimentos, tornando-os mais sensíveis. Contudo, Davi propôs a si mesmo um objetivo diferente e cumulou confiança a partir das antigas misericórdias de Deus. O melhor método para obtermos alívio nas tribulações, quando estamos a desfalecer sob a intensidade delas, é trazer à mente a benignidade do Senhor manifestada no passado. Davi também não estava dizendo que havia experimentado isso desde a infância, como alguns pensam, ao adotarem, segundo penso, um sentido restrito demais, pois a palavra קדם (*kedem*) tem uma significado mais extenso. Portanto, não tenho dúvida de que ele incluía a história passada, bem como sua experiência pessoal, visto que nelas era fácil encontrar provas da bondade contínua de Deus para com seu povo. Nós mesmos devemos aprender do exemplo de Davi, ao refletirmos sobre os favores pessoais recebidos de Deus. Também devemos lembrar quão freqüentemente Ele tem assistido àqueles que O serviram e aproveitar a verdade para nosso próprio benefício. Se isso não aliviar imediata ou instantaneamente a amargura de nossa tristeza, o benefício dessa atitude aparecerá mais tarde.

Na passagem que estamos considerando, Davi se queixa de que não obteve desta fonte consoladora alívio de suas ansiedades e preocupações, mas prosseguiu em levou avante as suas meditações na expectativa de encontrar bom resultado em tempo oportuno. O verbo שוה (*suach*), como já observei em outra passagem, pode significar *declarar com a língua* ou *revolver na mente*. De acordo com isso, há alguns que traduzem: "Tenho discorrido sobre tuas obras". Mas, como o verbo הגה (*hagah*) significa *meditar*, acho que o salmista repete duas vezes a mesma coisa; e isto é sinal de diligência. Freqüentemente, quando nos entregamos ao leve exercício de meditar sobre as obras de Deus, logo nos afastamos desse exercício; e não ficamos surpresos com o fato de que, nesse caso, não obtemos nenhum conforto firme. Para que nosso conhecimento seja duradouro, precisamos buscar o auxílio da atenção Constante.

6. A ti estendi as minhas mãos. Aqui vem a lume o bom efeito da meditação, estimulando Davi a orar, pois, se refletirmos seriamente sobre os atos de Deus em favor de seu povo e de nós mesmos, em nossa própria experiência, isso guiará nossa mente a buscá-Lo, devido à fascinante influência de sua bondade. De fato, a oração provém da fé; mas, visto que as provas práticas do favor e da misericórdia de Deus confirmam a fé, elas são meios capazes de dissipar a indolência. O salmista usa uma figura notável para realçar o ardor de seu afeto, comparando *sua alma* com a *terra sem água*. Em períodos de grande calor, observamos que a terra se fende e abre, por assim dizer, a sua boca ao céu, à espera de umidade. Davi dá a entender que se aproximou de Deus com anseio veemente, como se lhe faltasse a própria seiva da vida, como ela mostra mais plenamente no versículo seguinte. Nisso, ele dá outra prova de sua fé extraordinária. Sentindo-se fraco e quase a descer ao próprio túmulo, ele não vacila entre esta e a outra esperança de alívio, mas firma sua exclusiva dependência em Deus. E como era árdua a luta que ele enfrentava com sua própria fraqueza, o desfalecimento de espírito sobre o qual ele falava era um estímulo mais eficaz à oração do que qualquer obstinação que ele poderia ter mostrado em suprimir o temor, a tristeza ou a ansiedade. Não devemos ignorar o fato de que, para induzir-se a depender exclusivamente de Deus, ele descartou de sua mente todas as esperanças e da extrema necessidade de seu caso fez para si uma carruagem na qual ascendeu a Deus.

[vv. 8-12]
Faze-me ouvir a tua benignidade pela manhã, pois em ti tenho esperado. Mostra-me o caminho em que devo andar, pois tenho elevado a minha alma a ti. Livra-me, ó Jehovah, dos meus inimigos; tenho me escondido em ti. Ensina-me, para que eu faça a tua vontade, pois tu és o meu Deus;

guie-me o teu bom Espírito em terra plana. Por amor do teu nome, ó Jehovah, vivifica-me; em tua justiça, arrebata a minha alma da tribulação. Em tua misericórdia, dispersarás os meus inimigos e destruirás[4] todos aqueles que afligem minha alma, porque eu sou teu servo.

8. Faze-me ouvir a tua benignidade pela manhã. Neste versículo, o salmista roga novamente a Deus que lhe mostre seu favor de modo visível e eficaz. A expressão *faze-me ouvir* talvez não pareça apropriada, visto que a bondade de Deus é mais sentida do que ouvida. No entanto, visto que a mera percepção dos benefícios de Deus, sem a apreensão e o desenvolvimento deles, nos fazem pouco bem, Davi começa mui adequadamente com a audição. Percebemos como os homens perversos se deleitam na abundância desses benefícios, enquanto não têm nenhuma percepção da bondade do Senhor, por causa da falta de atenção à palavra e de uma apreensão confiante de Deus como Pai. Alguns limitam a expressão *pela manhã* a uma referência aos sacrifícios – isso é uma interpretação pobre – e citam o fato notório de que os sacrifícios costumavam ser oferecidos duas vezes, pela manhã e à tarde. Outros atribuem-lhe um sentido mais forçado, entendendo que, ao lidar com seu povo de maneira mais favorável, lemos que Deus forma um novo dia.[5] Outros consideram que temos aqui uma metáfora que se refere a uma condição próspera e feliz, assim como um tempo problemático e aflitivo é, às vezes, denotado por trevas.

Surpreende-me que haja uma busca de significados tão estranhos para esta palavra, por meio da qual o salmista deve ser considerado como que repetindo sua oração anterior a Deus – *apressa-te*. *De manhã* significa o mesmo que depressa ou oportunamente. Ele encontra aqui, como em outra parte, uma razão para *haver esperado em Deus*, sendo

---

4 Em algumas versões da Bíblia, os verbos *vivificar*, *dispersar* e *destruir* estão no modo imperativo. Calvino, porém, os traduz no tempo futuro. Neste procedimento, ele é seguido pelo Dr. Hammond e Horne. "E", como observa este último, "o Salmo terminará como o usual, com um ato de fé e certeza de que todas aquelas misericórdias que foram solicitadas serão obtidas".

5 Que Dieu quand il commence a traitter ses serviteurs plus doucement, fait (par maniere de dire) luire un jour nouveau – *fr.*

isso algo pelo que, em certo sentido, colocamos Deus em obrigação para conosco, pois, ao fazer de Si mesmo, em nosso favor, uma oferta liberal e ao prometer sustentar o relacionamento de Pai, Ele oferece o que os homens chamariam de penhor. Esta, conseqüentemente, é uma espécie de obrigação. Mas isso está tão longe de implicar qualquer dignidade ou mérito de nossa parte, que a esperança que nutrimos prova a nossa insignificância e desamparo. A súplica do salmista no sentido de que se lhe abrisse um caminho, a fim de andar por ele, se refere às ansiedades que o deixavam perplexo. Ele dá-nos a entender que estava desfalecido, trazido a uma condição desanimadora, incapaz de dar um passo, se Deus não abrisse um caminho, por meio de seu poder. Dá-nos a entender também que todos os desejos de sua alma terminavam em Deus e que buscava o conselho dEle, a fim de obter alívio em sua perplexidade.

9. Livra-me, ó Jehovah, dos meus inimigos. Esta oração contém o mesmo propósito, visto que seus inimigos estavam tão dispostos a destruí-lo, que não lhe deixavam nenhuma saída. Alguns traduzem o verbo כסיתי (*chisithi*) por *esperar*, mas o significado correto é *cobrir*, e não me sinto disposto a descartá-lo. A explicação que alguns dão é que Davi, ao perceber o perigo iminente ao qual se achava exposto, recorreu ao abrigo da sombra de Deus, ocultando-se sob a proteção dela. Esta parece ser uma tradução muito natural, pelo menos prefiro-a à outra que tem parecido a alguns como sendo por demais engenhosa, a saber, que Davi, em vez de recorrer a vários recursos para trazer alivio a si mesmo, ficou satisfeito em que Deus fosse inteirado de seu caso e O invocou de uma maneira secreta, à parte.

10. Ensina-me para que eu faça a tua vontade. Em seguida, o salmista se ergue para algo mais elevado, suplicando não somente livramento das tribulações externas, mas também (e isso é mais importante ainda) a direção do Espírito de Deus, para que não se inclinasse à direita ou à esquerda e se mantivesse na vereda da retidão. Este é um pedido que jamais deve ser esquecido, quando as tentações nos assaltam com grande severidade, visto ser peculiarmente difícil submeter-nos a Deus sem recorrermos a métodos impróprios de alívio. Quando a ansiedade, o temor, a doença, a indolência ou o sofrimento tentam freqüentemente as pessoas a darem passos específicos, o exemplo de Davi deve guiar-nos a orar pela restrição divina, a fim de que não sejamos precipitados e sigamos, motivados pelos impulsos das emoções, caminhos injustificáveis. Devemos observar cuidadosamente a maneira de expressar do salmista, pois o que ele pede não é apenas que seja instruído a respeito de qual seja a vontade de Deus, e sim que seja ensinado e trazido à observância e prática dessa vontade. O primeiro tipo de ensino é menos proveitoso, visto que, ao mostrar-nos Deus o nosso dever, não o seguimos necessariamente, e Ele precisa atrair nossa a Si mesmo. Portanto, Deus deve ser nosso Senhor e Mestre não somente na letra morta, mas também nos movimentos interiores de seu Espírito. De fato, há três maneiras mediante os quais Ele age como nosso Mestre, instruindo-nos por sua Palavra, iluminando nossa mente pelo Espírito e gravando instrução em nosso coração, a fim de levar-nos a observá-la com um verdadeiro e cordial consentimento. O mero ouvir a palavra não serve a propósito algum, nem basta que a entendamos; tem de haver, além disso, a obediência voluntária do coração. O salmista não diz apenas: *Ensina-me para que eu tenha a capacidade de fazer*, como os papistas iludidos, os quais imaginam que a graça de Deus não faz nada além de inclinar-nos ao que é bom; ele busca que algo seja real e presentemente feito.

Ele insiste na mesma coisa, na sentença seguinte, quando diz: *guie-me o teu bom Espírito*, pois ele anseia pela diretriz do Espírito não somente porque Ele ilumina a mente, mas também porque influencia eficazmente o consentimento de nosso coração e, por assim dizer, nos guia pela mão. A passagem, em sua conexão, nos adverte sobre a necessidade de estarmos persistentemente em guarda contra o render-nos a paixões desordenadas em qualquer atrito que tivermos com pessoas perversas. E, como não possuímos sabedoria ou poder suficientes propriamente nosso pelos quais possamos enfrentar e controlar essas paixões, busquemos sempre a direção do Espírito de Deus, para que sejam mantidas sob domínio. De um maneira mais geral, a passagem nos ensina o que devemos pensar sobre o livre-arbítrio, pois aqui Davi nega a vontade de ter o poder de julgar corretamente, até que nosso coração seja preparado pelo Espírito de Deus para uma obediência santa. O termo *guiar*, para o qual já chamei a atenção, prova também que Davi não cria naquela espécie de graça média intermediária sobre a qual os papistas tanto falam e que deixa o homem em estado de suspense e indecisão. O salmista assevera algo muito mais eficaz, que concorda com o que Paulo disse, ou seja: "Deus opera em nós tanto o querer como o realizar, segundo o seu beneplácito" [Fp 2.13].

Entendo as palavras *terra plana*, de modo figurado, com o significado de *retidão*; e interpreto Davi como se estivesse dizendo que somos conduzidos ao terror sempre que deixamos de fazer o que é agradável à vontade de Deus. O termo *Espírito* é oposto à corrupção natural em nós. O que ele diz equivale a isto: todos os pensamentos dos homens são corrompidos e pervertidos, até que sejam subjugados à norma correta por meio da graça do Espírito. Conclui-se que nada do que é ditado pelo juízo da carne é bom ou saudável. Admito que os homens perversos são arrebatados por um espírito mau enviado de Deus, pois Ele executa seus juízos pela agência de demônios[6] [1Sm 16.14]. Mas, quando Davi, neste versículo, fala sobre o *bom Espírito* de Deus, não creio que ele tinha em mente uma alusão tão forçada, mas, ao contrário, ele assume sobre si a culpa da corrupção e atribui ao Espírito de Deus o louvor de tudo que é bom, reto ou verdadeiro. Ao dizer: *pois tu és o meu Deus,* ele mostra que sua confiança de obter seu pedido estava fundamentada inteiramente no gracioso favor e promessa de Deus. Não é uma questão de estabelecer no íntimo nosso próprio poder de torná-lo nosso Deus, e sim de descansar na sua graça gratuita e preveniente.

---

6 "Je confesse bien que le mauvais esprit de Dieu agite et transporte les reprouvez (car Dieu execute ses jugemens par les diables,)", etc. – *fr.*

11. Por amor do teu nome, ó Jehovah. Com esta expressão, o salmista torna ainda mais claro que era tão-somente da graça gratuita de Deus que ele esperava livramento, porque, tivesse ele apresentado algo propriamente seu, a causa não estaria em Deus e tão-somente em Deus. Lemos que Deus nos ajuda *por amor do seu nome*, quando, embora nada veja em nós que seja digno de seu favor, Ele é induzido a interpor sua bondade. O termo *justiça* contém o mesmo sentido, pois Deus, como já observei em outra passagem, fez do livramento de seu povo o meio de ilustrar a sua justiça. Ao mesmo tempo, o salmista repete o que já dissera a respeito da extensão extraordinária de suas aflições: ao buscar ser revigorado ou manter-se vivo, ele declara haver sido examinado e que tinha de se manter sob o poder da morte, se o Deus que possui as fontes da vida não o restaurasse por uma espécie de ressurreição.

12. Em tua misericórdia. Neste versículo, ele reitera, pela quinta ou sexta vez, que buscava vida somente na misericórdia gratuita de Deus. Por mais severo que pareça da parte de Deus, quando destrói os perversos, Davi afirma que a vingança levada a efeito sobre eles seria uma prova da misericórdia paternal de Deus em favor dele. Aliás, estas duas coisas amiúde se unem: a severidade e a bondade de Deus. Pois, ao estender sua mão para livrar o seu povo, Ele direciona o furor de sua indignação contra os seus inimigos. Em suma, Deus surge armado para livramento de seu povo, como Ele mesmo diz em Isaías: "O dia da vingança me estava no coração, e o ano dos meus redimidos é chegado" [Is 63.4]. Ao chamar-se de *servo de Deus,* o salmista não se vangloria, de maneira alguma, de seus serviços; antes, enaltece a graça de Deus, a quem devia este privilégio. Esta não é uma honra a ser obtida por nossas próprias lutas ou empenhos, ou seja, ser contado entre os servos de Deus; isso depende da soberana escolha de Deus, pela qual Ele condescende, antes mesmo de nascermos, em tomar-nos no número e na condição de seus seguidores, como Davi mesmo declara de modo ainda mais explícito em outra salmo: "Deveras sou teu servo, teu servo, filho da tua serva" [Sl 116.16]. Isto equivale a fazer-se dependente de Deus e a confiar sua vida à proteção dEle.

Salmos 144

Este Salmo contém um misto de louvor e oração, pois Davi, enquanto enaltece, nos mais elevados termos, as grandes misericórdias que Deus lhe outorgara, deixa-se levar, ao mesmo tempo, ou motivado por uma consideração das muitas provas a serem enfrentadas em todo o curso da vida humana, ou motivado pela conexão que ainda mantinha com os perversos, a orar para que Deus continuasse a exibir seu favor até ao fim. Entre este e o Salmo 18[1] existe a seguinte diferença: o Salmo 18 é inteiramente triunfal, apresentando o reino como que inteiramente subjugado e avançando prosperamente, enquanto este Salmo mescla uma ou duas coisas que indicam temor e ansiedade, havendo alguns inimigos restantes que causam apreensão ao salmista.[2]

Salmo de Davi
[vv. 1-4]
Bendito seja Jehovah, minha força, que ensina as minhas mãos para a batalha, os meus dedos, para a guerra. Minha bondade e minha munição, minha cidadela e meu libertador, meu escudo; nele, tenho esperado, que me subjuga o meu povo. Ó Jehovah, que é o homem, para que o reconheças? O

---

1 As idéias e a fraseologia de considerável parte deste Salmo parecem ser emprestadas do Salmos 18.
2 A ocasião em que este salmo foi escrito só pode ser conjeturada. As versões Septuaginta, Vulgata, Etiópica e Arábica o intitulam "Salmo de Davi contra Golias"; e o fato de que a paráfrase da Caldaica tomou esse título como o assunto do Salmo é evidente de sua redação do versículo 10: "A espada de Golias". Entretanto, analisando a evidência interna, os inimigos ali mencionados parecem ser antes os de Davi e de seu reino, após ele ascender ao trono. Alguns reportam o Salmo à guerra de Davi com os amonitas e sírios, registrada em 2 Samuel 10; e poderia ter sido composto por ele quando se encontrou com as forças hostis.

filho do homem, para que penses nele? O homem é semelhante à vaidade; seus dias são como uma sombra que passa.

1. Bendito seja Jehovah, minha força.[3] É evidente que Davi, por celebrar o favor divino em termos tão sublimes, não só já havia obtido o reino, mas também conquistado vitórias magistrais. Ao chamar a Deus de *minha força*, Davi reconhece que toda coragem que ele possuía lhe fora dada do alto, não só porque fora transformado, de um mero pastor campestre, em um poderoso guerreiro, mas porque a constância e a perseverança que demonstrava eram dons de Deus. Este termo corresponde melhor ao assunto do que se fosse traduzido por *rocha*; pois, à guisa de explanação, ele diz em seguida que fora treinado, sob a instrução divina, para a guerra. Certamente, as palavras implicam um reconhecimento de que, embora tivesse um espírito de guerreiro, ele não nascera para empreendimentos bélicos e teria de passar por mudanças. Por exemplo, que tipo de começo ele demonstrou ao enfrentar Golias? Aquela tentativa teria sido ridícula, com base em qualquer outra suposição, exceto a de que ele foi sustentado pela secreta força divina, a ponto de não depender do auxílio humano [1Sm 17.40].

2. Minha bondade. Este modo de usar a palavra num sentido passivo, como no hebraico, parece abrupto no latim, assim como em outra passagem [Sl 18.50] ele se denomina "rei de Deus", não no sentido de exercer domínio sobre Deus, mas de ter sido designado rei por Deus. Havendo experimentado a bondade de Deus de tantas maneiras, o salmista O chama de "sua bondade", significando que, todo bem que ele possuía emanava de Deus. O acúmulo de termos, um após outro, que vem em seguida, talvez pareça desnecessário, mas tende a fortalecer a fé. Sabemos quão instável é a mente humana e como depressa a fé oscila, logo que são assaltados por alguma provação com severidade acima do normal. Não basta que Deus nos

---

3 "Ou, mon rocher" – *fr. marg.* "Ou, minha rocha."

sustente em tais fraquezas, nos prometa seu auxílio com expressões individuais e singulares. E, ainda que nos suprisse com tantos auxílios, estamos sujeitos a grandes vacilações, e um esquecimento de sua misericórdia se introduz sorrateiramente em nosso íntimo e quase esmaga a nossa mente. Devemos lembrar que não é meramente em sinal de gratidão que Davi acumula tantos termos, ao declarar a grandeza de Deus; ele faz isso para fortalecer o povo de Deus contra todos os ataques do mundo e do maligno. Ele tinha razão em reconhecer entre as mais importantes misericórdias de Deus o fato de que Ele mantinha o povo sob o seu governo. Alguns lêem עמים (*amim*), *povos*, em lugar de עמי (*ami*), *meu povo*;[4] e causa-nos surpresa o fato de que preferem essa tradução tão forçada, como se Davi quisesse dizer simplesmente que o estado tranqüilo do reino não se devia a qualquer conselho, valor ou autoridade de sua parte, mas ao favor secreto de Deus. O verbo רדד (*radad*) é usado apropriadamente e significando *dispersar*. É incoerente a idéia de alguns no sentido de que um povo disperso dá a entender um povo estabelecido em tranqüilidade, numa condição próspera e feliz. Tenho grandes objeções à idéia de outros no sentido de que o salmista tinha em mente um povo prostrado, de modo que podem ser pisados sob a planta dos pés, pois uma dominação violenta como essa não teria sido desejável ao povo eleito e a herança consagrada do Senhor. Quando um povo presta obediência cordial e voluntária às leis, subordinando-se todos em seu próprio lugar, pacificamente, isso prova de modo notório a bênção divina. E, no estabelecimento de um reino como esse, no qual

---

4 As conjeturas de que עמים (*Amim*) é a redação correta se referem à passagem correspondente de Salmos 18.47; ali, a palavra está no plural. Observam ainda, em apoio de sua opinião, que esta redação realmente se encontra em grande número dos manuscritos examinados por Kennicott e De Rossi; estes acham considerem que עמי (*ami*) foi introduzida no texto com base na suposição de que fora escrito no primeiro caso como uma contração para עמים (*amim*). Rosenmüller presume, com menos probabilidade, que a palavra original era עם e que a letra י (*yod*) é paragógica, isto é, foi anexada para melhorar o som; e עם (*am*), tomada coletivamente. Os massoretas observaram que עמי, que os tradutores de nossa Bíblia inglesa entenderam como עם com seu afixo possessivo neste salmo, em 2 Samuel 22.44 e Lamentações 3.14; conseqüentemente, traduziram-na por 'meu povo', como plural daquele substantivo.

não há distúrbio, nem confusão, o povo é apropriadamente representado, conforme já dissemos antes, como *espalhado*. De acordo com isso, Davi, havendo atribuído a Deus as vitórias que conquistara sobre os inimigos estrangeiros, Lhe agradece, ao mesmo tempo, pelo estado pacificado do reino. De fato, erguido como ela fora de uma condição obscura e exposto ao ódio de acusações caluniosas, dificilmente alguém acreditaria que ele ainda teria um reinado pacífico. O povo havia, subitamente, além de toda expectativa, se submetido a ele; e essa mudança surpreendente era uma obra de Deus.

3. Ó Jehovah, que é o homem? O salmista amplia a bondade demonstrada por Deus, fazendo uma comparação. Havendo declarado quão singularmente fora tratado, ele volve seus olhos para o íntimo e indaga: "Quem sou eu, para que Deus me demonstre tal condescendência?" Ele fala do homem de um modo geral; e a circunstância notória é que ele recomenda a misericórdia de Deus, por mencionar a sua condição humilde e desprezível. Em outras passagens, ele cita fundamentos de humilhação que diziam respeito a ele mesmo e à sua vida – aqui ele se limita ao que se refere à natureza comum de todos os homens. Embora, ao discursar sobre a natureza do homem, haja outras razões pelas quais ele poderia ter especificado por que era indigno do respeito e do amor de Deus, ele menciona, de modo sucinto, o fato de que era como fumaça e como uma *sombra*.[5] Somos levados a inferir que as riquezas da bondade de Deus se estendem a objetos totalmente indignos em si mesmos. Somos advertidos, ao nos mostrarmos dispostos, em qualquer tempo, a esquecer o que realmente somos e a pensar que somos alguma coisa, não sendo nada, que o simples fato da brevidade de nossa vida destrói toda arrogância e orgulho. As Escrituras, ao falarem sobre a fragilidade humana, incluem tudo que está necessariamente conectada a ela. E, de fato, se a nossa vida se desvanece num instante, o que existe de estável sobre nós? Somos instruídos também

---

5 "Et mesmes combien qu'en espluchant la nature des hommes il eust peu toucher d'autres choses, pour lesquelles ils sont indignes — neantmoins", etc. — *fr.*

sobre essa verdade – não podemos estimar devidamente a bondade divina, a menos que levemos em conta o que somos no tocante à nossa condição, visto que só podemos atribuir a Deus o que Lhe é devido por reconhecermos que a sua bondade é outorgada às criaturas sem qualquer merecimento. O leitor pode buscar mais informação sobre este ponto em Salmos 8, onde a mesma verdade é introduzida.

[vv. 5-8]
Curva os teus céus,[6] ó Jehovah, e desce;[7] toca os montes, e fumegarão. Vibra os teus raios e dissipa-os;[8] lança as tuas flechas, e destrói-os. Estende a tua mão desde o alto, livra-me e arrebata-me das grandes águas, da mão dos filhos dos estranhos; pois sua boca proferiu falsidade, e sua destra é destra de engano.

5. Curva os teus céus, ó Jehovah. Após enaltecer, como devia, a grande bondade de Deus, o salmista roga a Deus que lhe dê o auxílio necessário para a preservação do reino, nesta situação. Vimos antes que ele se gloriava em Deus com uma coragem heróica; por isso, agora ele usa os mesmos termos sublimes em sua oração: que Deus curvasse os céus –fizesse os montes fumegarem – conturbasse a atmosfera com raios – atirasse flechas. Essas são formas de linguagem que, indubitavelmente, removem todos os obstáculos que se interpõem entre nós e uma apreensão firme da onipotência de Deus, da qual achamos tão difícil emergir. Ele emprega quase a mesma fraseologia no Salmo 18, mas ali emprega-a para louvar a Deus pelo auxílio já recebido e demonstrar que fora preservado do alto, de uma maneira prodigiosa

---

6 "*Curva os teus céus*. Esta expressão se deriva do surgimento das nuvens durante uma tempestade; elas descem, a ponto de obscurecer as colinas e os montes e parecem misturar o céu e a terra em um só. Esse surgimento é usado de maneira figurada para descrever a vinda de Deus, a fim de executar vingança sobre os inimigos de seu povo. Ver Salmos 18.10 e outros exemplos" – *Walford*.

7 Os verbos, neste e nos dois versículos seguintes, estão no modo imperativo, enquanto na passagem correspondente [Salmo 18] estão no pretérito. Esta diferença é bem explicada pressupondo, como o faz Calvino, que estes versículos constituem uma linguagem de oração, pronunciada por Davi em um momento de perigo, ameaçado pelos inimigos de seu reino e de seu povo; enquanto nos versículos do Salmo 18 as palavras foram pronunciadas depois de um livramento notável ou depois de haverem sido outorgados livramentos.

8 "*Espalha-os*. O antecedente de 'os' é 'povos', no versículo 2 – *Walford*.

e inusitada. Pois, ainda que esses sinais, como menciona, nem sempre ocorressem quando Deus intervinha em seu favor, ele tinha bom motivo para celebrar o que já lhe havia acontecido de maneira inesperada, em referência a um fenômeno ordinário. Na passagem agora consideramos, o propósito do salmista é diferente. Ameaçado de vários tipos de destruição, que poderiam encher sua mente com desespero, ele compreende o maravilhoso poder de Deus, diante do qual todos os obstáculos mundanos tem de ser removidos. Podemos estar certos de que ele usou esta fraseologia figurada por uma boa razão, para que não confinasse o livramento a remédios humanos, pois nada poderia ser mais contrário, em tais momentos, que medir o poder de Deus mediante as medidas comuns.

7. Estende a tua mão. Numa palavra, somos agora levados a ver o que estava implícito nas figuras usadas anteriormente – que, na ausência de todo auxílio terreno, Deus estenderia sua mão desde o alto, pois a grandeza da exigência torna extraordinário o auxílio necessário. Conseqüentemente, ele compara seus inimigos a grandes e profundas águas. Ele os chama de *estranhos*, não com respeito à origem de nação, e sim ao caráter e disposição. Foi um equívoco aplicar o termo à incircuncisão, pois Davi, em vez disso, chama a atenção aos judeus degenerados que se gloriavam na carne; e, logo depois, ele dá a entender que isso estava mais relacionado com os inimigos internos do que com um inimigo estrangeiro, que o atacaria abertamente com violência e armas. Alguns entendem *destra de falsidade* como tentativas irrefletidas, que Davi esperava fossem frustradas. Outros limitam a frase à cerimônia solene de fazer um juramento, como se ele dissesse que eram perjuros;[9] enquanto outros a explicam no sentido de que não só mentiam com a língua, mas executavam artifícios perversos com a mão.[10] Mas, como era costumeiro fazer promessas com as mãos juntas,

---

9 "Ao fazer um juramento, a pessoa erguia a mão direita. Os inimigos de Davi profanavam seus juramentos, por violarem as alianças que haviam feito e quebrarem seus compromissos solenes" – *Walford*.

10 "O significado é que as mãos com que confirmam seus tratados de paz e compromissos de

como diz Salomão [Pv 11.21; 16.5], não tenho dúvida de que, nesta expressão, Davi se referia às pessoas falsas, traiçoeiras e pérfidas. As duas coisas, naturalmente, vão juntas no versículo – a língua mentirosa e a mão enganosa, significando que nada se poderia esperar de suas promessas, visto que sua boca e sua mão se ocupavam em nada mais do que bajular e enganar.

[vv. 9-11]
A ti, ó Deus, eu cantarei um cântico novo. No nablum, no saltério,[11] te cantarei salmos. Dando salvação a reis, libertando a Davi, seu servo, da espada que fere. Livra-me e resgata-me da mão dos filhos do estranho; cuja boca tem falado falsidade e sua destra é destra de engano.

9. A ti, ó Deus, eu cantarei um cântico novo. Uma vez mais, o salmista se dedica, de forma bem pessoal, ao exercício de louvar a Deus, não duvidando que Ele continuaria estendendo aquelas misericórdias que antes lhe outorgara. Em outra passagem, chamei a atenção ao fato de que a expressão *um cântico novo* implica um cântico

---

amizade são imediatamente erguidas contra a vida e a liberdade de seus aliados" – *Warner*.

11 Na versão francesa temos "no saltério, num instrumento de dez cordas". É evidente que Calvino supunha que aqui se mencionam dois instrumentos. No entanto, isso tem gerado dúvida. O texto hebraico é עשור בנבל (*benebel asor*), "com um nebel (ou saltério, como o termo é traduzido em nossa Bíblia inglesa) dez (*encordoado*)". Disso é possível indicar apenas um instrumento de dez cordas – "o saltério de dez cordas". Em Salmos 33.2 lemos, semelhantemente: עשור בנבל (*benebel asor*), "com o saltério dez (*encordoado*)". No entanto, em Salmos 42.3, *nebel* e *asor* são representados como dois instrumentos musicais distintos. Lemos ali: עשור-עלי ונבל-עלי (*ale-asor veale-nabel*) — "no *asor* ou *dez* (*instrumento encordoado*) e no nebel *ou* saltério". Mas, seja qual for a inferência extraída da ocorrência independente de *asor* naquele texto, na passagem que ora consideramos e em Salmos 33.2, se pudermos julgar da estrutura, ela parece representar o número de cordas do nebel ou saltério ou uma variedade particular daquele instrumento, e não um instrumento musical distinto. Com respeito ao nebel hebreu do qual vem o ναβλος dos gregos e o *nablum* dos latinos, nossa informação é muito limitada e indistinta. Supõe-se ter sido ele um instrumento encordoado do tipo harpa ou lira; e parece ter sido de forma triangular. Como na Escritura não se nota a sua existência antes dos dias de Davi, não é considerado de igual antigüidade com algum outro instrumento musical. Era feito de madeira preciosa, como aprendemos de 1 Reis 10.12, e, mais tarde, segundo Josefo, daquela espécie de metal precioso e misto chamado *electrum*. Visto que nas Escrituras Sagradas O fato de nunca é mencionado somente em conexão com o culto no santuário, alguns tem conjeturado que não era usado em particular e que, provavelmente, era maior e mais caro do que os outros instrumentos similares. Josefo diz que era tocado com os dedos e tinha doze cordas. Entretanto, o número de cordas tem variado segundo as circunstâncias.

de um tipo singular e incomum. Com isso somos levados a inferir que as expectativas de Davi se estendiam além das conclusões do juízo humano, pois, com uma visão da grandeza do auxílio a ser estendido, ele promete um cântico de louvor sem precedente em sua natureza e distinto, pelo título que lhe é aplicado, das ações de graças ordinárias. No tocante a *nablum* e *saltério*, em outra passagem observei que faziam parte daquele sistema de educar da época da lei ao qual a Igreja estava sujeita, em sua infância. Mas a coisa primordial a ser notada é o assunto de seu cântico – o fato de que *Deus*, o preservador dos reis, guardara e resgatara da espada a Davi, a quem fizera e ungira rei por meio de seu decreto oficial. No tocante à idéia de haver implícito no termo *reis* uma oposição à comunidade, sugerindo que Davi pretendia dizer que não só a classe comum do povo estava em dívida para com a preservação divina, mas também os mais influentes, que pareciam ter força suficiente e abundante em si mesmos — pergunto se essa idéia é bem fundamentada. Penso que a intenção do salmista parecia ser bem diferente disso, ou seja, que, embora Deus preserve todos os homens, sem exceção, seu cuidado se estende peculiarmente à manutenção da ordem política, que é o fundamento da segurança comum de todos. De fato, é como se o salmista O chamasse o guardião e defensor dos reinos, pois como a própria menção de governo é algo odioso, e ninguém obedece de bom grado a outro, e nada é mais contrário à inclinação natural do que a servidão, os homens buscam livrar-se do jugo e subverter os tronos dos reis, se não fossem estes cercados, de todos os lados, por uma presidência secreta e divina.

No entanto, Davi se distingue dos demais reis, visto que em outro salmo é chamado "o primogênito dos reis" [Sl 89.27]. Neste salmo, ele fala, no mínimo, da bondade de Deus como algo que lhe foi exibido de modo sublime, apresentando-se a si mesmo como alguém que mantinha o lugar mais elevado, em virtude da santa unção que lhe fora outorgada de modo eminente. Como um título de distinção, ele reivindica o nome especial de *servo de Deus,* pois, embora todos os reis sejam servos de Deus — e Ciro exibiu enfaticamente o título que Isaías lhe aplicou [Is 45.1] —, nenhum príncipe pagão jamais se reconheceu como chamado por Deus, e somente Davi, dentre todos os demais no mundo, foi investido com autoridade legítima e teve um fundamento para reinar no qual a fé podia descansar com toda certeza; não era sem razão que esta marca de distinção se lhe aplicava. Na expressão *a espada que fere,* estão implícitos, indubitavelmente, todos os perigos que ele enfrentara ao longo de uma série de anos, que foram de tal natureza, que podemos dizer realmente que ele ascendeu ao trono por meio de mil mortes e foi estabelecido ali em meio a essas mortes.

[vv. 12-15]
Porque os nossos filhos são como as plantas que têm crescido em sua juventude; as nossas filhas, como ângulos polidos segundo a similitude de um palácio.[12] Nossos recessos [ou ângulos], cheios, sobressaindo,[13] de variedade a variedade; nossas ovelhas produzindo aos milhares,[14] aos dez milhares, em nossas ruas.[15] Nossos bois, acostumados[16] à carga, nenhuma ruptura, nem saídas, nem gritos em nossas ruas. Feliz o povo ao qual assim acontece! Feliz o povo cujo Deus é Jehovah!

12. Porque os nossos filhos. Alguns consideram estes três versículos finais como que expressando um desejo ou oração.[17] Outros

---

12 "A paráfrase de Patrick comunica indubitavelmente o significado autêntico: Altas e belas, como aquelas colunas polidas que são os ornamentos de um palácio" – *Illustrated Commentary upon the Bible. Os ângulos polidos do templo* – melhor, *os ângulos esculpidos*, o ornamento de um palácio. Grande cuidado e muito ornamento eram outorgados pelos antigos aos ângulos de seus esplêndidos edifícios. É notável que os gregos faziam uso de colunas, chamadas *cariátides* (lavradas com a figura de uma mulher vestida de mantos longos), para sustentar os entablamentos de seus edifícios" – *Cresswell*.

13 "Ou, produisans, fournissans" – *fr.marg*. "Ou, produzindo, provendo."

14 No Oriente, as ovelhas são notavelmente frutíferas, produzindo, como Bochart mostra, não somente dois filhotes de uma vez [Ct 4.2], mas às vezes três ou quatro, duas vezes ao ano. Isso explica o número extraordinário de ovelhas que tornavam brancas as extensas pastagens da Síria e Canaã. Ver 2 Reis 3.4, 1 Crônicas 5.21, 2 Crônicas 35.7, Salmos 65.13.

15 "Em nossas ruas. Ruas não são lugares adequados para ovelhas. חוצות (*chutzoth*) é diferente da palavra traduzida apropriadamente por *ruas* no versículo seguinte; ela é a mesma palavra traduzida por *campos* em Jó 5.10. Literalmente, a palavra significa *lugares externos* e, como tal, é suscetível de várias aplicações. Neste texto, provavelmente denota as pastagens externas nas propriedades e desertos" – *Illustrated Commentary upon the Bible*.

16 "Ou, gras" – *fr.marg*. "Ou, gordos."

17 "Faze que nossos filhos sejam como plantas", etc. Esse é o ponto de vista assumido pelos

crêem que Davi se congratula, bem como todo o povo, com o fato de que por meio da bênção divina todas as espécies de misericórdias foram exibidas sobre eles de maneira próspera. Não tenho dúvida de que Davi celebra, à guisa de ação de graças, a liberalidade que Deus exibia em favor do povo. Mas se encaixa muito bem na suposição de que ele ora, ao mesmo tempo, pela continuação ou preservação daqueles benefícios divinos que seriam suprimidos quase totalmente pelos homens ímpios e inimigos domésticos, se Deus não interviesse nas tribulações e confusões que prevaleciam. Portanto, o fim que ele tinha em vista era que Deus não permitiria que as bênçãos magistrais, com as quais cumulara seu povo, se desvanecessem e se apartassem deles. Ele começa mencionando os filhos, comparando a porção do sexo masculino, para enaltecer sua excelência, com *plantas que têm crescido em sua juventude*; pois as árvores raramente chegam a certa altura, se não crescem bem ou quando são ainda tenras. Ele fala das moças como semelhantes a *ângulos habilidosa e engenhosamente lavrados*, a fim de tornar o edifício belo; era como se dissesse que elas adornavam a casa por sua beleza e elegância. Não surpreende que ele considerasse uma prole nobre e bem educada como as primícias das bênçãos terrenas de Deus, um ponto que explanei mais amplamente em outra passagem. Como Davi fala em nome de todo o povo e de sua própria condição como que mesclada com a da comunidade, podemos inferir que ele não se ocupa exclusivamente de seus próprios interesses.

13. Nossos recessos cheios. Alguns traduzem por *armazéns*;[18] e eu não rejeitaria este sentido. Mas, como a palavra vem da mesma raiz de זוה (*zavah*), que é traduzida por *ângulo* ou *canto* no versículo anterior, parece ser mais concorde à etimologia traduzir as palavras

---

tradutores da Bíblia inglesa.
 18 "מזוינו — *nossos celeiros*. Esta palavra se encontra na Escritura somente uma vez, mas, provavelmente, tenha a mesma raiz de זוית e pode denotar, primariamente, *nossos cantos* e, em segundo sentido, nossos *celeiros*; porque os celeiros ou depósitos geralmente ficavam no fim ou nos cantos dos edifícios" – *Phillips*.

como o fiz: "que os recessos ou ângulos estavam cheios". Há alguns que entendem transitivamente o particípio מְפִיקִים (*mephikim*), lendo *produzindo*, mas o significado resulta na mesma idéia, a saber, que a abundância de toda bênção fluía de todos os cantos. A expressão זן-אל מזן (*mizan el-zan*)[19] parece denotar a variedade e a multiforme natureza das bênçãos, e não, como pensam alguns intérpretes, uma produção tão abundante que resultaria em diferentes espécies sendo misturadas, formando um monte confuso, em virtude da abundância incapaz de ser administrada. Não há necessidade de recorrer a esta hipérbole forçada; e as palavras, como estão, não favorecem esse sentido, pois, se estivesse em foco um monte confuso, a redação seria simplesmente זן זן (*zan zan*). Em suma, o significado é este: que prevaleceu entre o povo tal abundância, não só de grãos, mas de todas as espécies de produtos, que todo canto estava cheio, com suficiência, de toda variedade.

14. Nossos bois. A palavra hebraica סבל (*sabal*) significa propriamente *carregar*. Por isso, alguns entendem מסובלים (*mesubbalim*) no sentido de *robusto*,[20] como, se não fossem bois fortes, não estariam aptos para o carro ou para suportar cargas. Outros crêem que as palavras indicam como se o peso fosse da gordura. Não há necessidade de insistirmos neste ponto, uma vez que isso não afeta o principal intuito da passagem. Talvez seja mais importante notar que o cuidado paterno de Deus sobre seu povo é celebrado em virtude do fato de que Ele se condescende de assistir a cada assunto insignificante que diz respeito ao benefício de seu povo. Como no versículo anterior ele atribuíra à bondade de Deus a fertilidade do gado e dos rebanhos, agora faz isso em relação à gordura de seus bois, para mostrar que Deus não ignora nada concernente a nós.

---

19 Literalmente: "de variedade a variedade".
20 "מסבלים (*carregado*), ou seja, com carne, segundo Pagninus, que traz *onusti carne*. O radical é סבל, e a forma é o particípio Pual, que ocorre somente neste lugar. Compensis parafraseou-a assim: *sani et ferendis oneribus apti*. Talvez *bois carregados* seja uma frase equivalente aos nossos *animais de carga*, os quais são fortes e adaptados a carregar pesos; aqui a oração do salmista é que fossem eminentemente adestrados para tal serviço" – *Phillips*.

Como teria pouco significado o possuir abundância de tudo, se não pudéssemos desfrutá-la, o salmista considera como outra expressão da bondade do Senhor o fato de que o povo era pacífico e tranqüilo. Não tenho dúvida de que *ruptura* é uma a alusão às incursões hostis, mostrando que não havia inimigo a irromper sobre eles através de portões ou muros demolidos. É surpreendente que alguém não tenha entendido *saída* como exílio, ou seja, que o povo não foi arrancado das fronteiras de sua terra natal. Tudo que o salmista tem em mente é, simplesmente, em minha opinião, que não havia necessidade de sair para repelir um inimigo, porque nenhum deles os atacava ou molestava. A expressão referente a grito nas ruas tem esse mesmo sentido, o sentido de um tumulto súbito. De acordo com isso, o significado é que não havia distúrbio nas cidades, porque Deus mantinha os inimigos à distância.

15. Feliz o povo. Assim, ele concluiu que o favor divino fora exibido e manifestado de modo suficiente a seu povo. Se alguém objetasse argumento que avaliar a felicidade humana mediante benefícios transitórios subentende um espírito totalmente grosseiro e profano, eu diria, em resposta, que devemos entender as duas coisas em conexão: felizes são aqueles que reconhecem o favor de Deus na abundância que desfrutam e possuem tal senso dela, com base nas bênçãos transitórias, que os conduz, por meio de uma persuasão do amor paternal de Deus, a aspirar a verdadeira herança. Não há impropriedade em chamar de felizes aqueles que Deus abençoa neste mundo, contanto que não se mostrem cegos no desfrute e uso que fazem das misericórdias divinas ou ignorem, com insensatez e indiferença, o autor delas. A boa providência de Deus, em não permitir que nos faltem os meios de sobrevivência, é seguramente uma ilustração notável do seu maravilhoso amor. Que mais desejável existe do que ser objeto do cuidado de Deus, especialmente se temos discernimento suficiente para concluir, com base na liberalidade com a qual Ele nos sustenta, que Ele é nosso Pai? Pois tudo deve ser considerado em referência a este ponto. Seria preferível morrer de carência a possuir mera satisfação física e esquecer o elemento principal de todos, a saber: felizes são aqueles, e somente aqueles, que Deus escolheu para ser seu povo. É preciso observar isto: enquanto Deus nos dá comida e bebida, admitindo-nos ao desfrute de certa medida de felicidade, não devemos concluir que são infelizes os crentes que lutam a vida toda com carência e pobreza, pois a necessidade deles, seja qual for, Deus pode contrabalançar com melhores consolações.

Salmos 145

O salmista é levado a celebrar os louvores de Deus, ao refletir sobre a excelência de sua sabedoria, bondade e justiça, tanto no governo do mundo, em geral, como particularmente na administração, supervisão e defesa dos filhos dos homens. Depois de recordar os louvores da providência de Deus, o salmista passa a falar sobre o favor especial demonstrado por Ele a seu próprio povo.

Louvor de Davi[1]
[vv. 1-6]
Eu te exaltarei, meu Deus e meu Rei,[2] e bendirei o teu nome para todo o sempre. Diariamente te bendirei e louvarei o teu nome para sempre e sempre.[3] Grande é Jehovah, e deve ser grandemente louvado, e não há como sondar a sua grandeza. Geração a geração louvará as tuas obras e anun-

---

1 Este Salmo é, muito apropriadamente, intitulado "Louvor de Davi", pois todo ele é uma celebração contínua das perfeições e feitos de Deus. Por certo, é uma das mais interessantes e belas composições do suave cantor de Israel. E os antigos hebreus tinham a respeito dele uma opinião tão elevada, que costumavam dizer: "Quem declarar este Salmo três vezes ao dia, com o coração e a língua, é um homem ditoso e desfrutará infalivelmente das bênçãos do mundo por vir'. O tempo e a ocasião de sua escrita só podem ser conjecturados. O Dr. Morison pensa ser provável que foi escrito por Davi quando ele e a nação de Israel obtiveram as bênçãos que ele implorara no Salmo anterior; e que ele se propôs a entoar esse novo cântico [Sl 144.9] quando Deus apareceu em glória a seu povo eleito. Este é o último dos Salmos alfabéticos. O primeiro versículo começa com a primeira letra do alfabeto hebraico; o segundo versículo, com a segunda letra, e assim, até o último, com a exceção de que está faltando o hemistíquio que têm o נ (*nun*) como letra inicial. Os outros Salmos alfabéticos são 25, 34, 37, 111, 112 e 119.

2 O governo judaico era uma *teocracia*.

3 "In seculum et usque" — *lat*. As palavras hebraicas originais são לעולם ועד (*leolam voad*), que o Dr. Adam Clarke traduziu assim: "Para sempre e sempre neste e no mundo por vir". "Essas expressões", acrescenta ele, "são muito difíceis de ser traduzidas".

ciará o teu poder. Meditarei na⁴ beleza da glória de tua excelência e nas palavras das tuas maravilhosas coisas. Falarão do poder das tuas obras terríveis, e declararei a tua grandeza.

1. Eu te exaltarei, meu Deus e meu Rei. Davi não somente diz o que ele mesmo faria, mas também encoraja e insiste com todos os outros sobre o serviço religioso de oferecer a Deus os louvores devidos ao seu nome. O seu propósito em declarar que Deus é benigno para com os filhos dos homens é induzi-los a cultivarem gratidão piedosa. Ele insiste na necessidade de perseverar nesse exercício, pois, visto que Deus é constante em estender suas misericórdias, seria impróprio desistirmos de seus louvores. Como, desse modo, ele dá ao seu povo novo motivo para louvar a Deus, ele os estimula à gratidão e a exercitá-la durante todo o curso de sua vida. Ao usar o termo *diariamente*, ele denota perseverança no exercício. Em seguida, acrescenta que, se vivesse durante uma sucessão de eras, jamais cessaria de agir desta maneira. As repetições usadas tendem a enfatizar consideravelmente a sua linguagem. Visto ser provável que o Salmo foi escrito no tempo em que o reino de Davi estava em prosperidade, a circunstância merece nota, a saber: ao chamar a Deus de *meu Rei*, estava dando a si e aos demais príncipes terrenos o seu lugar apropriado, não admitindo que alguma distinção terrena interferisse na glória devida a Deus.

Isto se torna ainda mais claro no versículo seguinte, no qual, ao falar sobre a grandeza de Deus como imensurável, ele sugere que só louvamos a Deus corretamente quando nos enchemos e somos dominados por uma admiração extasiante da imensidão de seu poder. Essa admiração se tornará a fonte da qual procederão nossos justos louvores rendidos a Ele, de acordo com a medida de nossa capacidade.

4. Geração a geração. Aqui ele insiste na verdade geral de que todos os homens foram feitos e são preservados em vida para este fim: dedicarem-se ao louvor de Deus. Há um contraste implícito entre

---

4 "Ou, parleray." — *fr. marg.* "Ou, falará de."

o nome eterno de Deus e a imortalidade de fama que os grandes homens parecem adquirir por suas proezas. As excelências humanas são enaltecidas em histórias. Com Deus ocorre algo diferente, pois não há sequer um dia em que Ele não renove a lembrança de suas obras, nutrindo-a por meio de algum efeito presente, a ponto de preservá-la indelevelmente viva em nossa mente. Pela mesma razão, o salmista fala a respeito do *glorioso esplendor* ou *beleza* de excelência de Deus, a fim de despertar, ainda mais, em outros, a admiração dessa excelência. Creio que a expressão *as palavras de suas maravilhosas obras* aludem ao método incompreensível das obras de Deus, pois os prodígios são tantos, que esmagam nossos sensos. E podemos inferir disso que a grandeza de Deus não é aquela que se acha oculta em sua misteriosa essência, nem na disputa sutil por meio da qual, em negligência de suas obras, muitos merecem a acusação de meros tagarelas, pois a verdadeira religião demanda conhecimento prático, e não especulativo. Havendo dito que *falaria de* ou *meditaria nas obras de Deus* (pois a palavra hebraica אשיחה (*asichah*), como já vimos em outra passagem, pode ser traduzida de ambas as formas), ele transfere seu discurso para outros, sugerindo que no mundo sempre haverá alguns que declararão a justiça, a bondade e a sabedoria de Deus e que as excelências de Deus são dignas de ser proclamadas, com consenso universal, por toda língua. E, se outros desistissem e privassem a Deus da honra que Lhe é devida, o salmista declara que ele mesmo, no mínimo, cumpriria sua parte e, enquanto os outros mantinham silêncio, ele apresentará energicamente os louvores de Deus. Há alguns que pensam que *o poder das tuas obras t*erríveis é uma expressão que tem o mesmo sentido do que já se declarou. Mas, em vez disso, parece que ela denota os juízos divinos contra os escarnecedores profanos.

    [vv. 7-13]
    Anunciarão publicamente [ou proferirão copiosamente] a memória da grandeza de tua bondade e cantarão a tua justiça. Jehovah é gracioso e compassivo, tardio em irar-se e grande em misericórdia. Jehovah é bom para com todos, e suas misericórdias, acima de todas as suas obras. Todas

as tuas obras te louvarão, ó Jehovah, e os teus misericordiosos te bendirão. Anunciarão a glória do teu reino e falarão do teu poder, para que façam conhecidos os seus poderes aos filhos dos homens e a glória da beleza de seu reino. O teu reino é um reino de todas as eras, e o teu domínio para todas as gerações sucessivas.[5]

7. Anunciarão publicamente. Como o verbo נבע (*nabang*) significa *jorrar*, alguns supõem que, aplicado à fala, significa não somente falar, mas também um discurso transbordante, como água fluindo da fonte. E o verbo ירננו (*yerannenu*), no final do versículo, corresponde a isso, significando *gritar* ou *cantar em voz alta*. Celebrar a memória da bondade do Senhor é o mesmo que trazer à memória o que temos experimentado pessoalmente de sua bondade. Não podemos negar que Deus tem o direito de louvor por todas as suas excelências, mas somos sensivelmente afetados por tais provas de sua misericórdia paternal, quando nós mesmos a experimentamos. Portanto, Davi faz uso desta fascinante consideração para induzir-nos a nos engajarmos mais pronta e alegremente nos louvores de Deus, ou melhor (de acordo com a palavra figurada já usada), prorrompermos em sua celebração.

8. Jehovah é gracioso. Ele traz a lume a bondade sobre a qual falara usando várias expressões, para deixar claro que Deus se inclina à misericórdia (pois esse é o significado da palavra חנון — *channun*) e que Ele nos auxilia de bom grado, como alguém que se

---

5 Após este versículo havia duas linhas que, conforme tudo indica, se perderam do texto hebraico. O Salmo, como já dissemos, é alfabético; cada estrofe começa com a letra do alfabeto hebraico, na ordem regular, até chegarmos ao versículo 14, onde ocorre uma interrupção – a única no Salmo. O versículo 13 começa com a letra מ (*mem*), e versículo 14, com a letra ס (*samech*). Assim está faltando a estrofe que começa com a letra נ (*nun*). Na Septuaginta, ela é suprida assim: Πιστὸς Κύριος ἐν πᾶσι τοῖς λόγοις αὐτοῦ καὶ ὅσιος ἐν πᾶσι τοῖς ἔργοις αὐτοῦ — "Fiel é Jehovah em todas as suas palavras e santo, em todas as suas obras". O Dr. Adam Clarke, depois de observar que não há um versículo correspondente a נ (*nun*), em qualquer das cópias impressas da Bíblia hebraica, declara que há um manuscrito, agora no Trinity College (Dublin), que tem esta sentença (ele presume, à guisa de correção) no pé da página — נאמן יהוה בכל דבריו וחסיד בכל מעשיו: (*Neeman Yehovah be-cal debaraiv; ve-chasid be-cal maasaiv*). Isso corresponde exatamente à redação na Septuaginta. "Nada", diz o Dr. Lowth, em *Merrick's Annotations on the Psalms*, "pode ser mais certo do que a genuinidade do versículo que a Septuaginta preservou, variando apenas em duas palavras de Salmos 145.17."

compadece de nossas misérias. Devemos notar que Davi aplica a Deus termos que emprestou daquela famosa passagem em Êxodo 34.6. E, como os escritores sagrados extraíram sua doutrina da lei, não devemos ficar surpresos que atribuíssem muito valor a visão que se achava ali registrada, pela qual obtemos uma descrição tão clara e satisfatória da natureza de Deus, que dificilmente encontraremos equivalente em qualquer outra passagem. Davi, ao dar-nos uma breve afirmação do que era importantíssimo sabermos em referência a Deus, usa os mesmos termos empregados naquela visão. De fato, grande parte da graça de Deus pode ser vista em sua atitude da atrair-nos a Si, por meio desses títulos. Se Ele demonstrasse diante de nós seu poder de modo proeminente, ficaríamos aterrados de medo, e não encorajados, visto que os papistas O representam como um Deus terrível, de cuja presença todos devem fugir. No entanto, a visão própria de Deus é aquela que nos convida a buscá-Lo. De acordo com isso, quanto mais uma pessoa se sente atraída para Deus, tanto mais ela avança no conhecimento dEle. Se é verdade que Deus não somente está disposto a favorecer-nos, mas também (como nos dizem as Escrituras) se comove de compaixão para com nossas misérias, a ponto de ser mais bondoso conosco, quando nos tornamos mais miseráveis, que tolice seria não corrermos imediatamente para Ele! Mas, visto que com os nossos pecados afastamos de nós a bondade de Deus e obstruímos o caminho de acesso, se a bondade dEle não vence esse obstáculo, seria inútil os profetas falarem sobre a graça e a misericórdia de Deus.[6] Por isso, era necessário acrescentar as palavras seguintes, ou seja, *grande é a sua misericórdia:* Ele perdoa os pecados e suporta a perversidade dos homens, a ponto de mostrar favor para com o indigno. Com respeito aos ímpios, embora Deus lhes mostre sua generosa paciência, são incapazes de perceber o perdão. Assim, a doutrina sobre

---

6 "Si la bonte de Dieu ne surmonte cest empreschement, c'est en vain que les Prophetes traitteroyent de sa grace et misericorde" – *fr.*

a qual insistimos tem aplicação especial somente aos crentes, que compreendem a bondade de Deus mediante uma fé viva. Acerca dos perversos, lemos: "Para que desejais vós o dia do Senhor? É dia de trevas e não de luz" [Am 5.18]. Vemos com que palavras severas Naum os ameaça no início de sua profecia. Havendo-se referido à linguagem usada na passagem de Moisés, Naum acrescenta imediatamente, em contrapartida, para impedi-los de se animarem por ela, que Deus é um juiz rígido e severo, terrível e inexorável [Nm 1.3]. Portanto, aqueles que têm provocado a Deus à ira, por meio de seus pecados, devem assegurar-se do favor de Deus, crendo.

9. Jehovah é bom para com todos. A verdade aqui afirmada tem uma aplicação mais ampla do que a primeira, pois a declaração de Davi tem este sentido: Deus, com indulgência e clemência paternais, não somente perdoa o pecado, mas também é bom para com todos sem discriminação, visto que faz o seu sol nascer sobre os bons e sobre os maus [Mt 5.45]. O perdão dos pecados é um tesouro do qual os perversos estão excluídos, mas seu pecado e depravação não impedem a Deus de exibir sua bondade sobre eles, da qual se apropriam sem sentir por ela qualquer afeição. No entanto, os crentes, e somente eles, sabem o que é essa bondade; por isso, desfrutam de um Deus reconciliado, como lemos em outro salmo: "Contemplai-o e sereis iluminados, e o vosso rosto jamais sofrerá vexame. Provai e vede que o Senhor é bom" [Sl 34.5, 8]. Quando ele acrescenta que *a misericórdia de Deus se estende a todas as suas obras,* isso não deve ser considerado como contrário à razão ou obscuro. Havendo nossos pecados envolvido o mundo inteiro na maldição divina, em toda parte há oportunidade para o exercício da misericórdia divina, inclusive em socorrer a criação irracional.

10. Todas as tuas obras. Embora muitos não proclamem os louvores de Deus, mantendo um silêncio perverso a respeito deles, Davi declara que esses louvores resplandecem por toda parte, surgem por si mesmos e ressoam, por assim dizer, por meio do silêncio das criaturas. Ele ressalta a obra especial de declará-los aos crentes, que têm olhos para perceber as obras de Deus e sabem que não podem ser mais bem empregados do que em celebrar as misericórdias de Deus. O que ele acrescenta em seguida: *anunciarão a glória do teu reino*, considero que tem referência somente aos crentes. Se alguém se inclina a crer que estas palavras se aplicam às criaturas de Deus, universalmente, não faço objeção a tal ponto de vista. Mas o tipo particular de discurso ou ensino ao qual Davi se refere aqui aplica-se exclusivamente aos santos. Conseqüentemente, tenho retido o tempo futuro dos verbos, em vez do modo optativo, como outros o têm feito. Ao usar o termo *reino*, Davi que dizer que esta é a tendência da manifestação das obras de Deus, ou seja, reduzir o mundo inteiro a um estado de ordem e sujeitá-lo a seu governo. Ele insiste na excelência deste reino, para que os homens saibam que as coisas devem ser consideradas como em desordem e confusão, se Deus, e tão-somente ele, não é reconhecido como supremo. O salmista nega que esse reino seja transitório, como todos os reinos terrenos, asseverando que permanece firme para todo o sempre. E, para chamar nossa atenção mais particularmente à natureza eterna do reino, ele irrompe numa admirável exclamação e dirige seu discurso a Deus.

[vv. 14-16]
Jehovah sustenta todos os que caem[7] e levanta todos os que estão prostrados. Os olhos de todos esperam em ti, e tu lhes dás alimento a seu tempo.
Tu abres a tua mão e satisfazes a toda coisa viva por teu beneplácito.

14. Jehovah sustenta todos os que caem. O salmista dá exemplos da bondade e da misericórdia de Deus, os quais evidenciam o fato de que Deus reina unicamente visando à promoção do bem-estar geral do gênero humano. Ao usar as expressões *os que caem* e *os que estão prostrados*, o salmista tem em mente aqueles que são afligidos pela adversidade e sucumbiriam imediatamente, se Deus não estendesse

---

7 "נפלים (*nophelim*) — *os que caem* ou aqueles que não são aptos a manter-se de pé – os fracos. Ninguém cai *meramente* por sua própria fraqueza; se ele confia em Deus, o mais forte inimigo não pode abalá-lo" – *Dr. Adam Clarke*.

a mão para socorrê-los. Em suma, Deus leva em conta as tribulações humanas e ajuda os que se acham em angústia, de modo que todos devem não somente considerar seu divino governo com reverência, mas também submeter-se a ele espontânea e cordialmente. Outra lição ensinada aqui é esta: ninguém se sentirá frustrado, se em sua aflição buscar conforto em Deus.

15. Os olhos de todos esperam em ti. Davi cita uma prova adicional da bondade de Deus: dar alimento a todas as criaturas viventes, revelando-se assim no caráter de pai de uma família. Alguns intérpretes, influenciados pelo termo *esperam*, empregado aqui, restringem a aplicação aos homens, dotados de razão e inteligência, que buscam alimento de seu Pai celestial, enquanto os irracionais o buscam somente de uma maneira rude, por meio da visão e olfato. Mas, embora os animais não sejam dotados do exercício da razão (e isso os leva a depender da providência de Deus), eles mesmos são necessitados de forças e, por certo instinto oculto, buscam seu alimento. Assim, podemos dizer com propriedade que eles esperam em Deus, tal como em outra passagem lemos que os filhotes dos corvos clamam a ele [Sl 147.9]. Além disso, os que restringem as palavras ao homem dão lugar à incoerência, pois os perversos não levam em conta o cuidado paterno de Deus, não mais do que o fazem o boi ou o asno. Visto que esta ordem é estabelecida na natureza: todos os animais são conduzidos a uma dependência de seu Criador, não é incorreto supor que o sentimento de desejo ou expectativa é aqui expresso como sinônimo da própria dependência.[8] Toda ambigüidade é removida no versículo seguinte, onde lemos que todo ser vivente é satisfeito. Lemos que Deus lhes dá *seu alimento, a seu tempo*, pois a própria variedade do alimento serve ainda mais para ilustrar a providência de Deus. Cada um tem seu próprio modo de alimentar-se, e os diferentes tipos de alimentos são designados e adaptados a diferentes usos. Davi fala sobre aque-

---

8 "Il ne sera point mal convenable que l'affection soit yci mise pour la chose mesme" – *fr.*

le alimento que lhes é específico. O pronome não está no plural, e não devemos ler no *tempo deles*, como uma referência aos animais. O salmista observa que o alimento é dado no tempo certo, pois devemos notar ainda os admiráveis arranjos da providência divina, que há tempo determinado para a ceifa, vindima e a colheita do feno e que o ano é de tal modo dividido em intervalos, que o gado, em certa época, é alimentado com relva e, em outra, com feno, ou palha, ou ração, ou outros produtos da terra. Se todo o suprimento fosse dado de uma só vez e ao mesmo tempo, não seria possível ajuntá-lo convenientemente; e temos bastante razão para admirar o tempo certo em que os diferentes tipos de fruto e alimento são anualmente produzidos.

16. Tu abres a tua mão. A figura é muito bela. A maioria dos seres humanos não percebe a bondade singular de Deus evidente na admirável ordenação das coisas na natureza. Por isso, Davi apresenta a Deus como que a estender sua mão para distribuir aos animais o seu alimento. Limitamos pecaminosamente nossa atenção à terra que produz nosso alimento ou às causas naturais. Para corrigir esse erro, Davi descreve a Deus como que abrindo sua mão para colocar o alimento em nossa boca. Há quem traduza a palavra רצון (*rastson*) por *desejo*, como se Davi quisesse dizer que Deus supre a cada tipo de animal o alimento segundo o desejo deles. E logo em seguida descobrimos que ela é usada realmente nesse sentido. Outros atribuem a Deus o alimentá-los motivado por seu mero beneplácito e bondade. Não basta dizer que nosso alimento é dado por Deus, a menos que acrescentemos, como na segunda sentença do versículo, que a bondade dEle é graciosa e que não há causa extrínseca que o mova a dar tão liberalmente o necessário a cada criatura viva. Nesse caso, a causa é expressa em lugar do efeito; os vários tipos de provisão são os efeitos do beneplácito de Deus – χαρισματα της χάριτος. Se percebemos que os homens e outras das criaturas de Deus às vezes sofrem e morrem de inanição, isso deve ser atribuído à mudança que penetrou na natureza pelo pecado. A ordem perfeita que subsistia nela, mediante a designação original de

Deus, falha desde a queda por causa de nossos pecados. No entanto, no que resta dela, embora danificada, podemos ver a bondade de Deus referida por Davi; pois, até nas falhas mais graves da colheita, não há ano tão estéril e improdutivo, do qual se possa dizer que Deus não abriu sua mão nele.

[vv. 17-21]
Jehovah é justo em todos os seus caminhos e misericordioso em todas as suas obras. Jehovah está perto de todos que o invocam, de todos que o invocam em verdade. Ele satisfará o desejo daqueles que o temem, e ouvirá seu clamor, e os salvará. Jehovah preserva todos que o amam e destruirá todos os ímpios. A minha boca pronunciará o louvor de Jehovah, e toda carne bendirá o seu santo nome, para todo o sempre.

17. Jehovah é justo em todos os seus caminhos. O salmista agora não somente fala sobre a bondade de Deus em prover a todas suas criaturas o alimento diária, mas também inclui outros aspectos da providência divina, como o corrigir os homens por seus pecados, restringir os perversos, provar a paciência de seu povo mediante a aflição e governar o mundo por meio de juízos que, às vezes, nos são inescrutáveis. O motivo pelo qual ele atribui louvor a Deus talvez seja bem comum e estar nos lábios de todos. Contudo, a sabedoria se revela em manter firme a verdade de que Deus é justo em todos os seus caminhos, de modo a reter em nosso coração um inabalável senso dessa verdade, em meio a todas as tribulações e confusões. A despeito de todo o reconhecimento de que Deus é justo, a maioria dos homens é dominada pela aflição sempre que contende com a severidade divina. Se os seus desejos não são imediatamente satisfeitos, se mostram impacientes; e nada é tão comum como o ouvir a justiça de Deus sendo acusada. Como por toda parte ela é abusada pelas imputações dos perversos destituídos, aqui a justiça de Deus é mui propriamente vindicada desse tratamento ingrato e afirmada como permanente e infalível, embora o mundo a injurie. O salmista acrescenta expressamente: *em todos os seus caminhos e obras*, pois deixamos de dar a Deus a devida honra, se não reconhecemos um consistente teor de justiça em todo o progresso de suas realizações. No tempo de tribulação, quando Deus aparentemente se esquece de nós ou nos aflige sem causa, nada é mais difícil do que restringirmos os sentimentos corruptos, para não vociferarem contra os juízos divinos, e agirmos como o imperador Maurício, que, conforme somos informados numa memorável passagem da história, vendo seus filhos assassinados pelo perverso e ímpio traidor Focas e, em seguida, sendo ele mesmo levado para ser morto, clamou: "Tu és justo, ó Deus, e justos são os teus juízos!" Assim como esse homem de bom caráter usou esse escudo ante as provações cruéis com as quais se deparou, assim também devemos aprender a restringir o nosso espírito e sempre dar à justiça de Deus a honra que lhe é devida. Davi vai mais além, sugerindo que Deus, mesmo quando parece ser bastante severo, não é cruel e tempera seus juízos celestiais com eqüidade e clemência.

18. Jehovah está perto de todos que o invocam. Esta verdade aplica-se principalmente aos crentes, a quem Deus, à guisa de privilégio singular, convida a que se aproximem dEle, prometendo ser favorável às suas orações. Não há dúvida de que a fé sem oração é ociosa e morta; visto que, por meio da oração, o espírito de adoção se revela e se exercita, e, por meio da oração, demonstramos que consideramos firmes e seguras todas as promessas de Deus. Em suma, a inestimável graça de Deus para com os crentes entra em cena nisto: Ele se exibe aos crentes na qualidade de Pai. Como muitas dúvidas nos assaltam, quando oramos a Deus, ou nos aproximamos dEle com tremor, ou falhamos por nos tornarmos desanimados e sem vida, Davi declara ser verdade que Deus ouve a todos que O invocam, sem exceções.

Ao mesmo tempo, como a maioria dos homens perverte e profana, por meio de suas próprias invenções, o método de invocar a Deus, o salmista estabelece a maneira correta de orar, na parte seguinte do versículo, a saber: a oração deve ser feita em verdade. Os homens recorrem a Deus de maneira indiferente ou, em suas orações, argumentem com Ele, enquanto seus corações estão cheios de orgulho ou dominados pela ira, e se queixam de que não são ouvidos, como se não houvesse diferença entre orar e discutir ou o exercício da fé e a hipocrisia. A maioria dos homens, envolvida em infidelidade, raramente crê que haja um Deus no céu; outros, caso pudessem, o baniriam do céu; outros O restringem a seus pontos de vista e desejos, enquanto alguns buscam meios levianos e insuficientes de se reconciliarem com Ele. Assim, o modo comum de orar não passa de uma cerimônia ociosa e fútil.[9] Embora quase todos os homens, sem exceção, têm recorrido a Deus no momento de necessidade, são poucos os que trazem a menor medida de fé ou arrependimento. Seria preferível que o nome de Deus permanecesse sepultado no esquecimento do que expô-lo a tais insultos. Há boa razão para se afirmar que a verdade é imprescindível em nossas orações – elas devem emanar de um coração sincero. A falsidade, que é o oposto desta sinceridade, se expressa de várias maneiras; e seria difícil enumerá-las – infidelidade, inconstância, impaciência, pretensa humildade. Em suma, há tantas maneiras quantas são as disposições pecaminosas. Sendo esta uma verdade muito importante, Davi a confirma novamente e a amplia no versículo seguinte. A repetição é digna de nossa observação, pois a nossa tendência à incredulidade é tal, que poucos são os que, ao invocarem a Deus, não consideram suas orações infrutíferas. É por isso que as mentes oscilantes se deixam arrastar, de maneira perversa, de um lado para outro, visto que no papado se inventaram padroeiros sem conta, considerando quase sem importância o abraçar com fé inabalável as promessas pelas quais Deus nos convida a Si.

Para tornar a porta ainda mais aberta, o Espírito Santo, pelos lábios de Davi, nos informa que Deus *se acomodará aos desejos de todos quantos o temem*. Esta é uma forma de expressão sobre a qual é difícil dizer quanto deve impressionar nossa mente. Quem é o homem, para que Deus deva demonstrar complacência e ceder à sua vontade, quan-

---

9 "Les autres voudroyent qu'il fust sujet a eux: les autgres comme par maniere d'acquit cerchent quelque de l'appaiser", etc. – *fr.*

do, pelo contrário, nosso dever é contemplar a sublime grandeza de Deus e submeter-nos humildemente à sua autoridade? No entanto, Ele se condescende espontaneamente a esses termos, a fim de satisfazer nossos desejos. Ao mesmo tempo, há um limite a ser colocado nessa liberdade; e não temos liberdade para nutrir um desejo por tudo, como se o seu povo pudesse clamar obstinadamente por tudo que anelem seus desejos corruptos. Antes de dizer que ouvirá as orações de seu povo, Deus ordena a lei da moderação e submissão nas aflições, como aprendemos do apóstolo João – "Sabemos que ele nada nos negará, se o buscarmos segundo a sua vontade" [1Jo 5.14]. Por essa mesma razão, Cristo ditou aquela forma de oração: "Faça-se a tua vontade", pondo limites em nós, para não preferirmos nossos desejos aos de Deus, nem pedirmos, sem deliberação, o que primeiro nos ocorre aos lábios. Davi, ao mencionar de modo evidente *os que temem a Deus*, impõe-lhes temor, reverência e obediência, antes de exaltar a satisfação favorável da parte de Deus, para que não concluam que têm autorização de pedir mais do que a sua Palavra autoriza e aprova. Quando o salmista fala do *clamor* dos que temem a Deus, isso é uma qualificação do que ele já havia dito. Pois a disposição divina em atender nossas orações nem sempre é tão evidente, que Ele as responde no exato momento em que são feitas. Temos necessidade de perseverança nesta prova de nossa fé; e nossos desejos devem ser confirmados por meio de clamar. A última sentença – *ele os salvará* – é também adicionada à guisa de correção, para fazer-nos saber até que ponto e com que propósito Deus responde as orações de seu povo, ou seja, a fim de evidenciar, de maneira prática, que Ele é o fiel guardião do bem-estar deles.

20. Jehovah preserva. O salmista insiste na mesma verdade: Deus está perto de seu povo para ajudá-lo nos momentos de necessidade. Esta é uma prova segura de sua presença: por meio de sua misericórdia, eles prosseguem seguros e incólumes em meio a todo perigo que lhes sobrevenha. É digno de nossa observação o fato de que, em vez de temor, ele agora fala de *amor*; porque, ao distinguir os crentes com o título *Deus os ama*, ele sugere que a raiz da verdadeira piedade é que se submetam a Ele voluntariamente, o que é, uma vez mais, o efeito da fé. Se Deus não nos induzir pelas atrações de sua graça, essa plácida submissão jamais existirá. O amor mencionado por Davi talvez seja mais extensivo, visto que o povo de Deus não somente se apega a Ele, na forma de obediência à sua autoridade, mas também, sabendo que a união com Ele é, dentre todas as coisas, o que há de mais desejável, anela de todo o coração essa felicidade. No entanto, não pode haver dúvida de que aqui o salmista se refere a essa felicidade como a parte primordial da santidade e da retidão, como foi dito por Moisés: "Agora... ó Israel, que é que o Senhor requer de ti?" [Dt 10.12]. Davi exemplifica o efeito da piedade em garantir a nossa segurança e preservação, sob a guarda divina, usando uma sentença de oposição no sentido de que todos os perversos, no justo juízo de Deus, perecerão miseravelmente. Com o fim de concluir como começara, ele afirma novamente que *publicará os louvores de Deus* e insiste com todos a seguirem seu exemplo no cumprimento do mesmo dever. Alguns lêem: *toda coisa vivente bendirá.* Contudo, essa não me parece ser a redação correta. Quando Moisés, ao falar sobre o dilúvio, disse que "pereceu toda carne em que havia fôlego de vida", admito que a expressão inclui a criação irracional, mas, onde quer que se mencione "carne" sem qualquer adição, ali se faz referência somente aos homens. Tampouco Davi estava afirmando o que gostariam de fazer, e sim o que fariam, declarando todos os homens obrigados a louvar a Deus, por sua grande e inesgotável bondade, constantemente e para sempre.

Salmos 146

Depois de encorajar a si mesmo e a outros, por meio de seu exemplo, a louvar a Deus, Davi repreende a disposição pecaminosa, quase universalmente prevalecente, de enganar-nos com expectativas entretidas com base em vários fontes. Ao mesmo tempo, ele enfatiza o remédio – toda a nossa esperança deve estar centrada em Deus. A fim de persuadir-nos a recorrer a Ele mais prontamente, o salmista aborda de modo sucinto as mesmas provas do poder e da misericórdia de Deus.

Aleluia
[vv. 1-5]
Louva a Jehovah, ó minha alma! Eu louvarei a Jehovah durante a minha vida; entoarei salmos a meu Deus, enquanto eu viver. Não confieis em príncipes, no filho do homem em quem não há segurança. Sai-lhe o fôlego; ele voltará à sua terra; naquele dia, seus pensamentos[1] perecerão. Bem-aventurado aquele cujo auxílio vem do Deus de Jacó, cuja esperança está em Jehovah seu Deus.

1. Louva a Jehovah. Os últimos cinco salmos terminam usando a mesma palavra com que este começa.[2] Havendo convocado todos a louvarem a Deus, ele se dirige ou (o que é a mesma coisa) fala à sua

---

1 Horsley prefere traduzir "sua falsa exibição ilusória", em vez de "seus pensamentos". Ele observa que a palavra original, literalmente, significa "seus fulgores". Parkhurst preferiu traduzir a palavra original por "esplendores, glórias, que", diz ele, "faz um excelente sentido".

2 Isto é, com a palavra "Aleluia", o vocábulo hebraico que significa "louvai a Jehovah". Por isso, são chamados de "Salmos dos Aleluias".

alma. Acontece, porém, que, ao empregar o título *alma*, ele fala mais enfaticamente a seu próprio íntimo. Disto podemos inferir que a influência que o moveu não era volúvel e superficial (visto que muitos culpam a si mesmo com reminiscências sobre este ponto, mas logo o esquecem novamente), e sim uma afeição sólida e permanente, seguida de atividade — uma afeição que comprovou, por seus efeitos, não ser fictícia. Como Davi achava que os bons empenhos são frustrados ou obstruídos pela astúcia de Satanás, ele julgou ser oportuno estimular seu próprio zelo, em primeiro lugar, antes de professar ser um líder ou mestre de outros. Embora seu coração estivesse genuína e seriamente na obra, ele não descansaria nesta obra, enquanto não houvesse adquirido ardor ainda maior. E, se foi necessário que Davi se encorajasse aos louvores de Deus, quão poderoso encorajamento devemos exigir para algo muito mais difícil, quando almejamos a vida divina com abnegação. Quanto ao exercício religioso aqui mencionado, sintamos que jamais seremos suficientemente ativos nele, a menos que nós mesmos o exerçamos de maneira exaustiva. Uma vez que Deus sustenta e mantém seu povo neste mundo visando que empenhem toda a sua vida em louvá-lo, Davi, com muita propriedade, declara que fará isso até ao fim de sua jornada terrena.

3. Não confieis em príncipes. Esta admoestação é inserida com muita propriedade, pois um meio pelo qual os homens cegam a si mesmo é envolvendo sua mente em uma série de invenções e privando-se, assim, de engajarem-se nos louvores divinos. Para que Deus tenha todo o louvor que Lhe é devido, Davi expõe e subverte aqueles apoios em que costumamos, com tanta obstinação, depositar nossa confiança. Sua intenção é que nos esquivemos do homem em geral, porém menciona os *príncipes*, a quem costumamos temer mais do que dos homens comuns. Que promessa as pessoas pobres poderiam sustentar, visto que necessitam da ajuda de outros? Além disso, os grandes e ricos propiciam uma atração perigosa devido ao esplendor que lhes é próprio, sugerindo que busquemos refúgio em sua proteção. Como os simples se deixam fascinar pela aparência da grandeza dos grandes e ricos, o salmista adiciona que os mais poderosos dentre os príncipes do mundo não passam de *filho do homem*. Isso deveria ser suficiente para repreender nossa estultícia em cultuá-los como uma espécie de semideuses, no dizer de Isaías: "Os egípcios são homens, e não deuses... carne, e não espírito" [Is 31.3]. Embora os príncipes naquela época estivessem munidos de poder, dinheiro, tropas militares e outros recursos, Davi nos lembra que é errado colocar nossa confiança no homem mortal, frágil e que é inútil buscar segurança onde ela não pode ser encontrada.

Ele explica isso mais plenamente no versículo seguinte, onde nos informa quão breve e passageira é a vida do homem. Embora Deus remova as restrições e permita que os príncipes invadam até o céu, nos empreendimentos mais selvagens, o sair do espírito, como um fôlego, subverte inesperadamente todos os conselhos e planos dos ímpios. Sendo o corpo a habitação da alma, o que o salmista diz aqui pode muito bem ser entendido nesses termos; pois, na morte, Deus reclama o espírito. No entanto, é possível entender isso de um modo mais simples, com se o salmista estivesse se referindo ao fôlego vital. E isto corresponderá melhor ao contexto – tão logo o homem pare de respirar, seu cadáver fica sujeito à putrefação. Conclui-se que aqueles que depositam sua confiança nos homens passam a depender de um fôlego passageiro. Ao dizer: *naquele dia todos seus pensamentos perecerão* ou *se desvanecerão*, é provável que com esta expressão o salmista estivesse censurando a loucura dos príncipes em não pôr qualquer limite a suas esperanças e desejos e se elevarem ao próprio céu, em sua ambição, como o insano Alexandre da Macedônia, que, ao ouvir que havia outros mundos, chorou porque ainda não conquistara nem este mundo, embora logo depois a urna fúnebre tenha sido o que lhe restou. A observação prova que os esquemas dos príncipes são profundos e complexos. Portanto, para que não caiamos no erro de colocar neles as nossas esperanças, Davi afirma que a vida dos príncipes também passa rapidamente, num instante, e, com ela, todos os planos deles desapareçam.

5. Bem-aventurado aquele cujo auxílio vem do Deus de Jacó. Visto que reprovar o pecado não seria o bastante, ele apresenta o remédio do qual depende a correção apropriada. E o remédio é este: as esperanças dos homens são estáveis e bem fundadas somente quando repousam inteiramente em Deus. Pois até os perversos chegam, às vezes, a reconhecer a estultícia de confiar no homem. De acordo com isso, eles se iram freqüentemente contra si mesmos, por serem tão imprudentes a ponto de esperar livramento da parte dos homens; mas, ao negligenciarem o remédio, não conseguem livrar-se de seu erro. O salmista, havendo condenado a soberba, que já vimos ser natural a todos nós, declara sabiamente ser bem-aventurado quem confia em Deus. Jeremias observa essa mesma ordem: "Maldito o homem que confia no homem, faz da carne mortal o seu braço" e, em seguida: "Bendito o homem... cuja esperança é o SENHOR" [17.5, 7].

Quando Davi afirma que *bem-aventurados* são *aqueles cujo auxílio é o Senhor*, ele não restringe a felicidade dos crentes ao tempo presente, como se eles fossem felizes somente quando Deus entrava em cena, de modo público e em atos externos, como seu ajudador. O salmista situa a felicidade deles nisto: são realmente persuadidos de que é tão-somente pela graça de Deus que se mantêm de pé. Davi chama a Deus de *o Deus de Jacó*, para distingui-Lo da multidão de falsos deuses nos quais os incrédulos se gloriavam naquele tempo. E havia boa razão para isso, pois, enquanto todos se dispunham a buscar a Deus, poucos tomavam o caminho certo. Ao designar o Deus verdadeiro com seu nome peculiar, o salmista sugere que é somente por uma fé inabalável na adoção que qualquer um de nós pode descansar em Deus, pois Ele deve mostrar-se favorável a nós, antes que busquemos seu auxílio.

[vv. 6-10]
O que fez o céu e a terra, o mar e tudo que neles existe, que guarda a verdade para sempre. Fazendo justiça aos oprimidos injustamente; dando pão aos famintos, Jehovah, que livra os encarcerados. Jehovah que ilumina

os cegos,³ Jehovah que levanta os abatidos, Jehovah que ama os justos. Jehovah que guarda os estrangeiros. Ele alivia os órfãos e as viúvas e destruirá o caminho dos perversos. Jehovah reinará para sempre; teu Deus, ó Sião, de geração em geração. Aleluia.

6. O que fez o céu e a terra. Com todos esses epítetos, o salmista confirma a verdade declarada anteriormente. Pois, embora à primeira vista pareça inapropriado falar sobre a criação, o poder de Deus mantém mui pertinentemente sua ajuda para conosco, sempre que o perigo nos ronda. Sabemos quão facilmente Satanás nos tenta à desconfiança, e somos lançados em um estado de agitação pelas causas mais banais. Ora, se meditarmos que Deus é o Criador dos céus e da terra, Lhe daremos conscientemente a honra de ter em suas mãos e poder o governo do mundo que Ele criou. Há nesta primeira atribuição um enaltecimento do poder de Deus, o poder que destrói todos os nossos temores. Como não basta sabermos que Deus é capaz ajudar-nos e como necessitamos de uma promessa no sentido de que Ele está disposto a ajudar-nos (e o fará), Davi declara, em seguida, *que ele é fiel e verdadeiro,* para que, ao descobrirmos a disposição de Deus, não fiquemos em hesitação.

7. Fazendo justiça aos oprimidos injustamente. O salmista exemplifica outras manifestações do poder e da bondade de Deus, que são as razões pelas quais devemos esperar nEle. Todas essas manifestações sustentam a tese de que o auxílio divino será pronto e imediato àqueles que vivem em circunstâncias desanimadoras e de que, em harmonia com isso, nossas infelicidades não serão obstáculos ao socorro divino. Aliás, sustentam a tese de que a natureza de

---

3 Em nossa Bíblia inglesa, temos "abres os olhos aos cegos". À luz desta cláusula, alguns dos antigos estudiosos concluíram que a intenção de todos os atributos aqui enumerados é que sejam aplicados a Cristo. O bispo Horne, entre outros doutores modernos, nutre essa mesma opinião. Mas, embora tudo o que seja dito possa, na mais estrita verdade, ser atribuído a Cristo, a conveniência de restringir a Cristo a interpretação do Salmo, com base nesse motivo especificado, pode ser colocada em dúvida. Walford traduz assim esta cláusula: "Jehovah liberta aqueles que jazem em trevas". "Não há palavras", diz ele, "no hebraico que corresponda a 'olhos' na Bíblia inglesa. E está mais em concordância com o paralelismo do versículo entender esta cláusula em referência às pessoas que enfrentam angústia e adversidade, expressas como que estando em trevas".

Deus é tal, que Ele está disposto a assistir a todos em proporção de sua necessidade. Primeiramente, o salmista diz que Deus *faz justiça aos oprimidos*, para lembrar-nos que, embora Deus tolere, no juízo dos sentidos, as injúrias movidas contra nós, Ele não negligenciará o dever que Lhe cumpre de forçar os perversos a prestarem conta de sua violência. Em suma, como Deus quer que a paciência de seu povo seja provada, Ele convoca expressamente os aflitos a não desfalecerem em suas tribulações, mas, com espírito sereno, esperarem pelo livramento dAquele que é demorado em intervir, mas se manifesta como o justo Juiz do mundo.

Em seguida, lemos que *Ele dá pão aos famintos*. Desse fato, aprendemos que Deus nem sempre é tão indulgente aos seus, a ponto de aliviar com abundância o fardo deles, mas ocasionalmente subtrai a sua bênção, para socorrê-los quando reduzidos à fome. Houvesse o salmista dito que Deus alimentava o seu povo com abundância, e algum dentre eles estivesse enfrentando carência ou fome, tal pessoa não cairia imediatamente em desespero? A bondade de Deus, portanto, se estende propriamente além do alimento dado ao faminto. O que o salmista acrescenta tem o mesmo propósito – *ele livra os encarcerados e ilumina os cegos*. Como o destino do povo de Deus é ser afligido pela ansiedade, ou oprimido pela tirania humana, ou reduzido a extremos e, de maneira equivalente, ser encarcerado nas piores masmorras, era necessário anunciar, à guisa de conforto, que Deus pode facilmente achar um meio de escape para nós, quando permite tais aflições. *Iluminar o cego* é o mesmo que proporcionar luz em meio às trevas. Quando, em algum momento, não sabemos o que fazer – em perplexidade, confusos e desalentados, como se trevas de morte houvessem caído sobre nós – aprendamos a atribuir a Deus esse título, para que Ele dissipe o desânimo e abra-nos os olhos.

Assim, quando lemos que *ele levanta o abatido,* somos ensinados a animar-nos, embora exaustos e gemendo sob qualquer fardo. Isso também não significa apenas que Deus quer que seus louvores sejam celebrados. De certo modo, Ele estende sua mão ao cego, aos cativos e aos aflitos, para que lancem sobre Ele as suas tristezas e preocupações. Há uma razão por que o salmista repete três vezes o nome *Jehovah*. Deste modo, o salmista estimula e incentiva a buscarem a Deus os homens que freqüentemente se impacientam e definham em suas misérias e não recorrem a este asilo[4] seguro. O que ele adiciona no final do versículo – *Jehovah ama os justos* – pareceria uma qualificação do que já foi dito antes. Evidentemente, há muitos que, embora sejam dolorosamente afligidos, lamentem com ansiedade e permaneçam em trevas, não experimentam nenhum conforto da parte de Deus. Isso acontece porque em tais circunstâncias eles provocam a Deus ainda mais por meio de sua obstinação. E, por deixarem de buscar a misericórdia divina, colhem a justa recompensa de sua ingratidão. Por isso, o salmista restringe apropriadamente aos justos o que dissera em termos gerais a respeito do auxílio de Deus aos aflitos – os que desejam experimentar o livramento de Deus podem dirigir-se a Ele no sincero exercício da piedade.

9. Jehovah que guarda os estrangeiros. Por *estrangeiros*, *órfãos* e *viúvas*, o salmista tem em mente todos aqueles que, em geral, estão destituídos do auxílio humano. Enquanto todos mostram favor para com os que lhes são conhecidos e próximos, sabemos que os estrangeiros são, em sua maioria, expostos a tratamento injurioso. Comparativamente, achamos poucos que se oferecem a proteger e auxiliar as viúvas e os órfãos; parece perda de tempo, onde não há uma compensação satisfatória. Nesses casos, o salmista mostra que, não importando o agravo que soframos, a razão pode estar simplesmente em nós mesmos, se Deus, que tão bondosamente convida a se chegarem a Ele todos os que enfrentam estresse, não estender sua mão em nosso socorro. Em contrapartida, o salmista declara que haverá um resultado adverso e infeliz para aqueles que desprezarem perversamente a Deus. Já dissemos nos comentários de Salmos 1 que, a palavra

---

4 "Qui sape frenum rodendo, malunt putrescere in suis miseriis, quam ad certum hoc asylum se conferre" – *lat.*

caminho focaliza o curso da vida em geral. *Deus destruirá o caminho dos perversos,* porque amaldiçoará todos os conselhos, os atos, as tentativas e os empreendimentos deles, para que nenhum deles tenha bom êxito. Por mais excelentes que sejam os planos dos ímpios, embora sejam astuciosos e perspicazes e abundem em todos os tipos de recursos, Deus frustrará todas as expectativas deles. Ele estende sua mão aos que constituem o seu povo e os conduz através de todos os obstáculos e caminhos intransitáveis, mas, por outro lado, destrói a vereda dos perversos quando esta se mostra aparentemente bem aberta e clara diante deles.

10. Jehovah reinará. O salmista dirige o seu discurso à Igreja, a fim de convencer, mais eficazmente, todo o povo de Deus quanto ao fato de que Ele é exatamente aquilo que acabara de descrever. Quando o salmista diz que Deus é rei para sempre, devemos ter em mente, ao mesmo tempo, o propósito pelo qual Ele reina – tomando nossa definição das descrições precedentes. Concluímos que, ou vivos, ou mortos, estaremos seguros sob a guarda de um rei que reina para a nossa salvação. Se o salmista houvesse dito apenas que Jehovah reinava para sempre, estaríamos prontos a objetar a distância entre nós e a grandeza inconcebível de Deus. Por isso, ele declara, em termos claros, que Deus se acha obrigado, por aliança sagrada, a seu povo eleito.

Salmos 147

Este Salmo também impele o povo de Deus a louvá-Lo por dois motivos: primeiro, a exibição de seu poder, bondade, sabedoria e outras perfeições no governo comum do mundo e nas várias partes dele: os céus e a terra; segundo, mais particularmente, a bondade especial de Deus em nutrir e defender a Igreja que Ele escolheu por sua graça gratuita, em restaurá-la, quando fracassada, e em congregá-la, quando dispersa.[1]

[vv. 1-6]
Louvai a Deus, porque é bom entoar louvores ao nosso Deus, porque é agradável e fica bem louvá-lo. Jehovah, edificando Jerusalém, congregará os dispersos de Israel; curando os de coração contrito e restringindo suas tristezas; contando a multidão das estrelas, dando nomes a cada uma delas. Grande é o nosso Senhor e rico em poder; não há nenhuma figura para sua compreensão. Jehovah ergue o miserável e lança em terra os perversos.

1. Louvai a Deus. Embora os benefícios que o salmista menciona sejam de tal natureza que Deus os estende a todos os homens indiscriminadamente, é evidente que ele se dirige, mais especificamen-

---

[1] No texto hebraico e nas versões Caldaica e Vulgata, este Salmo não tem um título, mas na Septuaginta ele remonta aos dias de Ageu e Sofonias, sendo o título Αλληλουια Άγγαιου και Ζαχαριου; e isso pode ser considerado uma referência provável. Nos versículos 2 e 13, parece haver uma alusão à reconstrução de Jerusalém. O bispo Harsley o intitula "*Ação de Graças pelo Regresso dos Cativos*. Talvez escrito para a Festa do Pentecostes ou das Trombetas, depois da Restauração". "Eben Ezra, entre outros escritores hebreus, pensa que ele prediz a futura reconstrução de Jerusalém e a restauração dos judeus de seu cativeiro e se reporta aos tempos do Messias" – *Dr. Gill.*

te, ao povo de Deus, o único que contempla as suas obras de maneira iluminada, enquanto a estupidez e a cegueira da mente privam os outros de entendê-las. O tema não é os benefícios comuns de Deus; a principal coisa que ele celebra é a misericórdia de Deus, manifestada a seu povo eleito. Para que a Igreja celebre os louvores de Deus com mais alegremente, ele declara que esse tipo de exercício é bom, prazeroso e agradável; e com isso ele censura, pelo qual indiretamente um pecado que, dentre todos, é o mais universal, a saber, enfadar-se só com a simples menção de Deus e reputar nosso maior prazer o esquecer-nos de Deus e de nós mesmos, para que demos vazão ao prazer irrestrito. Para ensinar os homens a sentir deleite nesse exercício religioso, o salmista lhes recorda que o louvor *é agradável* e *fica bem;* pois o termo נאוה (*navah*) pode ser traduzido de ambas as formas.

2. Jehovah, edificando Jerusalém. Ele começa com a misericórdia especial de Deus para com sua Igreja e povo, ao escolher e adotar uma nação dentre todas as demais e selecionar um lugar fixo onde seu nome fosse invocado. Quando Deus é chamado o edificador de Jerusalém, a alusão não é à forma e à estrutura externas, e sim ao culto espiritual de Deus. Ao falar sobre a Igreja, é uma figura comum referir-se a ela como um edifício ou templo. O significado é que a Igreja não havia sido edificada por homens, e sim formada pelo poder sobrenatural de Deus; pois não foi com base na dignidade do lugar, em si mesmo, que Jerusalém se tornou a única habitação de Deus em nosso mundo. Tampouco ela chegou a esta honra devido a conselho, dedicação, esforço ou poder humano, e sim porque Deus se agradou em consagrá-la a Si mesmo. Ele empregou o labor e a instrumentalidade dos homens na construção de seu santuário ali, mas isso nunca deve ignorar sua graça, o único fator que distinguiu a cidade santa de todas as demais. Ao chamar a Deus de arquiteto e edificador da Igreja, o objetivo do salmista é conscientizar-nos de que, pelo poder de Deus, ela permanece em condição firme ou é restaurada, quando em ruínas. Disso ele infere que está no poder e arbítrio de Deus congregar os que outrora foram dispersos. Aqui o salmista quer confortar, com a esperança de serem restaurados de sua dispersão, os infelizes exilados que, em outro tempo, tinham sido espalhados por todos os quadrantes; pois Deus os havia adotado em um só corpo visando a um propósito definido. Como Ele determinara que seu templo e altar fossem erigidos em Jerusalém e fixara ali seu trono, o salmista encoraja os judeus exilados de seu país natal a nutrirem boa esperança de regresso, fazendo-os saber que erguer a sua Igreja, quando arruinada e abatida, era uma obra tão peculiar de Deus como a de fundá-la no princípio. Portanto, o objetivo do salmista não era celebrar diretamente a misericórdia espontânea de Deus na instituição inicial da Igreja, e sim argumentar, com base em sua origem, que Deus não permitiria sua Igreja fracassasse totalmente, visto que a estabelecera com o desígnio de preservá-la para sempre; pois Ele não esquece a obra de suas próprias mãos. Este conforto deve ser apropriado por nós mesmos no presente, quando vemos a Igreja tão miseravelmente lacerada de todos os lados, levando-nos a esperar que todos os eleitos que foram adicionados ao corpo de Cristo serão congregados na unidade da fé, embora no momento ela esteja dispersa como membros rasgados uns dos outros e que o corpo mutilado da Igreja, diariamente perturbado, será restaurado à sua inteireza; pois Deus não permitirá que sua obra fracasse.

No versículo seguinte, o salmista insiste na mesma verdade, e a figura de linguagem sugere que, embora a Igreja labute e seja oprimida por muitas enfermidades, Deus a sarará, depressa e facilmente, de todas as suas feridas. A mesma verdade é evidentemente comunicada sob uma forma distinta de expressão: a Igreja, ainda que nem sempre exista em condição próspera, está sempre segura e protegida, e Deus a curará miraculosamente, como se ela fosse um corpo enfermo.

4. Contando a multidão. Como o ajuntamento do povo sobre o qual o salmista falou parecia uma impossibilidade, surge algum fundamento para a opinião dos que crêem que ele confirma esse ajuntamento neste versículo. A conexão que atribuem às palavras do salmista é esta: como, no mínimo, não é mais difícil reunir homens que se acham proscritos e dispersos do que contar as estrelas, não havia razão por que os israelitas exilados e peregrinos deviam perder a esperança de seu regresso, contanto que recorressem, em unanimidade, a Deus como sua única cabeça. Há também alguma plausibilidade na conjetura de que o salmista estaria aludindo a esta promessa: "Olha para os céus e conta as estrelas, se é que o podes. E lhe disse: Será assim a tua posteridade" [Gn 15.5]. Mas, como o salmista logo em seguida fala sobre a ordem das coisas na natureza, a tradução mais simples, creio eu, é entender este versículo com uma referência à admirável obra de Deus vista nos céus, onde contemplamos a sua sabedoria ímpar, ao regular, sem qualquer grau de variação, os multiformes, complexos e sinuosos percursos das estrelas. Para ensinar sobre essas obras, o salmista assinala a função fixa e distinta delas; e, em toda a multidão delas, não há confusão. Por isso, ele exclama: *Grande é Deus e ilimitado tanto em poder como em entendimento*. Disso aprendemos que não pode haver maior estultícia do que o fazermos de nosso juízo o instrumento para medir as obras de Deus, que manifesta nelas, como sempre o faz, seu incompreensível poder e sabedoria.

6. Jehovah ergue o miserável. Atribuir isso a Deus tende a confirmar nossa esperança em aflição e impede nossas almas de desfalecer ante o sofrimento. Disso podemos inferir que, embora nossos pais que viveram sob a Lei tenham sido tratados com mais brandura, eles sabiam algo daquela guerra com a qual Deus nos exercita diariamente, a fim de levar-nos a buscar nosso verdadeiro descanso em outro lugar além deste mundo. Se uma dúvida penetra sorrateiramente a mente dos que têm passado por aflições intensas, uma dúvida quanto à vinda daquele auxílio que Deus prometeu, que esta verdade irrompa em nossa lembrança: somos prostrados para que Deus nos levante novamente. E se, ao contemplarmos a prosperidade dos perversos, somos atingidos e inflamados pela inveja, estas palavras do salmista devem vir à nossa mente: eles são elevados para serem lançados na destruição. Ao falar que são *lançados em terra*, não pode haver dúvida de que o salmista faz uma censura direta ao orgulho deles, que os faz exaltarem-se até às alturas, como se pertencessem a uma ordem superior de seres.

[vv. 7-11]
Cantai a Jehovah com ação de graças, entoai salmos a nosso Deus com harpa.[2] Que cobre de nuvens os céus, prepara a chuva para a terra, faz a relva germinar sobre os montes.[3] Que dá ao gado o seu alimento, aos filhotes dos corvos que lhe clamam. Não faz caso da força do cavalo, nem se deleita nas pernas do homem. Jehovah se deleita naqueles que o temem, que esperam em sua misericórdia.

7. Cantai a Jehovah com ação de graças. Uma vez mais, ele exorta a que se cante louvores a Deus, sugerindo, ao mesmo tempo, que havia abundância de assuntos, visto que novas demonstrações do poder, bondade e sabedoria de Deus se apresentam aos nossos olhos.

---

2 Aqui, a palavra hebraica é כנור (*kinnor*). Calvino a traduz uniformemente por "harpa", como também os tradutores de nossa Bíblia inglesa. Mas, Calmet, entre outros, presume ser mais provável que corresponda à lira egípcia, grega e romana. A Septuaginta, habitualmente, ou introduziu a forma grega κινυρα (*cinira*) ou a traduziu por κιθαρα (*cítara*), um dos vários nomes pelos quais as principais variedades das liras antigas eram distinguidas. E, onde estas não são as palavras pelas quais כנור (*kinnor*) é traduzida naquela versão, ela é traduzida por outros nomes que os gregos deram a diferentes formas da lira. Disso se torna evidente que os tradutores da versão grega criam que כנור (*kinnor*) denotava a *lira*, embora tenha sido traduzida por palavras diferentes, significando, cada uma delas, uma variedade particular daquele instrumento. Ele se mostraram incertos quanto ao tipo específico de *lira*. "As breves informações bíblicas estão em plena concordância com esta afirmação, pois não se descreve como era tal instrumento – se grande, pesado e apoiado ao solo, quando tocado –, como sugere à nossa mente a palavra 'harpa', ou se era um instrumento leve e portátil, que o artista carregava em sua mão ou em seu braço e podia andar ou dançar, enquanto o tocava. De fato, a Escritura descreve o *kinnor* como sendo usado de tal maneira e em ocasiões sobre as quais sabemos que a lira era usada pelos antigos. De fato, até onde sabemos, eles não tinham nenhuma harpa grande que repousasse ao solo como a nossa. Entretanto, falamos só dos gregos e romanos, pois os egípcios tinham grandes harpas fixas, sobre as quais, em uma nota posterior, teremos ocasião de concluir que também eram conhecidas pelos hebreus, enquanto retemos nossa impressão de que a lira está implícita pelo *kinnor*" – *Illustrated Commentary upon the Bible*. O *kinnor* é um instrumento muito antigo, sendo um daqueles dois inventados por Jubal, antes do dilúvio [Gn 4.21]. Era usado em período de festas ocasionais, como transparece do segundo exemplo em que é mencionado na Escritura, seis séculos após o Dilúvio, a saber, nas palavras de Labão a Jacó, registradas em Gênesis 31.27. Foi também usado pelos profetas em sua música sacra, como aprendemos de sua segunda ocorrência bíblica, referente ao tempo de Samuel [1Sm 10.5]. As notas do *kinnor* podiam ser tristonhas [Is 16.11]; mas eram também alegres [Jó 21.2; 30.31; 1Sm 16.23; Sl 137.2]. Esse instrumento musical era feito de madeira [1Rs 10.12] e, sem dúvida, encontrava-se entre os hebreus em diferentes formas e potência, variando em número de cordas. As liras antigas eram ou tocadas com os dedos ou golpeadas com um *plectrum*, um instrumento que geralmente parecia consistir de um pedaço de marfim, madeira polida ou metal, na forma de uma bobina.

3 "Após esta cláusula, as versões Vulgata, Septuaginta, Etiópica, Arábica e Anglo-Saxônica acrescentam: "E erva para o serviço do homem". Parece que um hemistíquio ou meia linha se perdeu do texto hebraico, o qual, segundo a versão citada, teria ficado como em Salmos 104.14" – Dr. Adam Clarke.

Primeiro, o salmista nos informa que Deus *cobre de nuvens os céus*. E essa mudança deveria atrair a nossa atenção, se não fôssemos culpados de tanta indiferença. As maravilhas a serem contempladas nos céus, acima de nós, são variadas. E tivéssemos sempre a mesma serenidade, não perceberíamos uma exibição tão maravilhosa do poder de Deus como aquele que obtemos quando, subitamente, Ele fecha os céus com nuvens, ocultando a luz do sol e dando uma nova face ao céu, como se estivéssemos em outro mundo. Em seguida, o salmista insinua que desta maneira Deus faz provisão a todas as criaturas viventes, pois assim as ervas germinam e a terra é suprida com a umidade que a torna fértil. Assim, em conexão com as provas de seu poder, Deus põe diante de nossos olhos aquela provas de sua misericórdia e cuidado paterno para com a raça humana. Aliás, Deus nos mostra que não ignora nem os animais selvagens, nem o gado doméstico.

Os filósofos descobrem a origem da chuva nos elementos, e não se nega que as nuvens são formadas dos espessos vapores que exalam da terra e dos oceanos, mas as causas secundárias não nos impedem de reconhecer a providência de Deus em prover à terra a umidade necessária para a frutificação. A terra fendida pelo calor mostra a sua sede por abrir a boca, mas Deus lhe envia a chuva, para dessedentá-la. Ele pode, de outras formas mais secretas, dar-lhe força, para preservá-la de falhar, mas esse aguar da terra é algo que passa diante de nossos olhos para que visualizemos o contínuo cuidado que Deus tem por nós.

9. Que dá ao gado o seu alimento. Ao apresentar um exemplo, o salmista explica mais claramente o que havia dito sobre a provisão de alimento que Deus fornece a toda criatura vivente. Ao falar do gado e dos corvos sendo alimentados, e não dos homens, ele visava imprimir mais ênfase a seu argumento. Sabemos que foi por causa do homem que o mundo foi criado e dotado de fertilidade e abundância. E, em proporção, visto que, na escala da existência, estamos próximos a Deus, Ele nos exibe muito mais a sua bondade. Mas, se Ele condescende em observar a criação irracional, é evidente que, no tocante a nós, Ele será um guia e um pai. Pela mesma razão, o salmista menciona *os corvos*, as mais repulsivas de todas as aves, a fim de nos ensinar que a bondade de Deus se estende a todas as partes do mundo. Ao dizer que seus filhotes *clamam a Deus*, sem dúvida o salmista tinha em mente o piado natural; todavia, ao mesmo tempo, ele sugere que esses filhotes sofreriam carência, se Deus não lhes desse carne. No tocante à fábula judaica de que os corvos abandonam seus filhos assim que estes nascem e que vermes se multiplicam nas cascas das árvores para alimentá-los, isso é uma das invenções costumeiras dos judeus. Sem o menor escrúpulo e vergonha, eles inventam coisas assim quando uma dificuldade lhes surge no caminho.[4] Basta-nos saber que todo o sistema da natureza é tão regulado por Deus, que nem mesmo aos filhotes dos corvos falta alimento, quando, com gritos intensos, confessam que sofrem necessidade e não podem tê-la suprida exceto por intermédio da ação divina.

10. Não faz caso da força do cavalo. Depois de haver demonstrado que há prova da bondade divina em cada parte do mundo, o salmista observa, em particular, que os homens não possuem força, senão aquela que lhes é dada do alto; e acrescenta isso com o propósito de refrear o orgulho pelo qual quase todos os homens se deixam inflamar e são conduzidos à confiança em sua própria força. O significado da passagem é este: venha o homem em sua própria força e com todas as assistências que lhe pareçam preponderantes, e isso resultará apenas em fumaça e vaidade. Aliás, ao arrogar a si até as coisas mínimas, isso só resultará em obstáculo no acesso à misericórdia de Deus, o único meio pelo qual ficamos de pé. O salmista menciona *a força do cavalo* à guisa de sinédoque, para denotar qualquer tipo de proteção. Não que Deus se desagrada com as coisas que, consideradas em si mesmas, Ele nos dá como auxílios; contudo, é necessário que sejamos afastados de uma falsa confiança nelas, pois, com muita

---

4 "Car quant a la fable que les Juifs racontent, que les corbeaux laissent leur petits si tost qu'ils sont esclos" – *fr.*

freqüência, quando algum recurso se acha à mão, somos intoxicados insensatamente e dominados pelo orgulho. Portanto, o salmista opõe o temor de Deus à força, seja dos homens, seja dos cavalos, e deposita sua esperança na misericórdia divina, dando a entender que temos a obrigação de demonstrar moderação no culto a Deus, com reverência e santidade, bem como dependentes de sua graça.

[vv. 12-14]
Celebra a Jehovah, ó Jerusalém; louva o teu Deus, ó Sião, pois ele reforça as trancas de teus portões. Ele abençoa os teus filhos no meio de ti. Que faz a paz em tuas fronteiras e te satisfaz com a fartura de trigo.

12. Celebra a Jehovah, ó Jerusalém. Havendo falado em termos gerais das misericórdias de Deus, o salmista dirige novamente seu discurso ao povo do Senhor, o único que, como já observamos, pode apreciá-las, convocando-o a reconhecer, com ação de graças, as bênçãos que outros esbanjam sem gratidão. Sob o título *Jerusalém*, ele compreende toda a Igreja, pois naquele lugar os fiéis mantinham, naquela época, suas assembléias religiosas e afluíam juntos, por assim dizer, ao estandarte do Senhor. Ainda que ele aproveite a ocasião para falar novamente a respeito do governo geral de Deus sobre o mundo, aqui ele comemora a bondade de Deus manifestada ao seu próprio povo, protegendo sua própria Igreja, nutrindo-a de modo liberal, enriquecendo-a de modo abundante, com toda sorte de bênçãos, e preservando-a em paz e protegida de todo dano. Ao dizer que *as trancas dos portões são reforçadas por Deus*, a intenção do salmista era afirmar que a cidade santa era guardada perfeitamente por Ele de todo temor de ataque hostil. A expressão que ocorre em seguida tem esse teor – *faz a paz em tuas fronteiras*. Os inimigos estavam sob a restrição divina, para que não fossem a causa de distúrbios e confusões. Não estamos afirmando que a Igreja existe sempre em estado de paz, em toda a sua extensão, e isenta de ataques. Estamos dizendo que Deus estende, de maneira visível, sua mão para repelir esses ataques e, assim, a igreja possa visualizar, com segurança, todo o aparato de seus inimigos. De fato, é possível apresentar um significado mais extenso ao termo *paz*, que às vezes é tomado no sentido de condição feliz e próspera. Mas, como se faz menção de *fronteiras*, o primeiro sentido parece mais apropriado. Menciona-se em seguida a bênção de Deus desfrutada no interior da cidade, assim: os cidadãos habitam prósperos e ditosos ali e são alimentados profusamente, até à satisfação; isso não significa que os filhos de Deus estão sempre submersos em abundância. Isso poderia ser um meio de corrompê-los, visto que somos propensos à devassidão; porém sugere que eles reconhecem a liberalidade de Deus em seu alimento diário, mais claramente do que outros que não têm fé, os quais ou são cegados pela abundância, ou oprimidos pela pobreza com deplorável ansiedade, ou inflamados pela cobiça com um desejo tão intenso, que nunca se satisfazem. Na época da lei, o favor paternal de Deus foi demonstrado mais particularmente a nossos pais por meio da abundância de provisão temporal, sendo necessário guiá-los em direção a algo mais elevado mediante aquilo que era elementar.

[vv. 15-20]
Enquanto ele envia a sua palavra à terra, a sua palavra corre velozmente. Que dá a neve como lã,[5] e espalha a geada como cinzas. Ele lança o seu gelo em fragmentos; diante do seu frio,[6] quem pode resistir?[7] Ele enviará sua

---

5 Aprendemos de Chardin, em uma nota manuscrita sobre esta passagem, citada por Harmer, em sua obra *Observations*, que, viajando rumo ao Mar Negro, passando pela Ibéria e a Armênia, e, portanto, conforme ele imagina, também em outros países, "a neve cai em flocos tão grandes como nozes, mas não são duros nem muito compactos, e nenhum outro dano causam, além de cobrir e prejudicar o viajante". O escritor inspirado provavelmente vira flocos de igual tamanho sobre os montes da Judéia; e isso lhe teria sugerido à mente a figura notavelmente apropriada: "Ele dá sua neve como lã".

6 Walford traduz: "Ele derruba seu gelo como granizo". "A expressão, 'em fragmentos," diz ele, "é uma versão literal do hebraico, mas dá uma representação tão imperfeita e obscura do significado, que induz a substituição que aqui se encontra. Não pode haver dúvida de que o que está em foco é o granizo; nisto os críticos são unânimes. É mais provável que o termo hebraico traduzido por "fragmentos" signifique pequenos pedaços de alguma substância, que não podemos agora determinar".

7 O frio é, às vezes, extremamente severo e mortal na Palestina e nos países adjacentes. Fulchirius Carnotensis, citado por Mr. Harmer, 'viu o frio ser mortal para muitos. Jacobus de Vitriaco nos informa que a mesma coisa sucedeu a muitos dentre os mais pobres, engajados numa expedição

espada e os derreterá; o seu fôlego soprará, as águas fluirão. Ele anuncia a Jacó as suas palavras, os seus decretos e os seus juízos. Ele não tem feito assim a toda nação e não tem exibido os seus juízos. Aleluia.

15. Enquanto ele envia a sua palavra à terra. Uma vez mais, o salmista cita alguns exemplos da atividade de Deus, vista em toda o sistema da natureza. E, como as mudanças que ocorrem na atmosfera e na terra (que deveriam ser consideradas evidências de seu poder) talvez sejam consideradas pelo mundo como efeito do acaso, o salmista, antes de continuar falando sobre a neve, a geada e o gelo, declara expressamente que a terra é governada pelo poder e controle de Deus. O *envio de sua palavra* nada mais é que a influência secreta pela qual Deus regula e governa todas as coisas, pois sem as suas ordens e sua designação nenhum movimento poderia ocorrer entre os elementos; tampouco estes poderiam ser inclinados, ora de um modo, ora de outro, a seus impulsos espontâneos sem a antecipação da ordem secreta de Deus. Ele diz: *a sua palavra corre velozmente,* porque, havendo Deus determinado a sua vontade, todas as coisas concorrem para realizá-la. Se não permanecermos firmes por meio deste princípio, embora investiguemos cautelosamente as causas secundárias, toda a nossa perspicácia redundará em nada. Foi assim que Aristóteles, por exemplo, demonstrou tal engenhosidade em falar sobre os meteoros, que discutiu suas causas naturais com muita exatidão, mas omitiu de todos o ponto primordial, no qual a criança mais simples, tendo o mínimo de religião, é superior a ele. Tem pouco discernimento aquela pessoa que, nas súbitas nevadas e geadas, não percebe quão

---

na qual ele mesmo se achava envolvido, contra o Monte Tabor. Tinham sofrido frio severamente nos dias anteriores, mas no dia 24 de dezembro o frio era tão cortante, que muitos dentre os pobres e os animais de carga realmente morreram. Albertus Acquensis nos conta que o mesmo aconteceu a trinta das pessoas que assistiam ao rei Baldwin I, nos distritos montanhosos da Arábia, nas proximidades do Mar Morto, onde tiveram que enfrentar granizo terrível, com gelo, neve e chuva'. Essas citações, como Harmer observa oportunamente, podem remover nosso espanto diante das passagens aqui comentadas, em um hino escrito naqueles climas tão insalubres" – Mant.

rapidamente a Palavra de Deus corre. Se queremos evitar uma filosofia natural sem sentido, devemos começar sempre com este princípio: tudo na natureza depende da vontade de Deus e todo o curso da natureza é apenas o impulso de levar a bom termo suas ordens. Quando as águas se congelam, quando os raios cintilam na atmosfera e o temporal escurece o céu, temos um prova segura de quão eficaz é a Palavra de Deus. Mas, se todas essas maravilhas não produzem efeito sobre a maioria dos homens, pelo menos o frio penetrante que percorre nossos corpos deve forçar-nos a reconhecer o poder de Deus. Quando o ardor do sol nos queima no verão, e no inverno todas as coisas estão confinadas, uma mudança como essa, que pareceria incrível se não estivéssemos acostumados com ela, proclama em voz alta que existe um Ser que reina no céu.

19. Ele anuncia a Jacó as suas palavras. Aqui temos outra afirmação a respeito do que foi mencionado antes. Às obras irracionais de suas mãos, que Ele subordina silenciosamente à sua vontade por leis secretas impressas nelas, Deus fala de maneira diferente pela qual Ele fala aos homens, dotados de entendimento, pois a estes Deus ensina com linguagem articulada, para que O obedeçam de modo inteligente, com anuência. Embora as bênçãos mencionadas anteriormente não devam ser depreciadas, elas ficam aquém disto: Ele condescendeu em ser o mestre de seu povo eleito, comunicando-lhe aquela doutrina religiosa que é um tesouro de salvação eterna. Quão pouco útil seria à Igreja ter abundância de alegrias momentâneas, ser protegida de violência hostil e não ter a esperança que se estende além deste mundo. De acordo com isso, esta é a grande prova do amor de Deus: Ele põe diante de nós, em sua Palavra, a luz da vida eterna. Por isso, ela é mencionada aqui, de maneira apropriada, como a coroa da verdadeira e permanente felicidade. E isso nos ensina que não devemos apenas receber a doutrina de Deus com reverente e santa obediência, mas também abraçá-la com afeição, pois não podemos imaginar nada mais deleitável e desejável do que o fato de que Ele realizou a nossa salvação e testemunha esse fato estendendo a sua mão para nos atrair a

Si. Este é o desígnio para o qual a doutrina nos foi dada: em meio às densas trevas deste mundo e os erros pelos quais Satanás desorienta os filhos dos homens, o grande Pai de todos nós, por meio de sua Palavra, lança luz em nossa vereda, antes de congregar-nos para aquela herança celestial. É imprescindível observar que aquela parte sustentada por Moisés e pelos Profetas, em concordância com o desígnio divino, é aqui atribuída a Deus mesmo, pois só depositamos a devida honra na doutrina da religião e a estimamos em sua própria dignidade, quando nos erguemos à consideração de Deus que, ao usar a instrumentalidade dos homens, reivindica ser considerado nosso chefe e único mestre. Assim, a majestade é atribuída à Palavra com base na pessoa de seu Autor. Além disso, o salmista realça a misericórdia demonstrada por estabelecer uma comparação, dizendo: *Não fez assim a nenhuma outra nação*. Se perguntássemos por que Deus preferiu um povo a outros, essa preeminência certamente nos conduzirá à eleição gratuita como a sua fonte, pois descobrirmos que os filhos de Israel não diferiam dos demais em qualquer excelência que lhes fosse peculiar, mas Deus colocou de lado os demais povos e condescendeu em adotá-los ao seu favor.

Salmos 148

Para expressar de modo mais eficaz quão digno é Deus de ser louvado em suas obras, o salmista convoca todas as criaturas do céu e da terra a entoar os seus louvores. Ele começa com os anjos e, imediatamente, se dirige à criação irracional e aos elementos inanimados, dano a entender que não há parte no mundo em que os louvores de Deus não devam ser ouvidos, porque em todo lugar Ele dá provas de seu poder, bondade e sabedoria. Em seguida, o salmista fala sobre os homens, a quem Deus constituiu arautos de seus louvores neste mundo. No entanto, como os homens incrédulos são cegos à consideração das obras de Deus e insensíveis aos louvores dEle, o salmista, na conclusão, apela aos filhos de Israel como testemunhas primordiais, privilegiados com a revelação especial de Deus.[1]

Aleluia
[vv. 1-6]
Louvai a Jehovah desde os céus, louvai-o nas alturas. Louvai-o, todos os seus anjos; louvai-o todos os seus exércitos. Louvai-o, sol e lua; louvai-o, estrelas luzentes. Louvai-o, céus dos céus, e vós, águas, acima dos céus. Louvem o nome de Jehovah, pois ele ordenou, e foram criados. E os estabeleceu para todo o sempre, e lhes fixou um decreto para todo o sempre, que não desaparecerá.

1. Louvai a Jehovah desde os céus. Aqui, o salmista parece incluir

---

1 Milton, em sua obra *Paraíso Perdido* (Livro V, Linha 53, ss.) imitou elegantemente este Salmo e o pôs na boca de Adão e Eva como seu hino matutino, ainda no estado de inocência.

as estrelas e os anjos e, portanto, o próprio céu, a atmosfera e tudo que pertence ao céu. Em seguida, ele faz uma divisão quando convoca inicialmente os anjos, depois, as estrelas e as águas do firmamento. Com respeito aos anjos, criados para a finalidade de serem imediatos neste serviço religioso, não precisamos nos maravilhar de que sejam colocados em primeiro lugar, quando o salmista se reporta aos louvores de Deus. De acordo com isso, naquela notável visão descrita por Isaías, os querubins clamavam: "Santo, Santo, Santo é o Senhor dos Exércitos" [Is 6.3]. Em várias outras passagens das Escrituras, os anjos são representados como a louvar a Deus por essas qualidades. Um zelo como o deles necessita de exortações? Ou, se precisavam de exortações, o que pode ser mais impróprio do que nós, tão indolentes no serviço, cumprirmos a função de exortá-los ao seu dever? Davi, que não se igualava aos anjos em seu zelo, mas seguia atrás deles, não era qualificado a ser um exortador dos anjos. Mas isso não estava em seu propósito; ele queria apenas testificar que o auge de sua felicidade e desejo era unir-se, num concerto santo, aos anjos eleitos em louvar a Deus. E não há nada irracional no fato de que, para estimular-se a louvar a Deus, invocou a companhia dos anjos, embora estes se envolvam espontaneamente no serviço e estejam mais capacitados a liderar o louvor. Ele os chama, na segunda parte do versículo, de *exércitos de Deus*, pois estavam sempre prontos a receber ordens dEle. Como disse Daniel: "Milhares de milhares o serviam" [Dn 7.10]. O mesmo título se aplica também às estrelas, talvez porque elas são notáveis pela ordem que mantêm entre si ou porque executam com inconcebível rapidez as ordens de Deus. Todavia, os anjos são aqui chamados de exércitos pelo mesma razão por que em outros lugares são chamados de principados e poderes, visto que Deus exerce seu poder por meio deles.

3. Louvai-o, sol e lua. Esta passagem não sustenta o sonho de Platão, de que as estrelas são superiores em senso e inteligência. Tampouco o salmista lhes dá o mesmo lugar que acabara de assinalar aos anjos. Apenas sugere que a glória de Deus é contemplada em toda parte, como se o sol e a lua entoassem os louvores de Deus com voz audível. Aqui, o salmista reprova indiretamente a ingratidão do homem, pois todos que ouvem esta sinfonia devem atentar imediatamente às obras de Deus. O sol, por meio de sua luz e calor, bem como outros efeitos maravilhosos, não louva o seu Criador? As estrelas, quando percorrem o seu curso e adornam os céus, provendo luz à terra, não ecoam os louvores de Deus? Mas, visto que somos surdos e insensíveis, o salmista convoca os astros como testemunhas, para reprovar nossa indolência. Ao usar a *céus dos céus,* ele quis dizer as esferas. Os eclipses e outros fenômenos de nossa observação revelam claramente que as estrelas fixas se acham acima dos planetas e que os próprios planetas estão situados em órbitas diferentes.[2] O salmista enaltece a excelência desse esquema, falando expressamente dos céus dos céus, não como se houvesse mais do que um céu, e sim para enaltecer a sabedoria inigualável que Deus tem demonstrado em criar os céus, pois o sol, a lua e as estrelas não subsistem confusamente; cada uma delas tem a sua própria posição e atividade que lhe foram prescritas, e seus cursos múltiplos são todos bem regulados.

Visto que sob a designação *os céus* ele inclui a atmosfera ou, pelo menos, todo o espaço na região intermediária da atmosfera acima, ele chama as chuvas de *as águas acima dos céus.* Não há fundamento para a conjetura elaborada por alguns de que há águas depositadas acima dos quatro elementos. E, quando o salmista fala sobre essas águas acima dos céus, é evidente que está pensando na descida da chuva. Imaginar que existe um oceano suspenso nos céus, no qual as águas são permanentemente depositadas, equivale a apegar-se estritamente demais à letra das palavras empregadas. Sabemos que Moisés e os Profetas falam ordinariamente num estilo popular, adaptado à apreensão inferior. Seria absurdo tentar reduzir o que dizem às normas da filosofia; como, por exemplo, nesta passagem, o salmista nota o maravilhoso fato de que Deus mantém as águas suspensas na atmosfera,

---

[2] "Que les estolilles sont plus haut que les planetes, et qu'icelles planetes sont situees em divers cercles ou spheres" – *fr.*

porque parece contrário à natureza que estejam acima das montanhas e que, embora sejam fluidos, pendam no espaço vazio. De acordo com isso, lemos em outra passagem que são mantidas ali como que encerradas em reservatórios [Sl 33.7]. O salmista emprestou de Moisés a forma de expressão que diz: "Haja firmamento no meio das águas e separação entre águas e águas" [Gn 1.6].

5. Louvem o nome de Jehovah. Como o salmista fala a respeito de coisas que não possuem inteligência, passa à terceira pessoa; disso inferimos que sua razão para haver até aqui falado na segunda pessoa era criar uma profunda impressão nos homens. E não exige nenhum outro louvor, senão aquele que nos ensina que as estrelas não criaram a si mesmas e que as chuvas não descem do céu por acaso; porque, embora tenhamos constantemente diante dos olhos provas magníficas do poder de Deus, ignoramos de modo vergonhoso e displicente o grande Autor. O salmista diz enfaticamente *ele mesmo os criou,* dando a entender que o mundo não é eterno, como imaginam os homens perversos, nem surgiu mediante um ímpeto de átomos. Ele afirma que essa bela ordem de coisas surgiu repentinamente pelo comando de Deus. E, falando sobre a criação, ele acrescenta o que é ainda mais digno de observação: Deus lhes deu essa lei que permanece inviolável. Pois muitos, enquanto admitem que o mundo foi criado por Deus, passam disso à noção insensata de que agora a ordem da natureza está entregue a si mesma e de que Deus está assentado ociosamente nos céus. O salmista, com muita propriedade, insiste que as obras de Deus, acima de nós nos céus, foram feitas por Ele e que até agora se movem à disposição dEle; e que um poder secreto lhes foi comunicado no princípio, mas, enquanto cumprem seus papéis designados, a sua atividade e ministério, para cumprirem seus vários fins, dependem de Deus.

[vv. 7-10]
Louvai a Jehovah, vós, criaturas da terra,[3] dragões[4] e todos os abismos.

---

3 "Laudate Iehovam e terra." — *lat.* "Louez le Seigneur, vous *creatures* de la terre" — *fr.*
4 "Ou, balenes" — *fr. marg.* "Ou, baleias."

Fogo e saraiva, neve e gelo, ventos procelosos que executam a sua palavra. Montanhas e todas as colinas, árvores frutíferas e todos os cedros. Animais selvagens e todos os gados, répteis e voláteis.

7. Louvai a Jehovah. Em seguida, o salmista desce às partes inferiores do mundo. Embora, ao mesmo tempo, evite a ordem exata, ele mistura aquelas coisas que são produzidas na atmosfera – relâmpagos, neve, gelo e ventos tempestuosos. Esses deviam ter sido colocados na classe anterior, mas ele se refere à apreensão comum dos homens. O escopo de tudo é que, aonde quer que volvamos nossos olhos, nos deparamos com evidências do poder de Deus. Em primeiro lugar, ele fala sobre as *baleias*; pois, ao mencionar logo em seguida os *abismos* ou *profundezas*, não tenho dúvida de que, ao usar a palavra תנינים (*tanninim*), ele tinha em mente os peixes do mar, tais como as baleias. É razoável pensarmos que assuntos pelos quais louvar a Deus deveriam ser extraídos do mar, que contém tantas maravilhas. Em seguida, ele sobre à *saraiva*, *nevascas* e *tempestades*, que, conforme ele disse, *cumprem a Palavra de Deus*; pois não é como resultado do acaso que os céus se cobrem de nuvens, ou que uma única gota de chuva cai das nuvens, ou que os trovões ecoam. Todas essas mudanças dependem da vontade secreta de Deus: se Ele mostrará a sua bondade aos filhos dos homens por regar a terra ou punirá os pecados deles por meio da tempestade, da saraiva ou outras calamidades. A passagem contém instrução de vários tipos, como, por exemplo, a de que, ao pairar a morte, por mais ressequida que esteja a terra devido ao calor insistente, Deus pode enviar imediatamente a chuva que removerá a seca de acordo com o seu prazer. Se, por outro lado, devido às chuvas incessantes, a semente apodrece no solo ou as colheitas não atingem a maturidade, devemos orar por um tempo saudável. Se o trovão nos deixa alarmados, somos ensinados a orar a Deus, pois, sendo Ele que em sua ira envia o trovão, pode igualmente acalmar todos os elementos que se acham em convulsão. E não devemos adotar o ponto de vista mesquinho acerca desta verdade advogado por homens irreligiosos, o ponto de vista de que as coisas, na natureza, se movem tão-somente de conformidade com as leis impressas nelas desde o princípio, enquanto Deus vive em ociosidade. Pelo contrário, devemos sustentar com firmeza que Deus vela por suas criaturas e que nada pode ocorrer sem a disposição dEle, como já vimos, em Salmos 104.4, que Ele faz de seus anjos ventos e de seus "ministros, labaredas de fogo".

> [vv. 11-14]
> Reis da terra e todos os povos, príncipes e todos os juízes da terra. Rapazes e também virgens, idosos juntamente com crianças. Louvem todos o nome de Jehovah, pois somente o seu nome é exaltado, o seu louvor está acima da terra e dos céus. Ele tem exaltado o chifre de seu povo, o louvor de todos os seus mansos, os filhos de Israel, povo que lhe é chegado. Aleluia.

11. Reis da terra. Agora, o salmista dirige seu discurso aos homens, em referência aos quais ele requereu das criaturas uma declaração dos louvores de Deus, as do céu e as da terra. Como os reis e príncipes são obscurecidos pela fascinante influência de sua condição, a ponto de crerem que o mundo foi feito para eles e de desprezarem a Deus devido à soberba de seus corações, o salmista os chama de modo específico a este dever. E, ao mencioná-los em primeiro lugar, ele reprova a sua ingratidão em subtrair seu tributo de louvor, quando se acham sob maior obrigação do que os demais. Visto que todos os homens ocupam certo nível devido à sua condição, quanto mais elevada for a posição que as pessoas ocupem e quanto mais perto de Deus elas estiverem, tanto mais piedosamente são obrigadas a proclamar a bondade dEle. Ainda mais intolerável é a perversidade dos reis e príncipes que reivindicam isenção da regra comum, quando devem, antes, inculcá-la nos demais e conduzi-los ao caminho. O salmista poderia ter dirigido a sua exortação de um modo geral e sumário a todos os homens, como o faz na menção de *povos,* em termos gerais; mas, ao especificar três vezes os *príncipes*, ele pressupõe que são lentos no desempenho de seu dever e necessitam de ser alertados quanto ao mesmo. Então, segue uma divisão segundo a idade e gênero, para mostrar que todos, sem exceção, são criados para este fim e devem, bem unidos, dedicar suas energias a cumpri-lo. No tocante a *idosos*, quanto mais Deus tenha estendido a vida deles, tanto mais devem usá-la para entoar os seus louvores. Mas ele associa com os idosos os *jovens*, pois, embora tenham menos experiência dos hábitos permanentes, serão inescusáveis se não reconhecerem a grande mercê de Deus no vigor de suas vidas. Ao falar de *moças* e *virgens*, a partícula גם (*gam*), *também*, não é meramente expletiva, mas adicionada para tornar as palavras mais enfáticas, comunicando a verdade de que as jovens que não sejam tão liberalmente educadas quanto o sexo masculino, sendo consideradas como nascidas para as funções domésticas, deixarão de cumprir o seu dever, se não se unirem ao resto da igreja no louvor divino. Segue-se que, do menor ao maior, todos são obrigados a esta regra comum.

14. Ele tem exaltado o chifre. Como vimos no Salmo anterior que as perfeições de Deus devem ser vistas mais evidentemente na Igreja do que no mundo em geral, o salmista adicionou esta sentença em referência à Igreja ser protegida pela mão de Deus e armada com poder contra todos os inimigos; e isso lhe assegura proteção de todo perigo. No vocábulo *chifre*, como bem sabemos, está implícita a idéia de força ou dignidade. Por conseguinte, o salmista queria dizer que a bênção divina é evidente em sua Igreja, em meio a seu povo eleito, porque ela só floresce e se torna poderosa por meio da força dEle. Há uma comparação implícita entre a Igreja de Deus e os outros poderes hostis, pois ela necessita da guarda de Deus quando exposta aos ataques de todos os lados. Por isso, o salmista inferiu que *o louvor cabe a todos os mansos de Deus*, pois eles têm motivo para isso na bondade singular da condescendência de Deus, para regozijo e louvor de si mesmo. Ao chamar os filhos de Israel *povo que lhe é chegado*, o salmista lhes recorda a graciosa aliança que Deus fizera com Abraão. Pois, como houve a proximidade, senão pelo fato de que Deus preferiu uma nação desprezada e estranha a todas as demais? Não devemos buscar a causa da distinção em outro lugar, exceto no amor de Deus. Embora o mundo inteiro pertença igualmente a Deus, ele se revelou graciosamente aos filhos de Israel e os achegou a Si, embora estivessem alienados dEle, assim como o é toda a raça de Adão. Por isso, Moisés disse: "Quando o Altíssimo distribuía as heranças às nações, quando separava os filhos dos homens uns dos outros, fixou os limites dos povos, segundo o número dos filhos de Israel" [Dt 32.8]. O salmista deve ser considerado como que realçando a causa por que Deus estendera bênçãos tão sublimes a um único povo, um povo pobre e desprezado — a adoção deles para Si mesmo.

Salmos 149

Se nos for permitido comparar este Salmo com o anterior e o seguinte, que é o último, a única diferença é que, enquanto o autor do Salmo, não importa o seu nome, falou até ao salmo anterior sobre o cuidado e proteção especiais de Deus por sua Igreja, em conexão com o governo comum e providente do mundo. Neste Salmo, ele fala sobre os benefícios divinos feitos exclusivamente à Igreja. O próximo Salmo menciona o poder de Deus em geral.

> Aleluia
> [vv. 1-4]
> Cantai a Jehovah um cântico novo; o seu louvor está na congregação dos misericordiosos. Regozije-se Israel em seu Criador; os filhos de Sião regozijem-se em seu Rei.[1] Louvem o seu nome com a flauta,[2] com o adufe[3] e com

---

1 "O governo judaico era uma *teocracia*, que começou nos dias da partida do Egito e continuou, em algum grau, até o advento de Cristo, como fora predito por Jacó [Gn 49.10]" – *Dimock*.

2 O texto de nossa Bíblia inglesa traz "na dança"; e uma anotação na margem diz "ou com a gaita". מחול (*maschol*), o termo hebraico empregado, é traduzido às vezes por "dança", mas este não é significado. Ele denota, como Parkhurst acrescenta, "algum instrumento musical de sopro com furos, como a flauta ou o pífano; a palavra procede de חל (*chal*), fazer um furo ou uma abertura". "Não conheço nenhum lugar na Bíblia", diz o Dr. Adam Clarke, "onde מחול (*mechol*) e מחלת (*mechalath*) signifiquem dança de qualquer tipo; significam constantemente algum tipo de gaita".

3 O nome hebraico deste instrumento musical é תף (*toph*). O adufe, tambor ou tamboril, era usado principalmente pelas mulheres e era empregado em danças de coros ou em ocasiões de processões religiosas ou festivas. Assim, lemos em Êxodo 15.20-21: "A profetisa Miriã, irmã de Arão, tomou um tamborim, e todas as mulheres saíram atrás dela com tamborins e com danças. E Miriã lhes respondia: Cantai ao Senhor, porque gloriosamente triunfou, e precipitou no mar o cavalo e seu cavaleiro". A princípio, o פף (*toph*), ou pandeiro, era feito de pele estendida num arco ou armação. Havia vários tipos ou formas desse instrumento. "Nosso tamborim comum, com pequenos címbalos inseridos na estrutura, também aparece em algumas pinturas [de antiguidade egípcia e européia] e, agora, é muito comum na Ásia Ocidental. Somos informados que a estrutura

a harpa; cantem-lhe salmos. Porque Jehovah tem se agradado de seu povo; ele glorificará os pobres para a salvação.

1. Cantai a Jehovah um cântico novo. Este imperativo comprova o que acabo de dizer, ou seja, que a exortação ministrada é dirigida exclusivamente ao povo de Deus, pois a bondade singular que lhes foi estendida de modo particular proporciona o mais amplo motivo de louvor. A conjetura provável é que o Salmo foi composto no tempo em que o povo passou a regozijar-se depois que voltou a sua terra natal, ao deixar o cativeiro babilônico. Com base no contexto, veremos que há uma promessa de restauração de sua condição arruinada. O objetivo do salmista, creio eu, é encorajá-los a esperar o pleno e completo livramento, cujo prelúdio foi súbita e inesperadamente dado na permissão de regresso. Como a Igreja não foi restaura imediata e completamente, mas somente com dificuldade e depois de longo período é que ela foi conduzida a um estado de vigor, um conforto como esse era muito necessário. O Espírito de Deus também forneceria um remédio para os males que se manifestariam mais tarde, pois foi com dificuldade que a Igreja passou a respirar, quando foi novamente assaltada por vários males e oprimida pela tirania de Antíoco, que foi seguida por uma terrível dispersão. Portanto, o salmista tinha motivo justo em animar os piedosos a buscarem a plena concretização da misericórdia de Deus, para que fossem persuadidos da proteção divina, até que chegasse o tempo do Messias, para o ajuntamento de todo o Israel.

Ele chama este salmo de *um novo cântico*, como já observamos em outra passagem, a fim de distingui-lo daqueles cânticos com que

---

era de metal ou de madeira e que a pele de jumento era geralmente empregada para a cobertura. Nem sempre eram tocados pela mão desnuda; mas algumas vezes eram golpeados com pequenos bastões ou com um pequeno chicote cheio de nós e com muitas tiras; no lugar deste, nas festas particulares, às vezes se empregava um ramo de alguma árvore ou planta, considerada própria para a ocasião" – *Illustrated Commentary upon the Bible*. O pandeiro é, evidentemente, de origem oriental. À luz de sua referência em Gênesis 31.27, onde תף é traduzida por "tamboril", aprendemos que ele era conhecido no tempo de Jacó, isto é, época anterior à existência das grandes nações européias da antigüidade; e tanto os gregos como os romanos confessavam que seus instrumentos dessa classe se derivaram dos egípcios e sírios. Ver volume 3, p. 32, nota 2.

os santos louvavam a Deus habitual e diariamente, pois o louvor era a prática permanente deles. Por conseguinte, o salmista fala sobre um raro e inusitado benefício, que exige ação de graças extraordinária e pessoal. Estou disposto a crer que, não importando quem tenha sido o autor deste salmo, ele se referiu àquela passagem de Isaías [42.10]: "Cantai ao Senhor um cântico novo", quando falou sobre a futura restauração da Igreja e do reino eterno de Cristo. Na segunda sentença do versículo, há uma promessa implícita; pois, embora continue exortando o povo do Senhor a que entoassem juntos os louvores de Deus, o salmista sugere, em associação com isso, que a Igreja se reúna novamente em um só corpo, de modo a celebrar os louvores de Deus na assembléia solene. Sabemos que os israelitas foram dispersos de tal maneira, que os cânticos sacros cessaram de ser entoados, pois em outro salmo eles se queixam de ser intimados a cantar: "Como entoaremos os cânticos do Senhor em terra estranha?" [Sl 137.4]. Portanto, ele os convida, depois dessa triste dispersão, a prepararem-se novamente para a manutenção de suas assembléias sagradas.

2. Regozije-se Israel em seu Criador. Ele insiste no mesmo ponto: que o povo do Senhor descansasse firmemente, persuadidos de que sua família não fora escolhida em vão dentre o resto do mundo e que Deus lembraria a sua aliança e não permitiria que suas misericórdias estendidas a eles falhassem ou viessem a extinguir-se. Embora vivessem temporariamente privados da herança da terra de Canaã, que era o penhor de sua adoção, o salmista chama a Deus de *seu Criador* e *rei dos filhos de Sião,* para lembrar-lhes que, ao serem adotados a uma preeminência acima das demais nações, isso constituiu uma espécie de nova criação. Assim, em Salmos 95.6, os israelitas são chamados "obra das mãos de Deus", não simplesmente porque eram como os demais homens criados por Ele, mas porque os formou de novo e os distinguiu com uma nova honra — serem separados de toda a raça humana. O título *rei* tem um significado mais amplo, dando a entender que, como esse povo foi formado por Deus, isso aconteceu a visando a que fossem sempre governados pelo poder dEle. Os instrumentos musicais que o salmista menciona eram peculiares a esta infância da Igreja, e não devemos imitar insensatamente uma prática que se destinava somente ao antigo povo de Deus. O salmista confirma o que mencionara antes, a saber, que suas assembléias religiosas que por algum tempo foram interrompidas logo seriam restauradas, e, assim, eles invocariam o nome do Senhor na devida ordem de seu culto.

4. Porque Deus tem se agradado de seu povo. Já falamos em outra passagem sobre o verbo רצה (*ratsah*); aqui ele significa *favor soberano*, e o salmista está dizendo que foi inteiramente com base em seu beneplácito que Deus escolhera para si este povo. Desta fonte flui o que ele acrescenta na segunda sentença, a saber, que Deus daria uma nova glória de livramento aos aflitos. No hebraico, ענוים (*anavim*) significa *pobres* e *aflitos*, mas o termo chegou a ser aplicado às *pessoas misericordiosas*, visto que as aflições físicas têm a tendência de subjugar o orgulho, enquanto a abundância gera crueldade. De acordo com isso, o salmista mitiga a tristeza oriunda dos males presentes, administrando a consolação oportuna de que o povo de Deus, ao ser oprimido por tribulações, deve aguardar com esperança o glorioso livramento que ainda é invisível. A suma da passagem é que Deus, que fixou seu amor em seu povo escolhido, não pode abandoná-los às misérias que enfrentam no momento.

[vv. 5-9]
Os misericordiosos se regozijarão em glória, gritarão de alegria em seus divãs.⁴ Os sublimes louvores de Deus se acham na garganta deles,⁵ e uma espada de dois gumes, na mão deles, para executar vingança sobre as nações, castigos sobre os povos; para prender os seus reis com cadeias, e seus nobres, com grilhões de ferro; para executar contra eles os juízos escritos. Esta honra pertence a todos os misericordiosos. Aleluia.

---

4 O povo oriental, em suas festas e banquetes particulares, sentava-se em divãs, bem como repousava sobre eles durante a noite. Portanto, a linguagem aqui pode ser uma expressão do louvor que atribuiriam a Deus em seus banquetes festivos e em suas reuniões particulares. Uma exortação fora antes (versículo 1) ministrada a respeito do louvor a Deus na assembléia pública. Green presume que a referência é aos divãs nos quais reclinavam, quando participavam dos sacrifícios eucarísticos.

5 "O original é בגרונם (nas gargantas deles). É provável que o hebraico, quando ainda era uma língua viva, fosse extremamente *gutural*, como ainda hoje o é a língua árabe" – *Fry.*

5. Os misericordiosos se regozijarão em glória. Ao mencionar aqui a alegria, o júbilo e os sublimes louvores de Deus, o salmista mostra ainda mais claramente, com base nos efeitos que ela produziria, que não falava sobre um benefício divino comum, pois, se o livramento do povo não tivesse sido de um tipo extraordinário, não haveria ocasião para essa alegria e, muito menos, esse triunfo. E, por meio dessas expressões, ele sugere que o povo não seria trazido de volta do exílio para ser imediatamente disperso outra vez, e sim para florescer no desfrute de todo gênero de bênção. Por isso, ele faz menção de *divãs*, ensinando-lhes a esperar e descansar diariamente na proteção divina. Ele declara que seriam munidos com armas e poder, não somente para precaver-se dos inimigos, mas também para afugentá-los de todos os lados, de modo que fossem reduzidos à sujeição reis e nações que anteriormente haviam governado sobre eles. Por *espadas de dois gumes* estão implícitas espadas que cortavam em ambos os lados, pois naquele tempo as espadas tinham apenas um gume.

7. Para executar vingança. Seja durante o exílio deles, seja depois do regresso, isso pode parecer totalmente inacreditável. Isso não se realizou antes do advento de Cristo, pois embora os Macabeus e sua posteridade reduzissem as nações adjacentes à sujeição, isso foi apenas um pálido prelúdio e penhor para dirigir os pensamentos do povo do Senhor ao que estava próximo. Mas, como Ageu profetizou que a glória do segundo templo seria maior que a do primeiro, aqui há a promessa de um estado mais próspero que jamais existiu [Ag 2.9]. Reduzidos em número como estavam os judeus, e humilde como era o estado das coisas entre eles, o salmista anuncia a todas as nações que se lhes opunham e os atribulavam que eles teriam ascendência. Como eram ainda tributários e habitavam em Jerusalém tão-somente por concessão, foram chamados ao exercício da fé numa promessa que, para o julgamento dos sentidos, poderia parecer visionária, e a elevar seus pensamentos ao infinito poder de Deus, que triunfa sobre todos os obstáculos mundanos. Os israelitas deveriam assumir a vingança mencionada não sob a influência de ressentimento pessoal, mas por causa do mandamento de Deus; e afirmamos isso para que ninguém conclua que tem permissão de tomar vingança por injúrias pessoais.

O versículo seguinte, que menciona *reis* e *nobres*, é uma ampliação, pois se o salmista houvesse falado só de povos e nações, isso poderia restringir-se ao povo comum e aos homens de baixa condição. Aqui está algo muito maior – os reis e outros de nobre condição seriam arrastados à punição com cadeias. Mas é preciso ter em mente, como já sugeri, que apenas uma pequena parte dessa esplêndida esperança se concretizou até ao aparecimento de Cristo; pois qualquer pequeno aumento de prosperidade que o povo desfrutou na época dos Macabeus não era digno de qualquer consideração, exceto que, por esse auxílio divino, tal prosperidade sustentou o espírito esmorecido do povo até ao advento de Cristo. Aqui devemos notar a profecia de Jacó: "O cetro não se arredará de Judá... até que venha Siló" [Gn 49.10]. Os Macabeus, porém, originaram-se de outra tribo. Devemos inferir que a ordem regular foi interrompida; e tentar fazer próspero o estado do povo com base nas vitórias dos Macabeus é construir um castelo no ar. Era como se Deus, intencionalmente, houvesse removido o governo da tribo de Judá para que este sucesso não inebriasse a mente de seu povo, pois a maioria deles, pelo orgulho oriundo dessas vitórias notáveis, ignorava o livramento verdadeiro e substancial. Como o salmista trata aqui da perfeição da prosperidade do povo, segue-se que ele faz referência ao Messias, para que a expectativa e aspiração do povo em relação a Ele jamais cessassem, nem em sua prosperidade, nem em sua adversidade.

9. Para executar o juízo. Ele qualifica o que dissera nos versículos anteriores, nos quais poderia parecer que ele arma o povo de Deus para realizações cruéis de guerra. À primeira vista, talvez pareça estranho que aqueles que foram denominados misericordiosos de Deus fossem enviados com espadas a desferir mortandade e a derramar sangue humano; pois, como isso evidenciaria a misericórdia? Mas, quando Deus mesmo é o autor da vingança deflagrada, ela constitui um juízo justo, E não crueldade. Quando menciona o *juízo escrito*, o salmista lembra aos judeus que eles foram chamados à liberdade por mandamento de Deus (àquela liberdade que lhes fora injustamente extorquida por estrangeiros e tiranos) e que não podiam ser culpados por executarem o juízo escrito. Qualquer outra exposição desta passagem será falha, se não visualizar isto como o desígnio do salmista: ele desejava que os judeus considerassem mandato de Deus não procederem movidos pela influência do ressentimento pessoal e colocarem um freio na paixão; e os filhos de Deus não podem executar vingança, senão quando chamados a ela, pois toda moderação acaba quando os homens se rendem ao impulso de seus próprios espíritos.

É possível surgir aqui outra questão à guisa de objeção. Lemos que Cristo veio sem gritar ou elevar a sua voz, para que não esmagasse a cana quebrada [Mt 12.20], e inculcou em seus seguidores o mesmo caráter. A resposta é óbvia: Cristo também está armado com um cetro de ferro, pelo qual esmaga os rebeldes. E, em outra passagem, Ele é descrito como que salpicado de sangue, ao matar seus inimigos que O cercam de todos os lados e não se cansando de matá-los [Is 63.2]. Tampouco nos causa surpresa o fato de que, levando em conta a obstinação que prevalece em todo o mundo, a misericórdia tratada com tal indignação seja convertida em severidade. Ora, a doutrina estabelecida na passagem admite ser aplicada corretamente a nossa prática, ou seja, aquilo que o salmista diz sobre a espada de dois gumes se aplica especialmente aos judeus, e não a nós, que não temos permissão para usar um poder desse tipo, a não ser que os governantes e magistrados sejam investidos por Deus da espada para punir todo tipo de violência; mas isso é algo peculiar ao ofício deles.[6] Quanto à Igreja como um todo, a espada que hoje está posta em sua mão possui outra natureza, é a espada da Palavra e do Espírito, para que matemos, como sacrifício a Deus, os que antes eram inimigos ou os entreguemos novamente à destruição eterna, se não se arrepende-

---

6 "Qui est ici dit du glaive trainchant des deux cotes, appartient specialement aux Juifs, et ne peut pas estre approprié a nous" – fr.

rem [Ef 6.17]. Pois o que Isaías predisse de Cristo se estende a todos os seus membros – "Ferirá a terra com a vara de sua boca e com o sopro dos seus lábios matará o perverso" [Is 11.4]. Se os crentes se confinarem pacificamente nesses limites de sua vocação, descobrirão que a promessa de vingança contra seus inimigos não foi dada em vão. Pois, quando Deus nos chama, como já afirmei, a executar o juízo escrito, Ele põe restrição a nossos espíritos e ações, a fim de que não atentemos ao que Ele não ordenou.

Ao lermos, no final deste versículo, que *esta honra pertence a todos os misericordiosos de Deus,* o salmista não somente nos exorta à prática da piedade, mas também nos propicia apoio ao nosso encorajamento, a fim de não concluirmos que podemos ser perdedores por exercermos misericórdia e paciência, visto que a maioria dos homens dá vazão à fúria e à ira movidos pela idéia de que a maneira de defenderem a sua vida é exibirem a selvageria dos lobos. Portanto, embora o povo de Deus não possua a força dos gigantes, e não mova sequer um dedo sem a permissão divina e possua tranqüilidade de espírito, o salmista declara que eles possuem um honroso e esplêndido resultado de todas as suas tribulações.

Salmos 150

O argumento deste Salmo é o mesmo do anterior.

Aleluia
[vv. 1-6]
Louvai a Deus em seu santuário; louvai-o no firmamento de seu poder. Louvai-o em sua força; louvai-o pela plenitude de sua grandeza. Louvai-o ao som da trombeta;[1] louvai-o com saltério e harpa. Louvai-o com adufes

---

1 "É provável que as trombetas do último templo fossem formadas segundo o modelo antigo; e, como estas são representadas entre os espólios daquele templo no Arco do Triunfo de Tito, em Roma, podemos ver que eram trombetas retas e longas, de uma forma comum, como sempre foi e continua sendo... Trombetas e chifres são os únicos instrumentos a respeito dos quais a lei ministrava diretrizes. 'Na infância de um estado', diz Burney, 'uma nação possui pouco tempo disponível para cultivar qualquer música além daquela que se conecta aos ritos religiosos e à arte militar'; assim, ele explica o fato de que (com a exceção do tamborim de Miriã) nenhum instrumento, além de chifres e trombetas, se observa na lei. E, deveras, pode-se dizer que raramente estes são mencionados como instrumentos musicais, e sim como meios convenientes empregados para fazer sinais, convocar e comunicar instruções durante as solenidades religiosas e no campo de batalha... É evidente que as trombetas e cornetas foram introduzidas nos corais de música no tempo de Davi, enquanto continuavam a ser utilizados em seu serviço primitivo. As informações seguintes a respeito do uso de trombetas no templo serão úteis e foram compiladas principalmente da obra *O Culto no Templo*, escrita por Lightfoot. As trombetas eram ressoadas exclusivamente pelos sacerdotes que permaneciam no coral de levitas, mas à parte, no lado contrário ao dos levitas, no outro lado do altar, ambos os grupos olhando para o altar – os sacerdotes, no lado ocidental; e os levitas, no lado oriental. As trombetas não se juntavam ao concerto, mas eram ressoadas durante certas pausas reguladas na música vocal e instrumental" – *Illustrated Commentary upon the Bible*.

e flautas; louvai-o com cordas² e órgão.³ Louvai-o com címbalos sonoros; louvai-o com címbalos de júbilo.⁴ Tudo que respira louve a Deus. Aleluia.

---

2 A palavra original é במנים. "Esta palavra não ocorre em nenhuma outra passagem; por isso, é impossível certificar que tipo de instrumento era esse. Contudo, visto que Edwards, com base na autoridade do rabino Hannase, afirma que esse era um instrumento *de cordas,* e a palavra deriva--se provavelmente de מנה (*numerar*), talvez ele seja assim chamado por causa do extraordinário número de cordas de que era constituído; e talvez tenha sido o *saltério de dez cordas* mencionado em Salmos 33.2. Essa harpa, tendo dez cordas, era chamada de *Minim* (κατ' ἐξοχὴν), sendo o instrumento com o maior número de cordas em uso entre os judeus" – *Dimock*.

3 O nome hebraico é עגב (*ougab*). Esse instrumento é tão antigo quanto o כנור (*kinnor*); ambos são mencionados em Gênesis 4.21 como invenção de Jubal. São os dois instrumentos musicais cuja invenção se acha registrada na Escritura, e os únicos mencionados antes do Dilúvio. Em épocas subseqüentes, são quase sempre mencionados em conexão mútua. O *ougab* não era aquele instrumento complexo que hoje chamamos de *órgão*. Calmet presume que era uma flauta que consistia de uma série de tubos, de espessura e extensão desiguais, colocados perto um do outro ou juntos, que produziam um som harmonioso, quando soprados, por movê-los sucessivamente sob o lábio inferior. Tal é a opinião comum e parece não haver base para contender sobre a sua exatidão. Esse instrumento era o pequeno órgão, o *syrinx* ou a *flauta de pan* da antigüidade; sua invenção foi atribuída a *Pan*, o grande deus das florestas, que geralmente era retratado com o instrumento em sua mão. Segundo a fábula, ele o formou de canas que cresciam junto ao rio e o tocava enquanto suas cabras pastavam nas margens; isso mostra que ele era considerado um instrumento propriamente pastoril, e nessa qualidade parece ter sido mencionado por Jó [Jó 21.11-12]. O princípio de sua fabricação é tão simples que está entre os instrumentos musicais mais amplamente difusos. É comumente usado na ilha de Nova Amsterdam, nos mares do Sul, como as flautas e os tambores que se encontram no Taiti e Nova Zelândia; isso é uma prova, sendo incontestável de que são instrumentos que as tribos mais bárbaras e mais remotas umas das outras inventaram naturalmente. O número de tubos, representados nos instrumentos antigos, varia de sete a onze.

4 Quanto ao instrumento musical hebraico chamado צלצל (*tsiltzel*), ou "címbalo", conforme Calvino o traduz e conforme é traduzido na Septuaginta e na Vulgata, aqui duas espécies são mencionadas: צלצלים (*tsiltzelim*) ou "*címbalos* sonoros" e *tsiltzelim* ou "*címbalos* de júbilo". A diferença específica entre esses dois tipos do mesmo instrumento não é caracterizada com exatidão. O segundo talvez possuía um tamanho maior do que o primeiro ou era feito de tal forma e com metais de tal natureza que emitia um som mais alto. French e Skinner traduzem a primeira palavra por "címbalo suave". A tradução literal do hebraico é "címbalo de audição", isto é, dizem estes críticos, "címbalo que, quando tangido, não sobrepõe as vozes dos cantores". Traduzem o segundo por "címbalo retumbante". Os címbalos antigos compunham-se de dois pratos convexos ou ocos, de bronze ou outro metal, como prata ou cobre, feitos na forma de cálices; eram segurados em cada mão e, sendo batidos um contra o outro, produziam um som estridente e forte. Entretanto, alguns crêem que a palavra *tsiltzel* denota exclusivamente o *sistro* e que címbalos, propriamente ditos, estão implícitos pela palavra שלישים (*shalishim*), em 1 Samuel 18.6. Esta palavra, assim como a outra, é traduzida na Septuaginta e na Vulgata por *cymbala*, e a nossa Versão Autorizada traduz por "instrumentos de música". É difícil assumir uma posição quanto a essas duas opiniões, mas parece certo, de todos os lados, que ambos, címbalos e tambores, estavam em uso entre os judeus. O sistro era uma estrutura feita de metais sonoros, de configuração oval, atravessada por barras feitas do mesmo metal e que tinham as extremidades revertidas. Essas barras se moviam livremente nos furos pelos quais passavam, e, quando o instrumento era vibrado pelo cabo a que

1. Louvai a Deus em seu santuário. Este Salmo enaltece o culto espiritual a Deus, que consiste em sacrifícios de louvor. Quanto ao termo *santuário*, há pouca dúvida de que ele se refere ao céu, como é freqüente em outras passagens. A segunda sentença é exegética, pois repete a mesma idéia. Contudo, em lugar de santuário lemos רקיע (*rekia*), isto é, *a expansão do céu*; a isso se adiciona o epíteto *poder*, porque ali temos uma prova do poder inigualável de Deus, de modo que não podemos olhar para os céus sem nos extasiarmos em admiração. No tocante a esta interpretação de alguns: Louvai a Deus, vós, anjos que habitais os céus, e vós, homens que morais sob o firmamento –, afirmamos que ela é forçada e não natural; pois o salmista, para despertar os homens que se tornam tardios nos louvores a Deus, convida-os a erguerem seus olhos ao santuário celestial. A fim de que a majestade de Deus seja devidamente reverenciada, o salmista O representa como a presidir de seu trono celestial. E amplia essa mesma verdade no versículo 2, celebrando o poder e a grandeza de Deus, os quais Ele colocou à nossa observação nos céus, que são como um espelho em que essas virtudes de Deus podem ser contempladas. Se queremos manter desperta a nossa mente para se engajar nesse serviço religioso, meditemos no poder e na grandeza de Deus, pois isso dissipará com rapidez toda insensibilidade. Ainda que a nossa mente nunca assimile toda essa imensidão, prová-la nos afetará profundamente. Deus não rejeitará os louvores que oferecermos de acordo com a nossa capacidade.

3. Louvai-o ao som da trombeta. Não insisto quanto às palavras hebraicas que expressam instrumentos musicais. Permita-me o leitor apenas lembrar que este salmo menciona diferentes e variados tipos de instrumentos, utilizados sob a administração da lei, para ensinar, de modo mais enérgico, aos filhos de Deus que eles não podem se aplicar diligentemente ao louvor divino – como se ele lhes ordenasse que aplicassem, de modo incansável, todas as suas energias a este

---

estava fixo, as extremidades revertidas vibravam no corpo do instrumento e produziam o som. Tinha três ou quatro barras transversais. Era muito usado pelos egípcios em seus cultos religiosos e foram descobertas várias espécies dele, de existência antiga.

serviço e se dedicassem totalmente a ele. Também não era sem razão que Deus, na vigência da lei, ordenava esta multiplicidade de cânticos, para que os homens se desviem daqueles prazeres fúteis e corruptos aos quais se aplicam excessivamente e se voltem a uma alegria santa e proveitosa. Nossa natureza corrupta se entrega com liberdade extraordinária a muitos métodos absurdos e devassos de satisfação, enquanto a sua mais elevada satisfação consiste em abafar todos os pensamentos a respeito de Deus. Esta disposição perversa só pode ser corrigida pela atitude de Deus em manter um povo fraco e ignorante sob muitas restrições e em exercícios constantes. O salmista, ao exortar os crentes a transbordarem toda a sua alegria nos louvores divinos, enumera, um após outro, todos os instrumentos musicais que estavam em uso naquela e recorda-lhes que todos devem consagrar-se totalmente ao culto divino.

6. Tudo que respira. Visto que a palavra נשמה (*neshamah*) significa *respirar* ou *soprar* e tudo que é animado ou respira, as palavras deste versículo podem estender-se a todo tipo de criatura vivente; pois já vimos nos salmos anteriores que a proclamação dos louvores divinos é designada até às coisas irracionais. Mas, como os homens estão às vezes exclusivamente implícitos no epíteto "carne", podemos muito bem presumir que as palavras têm referência aos homens, os quais, embora tenham fôlego de vida em comum com a criação irracional, obtêm à guisa de distinção o título *que respira*, como criaturas viventes. Sou levado a pensar assim pela seguinte razão: uma vez que o salmista ainda se dirigia, em sua exortação, às pessoas que eram versadas nas cerimônias da lei, agora ele se volve aos homens em geral, dando a entender que viria um tempo em que os mesmos cânticos, até então ouvidos somente em Judá, ressoariam em todos os quadrantes da criação. Nesta predição, fomos unidos os judeus na mesma sinfonia, para que cultuemos a Deus com sacrifícios de louvor permanentes, até que sejamos congregados no reino celestial, quando cantaremos com os anjos eleitos um eterno aleluia.

Tabela das passagens dos Salmos citadas no Novo Testamento

Salmo	vv	citado em	Salmo	vv	citado em
2	1, 2	Atos 4.25, 26	69	10.	João 2.17
2	7	Atos 13.33	69	10	Romanos 11.9, 10
2	9	Apocalipse 2.27	69	26	Atos 1.20
5	10	Romanos 3.13	78	2	Mateus 13.35
8	3	Mateus 21.16	78	24	João 6.31
8	5	Hebreus 2.6	82	6	João 10.34
8	6	1 Coríntios 15.9	89	20	Atos 13.22
10	7	Romanos 3.14	90	1	Mateus 22.44
14	1	Romanos 3.10	91	11, 12	Mateus 4.6
16	8	Atos 2.25	94	11	1 Coríntios 3.20
18	50	Romanos 15.9	95	7	Hebreus 3.7
19	5	Romanos 10.18	97	7	Hebreus 1.6
22	2	Mateus 27.46	98	22	Mateus 21.42
22	19	Mateus 27.35	102	25	Hebreus 1.10
22	19	João 19.24	104	4	Hebreus 1.7
22	23	Hebreus 2.12	109	3	João 15.25
24	1	1 Coríntios 10.26	110	8	Atos 1.20
32	1, 2	Romanos 4.7, 8	110	1	Mateus 22.24
34	13	1 Pedro 3.10	110	1	Marcos 12.20
35	19	João 15.25	110	1	Lucas 10.27
36	2	Romanos 3.18	110	4	Hebreus 5.6
40	7	Hebreus 10.5	112	9	2 Coríntios 9.9
41	9	João 13.18	116	10	2 Coríntios 4.13
44	22	Romanos 8.36	117	1	Romanos 15.11
45	7, 8	Hebreus 1.8, 9	118	6	Hebreus 13.6
51	6	Romanos 3.4	118	22, 23	Mateus 21.42
68	19	Efésios 4.8	140	4	Romanos 3.13
69	10	Romanos 15.3			

Lista dos temas particulares de cada Salmo segundo a interpretação de Calvino

- Salmos cantados na Páscoa, 111–118
- Cantados na Festa das Trombetas, 81
- Cantados na Festa dos Tabernáculos, 65, 67
- Orações de Davi por proteção e livramento de seus inimigos, 3, 4, 9, 55, 56, 57, 58, 59, 64, 70, 71, 86
- Confiança em Deus no perigo, 142
- Ação de graças pelo livramento de seus inimigos, 11, 18, 27, 31, 40, 68, 138
- Boas resoluções diante da possibilidade de tomar posse do trono, 101
- Exortações à confiança em Deus e à busca da piedade com base no exemplo de seu próprio livramento, 31, 34
- A bem-aventurança do justo e a perdição final dos ímpios, 1, 36, 37, 52, 112, 128
- Os verdadeiros crentes distinguidos dos hipócritas, 15, 24
- Repreensão dos que põem a religião nas meras observâncias rituais, e sob o véu desses subterfúgios escondem a impureza do coração e vida, 50
- O crente se separa dos idólatras e repousa em Deus como sua porção, 16
- A proteção que Deus propicia a seu povo na hora de perigo ou calamidade, 91
- Jehovah celebrado como o Pastor de seu povo, 23
- O caráter obstinado e ingrato do antigo povo de Deus, 78, 95
- A confissão dos pecados dos pais da Igreja israelita, 116
- Estado corrupto da Igreja israelita no reinado de Saul, 14, 53
- Uma forma comum de oração a ser usada pela antiga Igreja em favor do rei e do reino de Israel quando ameaçado com perigo, 20
- Uma pública e solene ação de graças pela condição próspera do rei de Israel, 21
- Jerusalém celebrada como a sede da Arca [da aliança] e do culto divino, 122
- Orações pela presença de Deus no culto no templo, 132

- Cânticos de triunfo pelo êxito na guerra, 60, 108

- Orações na Igreja sob perseguição, ou nos tempos de calamidades ou da ameaça de perigo, 37, 44, 74, 79,80, 83, 89, 94, 115, 123, 129, 144

- A segurança da Igreja celebrada, 125

- Ação de graças pelo livramento da Igreja, 46, 48, 66, 76, 124

- A aflição da Igreja em Babilônia, 137

- As orações da Igreja em Babilônia, 102

- Oração dos cativos regressados, de que Deus os livraria das calamidades com que eram ainda afligidos, 135

- Cântico de triunfo e ação de graças dos cativos regressados, 126

- A Igreja Cristã celebrada, 2, 45, 72, 87, 97

- A beleza da concórdia cristã, 133

- Orações do Messias sob seus sofrimentos, 22, 69

- Ofícios régios e sacerdotais do Messias celebrados, 110

- O caráter régio e reinado do Messias celebrado, 45, 72

- Vitórias do Messias, 18, 68

- Punição infalível dos perversos perseguidores, 52

- Os receios dos crentes oriundos da prosperidade dos ímpios e considerações de seu fim último, 73

- Meditações do crente, quando ele anima a si e a outros a esperarem em Deus, e fortifica sua mente contra os assaltos da tentação, 62

- O alto valor que o crente dá ao santuário de Deus, 42, 43, 74

- Humildade de espírito exemplificada, 131

- Orações do crente por proteção e livramento dos homens perversos, 3, 4, 5, 10, 12, 13, 17, 25, 26, 42, 43, 54, 120, 140

- Jehovah celebrado como o guardião de seu povo, 121

- As possíveis confissões e súplicas do crente, 6, 32, 38, 39, 51, 102, 130, 143

- Lamentações do crente quando sob todo tipo de aflições e quase a ponto de desespero, 88

- Ação de graças do crente por livramento de grande perigo, 28, 30, 61, 116

- Suposta felicidade transitória do ímpio; e os homens bons, por mais que sejam afligidos, são objetos da consideração divina, 49

- A bondade de Deus para com seu povo antigo, 77, 78, 105, 114

- Denúncias proféticas contra os inimigos de Cristo, 109

- A excelência da Palavra de Deus, 19, 119

- Celebração da glória de Deus como manifesta na criação e na ordem e várias maravilhas da natureza, 19, 29, 93, 104

- A providência de Deus nos naufrágios, fomes e em todos os males que sobrevêm à humanidade, bem como no ditoso resultado dos eventos, 117

- A bênção de ter filhos, 127

- Orações por defesa e proteção pessoal, quando perseguido sob falsas acusações, 7, 35

- Orações para que o espírito seja refreado sob injúrias não provocadas, 141

- Juízos inclementes pronunciados contra os justos quando severamente afligidos pela mão de Deus, 41

- Reis abordados e advertidos, 2

- Caráter e condenação dos governantes e juízes perversos, 58, 82

- Lamentações sobre a brevidade e misérias da vida humana, 90

- O crente se incita a louvar a Deus pela exibição de suas perfeições no governo do mundo e, especialmente, por sua bondade para com os filhos dos homens, 145

- Exortações ao louvor a Deus por causa de sua justiça exibida na proteção de seu povo, e na destruição dos perversos, 92

- A prosperidade de Abraão em distinção das nações adjacentes; estas são incitadas a louvar a Deus por suas peculiares mercês e privilégios, 95, 99, 134, 136, 149

- São intimadas a louvá-lo com toda variedade musical, 95, 99, 134, 136, 149

- São intimadas a louvá-lo com toda variedade de instrumentos musicais, 140

- Toda a humanidade, e não meramente os israelitas, é exortada a louvar a Deus, 96, 98, 100, 117

- Todas as criaturas, racionais e irracionais, animadas e inanimadas, são convidadas a louvá-lo, 148

FIEL
MINISTÉRIO

O Ministério Fiel tem como propósito servir a Deus através do serviço ao povo de Deus, a Igreja.

Em nosso site, na internet, disponibilizamos centenas de recursos gratuitos, como vídeos de pregações e conferências, artigos, e-books, livros em áudio, blog e muito mais.

Oferecemos ao nosso leitor materiais que, cremos, serão de grande proveito para sua edificação, instrução e crescimento espiritual.

Assine também nosso informativo e faça parte da comunidade Fiel. Através do informativo, você terá acesso a vários materiais gratuitos e promoções especiais exclusivos para quem faz parte de nossa comunidade.

Visite nosso website

www.ministeriofiel.com.br

e faça parte da comunidade Fiel

Esta obra foi composta em Cheltenham Std Book 10.5, e impressa
na Promove Artes Gráficas sobre o papel Pólen Soft 70g/m²,
para Editora Fiel, em Fevereiro de 2021